LADY PACHA

Ahdaf Soueif

LADY PACHA

Roman

Traduit de l'anglais par Annie Hamel

JC Lattès

Titre de l'édition originale
THE MAP OF LOVE
publiée par Bloomsbury

Pour Ian

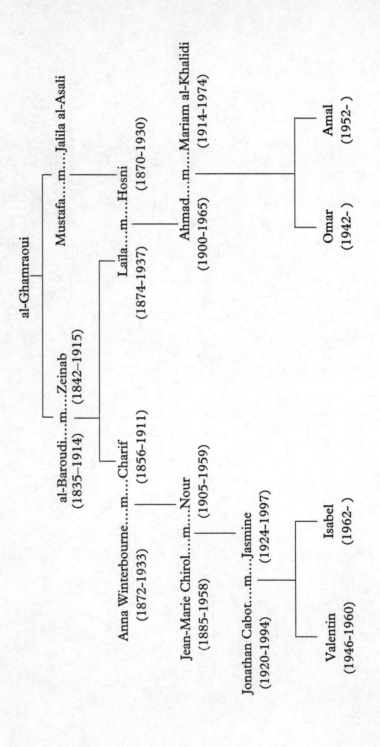

« La période 1900-1914, que les colonialistes et leurs amis imaginaient comme paisible, aura été l'une des plus fertiles de l'histoire de l'Égypte. Ce fut un moment d'introspection intense, on se rechargea en énergie, en vue d'une renaissance. »

Gamal Abd el-Nasser, *L'Alliance*.

UN DÉBUT

« Même Dieu ne peut changer le passé »

Agathon, 447-401 avant J.-C.

Il y a là, sur sa table, un récit qui la fait rêver. Des fragments d'une existence vécue il y a très longtemps. À cent ans de distance, la voix de cette femme lui parle si clairement qu'elle a du mal à croire qu'il est impossible de lui répondre.

L'enfant dort. Nour al-Hayah : lumière de la vie.

Anna doit avoir posé sa plume, se dit Amal, et regardé la petite fille, nichée contre son flanc : les joues rosies par le sommeil, la bouche entrouverte, une mèche noire collée sur le front par la transpiration.

J'ai essayé, du mieux que j'ai pu, de lui expliquer. Nour ne peut pas, ou ne veut pas, comprendre et refuse d'abandonner tout espoir de le revoir. Elle l'attend constamment.

Amal continue à lire, tard dans la nuit. Elle laisse les mots d'Anna couler en elle, se confronter en douceur à des rêves, des espérances et des chagrins qu'elle a identifiés, dépassés.

Les papiers, rendus luisants, friables par le temps. Des dizaines de feuillets. Noircis d'une petite écriture ferme, penchée — en anglais pour l'essentiel. Amal les a triés par genre, par taille, selon la couleur de l'encre. Il y a des papiers en français. Certains sont dans des enveloppes, d'autres sont serrés dans des chemises en peau de buffle. Il y a un grand cahier vert, un autre en cuir brun épais, avec une minuscule serrure dans son fermoir ciselé — journaux intimes. Amal a trouvé la clé par la suite, au fond d'un sac en feutre vert. Avec cette clé, il y avait deux alliances. L'une était plus petite que l'autre. Amal a examiné attentivement les inscriptions gravées à l'intérieur. Dans un premier temps, elle n'a pu déchiffrer qu'une date sur chacun des anneaux : 1896. Une grande enveloppe marron contenait un cahier : soixante-quatre pages en arabe simplifié. Amal a aussitôt reconnu l'écriture : les lettres verticales, pas très hautes mais bien droites, les angles marqués, la queue de la terminaison vocative ramenée sous le corps du caractère. L'écriture nette, régulière de sa grand-mère. Le papier est blanc, avec des lignes rapprochées, les feuilles serrées entre deux rectangles de carton gris marbré. Les pages raidies craquent et résistent. Quand Amal les lisse du plat de la main pour les maintenir ouvertes, elles restent en place d'étrange façon, jusqu'à ce qu'elle referme le cahier. Des coupures de journaux : *al-Ahram, al-Liwa,* le *Times,* le *Daily News,* et d'autres quotidiens. Un programme de théâtre italien. Une bourse en velours bleu outremer. Amal l'a retournée : un chapelet de trente-trois grains en bois poli, avec un gland de soie noire est tombé dans le creux de sa main, qui a gardé l'odeur du santal toute la journée. Des carnets de croquis avec divers dessins. Plusieurs cahiers d'initiation à la calligraphie arabe. Amal les feuillette, voit l'écriture s'affirmer, se faire plus fluide au fil des pages. Plusieurs livres d'exercices d'arabe, des citations, des notes, etc.

Un curieux médaillon en métal lourd, terne, sur une jolie chaîne en acier. Amal a actionné le mécanisme, le médaillon s'est ouvert sur le visage d'une jeune femme, une peinture exquise. Amal l'a longuement regardée, puis elle a décidé de se munir d'une loupe, pour l'examiner de plus près. Ce portrait pourrait être l'œuvre d'un préraphaëlite. La jeune femme a un visage fin, un joli front, des cheveux blonds. Sur sa bouche, l'esquisse d'un sourire. Il y a de la force dans ce regard, de la volonté. Le regard d'une femme qui inviterait un homme à danser. Au dos du médaillon, une date : 1870. Dans le couvercle concave, on a collé une minuscule clé dorée.

Un sac en calicot. À l'intérieur, une robe de bébé en fin coton blanc soigneusement repassée, un sachet de lavande glissé entre ses plis. Le haut de la robe forme comme un plastron de smocks bleus, jaunes et roses. Pliée en deux, roulée dans de la mousseline, une étrange tapisserie représentant un pharaon, coiffée d'une inscription en arabe. Il y a aussi un châle en velours blanc : de ceux que portent les paysannes pour les grandes occasions. On en trouve aujourd'hui dans la Ghuriyya pour vingt livres égyptiennes. Et un autre châle, plus élégant, en laine gris pâle avec des fleurs rose passé — si souvent porté qu'on aperçoit la trame par endroits.

Et il y a d'autres choses encore. Des choses enveloppées dans du papier, dans du tissu, glissées dans des enveloppes. Un coffre plein de trésors, une malle, en fait.

Une histoire peut avoir le point de départ le plus bizarre : une lampe merveilleuse, une conversation entendue par hasard, une ombre portée sur un mur. Pour Amal Ghamraoui, cette histoire débute par la découverte d'une malle. Une malle démodée en cuir brun, sec et craquelé, avec un couvercle bombé, sur lequel passent deux sangles fermées par deux boucles en cuivre, noircies par les années.

Isabel Parkman, l'Américaine, était venue voir Amal au Caire. Amal était sur ses gardes, agacée d'avance : une Américaine, journaliste de surcroît. Isabel se recommandait du frère d'Amal. L'Égyptienne s'était armée de courage : les intégristes, le voile, la paix fragile, la polygamie, les mutilations sexuelles ou le statut des femmes dans l'islam ; sur quoi allait-on l'interroger ?

Or Isabel ne s'était montrée ni exubérante, ni arrogante. Au contraire, elle semblait manquer de confiance en elle. La journaliste avait rencontré le frère d'Amal à New York avant de partir pour l'Égypte faire un reportage sur le troisième millénaire. Il lui avait donné le numéro d'Amal. Isabel trouverait-elle ici de grandes visions sur l'an deux mille ? Non, pensait Amal. Elle ne verrait que des gens inquiets quant à l'avenir de l'Égypte, des pays arabes, du tiers monde.

Amal avait fait part de ce point de vue à la jeune femme. Elle lui avait offert du café et donné quelques noms. Puis Isabel avait pris congé.

Lors de sa deuxième visite, Isabel avait parlé de la malle. Elle l'avait trouvée chez sa mère, quand celle-ci était entrée à l'hôpital pour ne plus jamais en ressortir. À l'intérieur, elle avait découvert de vieux écrits — en anglais, sans doute des notes de son arrière-grand-mère. Il y avait de nombreux textes

en arabe. Et des objets. La plupart des documents en anglais
n'étaient pas datés. Certains étaient rangés par liasses, mais
semblaient commencer au milieu d'une phrase. Isabel savait
qu'une partie de son histoire se trouvait là. Elle ne voulait
pas abuser mais Omar avait pensé que cela pouvait intéresser
Amal... L'Égyptienne fut touchée par l'incertitude de la jeune
femme. Elle dit qu'elle jetterait un coup d'œil à l'ensemble et
demanda au portier d'aller chercher la malle. Lorsqu'il entra
avec et la posa au milieu du salon, Amal demanda :

— C'est une boîte de Pandore ?

— J'espère bien que non, s'écria Isabel, l'air sincèrement
alarmé.

★

*Je m'appelle Anna Winterbourne. Je ne suis pas (vraiment)
d'accord avec les gens qui disent que les étoiles influent sur notre
destinée.*

1.

« Un enfant abandonné se réveille en sursaut.
Ses yeux passent, affolés, sur les choses qui l'entourent.
Il voit seulement
Qu'il n'y a pas de regard d'amour. »

Cité dans *Middlemarch.*

Le Caire, avril 1997

Certaines personnes arrivent à se faire pleurer. Moi, je peux me rendre malade d'inquiétude. Quand j'étais petite, j'y parvenais en pensant à la mort. Aujourd'hui, je pense aux étoiles. Je regarde les étoiles et j'imagine l'univers. Après quoi je resserre l'image sur notre galaxie, puis sur notre planète, qui tournoie dans cette immensité, pour ne pas tomber. Et, pendant un moment, la précarité absolue, la folie de la situation me terrassent. Qu'y a-t-il de stable autour de nous ?

La nuit dernière, j'ai rêvé que je déambulais dans la maison où mon père a passé son enfance. Sous mes pieds, le marbre frais de l'entrée. Le plafond était très haut, avec des poutres carrées, entre lesquelles des fleurs peintes luisaient d'un éclat sombre. Il y avait la terrasse du haramlek, avec sa grille de bois ouvragé. De l'autre côté de ce paravent ajouré, j'aperçus l'ombre d'une femme. Derrière moi, la lourde porte s'ouvrit à la volée. Je me retournai : dans un rectangle de lumière se détachait la silhouette d'un homme de grande taille, large d'épaules : mon grand-oncle, Charif Pacha al-Baroudi, comme je ne l'avais jamais vu dans la réalité. J'ouvris les yeux, je remontai le drap blanc amidonné sur mon menton. Je vis mon grand-oncle tendre son tarbouche et sa canne en ébène à la servante nubienne qui s'inclina pour le saluer. Il leva les yeux vers le moucharabieh, avança à grands pas dans ma direction, passa devant moi, pénétra dans l'ombre du petit vestibule qui menait, je le savais, au quartier des femmes. La dernière fois que je suis venue ici, mon fils cadet avait neuf ans. Il adorait cette maison. En le regardant jouer et explorer les lieux sous le regard bienveillant des gardiens du musée, je me suis dit : et si nous l'avions gardée ?

Mais ceci n'est pas mon histoire. C'est une histoire tirée d'un coffre. Une malle en cuir qui a voyagé de Londres au Caire, et retour. Qui est restée maintes années dans le débarras d'un appartement de Manhattan, avant de retrouver ses racines, et d'atterrir dans mon salon, au Caire, un jour du printemps 1997. C'est l'histoire de deux femmes : Isabel Parkman, l'Américaine qui m'a apporté la malle, et Anna Winterbourne, son arrière-grand-mère, l'Anglaise à qui appartenait cette malle. Si je fais partie de cette histoire, j'y tiens le même rôle que ma grand-mère, qui écrivit, il y a cent ans, l'histoire d'amour de son frère.

J'ai fouillé le coffre, jour après jour. Isabel et moi nous émerveillions, assises par terre, de la délicatesse de la robe de bébé que nous avions trouvée, de la douceur des grains du chapelet dans sa bourse en velours, du lustre du bougeoir en verre. Je lui ai traduit des passages de plusieurs coupures de journaux arabes. Nous avons parlé du temps qui passe, de l'amour, de la famille, de la mort. J'ai emporté les journaux intimes dans ma chambre, j'ai lu et relu les pages d'Anna. Je les connais presque par cœur. Je l'entends parler, je la vois en miniature dans le médaillon : le portrait de sa mère, à qui elle ressemblait tant.

Assise à ma table, devant la fenêtre, j'introduis la petite clé dans la minuscule serrure du journal en peau de buffle et je tourne. Je me retrouve en 1897, en automne, le cœur meurtri d'Anna s'ouvre à moi.

... et pourtant je l'aime, dans le sens où je lui veux du bien. S'il était en mon pouvoir de rendre son sort plus doux et son cœur plus gai, je ferais n'importe quoi, avec joie. J'ai essayé. Je n'ai qu'une connaissance limitée des hommes, mais dans ce cadre je me suis évertuée, je m'évertue, à être une épouse et une compagne fidèle et aimante...

Les choses sont différentes de ce que je pensais, jeune fille, il y a deux ans de ça. Je m'asseyais près du pavillon et je l'observais, le cœur battant, quand il regardait dans ma direction et me souriait. J'étais émue quand nous montions ensemble à cheval et que sa jambe effleurait la mienne.

Cette jeune fille aurait pu être moi. Ou Arwa, ou Dina, ou n'importe laquelle des filles avec qui j'ai passé mon adolescence au Caire dans les années soixante. Cent ans et un continent nous séparent, soit. Mais ça change quoi ?

Ma mère me manque, plus que jamais. Et pourtant je ne puis dire qu'Edward a changé. Il a gardé ce respect poli que je croyais garant de sentiments plus grands, d'une affection plus profonde, d'une intimité intellectuelle, d'une communion des âmes.

Nous sommes à peu près au milieu du journal, Anna n'est déjà plus la jeune fille qui se préparait à faire la chronique d'un mariage sans nuages. Le début est touchant en ce sens qu'elle pense vivre un amour gagné d'avance, dont le déroulement est prévisible, et harmonieux.

Je pense à ma mère constamment. Plus qu'à mon cher papa — quoique je pense beaucoup à lui aussi. Je me demande comment ils s'entendaient. Je ne revois pas mes parents ensemble, seulement ma mère. Elle, je la revois jusqu'à sa mort. Dans mon souvenir, elle est nimbée de lumière. Elle monte à cheval, elle va toujours à bonne allure : petit ou grand galop. Elle rit ! Elle rit à table, elle rit quand elle entre dans ma chambre. Elle rit quand elle me place devant elle, sur la selle, et m'apprend à tenir les rênes. Quant à mon père, il n'existe pour moi que depuis mes neuf ans, à la mort de ma mère. Le souvenir de ma mère l'accompagnait partout, qu'il marche dans les bois ou s'assoie dans la bibliothèque. Il était toujours aussi gentil et affectueux avec moi, mais triste. Plus de bals, plus de fêtes, plus de dîners, durant desquels je pouvais descendre en chemise de nuit et embrasser tout le monde avant d'aller me coucher. Sir Charles venait souvent lui rendre visite. Ils parlaient de l'Inde, de l'Irlande, de la reine, du canal, de l'Égypte. Ils parlaient de la rébellion, du bombardement, du procès. Jamais ils ne parlaient de ma mère.
Il y a quelques mois, après l'enterrement de mon père, j'ai demandé à sir Charles si mes parents avaient été heureux ensemble. Il m'a répondu, l'air un peu surpris : « Je crois, ma chère. C'était une femme merveilleuse. Et lui un vrai gentleman. »
Il y a deux semaines, nous avons dîné chez George Wyndham, à Saighton, avec Dick Grosvenor, Edward Clifford, Henry

Milner, John Evelyn et lady Clifden. Nous en sommes venus à parler du droit des nations primitives à disposer d'elles-mêmes. George leur a récusé ce droit, se référant à la théorie de Darwin, sur la survie des mieux armés. Tous les convives lui ont donné raison. Sir Charles était outré. Il a clos le débat en déclarant (avec une certaine fougue) que l'Empire britannique avait fait tant de mal à tellement de gens qu'il méritait de disparaître. Edward n'a quasiment pas dit un mot, sans doute était-il de l'avis de la majorité, et ne voulait-il pas offenser son père. Seul John Evelyn a soutenu sir Charles. Il veut envoyer son fils en Égypte, pour qu'il remonte le Nil, apprenne l'arabe, tienne un journal, aiguise son sens de l'observation, échappe au chauvinisme. J'aimerais — si ce n'est pas là un souhait trop audacieux — être ce fils.

Edward visite de temps à autre mes appartements. Il se montre tendre et affectueux en partant. J'ai longtemps attribué mes réactions contradictoires à ma nature rebelle : dès qu'il est sorti, je pleure dans mes oreillers, j'arpente ma chambre, je m'accoude au rebord de la fenêtre, dans l'air froid de la nuit, et je rêve — Dieu me pardonne — de n'être pas si résistante et d'attraper quelque refroidissement fatal, qui mettrait un terme à mon malheur. Souvent, le matin, je dois appliquer des compresses d'eau froide sur mes yeux, pour paraître reposée au petit déjeuner.

Le soir, Edward sort assez vite de ma chambre, apparemment serein. Aussi en suis-je venue à croire que le trouble que j'éprouve est dû à quelque faiblesse féminine. Alors je lutte pour le vaincre. À cette fin j'use de divers stratagèmes. Par exemple, j'ai toujours sous la main un petit travail à finir. Quand mon mari sort de mon lit, je l'accompagne à la porte pour lui souhaiter bonne nuit. Dès que j'ai refermé la porte, je retourne à mon dessin ou à ma lecture jusqu'au moment où les impressions négatives se dissipent et où je peux lever la tête de mon livre ou de ma feuille sans risque.

Mon journal ne me serait d'aucun secours en de telles occasions car il ne ferait qu'encourager l'expression de ces émotions que je dois nier. Je ne puis croire qu'Edward soit heureux.

2.

« Oh, quelle chose délicieuse, grisante, que le début d'un Amour ! »

Aphra Behn, vers 1680.

Le Caire, mai 1997

Isabel me livre des bribes de son histoire, me narre sa rencontre avec mon frère. Une version édulcorée, arrangée, que j'étoffe, car je commence à connaître Isabel, à pouvoir me la représenter. Elle pense par images. Elle me parle : je vois la flaque de lumière créer des ondes sur la vieille table en chêne...

New York, février 1997

Une flaque de lumière crée des ondes sur la vieille table en chêne, éclaire les zones les plus sombres du bois, puis les voile. En son centre, brille un bol en verre dans lequel flottent trois bougies, tels des lotus d'or.

— Je pensais que c'était comme les anniversaires, dit Isabel.

Dans sa voix, ce léger tremblement, dont elle ignore la cause. Un tremblement récent. Elle se demande si les autres le perçoivent. Elle repose soigneusement sa fourchette dans son assiette.

— Je veux dire, quand on est petit, chaque anniversaire a une signification énorme.

Elle lève les yeux. Oui, il l'écoute toujours.

— Vous allez même jusqu'à penser qu'après un anniversaire des choses vont changer, que vous allez être quelqu'un d'autre. Quelqu'un de nouveau...

— Et puis ?

— Et puis, plus tard (elle hausse les épaules) vous réalisez que ce n'est pas le cas.

— Ma chère enfant. Pardonnez-moi, mais vous ne pouvez pas déjà avoir compris ça !

Essaie-t-il de la séduire ? Il s'appuie contre le dossier de son siège, un poignet sur la table, un bras pendant derrière sa chaise. En face de lui, la femme avec qui il est arrivé se tourne en riant vers Rajiv Seth. Une partie de sa chevelure auburn masque son visage. Mon frère passe un doigt sur le bord de son verre. Le dos de sa main est couvert de poils noirs et fins. Isabel regarde franchement ce visage familier, vu dans les magazines, à la télé. Ils le détestent, et ils le sollicitent sans cesse. Lorsqu'il dirige un orchestre, il y a la queue tout autour du pâté de maisons, comme pour la sortie d'un film de Spielberg. Ils l'appellent « Maestro Molotov », le « Chef Kalachnikov », mais le box-office l'adore.

Ces yeux sombres, enfoncés dans leurs orbites, s'allument en la fixant. Il a un rire moqueur.

— Quelqu'un veut encore de la salade ? lance Deborah, assise en tête de table.

Les couverts cliquettent, on change les assiettes.

— Je vais chercher la glace, annonce Deborah, au bout d'un moment.

Louis, son amant, grommelle. Elle lui sourit. Isabel se lève et, bien que Deborah lui dise « Reste assise, reste assise, je vais le faire ! », elle prend son assiette, celle de Louis et les emporte à la cuisine.

— N'est-il pas un amour ? souffle Deborah, dans cette débauche de casseroles rutilantes, de poêles, de passoires.

— Il est génial, approuve Isabel, sans faire semblant de ne pas comprendre à qui Deborah fait allusion. Et puis il est d'une grande simplicité. Qui est la dame ?

— Samantha Metcalfe. Elle enseigne à l'université, à New York.

— Est-elle... Sont-ils ensemble ?

Deborah fait une grimace en se penchant vers le réfrigérateur.

— Pour le moment, oui. Pourquoi ?

Elle se redresse et sourit à Isabel.

— Intéressée ?

— Peut-être.

— Il a cinquante-cinq ans, dit Deborah, en posant deux glaces en forme de bûches sur un plat. Et...

— ... il est assez âgé pour être mon père, termine Isabel, en souriant. Il est vraiment lié avec des terroristes ?

Deborah hausse les épaules, dispose des gaufrettes dans un plat en porcelaine bleue.

— Qui sait ? Mais ça me surprendrait. Il n'a pas une tête de terroriste.

Isabel prend les coupelles et suit Deborah dans la salle à manger.

Lorsqu'elle se rassoit, il se tourne vers elle.

— Je ne me moquais pas de vous, vous savez.

Toujours ce regard espiègle.

— Non ?

— Non, vraiment. Mais vous aviez l'air si solennel !

— Eh bien ?

— Continuez. Vous me parliez d'anniversaires.

— Ce que je voulais dire... Eh bien, nous, Américains, n'avons que trois siècles d'histoire derrière nous. Alors peut-être que nous sommes...

— Des enfants ? Ç'a déjà été dit.

— Quoi ? Qu'est-ce qui a déjà été dit ? demande Louis, assis à la droite d'Isabel.

Il se penche vers elle, son grand front capte la lumière des bougies. Il est fier de ce début de calvitie — il coiffe ses cheveux noirs en arrière, comme un Espagnol.

— Tu n'as pas le droit de faire ça ! s'écrie Deborah.

— De faire quoi ?

— De te mêler d'une conversation. Nous ne sommes pas à Wall Street...

— Pourquoi ? Ce n'était pas une conversation intime. Était-ce une conversation intime ?

— Non, pas du tout, répond Isabel, j'étais en train de dire que tout ce bruit autour du troisième millénaire...

— Oh non ! Pas l'an deux mille ! gémit Laura, en portant ses mains à sa tête. L'an deux mille, l'an deux mille, on ne parle plus que de ça ! Je croyais que tu ne voulais pas travailler sur le millénaire ?

— Qu'est-ce que tu fais ? demande Louis. Tu ne devais pas terminer...

— Elle élargit le sujet..., commence Laura.

— Oui, dit Isabel. Je pense que l'an deux mille nous fascine parce que nous sommes une jeune nation. Il pourrait être intéressant de voir ce qu'en pensent les habitants d'un très vieux pays.

— C'est un point de vue, admet Deborah.

— L'Inde, dit Louis. Peut-être que Raji pourrait nous aider. Raji ?

Raji, qui parlait avec Samantha, tourne un visage barbu vers Louis.

— Qu'est-ce que l'Inde pense du troisième millénaire ? demande Louis.

— Et si t'allais lui demander, mec ? rétorque Raji.

Les coins de sa bouche se haussent imperceptiblement, mais l'œil reste impassible.

— Allons, Louis, tu es trop intelligent pour poser des questions pareilles, dit Deborah.

— Putain d'Indien insondable, soupire Louis.

— Allons boire le café au salon, propose Deborah, en se levant.

— Qu'avez-vous l'intention de faire ? demande-t-il, alors qu'ils entrent dans le salon.

— Je pensais aller en Égypte, voir ce qu'ils pensent de l'an deux mille.

— En Égypte ? Pourquoi l'Égypte ? Pourquoi pas Rome ? L'Italie est un vieux pays.

— Oui, mais l'Égypte est une civilisation ancienne. C'est comme retourner aux origines. Six mille ans d'histoire.

— Ils vont fêter l'an deux mille, là-bas ? s'étonne Deborah. Tu prends de la crème ?

Elle tend une tasse de café à Isabel et attend, son petit pot à crème en arrêt.

— Ne se fondent-ils pas sur le calendrier musulman ?

— Ils utilisent les deux calendriers, précise-t-il. Et le calendrier copte.

— Je sais qu'ils fêtent les deux nouvelles années, renchérit Isabel, en se servant elle-même de la crème. Quelques gouttes seulement.

Elle rend le petit pot à Deborah.

— Tous les prétextes sont bons pour faire la fête, dit-il, en souriant. Je ne prendrai pas de café, merci. Nous n'allons pas tarder.

— Je me demandais, hasarde Isabel, si vous me donneriez quelques tuyaux. Je suis déjà allée là-bas, mais il y a déjà longtemps. Je n'ai pas gardé de contact.

— Oh, vous verrez que les gens ne vous ont pas oubliée.

— Voyez, vous vous moquez à nouveau de moi !

— Mais pas du tout, ma chère. Je suis sûr que l'on se souvient de vous. Que faisiez-vous là-bas ?

— Une année d'université...

— Toi aussi, tu aimes ces appartements ? demande Laura. C'est une architecture si élégante.

— Celui-ci est très beau, dit Isabel. J'adore ces murs rouges.

Ils observent tous la pièce haute de plafond, avec une mezzanine sur les quatre côtés.

— Appelez-moi, dit-il à Isabel. Vous voulez bien m'appeler ? Je penserai à quelques personnes que vous pourriez rencontrer. Je vais vous laisser mon numéro... Vous avez une carte, ou un bout de papier ?

Elle regarde dans son sac et lui tend un petit bloc-notes blanc. Il dévisse le capuchon de son stylo, griffonne quelque chose.

— Vous pouvez me lire ? Quand voulez-vous qu'on en parle ? Vous devez partir bientôt ?

— Oui, répond Isabel. Incessamment.

— O. K. Appelez-moi, et nous parlerons.

Il se retourne.

— Vous n'aurez pas de problèmes pour rentrer ? On peut vous déposer quelque part ?

— Ça ira, dit Isabel. J'habite de l'autre côté du parc. Un taxi doit passer me prendre.

Le ciel réfléchit les lumières de la cité, les renvoie sur ses fenêtres, et sur des milliers d'autres. Isabel enlève ses chaussures, contemple la masse de verdure, en contrebas. Si elle ouvrait la fenêtre et se penchait, elle verrait, au-delà du vide obscur, les lumières du Plaza, et la Cinquième Avenue où brillent les vitrines de Tiffany. Tentée d'ouvrir la fenêtre, elle pose la main sur la poignée ; mais c'est une nuit glaciale de février. Isabel se retourne et allume une lampe. Deux ans après, sa liberté retrouvée l'exalte toujours : elle ne vit plus en couple, elle n'est plus la moitié d'une entité, elle a le plaisir de rentrer dans une maison silencieuse, elle n'a plus à se sentir soulagée qu'Irving ait passé une bonne soirée, ni à l'amadouer dans le cas contraire.

Il est plus de minuit, mais Isabel se sent pleine d'énergie. Elle traverse la pièce jusqu'à son bureau, regarde si elle a des messages. Rien. Rien non plus au courrier électronique, ni sur le fax. Isabel attrape le *Who's Who* sur une étagère.

> Ghamraoui, Omar, A. fils d'Ahmad al-Ghamraoui et de Mariam, née al-Khalidi ; né le 15 septembre 1942, à Jérusalem ; suit des cours à l'université Cornell de New York et... a pour professeur... ; pianiste, chef d'orchestre et écrivain ; débute comme chef du Philharmonique de New York en 1960... tournées... *La Politique dans la culture*, 1992 ; *Un État de terreur*, 1994 ; *Frontières et Refuge*, 1996...

Trente-sept ans de musique, et cinq ans d'écriture. Il était devenu célèbre ces cinq dernières années. Isabel allume la télévision dans sa chambre. Elle tombe sur Jerry Springer, le doigt tendu, le ton moralisateur : « Vous séquestriez son enfant — vous l'aviez piégé... » Une grosse femme en larmes, avec des traînées de mascara sur les joues, crie à son tour : « Il mérite un vrai... » Isabel coupe le son, va dans la salle de bains, ouvre les robinets.

Des trouées d'eau vert pâle scintillent entre de douces montagnes de mousse. Les cheveux maintenus sur le sommet de la tête par une grosse pince papillon, une serviette roulée sous la nuque, Isabel pose les pieds sur le bord de la baignoire, laisse ses bras flotter — sa position préférée. Elle pense que ce serait bien d'avoir de la musique, mais chasse aussitôt cette idée. Combien de fois a-t-elle mis un disque pour ne plus le supporter après quelques minutes ? Il lui faudrait alors retraverser le salon avec les pieds mouillés et éteindre la chaîne. Elle ne pouvait l'éteindre avec la télécommande, à cause de l'orientation de l'ampli dans la chambre. Non, elle va jouir du silence, et lorsqu'elle voudra le rompre elle bougera : le léger clapotis de l'eau lui suffira.

Est-ce que demain serait trop tôt pour l'appeler ?

Des orteils pharaoniques, disait toujours Irving, quand il s'extasiait encore sur ses orteils — sur elle. De longs orteils, droits et réguliers, qui auraient pu appartenir à n'importe lequel de ces personnages sur les bas-reliefs et les peintures murales — hormis le fait que les siens étaient blancs, pas bruns. Elle les écarte et fronce les sourcils pour se concentrer sur les ongles bien taillés, peints en blanc nacré. Le vernis est intact. Il devrait durer encore deux ou trois jours. De toute façon c'est l'hiver, alors qui va s'en rendre compte ? Isabel laisse retomber sa jambe et s'enfonce davantage dans l'eau. Des orteils qui vont avec son nom. C'était son père qui lui avait révélé la signification de son nom. Isa Bella : Isis la Belle. « Alors tu vois, lui avait-il dit, en ce jour d'été, dans les bois, derrière leur maison du Connecticut, tu portes le nom de la première déesse, la mère de Diane, de toutes les déesses, la mère de l'univers. » Ce jour-là, Isabel marchait à son côté, une longue baguette de sourcier à la main. Elle accomplissait une tâche divine, pointait la baguette devant elle, attendait qu'elle tremble, lui indiquant qu'elle avait trouvé de l'eau, sous la terre recouverte d'herbe. Ensuite, sur la balançoire, pendant qu'il la poussait et qu'elle montait, de plus en plus haut, un chant était né dans sa tête : « Isa - Bella, Isa - Bella... »

Isabel regarde les bulles éclater à la surface de l'eau. Elle pense à son père. À sa petite main qu'il serrait dans sa grosse poigne, à leurs pieds qu'ils mettaient dans les flaques, sur une plage du Maine — sa mère, un peu en retrait, inquiète, craignant que cette fillette ne lui soit enlevée, comme son premier enfant. Jasmine Chirol Cabot n'avait jamais cessé de pleurer son fils. Elle avait sanctifié les anniversaires, elle s'était raccrochée aux quarante-cinq tours de Buddy Holly, aux photographies. Isabel avait grandi avec un frère de seize ans son aîné qui aurait toujours quatorze ans, qui se détournerait éternellement, pour un instant, du poisson qu'il avait dans la main, de la balle lancée en l'air, de la pente neigeuse à ses pieds — pour regarder l'objectif. Un frère absent.

Est-ce que demain serait trop tôt pour l'appeler ?

Elle se laisse glisser au fond de la baignoire, elle s'immerge totalement : les cheveux, la pince papillon, jusqu'à ce que l'eau recouvre son visage et qu'elle en sente le picotement sur son cuir chevelu.

3.

« Quoi qu'il arrive, c'est nous qui avons
Le gros pistolet, pas eux. »

Hilaire Belloc, 1898.

Le Caire, mai 1997

Je ne pense plus qu'à Anna Winterbourne. Elle m'est devenue aussi familière que Dorothy Brooke. J'ai besoin de remplir les blancs, de savoir qui sont les gens dont elle parle, de me représenter le décor dans lequel elle vit.

Je vais à la bibliothèque du « British Council », à Dar al-Koutoub, chez les bouquinistes, même s'ils ont émigré à Darrasa et que ce ne soit plus un plaisir de fouiner dans leurs bacs. J'ai même écrit à mon fils, à Londres, pour lui demander des coupures de vieux numéros du *Times*.

Et je reconstitue une histoire.

Londres, octobre 1898 à mars 1899

Anna n'a jamais vu pareille lumière. Jour après jour, elle éclabousse les tapis, les dalles en marbre, les nattes en paille. Elle entre à flots à travers les grilles ouvragées des terrasses, elle dessine des motifs sur les mosaïques des murs, la marqueterie des portes, elle illumine les fleurs, les visages, les mains tendues ou fermées.

Anna baisse les yeux sur son alliance qui brille d'un éclat terne sur sa peau diaphane. Elle ouvre les mains, puis les repose doucement sur ses genoux.

Il n'est plus le même. J'ai déjà entendu cette phrase, et voilà que c'est moi qui le dis. Edward, mon mari, n'est plus le même.

Pendant sept mois, j'ai suivi la situation au Soudan — avec sir Charles. Pendant sept mois, j'ai prié pour qu'il revienne sain et sauf. Et maintenant qu'il est là, je ne le reconnais plus. Il est amaigri, je le sens pâle, sous ses coups de soleil.

M. Winthrop l'a vu : il dit qu'Edward a attrapé un virus des tropiques et qu'il se rétablira. Il lui faut du repos, une bonne nourriture. Ensuite il devra prendre de l'exercice. Sur l'insistance de M. Winthrop, je sors chaque jour me promener. J'ai pris l'habitude de marcher jusqu'au musée de Kensington, un endroit magnifique et calme, où j'ai découvert les peintures de M. Frederick Lewis. Elles sont d'une telle beauté ! Quand je les regarde, j'ai l'impression qu'une main caresse mon âme.

Sur un lit bas, blottie contre des coussins recouverts de soie, une femme dort. Au-dessus d'elle, un rideau de mousseline scintillante se gonfle. Derrière, on aperçoit les ombres des volets ajourés, et la lumière. Un rayon de soleil éclaire le visage et le cou de la dormeuse. On voit la chemise de couleur crème, sous le corsage ajusté, dont elle a ouvert les premiers boutons. Une petite amulette brille autour de son cou. Anna jette un coup d'œil à sa montre : il lui reste dix minutes.

Aujourd'hui, j'ai surpris sir William Harcourt dans l'entrée, au moment où il prenait congé de sir Charles et d'Edward. Sir Charles lui a serré la main et lui a dit, avec fougue : « C'est un triste jour pour l'Angleterre, que celui où un homme comme sir William doit démissionner de la tête d'un parti parce que celui-ci se prend d'impérialisme chauvin. »

Il a eu des mots durs pour Rosebery et Chamberlain, il les a traités d'hommes de guerre, ce qui a rendu Edward nerveux — il s'est retiré dans sa chambre. Il a refusé que je lui tienne compagnie ou que je lui apporte du thé.

Il y a huit semaines qu'Edward est rentré du Soudan, un laps de temps suffisant, aurais-je pensé, pour recouvrer la santé. Il est déprimé. Il m'inquiète. Il refuse de me parler des choses d'importance et, si j'ai une conversation légère, il me répond du bout des lèvres. Il reste assis des heures dans la bibliothèque, amorphe, mais il sursaute si quelqu'un entre sans frapper. Aussi ai-je pris l'habitude de faire un peu de bruit avant d'entrer dans une pièce. Il ne supporte pas le cliquetis de la tasse à thé sur la soucoupe...

Aussi Anna prend-elle soin de glisser une serviette en mousseline pliée, entre la tasse et la soucoupe. Elle sait qu'il ne boira pas son thé, mais il accepte la tasse qu'elle lui tend, et souffre qu'elle s'assoie avec lui — enfin, dans la même pièce, car on ne peut pas dire qu'ils soient ensemble. Elle ne sait pas à quoi pense son mari, en ce moment précis. Elle devine toutefois que ses pensées sont peu réjouissantes. Il reste assis très droit dans son fauteuil, sa robe de chambre en laine grise serrée autour de la taille par une ceinture. Ses cheveux sont coiffés en arrière, sa moustache masque sa lèvre supérieure, la lèvre inférieure est amère. Ses yeux fixent un point situé au-delà de l'épaule gauche d'Anna, reviennent sur la fenêtre et son voilage, contemplent le sol. Jamais le regard d'Edward ne croise celui de sa femme. Un muscle vibre, de temps à autre, sur cette mâchoire rasée de près. Il attend que le thé, cette formalité, prenne fin. Et que sa femme s'en aille.

— Edward, dit Anna. J'ai parlé avec M. Winthrop, et il est d'accord avec moi : il pense qu'un changement d'air te ferait du bien.

— Non.

— Edward chéri, nous pourrions partir quelques jours pour Horsham. Tu ferais du cheval, tu prendrais l'air.

— Non, Anna. Je n'irai nulle part.

Il ne la regarde toujours pas, mais il serre plus fort l'accoudoir de son fauteuil. Sa voix, pourtant, devient un rien plus aiguë quand il dit :

— Tu veux bien faire l'effort de comprendre ? Je n'irai nulle part. Si tu as envie d'y aller...

— Enfin, Edward. Je n'ai pas de désir pour moi-même. Je pensais seulement...

— Ne parlons pas de ça. Je n'ai envie de rien, je n'ai pas d'énergie.

— Mon chéri, calme-toi, je t'en prie.

Anna repose sa tasse, se lève et se dirige vers son mari. Elle pose sa main sur celle d'Edward et tente de glisser ses doigts entre la paume du malade et l'accoudoir. Comme elle n'y arrive pas, elle laisse simplement sa main sur la sienne.

— Ne t'inquiète pas, dit-elle. Nous ne ferons rien que tu ne désires. Je ne souhaite rien d'autre que de t'aider. T'aider à redevenir toi-même. Tu ne veux pas me dire ce que je peux faire, mon chéri ?

Pas de réponse. Anna se penche davantage, pose ses lèvres, puis sa joue contre le front de son époux. La peau est chaude, moite. Edward Winterbourne tapote la main de sa femme, restée sur la sienne, puis il retire sa main.

— Anna, je t'en prie. Ne te fais pas autant de souci. Il faut juste que je me repose.

Anna est debout près de lui. Elle sait qu'il n'apprécierait pas qu'elle se rassoie. Cependant, ce ne sont pas des angoisses de femme : ils sont tous inquiets. Les domestiques vaquent à leur tâche avec une discrétion inhabituelle. Les visiteurs laissent leur carte. Anna leur répond, polie, qu'Edward est indisposé, mais que dès qu'il se sentira mieux... Sir Charles est si inquiet qu'il ne se contient plus.

La veille, dans l'après-midi, Anna était entrée dans la bibliothèque et l'avait trouvé en conversation avec le majordome. En entendant sa belle-fille, sir Charles s'était avancé et lui avait pris les mains.

— Ah, Anna. Je viens de dire à Wilson de retirer toutes les balles des pistolets. Par précaution. Ce n'est pas raisonnable de laisser traîner tout ce plomb. Qu'en pensez-vous ?

— Vous avez raison, sir Charles. Ce n'est pas utile.

Lorsque Wilson avait quitté la pièce, et refermé la porte, Anna avait laissé paraître son inquiétude.

— Vous ne pensez pas réellement que...

— Non, non. Bien sûr que non.

Il s'était éloigné d'elle et avait arpenté la pièce à grands pas.

— J'espère que vous me pardonnerez, ma chère (d'un geste, il désigna ses bottes), j'ai eu soudain envie de faire du cheval.

Sir Charles donna un coup de pied dans le dossier d'un fauteuil.

— Grand Dieu ! Pardonnez-moi, mais j'ai presque envie de le fouetter. S'il n'avait pas la trempe pour combattre, qu'est-ce qui l'a poussé à y aller ? Il a demandé à partir, on ne pouvait le lui refuser.

— Il pensait faire son devoir.

Et puis, songea-t-elle, il voulait de l'action, de l'aventure, un but, une mission.

— Je le lui ai dit, pourtant. Je l'ai prévenu que ce n'était pas une guerre propre, mais une guerre rêvée par des politiciens, une guerre pour plaire à cette veuve, obsédée par son empire cockney. Oh, mais à quoi bon !

Il se tut, Anna vint se placer près de lui. Ensemble, ils regardèrent dehors. Les arbres s'assombrissaient dans le crépuscule.

— Vous devriez sortir, ma chère. Ce n'est pas une vie pour une jeune femme.

— Je sors, sir Charles. Je sors tous les jours, pendant une heure, sur le conseil de M. Winthrop. Je sors chaque après-midi à trois heures et je ne rentre pas avant quatre heures. Edward en profite pour se reposer...

— Mais, Anna, votre petit visage est tout chiffonné !

Il avait posé sa main sur son menton. À ce contact, elle avait senti les larmes lui monter aux yeux — comme à présent.

— Edward, mon cher Edward, y a-t-il quelque chose qui te ferait plaisir ? Que je pourrais aller te chercher ? Que je pourrais faire ?

— Je pense que je vais me reposer un moment.

Quelle honte, Anna ! Pleurer sur toi-même dans un moment pareil. Il devrait accaparer toutes tes pensées. La paix de l'âme, dont il a tant besoin, lui fait défaut.

Mais Edward refuse de me parler, et j'ai peur. Je n'ai pas osé le dire tout haut, mais je crains que nous ne soyons aux prises avec quelque chose de diabolique qui l'empêche de se secouer, de guérir, de redevenir lui-même.

Caroline Bourke m'a raconté que sir William Butler a dit au général Kitchener, en l'accueillant à Douvres : « Si vous n'amenez pas la malédiction sur l'Empire britannique après ce que vous avez fait, alors le christianisme ne veut rien dire. » Kitchener s'est contenté de le fixer. J'ai demandé à Caroline ce que sir William entendait par là. Qu'avaient-ils fait, à part reprendre le Soudan et restaurer l'ordre ? Elle a dit qu'elle ne savait pas mais avec un air si lugubre que cela m'a donné un mauvais pressentiment.

Je voudrais interroger mon mari là-dessus, car je sens que c'est cela qui le mine mais j'ai peur. Il a tellement changé ! Il ne mange plus rien, à part un peu de bouillon et quelques miettes de pain.

Anna se lève, fait le tour de la galerie, s'arrête devant un vieil homme. Sa barbe et son turban blancs se détachent sur un mur de briques dorées, où sont accrochées des feuilles blanches avec des exemples de calligraphie arabe. Devant lui sont assis ses petits élèves, vêtus de robes bleu et rouge vif. Un chat, au poil tigré par des rais de lumière, installé sur un coussin vert, observe deux colombes qui picorent une natte pailletée de soleil. Dans l'embrasure de la porte à demi ouverte, le plus jeune des enfants hésite.

Dans la rue, Anna se hâte. Il est quatre heures et la nuit tombe vite.

Je ne lui donne pas ce qu'il est en droit d'attendre. Je ne cesse de manquer à mes engagements envers lui. Si seulement je pouvais m'insinuer dans son esprit, je chasserais toutes les horreurs qui s'y attardent. Et il irait bien de nouveau.

Car il y a là des horreurs, je le sais, liées à la mission qu'il a menée. La situation a atteint son paroxysme au début de la semaine, avec la signature du traité sur le Soudan. Un événement qui a ulcéré sir Charles et ses amis, qui ont écrit au Times *:*

« Messieurs,

« Que dirait-on si, dans la vie privée, un protecteur et tuteur — un homme qui se serait engagé à gérer les biens d'un mineur — laissait ceux-ci se dégrader, pour s'en emparer ensuite parce qu'ils ne vaudraient plus rien ? En 1884, nous avons forcé le gouvernement égyptien à abandonner le Soudan, à le laisser courir à sa ruine, et aujourd'hui, avec opportunisme, nous prenons possession de ce pays parce qu'il n'appartient à personne. Le fait que nous puissions agir avec l'approbation tacite du monde entier, des tenants de la morale et de la religion, en dit long sur l'éthique du moment.

« Il semble également, en vertu du traité signé par lord Cromer et Boutros Pacha, que nous nous déchargions sur l'Égypte du coût de la guerre et de la reconquête non encore achevée. En outre, nous lui faisons porter la responsabilité des déficits du Soudan.

« En inventant l'Empire britannique, nous avons cessé d'être un royaume honnête.

« Je vous prie, etc. »

George Wyndham a dit à sir Charles que les opérations africaines ont pour but de civiliser l'Afrique. Cela en accord avec les gouvernements et dans le dessein de servir les intérêts de l'Europe. Pour arriver à ces fins, tous les moyens sont bons, a-t-il ajouté.

Je ne puis croire que George ait réellement voulu dire que « tous » les moyens étaient bons mais il est sous-secrétaire aux Affaires étrangères et plus disposé que sir Charles à épouser des vues guerrières.

Si seulement sir Charles pouvait parler à Edward et le libérer de son obsession ! Mais je crains que l'homme ne soit trop vif et manque de patience. Mon père eût été mieux désigné pour cette tâche car il était gentil et indulgent.

*

Caroline est venue me voir. Il paraît que les hommes de Kitchener ont profané le corps du Mahdi que les autochtones considéraient comme saint et que Billy Gordon lui a coupé la tête pour que le général puisse s'en servir comme encrier. Cela ne peut être vrai, car si ça l'était... Je suis vraiment inquiète pour Edward, à présent.

*

Sir Charles me dit que Billy Gordon confirme l'histoire de la décollation. Il est furieux qu'on l'en rende responsable mais il refuse de dire qui a décapité le saint homme. Sir Charles répugnait à évoquer le sujet. Il s'est décidé quand il a vu que j'en savais long. Et c'est tant mieux, car avec qui aurais-je pu en parler, sinon lui ?

Oh ! comme la présence de ma mère bien-aimée me serait précieuse en ce moment ! Je suis certaine qu'elle me soufflerait quelque tactique simple et féminine, pour faire réagir mon pauvre mari prisonnier de lui-même. Je n'ai pas d'autre confidente que Caroline Bourke, et elle a mon propre intérêt trop à cœur pour me dire comment aider mon mari.

*

À présent Edward régurgite tout ce qu'on lui donne. Il ne garde même pas une tasse de fin gruau et je pense qu'il essaie de se purger de tout un tas de choses. Je le supplie de reprendre espoir car notre Seigneur le protège, sans nul doute. Il nous protège tous. Dieu juge les actes des hommes, mais Il nous juge aussi d'après notre cœur et nos pensées, sinon, comment voir la différence entre deux actions apparemment semblables ? Sans nul doute Il sait faire cette distinction... mais Edward se détourne de moi.

Par ailleurs, j'ai découvert que la sœur du général Gordon avait émis des réserves sur cette expédition dès le départ. S'il s'agissait de venger son frère, a-t-elle dit, alors elle ne souhaitait pas qu'il fût vengé. Lui-même ne l'eût pas souhaité, d'après elle. Elle affirme que le Mahdi n'a pas voulu la mort du général Gordon. Bien au contraire : il voulait qu'il vive, pour l'échanger contre la liberté d'Orabi Pacha, le chef de l'insurrection de 1882 en Égypte, actuellement en exil. Elle raconte à qui veut l'entendre que son frère fut l'un des premiers à participer à la collecte de fonds de M. Blunt pour la défense d'Orabi. Il aurait dit : « Voilà l'argent, je parie qu'il nous le rendra lui-même dans quelques années. »

Chaque jour on découvre de nouvelles horreurs et l'état d'Edward s'aggrave au point que je ne sors plus de la maison. Je n'en ai d'ailleurs nulle envie. Je me contente de faire le tour du jardin quand il dort. Ce jardin où tout est si sombre, et nu, et mort, qu'on se demande si le printemps va jamais revenir et les arbres refleurir — et pourtant, aujourd'hui, j'ai aperçu les pointes blanches des perce-neige : les cinq premiers à sortir chaque année, à leur place habituelle, au pied du vieux prunier. Un espoir mélancolique m'a pris... Sainte Marie, mère de Dieu, je prie pour l'âme de mon mari, comme pour celle de tous les hommes qui ont participé à ce terrible événement...

Les journaux ne parlent que de cela : une armée de sept mille soldats anglais et vingt mille soldats égyptiens perd quarante-huit hommes, tue onze mille derviches et en blesse seize mille en l'espace de six heures.

Winston Churchill promet de publier un livre qui racontera comment le général Kitchener a donné l'ordre d'achever tous les blessés, comment Churchill lui-même a vu les lanciers du 21ᵉ régiment transpercer de leur arme les blessés, à l'endroit même où ils étaient tombés : les soldats s'appuyaient de tout leur poids sur leurs lances pour achever les mourants ; comment Kitchener a laissé les soldats anglais et égyptiens se déchaîner en ville, violer et piller trois jours durant.

L'honorable Algernon Bourke, parent de lady Caroline, a dit à sir Charles que l'on avait ordonné ce jour-là une vraie « boucherie », et que toutes les communications avec Londres avaient été coupées, afin que rien ne vienne tempérer ces ordres.

Je m'inquiète vraiment pour mon mari à présent : si c'est vrai, s'il a pris part à ces exactions, lui qui plaçait l'honneur au-dessus de tout et pensait sincèrement, en s'engageant dans cette expédition, participer à une tâche honorable et courageuse, je ne vois pas comment il s'en remettra. Surtout dans l'état de délabrement physique qui est le sien, avec cette fièvre qui le brûle des heures durant et le laisse si épuisé qu'ensuite il peut à peine porter un verre d'eau à ses lèvres.

Edward Winterbourne est mort le 20 mars 1899.

Il se trouvait dans la plaine d'Omm Durman et la pensée qui l'avait hanté à Atbara, à Sawakin, au mess des officiers, cette pensée, qu'il avait écartée pendant des semaines, s'était imposée à lui dans la poussière du champ de bataille : les derviches fanatiques qu'il avait sous les yeux n'étaient que de simples mortels. Des hommes avec leur misérable campement, leur suite de femmes, d'enfants, de chèvres, des hommes qui ne mangeaient plus à leur faim depuis des mois. Avec leurs lances et leurs pauvres fusils, leurs bannières en lambeaux flottant au vent, ces hommes exaltés par un idéal de justice et de liberté avaient foncé droit devant eux. Mais il était trop tard, trop tard pour faire autre chose que de se défendre et tirer.

Je crois que dans son cœur Edward est resté un homme d'honneur jusqu'à la fin, et je l'ai dit à sir Charles. Je crois aussi qu'à la fin il a été plus proche de son père qu'il n'a été capable de le dire. Je pense que cela pourrait — avec le temps — apporter un certain réconfort à sir Charles.

4.

« J'étais en deuil et chaque printemps je serai en deuil. »

Walt Whitman.

Et qu'y avait-il pour réconforter Anna ?

Il y a eu l'enterrement, le service religieux. Les détails pratiques : les notaires à voir, les papiers à signer. Toutes ces choses sont racontées sans émotion, comme si en les couchant sur le papier, avec les dates et les noms, Anna accomplissait son devoir, ou finissait d'accomplir son devoir envers son mari et son mariage.

Et le chagrin, les interrogations, les regrets. Pendant des mois, le journal relié en cuir marron n'est qu'une suite de déclarations, de fragments, d'exclamations.

Si seulement il était mort heureux... Si seulement il était mort en paix...

Il n'y a pas d'enfants à consoler, pas de mémoires à revoir, ni de lettres à trier, pas d'histoire bouleversante à raconter. Pas de rituels de deuil. Durant ces vingt étranges années que j'ai passées en Angleterre, je n'ai jamais compris comment les Anglais pleuraient leurs morts. Il y a l'enterrement — puis rien, semble-t-il. Juste un vide. Pas d'amis ni de parents pour remplir la maison. Pas de jeudis soir. Pas de quarantième jour. Rien.

La maison était déjà silencieuse depuis des mois — à cause de l'absence de son mari, puis de sa maladie. Je vois Anna s'interroger. Je l'imagine assise dans la bibliothèque, je vois le thé, auquel elle n'a pas touché, le livre qu'elle n'a pas ouvert, posé sur ses genoux.

Si seulement il était mort en paix...

Il y a le chagrin de sir Charles...

Sir Charles vient me voir presque tous les jours. Nous restons assis l'un près de l'autre, le plus souvent en silence...

Des amis lui rendent visite. Emily, sa bonne, insiste pour qu'elle sorte au moins dans le jardin...

Aujourd'hui, je suis restée assise une heure dans le jardin. Dire que je ne réussissais même pas à lui faire prendre l'air ! Si je l'avais mieux compris — si j'avais pu l'amener à se confier à moi...

Jour après jour, elle revit chaque scène : il est assis dans la bibliothèque, il est couché dans son lit. Son visage est pâle, ses traits tirés, ses yeux ne la voient pas, les mots qu'elle emploie ne sont jamais les bons, sa main posée sur lui ne déclenche aucune réaction.

Si j'avais pu l'amener à se confier à moi...

Anna ne peut parler à personne, ne peut exprimer de vive voix les pensées qui pèsent si lourd sur son cœur. Dans les jours qui avaient suivi la mort d'Edward, elle avait demandé à sir Charles « Qu'aurais-je dû faire ? » « Rien, avait-il répondu. Vous avez fait tout ce que vous avez pu, mon petit. » Ils n'en avaient pas reparlé. Anna évite d'attiser la douleur de sir Charles, ou sa colère. Une saine colère, qui l'empêche de s'effondrer.

Sir Charles vient souvent me voir. Nous restons assis côte à côte, le plus souvent en silence ; sauf lorsqu'il s'échauffe en parlant de l'Empire — ou plutôt, de l'esprit impérialiste, car il s'offusque autant des agissements de Kitchener en Afrique du Sud, que de la politique du roi des Belges au Congo, ou de celle des Européens en Chine. Il est très difficile, en l'écoutant parler, de ne pas se sentir piégé dans une époque barbare et même lui n'a pas d'autre choix — hormis les lettres au Times — *que de regarder l'histoire suivre son cours. Mais sous sa colère je l'entends penser, sans relâche : et dire que j'ai perdu mon fils pour ça !*

Un lundi soir, début juin, sir Charles raconte à Anna comment Arthur Balfour a persuadé la Chambre des communes de récompenser Kitchener pour la campagne d'Afrique : ils l'ont fait lord et lui ont accordé trente mille livres de rente. Après quoi les pairs du royaume ont quitté la Chambre sans lui adresser la parole. « C'est fichtrement dur, mon petit. Fichtrement dur », l'entends-je dire à Anna. Il comprend alors qu'il s'est laissé emporter, qu'il s'est montré trop véhément. La grosse patte se pose sur la petite main, seule manifestation de chagrin que s'autorisera le vieux soldat. Il va devoir s'occuper de cette enfant malheureuse.

Aujourd'hui j'ai marché — comme tant de fois durant la maladie d'Edward — jusqu'au musée de South Kensington. Une fois là-bas, j'ai réalisé que j'étais incapable de regarder les tableaux de Lewis que j'aimais tant...

Je suis témoin de la douleur d'Anna, impuissante à l'aider. Il est absurde de dire : « Cela aussi passera. » Pendant un temps, nous ne voulons pas que ça passe. Nous nous accrochons à la douleur, nous avons peur qu'elle ne s'évanouisse, voyant dans sa disparition une dernière trahison.

Elle a dû porter du noir, bien qu'elle ne fasse aucune allusion à des couturières, à des essayages — mais, en janvier 1900, on la convainc d'accompagner lady Caroline Bourke à Rome.

13 janvier
Que porter demain, au Costanzi ? Quand Caroline a vu mes vêtements de deuil, elle a poussé un soupir et suggéré que je fixe un bouquet à mon corsage, ou un bijou, pour égayer ma mise. Je lui ai rappelé que moins d'un an s'était écoulé depuis la mort d'Edward. Elle a reconnu, à contrecœur, qu'il serait inconvenant de porter de tels ornements. Je lui ai proposé d'y aller sans moi. Elle n'a rien voulu entendre et s'est résignée à m'avoir à son côté dans ce triste costume. Ma proposition était pourtant sincère, car tout ce bruit et toutes ces lumières me donnent l'impression d'être encore

plus... triste n'est pas le mot, mais différente, à part. Et puis l'idée d'oublier mon deuil, même brièvement, me remplit d'une espèce de crainte...

La crainte de le décevoir dans la mort, comme elle l'a déçu dans la vie. Car elle l'a déçu, cela ne fait pour elle aucun doute. Un homme heureux ne quitterait pas sa maison pour aller chercher la mort dans le désert. Un homme suffisamment aimé ne se laisserait pas ronger par des horreurs au point d'en mourir. Si elle l'avait aimé davantage, peut-être n'aurait-il pas éprouvé le besoin d'aller au Soudan. Si elle l'avait mieux compris, peut-être aurait-elle réussi à le soigner, à le faire revenir à la vie.

Si seulement je pouvais croire qu'il est mort pour une noble cause. Si je pouvais croire qu'il est mort en paix...

Il y a les marques de sympathie des amis, il y a une maison vide et silencieuse. Il y a l'absence d'Edward, qui était déjà absent depuis longtemps. Une absence définitive, cette fois. Trop tard désormais pour l'approcher, pour espérer un changement, trop tard pour qu'un nouveau souffle anime sa vie. Les questions qui l'inquiètent tant ne servent à rien, son cœur n'aura jamais les réponses qu'il attend.

Une pensée terrible : dans ma douleur, je n'ai pas songé à moi. Pas une fois je ne me suis surprise à me dire : que ferai-je sans lui...

— Il y avait pourtant longtemps qu'elle l'avait perdu, dit Isabel.

Elle est assise sur le tapis rouge de mon salon, les papiers de son arrière-grand-mère autour d'elle, le cahier marron entre les mains. La lumière projette une douce clarté sur le vieux papier et fait briller les mèches les plus claires de ses cheveux blonds.

— Pas seulement lorsqu'il est parti pour le Soudan mais même lorsqu'il était à la maison avec elle.

Si j'avais su l'aimer ! Si j'avais eu davantage besoin de lui, peut-être alors aurais-je trouvé la faille lorsqu'il était malade, désespéré...

— C'est le piège, dit Isabel. Nous sommes éduquées, conditionnées pour culpabiliser. Ce type avait des problèmes psychologiques — et d'une certaine façon c'est elle, la femme, qui finit par se sentir coupable...

Plus tard, je rajoute de la glace dans notre Perrier Baraka. Un vent léger souffle sur mon balcon, l'obscurité dissimule les gravats amoncelés, sur les toits des maisons voisines. Je sirote mon Perrier.

— Dans le temps, il y avait des jardins sur les toits du Caire, dis-je. Des treillis, des pergolas, des vignes, du jasmin indien. Des tapis et des coussins sur le sol, des colombiers. Après le coucher du soleil, les gens s'asseyaient sur les toits — imagine ! —, les garçons et les filles échangeaient des regards d'une maison à l'autre, les enfants jouaient à la fraîche. Le linge séchait sur des fils et, lorsqu'on le décrochait, on pouvait enfouir son visage dans les draps en lin et sentir le soleil...

— Cela devait être merveilleux, fait observer Isabel.

Oui, c'était merveilleux. Des jeunes gens sont assis sur les capots des voitures, en bas, dans la rue. Ils discutent, scrutent les alentours, attendent qu'il se passe quelque chose. La dernière chanson d'Amr Dyab, avec une musique vaguement espagnole, monte jusqu'à nous depuis l'épicerie, encore ouverte à cette heure. C'est là que mes enfants achetaient des « bombes à eau », l'été, pendant les vacances, quand ils révisaient leur arabe. Ils remontaient les escaliers en courant, puis lâchaient les bombes à eau dans la rue, depuis le balcon.

> Mon aimé, lumière de mes yeux,
> qui hante mes pensées,
> Je t'aime depuis des années...

— Ma mère est en train de mourir, dit Isabel.

Je la regarde. Il me faut un moment pour me réaccorder sur le présent. Dans ce petit coin de ma tête qui lui est réservé, Jasmine, est un bébé. La fille d'Anna avait eu une petite fille, à Paris, qu'elle avait prénommée Jasmine. Et voilà qu'Isabel m'annonce que ce bébé est en train de mourir.

— Elle a la maladie d'Alzheimer. Il a fallu la mettre dans une institution. J'ai vécu là avec elle, après la mort de mon père. Puis c'est devenu trop difficile.

— Mais tu vas la voir ?

— Oui. Bien sûr. Mais la plupart du temps elle ne me reconnaît pas.

— Ça doit être affreux.

— Souvent elle ne sait même plus qui elle est.

— Ça doit être... Seigneur, je ne parviens pas à m'imaginer ce que cela peut être.

— Il m'arrive de penser que c'est ce qu'elle voulait.

— Quoi ? Être débarrassée d'elle-même ?

— Elle était toujours tellement... préoccupée, triste. Je l'ai observée une fois, sans qu'elle s'en rende compte. Elle était assise dans le salon, sur le sofa, et son visage... elle avait l'air si triste.

— Pourquoi n'as-tu pas couru la prendre dans tes bras ? Tu ne pouvais pas lui changer les idées ?

— Elle ne s'est jamais remise de la mort de mon frère.

— Mais vous étiez proches ?

— Comme ci comme ça. Peut-être. Mais j'étais plus proche de mon père. Ma mère avait quelque chose d'intense. On ne pouvait pas se détendre en sa présence.

J'étais assise près de la fenêtre, quand sir Charles est entré. Pendant quelques instants, avant de comprendre que c'était lui, j'ai vu un vieil homme, qui allait à pas prudents. Et j'ai été saisie — Dieu me pardonne — d'une grande fureur contre Edward. Il aurait pu faire davantage attention à lui — pour le bien de son père.

J'en suis venue à connaître Anna aussi bien que si elle était ma meilleure amie — voire mieux. Car je sais ses plus belles et ses plus affreuses pensées, et j'ai lu l'histoire de sa vie, toute sa vie est dans la malle qu'Isabel m'a apportée. J'ai lissé ses papiers du plat de la main, j'ai caressé les objets qu'elle a touchés et gardés comme des reliques. J'ai lu ce que d'autres ont écrit sur elle. Anna est devenue si réelle pour moi ! J'ai l'impression qu'elle se tient près de moi, pendant que j'essaie d'écrire son histoire.

Si seulement je pouvais croire qu'il est mort pour une noble cause...

Ce qui est fait est fait, ai-je envie de lui dire. Mais comment se faire entendre de quelqu'un qui refuse d'écouter ? Cette porte contre laquelle nous passons notre vie à cogner — tourne les talons, sors, va faire du cheval, prends ta voiture, mange, consacre-toi à des œuvres charitables, bois un tonique, voyage...

C'est à Rome, au théâtre Costanzi, le 14 janvier, qu'Anna, émue par les notes aiguës et la douleur exaltée de Floria, ressent une douleur identique. Elle presse son mouchoir contre sa bouche, tandis que le vide terrible se remplit de chagrin...

C'était comme si je m'étais tenue très droite, comme si j'avais retenu une porte avec mon pied. Une émotion, dans la musique, a pris de l'ampleur, de la force, a crevé tous les barrages. Après quoi, pendant des jours et des jours, j'ai senti cette musique courir dans mes veines, et même si je ne pouvais dire mes sentiments, ni les écrire dans ce journal, cette musique m'a ravagée. Tel un fleuve en crue, elle a fouetté son lit, battu ses rives, et j'ai été malade : j'ai eu de la fièvre, m'a dit cette pauvre Caroline, j'ai déliré, j'ai été impossible pendant des jours et des jours. Jusqu'à ce que je me réveille, un matin, et que j'entrevoie la porte par laquelle j'allais peut-être revenir au monde.

— Combien de temps ça lui a pris ? demande Isabel. Dix mois ?

— Les choses allaient moins vite, à cette époque-là.

— J'imagine, oui.

Elle s'étire. Ses longs bras pâles semblent capter la lumière de la lune, dans le ciel noir et pur. Elle bâille, baisse les bras, ébouriffe ses cheveux.

— Je t'empêche d'aller dormir ?

Je fais non de la tête : je ne dors jamais avant deux heures du matin.

— C'est rare qu'une femme vive seule, en Égypte, non ? s'étonne Isabel.

— Ce n'est pas très courant, mais il y en a de plus en plus.

Jadis, j'avais une famille. Un mari, des enfants. C'était en Angleterre. Dans une maison tout droit sortie d'un roman victorien, avec des escaliers, des cheminées, des moulures au plafond, le bruit des trains étouffé par les arbres, au fond du jardin. J'ai appris les saisons. J'ai appris que les feuilles charnues s'ouvriraient sur des crocus bleus et blancs, que les perce-neige fleurissaient la nuit, qu'on devait couper les jonquilles mais pas les tulipes, qu'avec de la chance et de la délicatesse les rosiers donnaient deux fois des fleurs dans la saison. À la fin de l'hiver, on voyait sur les branches nues, noueuses, de minuscules bourgeons dont la pointe vert pâle, au centre, indiquait l'abondance des feuilles à venir.

Aujourd'hui, par la fenêtre, j'ai aperçu un tapis de fleurs roses, sous le hêtre pourpre — je n'avais même pas vu que le cerisier était en fleurs ! Je suis sortie et j'ai trouvé les digitales, dans leurs petits recoins secrets, et les myosotis, aux pistils dorés. J'ai levé les yeux vers la cime du hêtre pourpre, j'ai aperçu, niché entre deux branches, un dernier nid de fleurs, comme un petit chandelier rose. J'ai ressenti une immense gratitude, comme si ce bouquet était resté là pour me dire : « Regarde ! Il n'est pas trop tard. »

Anna guérit. Le visage qui se lève vers moi comme je vide la bouilloire, dans la cuisine, n'est plus aussi préoccupé, aussi pâle. Le pas que j'entends dans mon couloir est plus vif, plus léger, le bruissement de la robe en soie plus nerveux.

Je suis allée au musée voir les tableaux. Je ne puis prétendre avoir l'esprit totalement dégagé — ce qui ne serait d'ailleurs pas correct — mais j'ai été capable, à nouveau, de prendre du plaisir à ces couleurs merveilleuses, à la sérénité, au contentement qui émanent de ces toiles. Et je me suis demandé — je m'étais déjà posé la question : est-ce là un monde qui existe réellement ?

5.

« Il y a là quelque chose qui m'émeut, me rend amoureux,
Et je suis sûr d'aimer, mais je ne sais pas comment, ni pourquoi. »

Alexander Brome, vers 1645.

New York, mars 1997

On se demande comment cela peut frapper aussi soudainement. Sans prévenir, sans s'annoncer. Ce sentiment ne devrait-il pas grandir en nous, prendre son temps, de sorte que nous sachions, ou croyions savoir, au moment où nous nous disons « J'aime », qui nous aimons ? Comment une expression, une démarche, une mèche de cheveux sur un front, peuvent-ils à ce point réjouir et désoler le cœur ?

Quel fut le premier signe ? La douce embardée du cœur, qui manqua un battement, ou la vue de cet homme dans l'embrasure de la porte ? Isabel avait baissé les yeux sur la table : son couteau et sa fourchette étaient bien droits sur la nappe, solides, impassibles. Sa serviette rose, pliée, pendait avec élégance par-dessus le bord de son assiette blanche frappée aux initiales du restaurant, effleurait l'argenterie. Isabel ferma un instant les yeux, prit une grande inspiration. Lorsqu'elle les rouvrit, mon frère avait traversé la moitié du restaurant, il levait la main en signe de salut — puis son manteau et sa mallette furent sur la troisième chaise, et la carte entre ses mains.

— Vous avez commandé ? Vous êtes là depuis longtemps ? Je ne suis pas en retard, n'est-ce pas ? Quelle heure est-il ?

Il jette un coup d'œil à sa montre.

— Si, je suis en retard. De quelques minutes. Pardonnez-moi. Je n'arrivais pas à me dégager. Qu'allez-vous manger ? Vous avez faim ? J'espère que oui. Moi, je suis affamé.

Ses mains qui tiennent la carte. L'une de ces mains vient tapoter celle d'Isabel, sur la nappe.

— Vous savez (il s'était adossé à son siège, il avait essuyé les coins de sa bouche avec sa serviette), j'ai le sentiment de vous connaître, de vous avoir connue, je veux dire.

Elle l'avait regardé, la tête penchée sur le côté, elle avait souri.

— Non, sérieusement !

Il eut un geste de la main, comme pour préciser : « Je ne suis pas en train de vous draguer. »

— Il y a quelque chose, dit-il. Que je n'arrive pas à définir...

— Une vie antérieure ?

Il a écarté les mains, souri, mais gardé son air perplexe.

Mon frère. Je l'imagine, comme Isabel me parle de lui. Sa démarche, l'énergie qu'il dégage, les têtes qui se tournent sur son passage. Il traverse toutes les pièces comme une salle de concert, d'une traite, pas un instant à perdre. Même sur scène, il n'a qu'un bref salut pour le public, avant de se tourner vers son orchestre. Ce n'est qu'à la fin, quand le silence s'est mué en applaudissements et qu'il s'est retourné vers la salle, qu'il semble voir les gens. Puis vient le grand sourire qui va droit au cœur et le geste profond qui englobe l'orchestre et la salle, les mains serrées au-dessus de la tête. Mon frère qui vous donne l'impression d'être unique en vous reconnaissant à l'autre bout d'une pièce. Mon frère capable de sauter dans un avion sur un coup de fil de ma part, pour me serrer dans ses bras comme cette fameuse nuit où il m'a aidée à voir clair en moi-même.

Isabel est amoureuse de lui. Je le comprends très bien. Elle ne peut s'en empêcher. Maintes femmes n'ont pu s'en empêcher. Pour ce que j'en sais, elles ne s'en sont pas plus mal portées.

— Il vous arrive d'y retourner ? demande-t-elle.

Ils boivent leur café, il lui a donné des noms, des adresses, des numéros de téléphone.

— Où ça ? En Égypte ? Oui, bien sûr. Pas aussi souvent

que je le voudrais, mais... (de nouveau les gestes expressifs, le sourire triste).

— Vous vous considérez comme égyptien ? Excusez-moi, c'est une question personnelle.

Cette question lui avait échappé, mais il avait répondu volontiers.

— Oui. Et américain. Et palestinien. Je n'ai pas de problèmes d'identité.

— Vous avez de la chance.

— Pas sûr. Écoutez, il faut que j'y aille... (La main levée, cette fois pour demander l'addition.)

— Puis-je ? propose-t-elle, hésitante.

— Non, non. Bien sûr que non ! Il n'en est pas question !

— Après tout, j'ai pillé votre cerveau.

— Et alors ? Vous voulez payer pour mes connaissances ? (Cela d'un ton un peu sec, puis le sourire.) Non. Pas de problème, ma chère. Ça a été un plaisir.

— Alors il faut que vous me laissiez...

— Quoi ? Que je vous laisse quoi faire ? demande-t-il, comme elle hésite.

— Vous inviter une autre fois.

Un silence.

— Vous avez envie de m'inviter ?

— Oui, dit-elle, pas très fort. Oui, j'aimerais vous inviter.

Il la regarde, puis hoche la tête. Vite, l'air décidé.

— Parfait. Bien. Je vous appellerai.

Lorsqu'elle sort du restaurant, ce mardi après-midi du mois de mars, Isabel resserre la ceinture de son manteau en poil de chameau, remonte son col, fourre ses mains dans ses poches, et descend la rue. L'entrée du musée d'Art moderne est éclairée, accueillante. La jeune femme entre, puis erre dans les salles, au hasard. À un moment donné, elle se retrouve devant un Miró. Ce tableau a une âme. Le bleu lumineux, les créatures de couleurs vives dotées d'un œil unique, qui flottent, qui filent, libres, alertes. Dans la boutique du musée, Isabel achète une carte postale. Et maintenant l'horreur de l'attente. L'attente de son coup de fil.

— Mère. J'ai rencontré quelqu'un. Un homme...

Isabel est mal à l'aise. Elle ne peut s'habituer à voir sa mère ici. Il n'y a rien qui cloche dans cette pièce, excepté qu'elle ne reflète en rien la personnalité de Jasmine : pas de fleurs, pas de coussins, pas de musique, aucun tableau, pas d'objets en cristal qui renvoient la lumière sur des surfaces en marbre veiné ou en bois poli. Rien. Pas même une photo dans un cadre doré, qui témoignerait d'une vie hors de ces murs. Et Jasmine, silencieuse, immobile dans un peignoir bleu passé, duquel dépasse le bas d'une chemise de nuit.

— Il me plaît infiniment, poursuit Isabel. Tu sais, je crois qu'il te plairait aussi. Tu le connais probablement. Il est célèbre. Je voulais simplement que tu saches. Il est plus âgé que moi. Il a plus de cinquante ans, mais on lui en donnerait quarante. Il est grand, il a des cheveux noirs, qui grisonnent sur les tempes. Il est très distingué. Il a des yeux sombres, très sombres. Si sombres qu'on les croirait profondément enfoncés dans leurs orbites — ce qui n'est pas le cas.

Les fins cheveux blancs de Jasmine sont coupés très courts, comme ceux d'un garçonnet. Un poussin qui vient de naître, pense Isabel, sans savoir pourquoi. Jasmine a trouvé des ciseaux, disent-ils. Elle a coupé de grosses mèches de sa chevelure devenue d'une abondance incongrue. Ils ont égalisé la coiffure. « Nous avons pensé que ce serait mieux ainsi. » Isabel ne sait pas si elle doit les croire — sa mère s'est-elle réellement taillé les cheveux ? Elle en avait toujours été si fière... Courts, ses cheveux seront plus faciles à coiffer, à laver, à démêler. Isabel avait éprouvé de la fureur, puis de la tristesse. Ainsi, Jasmine ressemble encore moins à la mère qu'elle a toujours connue. Elle se demande si ces cheveux sont doux ou piquants au toucher. Mais si elle essaie de passer la main dessus, si elle s'approche, sa mère s'agite, s'inquiète, s'effraie. Mieux vaut laisser les choses comme elles sont : Jasmine assise, calme, souriante, dans le fauteuil en cuir gris, Isabel au bord du lit, face à elle.

— Maman, dit Isabel, en se penchant en avant. Ma chère maman, ça va ?

L'expression de Jasmine s'assombrit un instant. Ses mains, croisées sur ses genoux, se dénouent, et se posent sur les accoudoirs comme pour se dresser. Des mains restées belles, malgré les taches de vieillesse. Jonathan, le père d'Isabel, avait des taches de vieillesse, lui aussi, les dernières années de sa vie. Elle ne porte plus que son alliance à la main gauche, les autres bagues ont disparu. Ses ongles sont coupés à ras.

— Cette pièce est jolie, dit Isabel, s'efforçant à un ton gai, rassurant.

Elle n'ajoute pas « N'est-ce pas ? », cela ne ferait que troubler sa mère.

— Jonathan n'a jamais vraiment aimé cet endroit, rétorque Jasmine, en caressant l'accoudoir.

À son tour, Isabel est troublée.

— Il n'aimait pas cet endroit ? demande-t-elle, sans trop s'avancer.

— Non. (Jasmine secoue vigoureusement la tête.) Non, il n'aimait pas cette maison. Oh, il faisait ce qu'il avait à faire. Il a toujours assumé ses responsabilités. Mais il n'a jamais été à l'aise. Il n'a jamais vraiment aimé les Anglais. Il pensait qu'ils méprisaient les Américains. Il ne s'est jamais fait d'amis. À part moi. Mais c'était différent, disait-il, car je n'étais qu'un quart anglaise. Mais je n'en suis pas si sûre. Il a dit un jour qu'il n'arrivait jamais à savoir ce que je pensais.

— C'était vrai ?

— Quoi ?

— Qu'il... que Jonathan n'arrivait jamais à savoir ce que tu pensais ?

— Oh oui. Oui, c'était vrai.

— Et toi, tu savais ce qu'il pensait ?

— La plupart du temps, oui, mais il était américain, et c'était un homme.

Pendant un moment, le sourire d'antan éclaire les yeux d'un violet fané, le fantôme d'une beauté enfuie ranime le visage de Jasmine. La main caresse l'accoudoir. Isabel sent son cœur se serrer, détourne la tête vers la fenêtre. L'Hudson, gris acier dans le soleil de mars, se traîne.

— Je voulais te parler de cet homme. Maman ? (Isabel revient à sa préoccupation première.) Je l'ai rencontré lors d'un dîner, et depuis je ne l'ai revu qu'une fois. Il est divorcé. Il a des enfants adultes. Il est musicien, chef d'orchestre. De classe internationale. Le Philharmonique et tout. Il a des

mains sublimes. Et il écrit des livres. Je crois que je suis amoureuse de lui.

Jasmine sourit, la regarde. Est-ce qu'elle la voit ? Que
voit-elle ?

— Oh, j'aimerais tant que papa soit là.

Isabel cache son visage dans ses mains. Sa mère lui
caresse les cheveux.

Les vieilles personnes sont sevrées de tout contact physique : pas de mari, pas d'amant, pas d'enfants pour glisser
une main dans la leur, les embrasser, se nicher contre eux,
épouser leur corps. J'ai observé ma grand-mère — la mère de
ma mère — pendant ses dernières années : sa main, à la peau
tendue comme un parchemin, caressait tout ce qu'elle avait à
sa portée : les chaises, la table, le couvre-lit.

— De toute façon (Isabel se reprend, secoue ses cheveux, passe une main dedans), je ne sais pas ce qu'il éprouve
pour moi. Quand je suis avec lui, je sens que j'ai toute son
attention. Je sens cette... cette énergie entre nous. Mais je ne
sais pas s'il pense à moi quand il est seul.

Isabel regarde sa mère d'un air triste.

— Je ne sais pas ce que je dois faire, ajoute-t-elle.

— J'ai renoncé à lui, bien sûr, dit Jasmine. C'était la
seule chose à faire. Il était très jeune, vois-tu. Il me rappelait
Valentin, bien sûr. Je n'ai pas besoin qu'on me le dise. Je l'ai
su dès le début — dès l'instant où je l'ai vu. C'est peut-être
pour ça que je l'ai fait entrer. Je ne sais plus ce que c'était,
l'Algérie ou le mouvement pour le désarmement nucléaire.
Mais il était blessé. Il était en danger et je l'ai fait entrer. À
partir de ce moment-là, personne ne pouvait plus rien contre
lui. Il était en territoire américain, même s'il l'ignorait. Jonathan était en voyage, et je l'ai fait entrer, j'ai nettoyé sa blessure à la tête. Ça enflait déjà, ça faisait une affreuse bosse
bleue. Il était révolté, il disait qu'il allait changer le monde
avec ses amis. Il était si jeune ! J'étais assise à son chevet, et
plus tard, lorsqu'il s'est endormi, je me suis glissée dans le lit
à côté de lui. Je n'ai pas pu m'en empêcher. Je suis allée chez
lui ensuite : deux fois. Puis j'ai su que je devais renoncer à

lui. Mais ç'a été dur. Comme perdre Valentin une deuxième fois.

— Maman ?

Isabel est en alerte, assise bien droite au bord du lit. Jasmine est à nouveau elle-même : bavarde, pleine de regrets, résignée. Mais une liaison ! Sa mère aurait eu une liaison ? Quand ? Avec qui ? Son père l'avait-il su ? Elle sonde les yeux éteints, les cheveux coupés en brosse.

— Est-ce que mon père... est-ce que Jonathan l'a su ? demande-t-elle.

— Un homme si délicieux, dit Jasmine en secouant la tête, si gentil, et tellement amoureux de moi !

Elle se hisse sur ses pieds en tremblant, enfile ses mules roses avec difficulté.

— Il faut que j'y aille, maintenant.

— Maman, murmure Isabel, qui se redresse au bord du lit, mais n'ose pas tendre la main, saisir le bras frêle, retenir sa mère. Maman, quand était-ce ? Est-ce que papa était au courant ?

Jasmine adresse à sa fille une pâle réplique de son sourire éclatant, son sourire d'antan.

— Au revoir, dit-elle. Cela a été un réel plaisir de parler avec toi.

6.

« Ne savez-vous pas que l'Égypte est le reflet du paradis et le temple du monde ? »

Scribe égyptien, vers 1400 avant J.-C.

... Par un hasard curieux — et heureux, je l'espère —, nous sommes arrivées à Alexandrie le même jour que le nouveau patriarche de l'Église orthodoxe grecque, dont le siège se trouve dans cette ville. Un M. James Barrington est monté à bord dès que nous avons accosté. Il a dit être venu m'accueillir et m'escorter jusqu'au Caire (délicate attention que je dois à sir Charles : il a écrit au bureau du gouvernement pour prévenir de mon arrivée). M. Barrington m'a proposé d'assister aux défilés. Une fois les formalités de débarquement réglées, nous nous sommes retrouvés dans une voiture, assez semblable à un phaéton — nos bagages suivaient derrière. M. Barrington est monté à l'avant, à côté du cocher, avec qui il a devisé gaiement. Les deux chevaux semblaient connaître le chemin. Nous sommes arrivés devant un salon de thé (de style plus viennois qu'oriental). On a demandé aux voitures d'attendre (un peu plus tard, j'ai vu notre cocher nourrir son cheval avec une grande tendresse. Il lui donnait du « barsim », m'a dit M. Barrington, une herbe équivalant à notre trèfle). Nous avons pris place devant une fenêtre. Nous avons commandé du thé et des gâteaux anglais (on nous a apporté des sablés, très simples, mais délicieux). Après quoi nous avons attendu le défilé.

Il y avait des décorations partout : des drapeaux, des fanions, des banderoles de couleurs vives ; des rosettes rouge et blanc ornaient la tête des chevaux et les harnais des voitures. J'ai demandé à M. Barrington s'il était courant de faire de tels frais pour une fête chrétienne. Il m'a répondu que le khédive, qui rentre d'Europe, passera le reste de l'été au palais de Ras el-Tin, ici, à Alexandrie. On a décoré la ville en son honneur, il a eu vingt-six ans il y a trois jours. Le nouveau patriarche est arrivé au bon moment ! Une procession des plus intéressantes et des plus pittoresques l'a suivi du port jusqu'en sa cathédrale, avec une profusion de costumes, de voitures, de chevaux, d'uniformes. Je me suis demandé ce qu'Emily pensait de tout cela car elle est restée impassible, comme d'habitude, et a tourné sa chaise de façon à nous cacher son visage. Plus tard, lorsque nous fûmes installées dans notre pension, je lui ai expliqué la position étrange de l'Égypte, indépendante des Turcs, mais restée officiellement sous leur joug, gouvernée par les Anglais, installés sur place. « Trois dirigeants au lieu d'un, c'est étrange, madame. » Emily manifeste une joie bruyante, car nous sommes dans une pension des plus décentes, qui appartient à une veuve grecque tout à fait respectable, m'a assuré M. Barrington. Cette dame doit subvenir à ses besoins et à ceux de sa petite-fille car son mari est mort dans des circonstances tragiques, sur lesquelles elle semble peu disposée à s'étendre, et dont je sais peu de chose pour le moment.

Ma chambre et mon salon donnent sur la mer, meublés dans un style un peu lourd à mon goût. La propriétaire a tenu à me réserver le letto matrimoniale *dont elle est visiblement très fière. J'ai eu beau lui dire que j'étais veuve, elle n'a rien voulu entendre. Ce lit est assez hideux, en cuivre, tout en feuillages et protubérances, mais très propre, pourvu d'un bon matelas et clos par des rideaux qui me protègent des moustiques — ou, ce qui m'inquiète bien plus, des cafards volants, contre lesquels le capitaine Bourke m'a gentiment prévenue : ils font partie de la vie africaine, semble-t-il. Cependant, je n'ai pas le sentiment d'être en Afrique. Ce que j'ai vu de l'Égypte jusqu'ici me rappelle davantage l'Europe du Sud, et sans les costumes traditionnels arabes et cette langue particulière, on pourrait se croire dans une ville grecque ou italienne.*

Je dois conclure maintenant, ma chère Caroline, mais à la fin de cette première journée, mes impressions sont si nombreuses et si loin de ce à quoi mes lectures m'avaient préparée, que je ne puis prétendre les avoir toutes retranscrites sur le papier. Aussi je pose ma plume. En relisant cette lettre, je me suis aperçue que j'avais cité M. Barrington quatre fois (cela fait cinq !). Je vous connais, je sais que votre désir de me voir heureuse pourrait orienter vos pensées dans un sens précis. Je tiens donc à préciser que ce monsieur — un gentleman (Winchester et Cambridge) et un guide intéressant — est très jeune, guère plus de vingt-quatre ou vingt-cinq ans et même s'il doit devenir un ami charmant avec le temps, c'est tout ce que vous êtes en droit d'attendre pour votre, etc. etc.

Ainsi Anna arrive en Égypte. Cela est sa première lettre, semble-t-il. Peut-être a-t-elle soigné son image, écrit dans le style *Lettres d'Égypte, Un voyage sur le Nil, Suite des Lettres d'Égypte*. Sans doute ai-je entre les mains une copie de la lettre qu'elle a envoyée à Caroline. Pensait-elle que cette missive serait publiée ? Je lui pardonne cette première description maniérée de mon pays. Que sait-elle d'autre, pour le moment ? Je suis heureuse qu'elle ait largué les amarres, remisé le journal marron. Il n'y a plus rien, sous le dernier paragraphe. Je parcours les pages restantes, m'attendant à trouver un commentaire tardif sur cette douleur encore fraîche. Or les pages sont vierges.

J'éprouve pour Anna la même curiosité que j'aurais pour une amie étrangère en visite. Que va-t-elle penser de l'Égypte ? Que va-t-elle voir de l'Égypte ? J'aimerais l'accueillir, l'héberger, lui montrer le pays. Lui montrer le pays ? Moi qui me suis mise aux arrêts dans ma maison, qui vais du salon à ma chambre, à la cuisine — en évitant les chambres des enfants. Moi qui suis fâchée avec la ville, fâchée avec l'Égypte, ce pays où je suis revenue et qui a tellement changé.

Je subis une fois de plus les lenteurs de la circulation, de la bureaucratie, pour me documenter sur le pays où Anna a débarqué. Afin de l'imaginer, le recréer pour Isabel. Dans l'immeuble de verre et de béton où se trouve à présent le journal *al-Ahram* — son nom figure toujours en grosses lettres au sommet du bel immeuble en ruine qui abritait autrefois ses locaux —, je parcours les archives. Je passe le microfilm rayé dans le lecteur, à la manivelle, tandis que trois femmes m'observent, derrière un bureau.

J'apprends que le 29 septembre 1900 la ville fête l'arrivée du nouvel archevêque, Fotios, venu occuper son siège patriarcal à Alexandrie. L'article mentionne les discours de bienvenue prononcés en son honneur à bord de son bateau, dans le port, et donne une description détaillée de la procession qui l'a suivi dans les rues d'Alexandrie : la cavalerie, la voiture patriarcale, les calèches des évêques et des prêtres, les représentants des autorités, les consuls des nations étrangères, les hauts fonctionnaires, le bas clergé, les chefs de la communauté orthodoxe, les dirigeants des associations et des fraternités, les cheikhs éminents d'al-Azhar, les hommes de lettres, les commis de l'État, les financiers, les marchands... Tout ce monde-là défila en grande pompe devant le salon de thé où une jeune veuve à peine débarquée d'Angleterre était attablée avec sa bonne et l'attaché consulaire. Le bagage de la jeune femme attendait dans une voiture de louage au coin de la rue, le cocher portait une brassée de *barsim* à la gueule de son cheval, et levait la tête pour voir passer les notables.

> *Alexandrie, le 29 septembre 1900*
> *Cher sir Charles,*
> *J'ai bien pensé à vous (encore plus que d'habitude !) dès l'instant où l'on a crié : « Terre ! » Nous avons tous couru sur le pont et aperçu ce rivage gris et plat, que vous avez vu pour la première fois il y a dix-huit ans, dans les circonstances terribles que je sais.*
> *Quant à nous, nous sommes entrés dans le port en toute quiétude. Un jeune gentleman dépêché par lord Cromer pour m'apporter toute l'assistance nécessaire est venu m'accueillir. Je dois cette diligence à vos lettres, et vous en suis infiniment reconnaissante, car non seulement le passage du bateau à la terre s'est fait en douceur, mais mon guide m'a annoncé que la cour, le gouvernement et tous les consuls — en bref, que tout le monde restait à Alexandrie jusqu'à la fin de l'été. Aussi ai-je décidé de prolonger mon séjour dans cette ville pour tout voir. Ne pensez pas que je ne sois plus la femme que vous connaissez, que j'aie pris goût aux mondanités, mais je peux vous assurer qu'en repartant immédiatement pour Le Caire j'aurais mis M. Barrington et d'autres personnes — encore inconnues de moi — dans l'embarras. En effet, ils pensent de leur devoir d'assister et de chaperonner une femme sans protection dans un pays étranger.*
> *Nous sommes logées à la pension Miramar, aux bons soins d'une veuve grecque très respectable qui élève une adorable fillette d'environ quatre ans. Celle-ci s'est prise d'amitié pour Emily et lui parle constamment en grec, et la prie avec les mimiques les plus charmantes de lui faire des nattes et de lui mettre des nœuds dans les cheveux. Un service qu'Emily lui rend volontiers, car elle trouve qu'elle n'en fait pas assez pour moi de ce côté-là !*
> *J'ai écrit à Caroline Bourke hier, pour lui raconter notre arrivée. Elle vous donnera sans doute tous les détails de ma lettre. Aussi ne vous dirai-je rien de plus, si ce n'est que la ville est encore en*

liesse aujourd'hui : le khédive est à nouveau père d'une petite princesse.

Alexandrie semble être une ville plutôt gaie, et je m'y suis aventurée seule aujourd'hui. Je me suis promenée sur le front de mer, d'où l'on aperçoit la pension. Je n'ai pas vu trace de votre fameux « bombardement », les autochtones m'ont souri, regardée gentiment, les Européens m'ont saluée en ôtant leur canotier. Aussi ai-je du mal à imaginer des scènes de haine fanatique. Cela dit, j'arrive dans ce pays, et n'en sais rien, que ce qui frappe l'œil le moins exercé.

M. Barrington dit que, puisque je suis à Alexandrie, je dois aller découvrir les sites touristiques : la colonne de Pompée, le cimetière musulman, le musée et les catacombes — il va organiser la visite de ces lieux pour moi. Alexandrie se flattait de posséder deux jolis obélisques de Cléopâtre et M. Barrington s'étonne que les autorités égyptiennes les aient donnés : nous en avons un, les Américains ont l'autre. « De toute façon, a-t-il plaisanté, s'ils ne les avaient pas donnés, on les leur aurait pris. » Il connaît bien ce pays et l'aime infiniment, je crois. Il parle arabe et j'ai beaucoup de chance de l'avoir comme guide et interprète.

Mes pensées sont souvent dirigées vers vous, mon très cher ami et parent. Comme j'aurais aimé vous convaincre de faire ce voyage avec moi ! Au moins je sais que je suis ici à votre instigation et avec votre bénédiction — sincèrement, je ne serais pas partie sans. Et nous avons décidé ce voyage dans un but précis, que j'ai atteint : il y avait bien longtemps que je ne m'étais pas sentie aussi bien — physiquement et moralement. Dites-le à M. Winthrop. Pauvre homme, nous lui avons causé bien du souci ces dix-huit derniers mois ! J'essaierai de trouver les plantes dont il m'a parlé, quand je saurai me repérer dans les souks du Caire. Quoique je suppose qu'il y en a aussi à Alexandrie, malgré son caractère très européen. Cela dit, je ne sais pas si j'aurai le temps de les trouver — et puis notre ami doit vouloir des plantes fraîches.

Très cher sir Charles, je m'égare, mais c'est parce que nos conversations et votre compagnie me manquent. La prochaine fois que vous irez sur les bords de la Tamise, regardez l'obélisque de Cléopâtre, je vous en prie, et pensez à moi, au pays de Thoutmosis III. Que Dieu vous garde et que je vous retrouve en bonne santé à mon retour. J'espère que vous serez heureux de revoir votre fille aimante...

Sir Charles réside dans ses appartements de Mount Street. La maison qu'il a laissée à son fils et à sa belle-fille est vide. Le jardinier vient une fois par semaine s'occuper des fleurs.

Anna commence un nouveau journal : un joli cahier épais, vert foncé, avec une tranche bleu marine.

Le 28 septembre

Mes pensées, ce soir, se focalisent sur mon cher Edward : il y a quatre ans, il a fait ce voyage, il a vu ce rivage, il a débarqué dans ce port. Les vagues qui se brisent contre la digue, sous mes fenêtres, ne sont pas celles qu'il a entendues mais leur rythme ne peut être très différent et je me surprends à m'interroger, assise dans mon grand lit : fussions-nous venus ici ensemble et eussions-nous partagé cette couche, peut-être que la réserve qui a toujours présidé à notre union se serait quelque peu dissipée. De vaines pensées...

7.

« Lors de sa première entrevue avec le gouverneur de
Sainte-Hélène, Napoléon a déclaré avec emphase :
"L'Égypte est le pays le plus important du monde." »

Lord Cromer, 1908.

Je vois mon héroïne, assise à la fenêtre de sa chambre, dans la pension de la veuve grecque, ses lettres cachetées, son journal ouvert sur la table vers laquelle elle se penche pour avoir une vue plus large du port : deux bras de la ville encerclent un bout de la Méditerranée. Anna a-t-elle vu, sur la gauche, les lumières du fort du sultan Qaitbay ? Son édition du guide de voyage *Cook* ne mentionne pas le vieux fort construit en 1480 sur les ruines et avec les pierres du Pharos, le phare d'Alexandrie, par le mamelouk du sultan Qaitbay pour se protéger des croisés venus du nord. Par la suite, on érigea une mosquée dans ce fort — dont le minaret fut détruit par l'amiral sir Beauchamp Seymour lors du bombardement de 1882.

Isabel envisage de tourner un film sur la vie d'Anna. Le générique défilerait sur un long plan fixe du vieux fort.

— C'est un musée militaire, aujourd'hui, lui objecté-je. Je ne sais pas si tu obtiendrais l'autorisation.

— Évidemment que si, affirme Isabel, sûre d'elle. Mon guide dit qu'à l'aube les pierres du fort sont jaune pâle. Ce serait un plan formidable : un gâteau de conte de fées, crémeux, flottant sur la mer bleue. Puis le plan s'élargirait sur le bateau qui approche...

— Il accosterait dans le port occidental...

— Puis zoom arrière, jusqu'à Anna, penchée à sa fenêtre, et sur ce qu'elle regarde.

— C'était le soir, rétorqué-je, entêtée. Je veux garder Anna pour moi. Je ne veux pas qu'une actrice prenne sa place.

— C'est un détail, dit Isabel.

Anna regarde par la fenêtre. C'est le soir. J'insiste là-dessus : il fait nuit. Entre les lumières du phare et celles de Silsila, la Méditerranée n'est qu'un grand vide noir devant elle. Ses cheveux, brossés, cascadent avec grâce sur sa nuque et ses épaules. Elle porte un peignoir, est-ce un peignoir ? J'aime le mot, il a une connotation XIXe, il évoque la mode, un certain type de femme, l'Europe et le roman. Anna Karénine portait peut-être un peignoir. Certaines héroïnes de Colette aussi sans nul doute, mais mon Anna anglaise semble à mille lieues des Coline et des Rézi, ses contemporaines... Le peignoir d'Anna est plissé sur les épaules, il tombe en volutes de soie sur ses seins. Peut-être y a-t-il une bande de fourrure sur l'encolure et au bord des manches. Ce déshabillé est d'un gris très pâle tirant sur le bleu. Sur le nuancier posé sur ma coiffeuse, cette couleur s'appelle « bleu hirondelle ». Je ne me suis pas servie de ce nuancier depuis des années, mais je n'arrive pas à m'en dessaisir. C'est étonnant qu'un objet d'une telle beauté soit tenu en si piètre estime — pourtant on en trouvait dans tous les grands magasins, chez les marchands de couleurs et les droguistes : empilés par centaines, des affichettes invitant les passants à en prendre un, à le regarder, puis à le jeter dans la première poubelle qu'ils croisaient. Mais voyez ce qu'il fait des sept couleurs essentielles : il vous emmène au cœur de l'arc-en-ciel, puis il vous noie dans le bleu, vous promène d'une nuance extrême de bleu à son opposée : des mers, des cieux, des bleuets, les tuiles d'Ispahan, les drapés de la Madone, l'éclat froid d'un saphir sur la manche d'un poignard yéménite. Étendez-vous sur la frontière entre le bleu et le vert. Où est la frontière entre le bleu et le vert ? On peut dire avec certitude « c'est bleu, c'est vert », mais ces nuanciers vous montrent le fondu enchaîné, la dissolution, la transformation, l'impossibilité de poser un doigt et d'affirmer : cet endroit marque la fin du bleu et le début du vert. Étendez-vous sur la zone de transformation, tendez vos bras vers chacune de ses extrémités. Voilà : votre main droite est dans le bleu, votre main gauche dans le vert. Et vous ? Vous êtes entre les deux, dans la zone de transformation. Assez, assez. Et cependant, j'imagine que les nuanciers de l'époque d'Anna lui auraient inspiré les mêmes sentiments, car c'était une femme sensible aux détails, aux nuances de couleurs.

> *Le Caire*
> *Le 8 novembre 1900*
> *Cher sir Charles,*
> *Cela fait maintenant une semaine que nous sommes dans ce grand Caire et tout le monde est adorable avec moi. J'ai dîné à la résidence du gouverneur, dont la nièce Nina Baring s'occupe depuis deux ans. On m'a dit que lord Cromer a changé depuis son deuil et que les messieurs de la chancellerie ont été soulagés de voir miss Baring arriver — elle est gaie, vive, elle taquine son oncle, le fait rire. Elle lui a apporté des brosses en argent portant l'inscription « Mina ». La chose a causé une certaine perplexité parmi le personnel de l'Agence, puis Nina a raconté une histoire de famille : enfant, le comte prenait tous les objets qu'il était capable de porter et criait : « mine-a, mine-a », ce qui est finalement devenu son surnom. J'ai aussitôt pensé à vous, je vous ai vu rire et dire : « Cela explique son attitude à l'égard de l'Égypte. »*
> *Je me surprends à voir maintes choses avec vos yeux. Cela vous intéressera de savoir, si vous ne le savez pas déjà, qu'il y a ici un nouveau journal, qui n'hésite pas à critiquer ouvertement l'occupation. Je l'ai appris lors d'un dîner : « Al-Liwa, s'est exclamé un invité, attise la haine du peuple en s'érigeant contre la guerre des Boers et en décrivant les méthodes utilisées là-bas par l'armée britannique. » J'ai dressé l'oreille, ai osé quelques questions, mais lord Cromer m'a répondu qu'il s'agissait d'une publication mineure, financée par les Français et lue seulement par les « classes éduquées ». Après quoi le sujet fut abandonné d'un accord tacite. On parla d'un baron Empain et d'une compagnie française qui a acheté des terres dans le désert, au nord-est du Caire, et prévoit de construire là-bas une ville à la française. Plus tard, j'ai interrogé M. Barrington sur ce journal : il m'a dit qu'il vivait de souscriptions — même si les Français peuvent les avoir aidés à démarrer — et tirait à dix mille exemplaires par jour. Un chiffre important, semble-t-il, dans un pays où la plupart des gens ne savent pas lire. Je vais essayer d'en avoir un numéro. Je vous l'enverrai, bien qu'il soit rédigé en arabe.*
> *Je dois vous dire, mon cher sir Charles, que personne ici*

n'ignore vos opinions, mais le respect que vous inspirez est tel qu'on ne m'a jamais montré que de la sollicitude et de la gentillesse.

Comme je vous l'ai précisé dans mon télégramme, nous sommes descendues à l'hôtel Shepheard, situé entre la nouvelle et la vieille ville du Caire, et je suis allée une fois au bazar avec Emily. Ce lieu est tel que je l'avais imaginé : une marchandise abondante, des couleurs vives, des odeurs insensées. Ces odeurs sont partout présentes. Des étagères à n'en plus finir, jonchées d'huiles aromatiques, des sacs d'herbes et d'épices, dont le bord roulé laisse voir de petits monticules de henné rouge et fin, des racines de gingembre bosselées, des bâtons de caroubier d'un noir brillant — toutes ces choses exhalent un parfum prononcé, mélange d'épices et d'encens. C'est prenant. Je n'imaginais cependant pas les rues si étroites, les boutiques si petites — parfois c'est seulement un trou dans un mur, dans lequel un homme, assis en tailleur, travaille quelque pièce de cuivre ou de laiton. Il est difficile d'examiner le bazar à loisir : on ne cesse de vous interpeller pour que vous achetiez leurs marchandises. Je vous entends me dire que ces personnes sont là pour gagner leur vie. Je sais que c'est vrai, et j'en achèterais volontiers, seulement je ne connais pas le prix des choses, on m'a dit qu'il fallait marchander, or je n'ai aucune expérience en la matière. J'apprendrai, sans nul doute.

Emily était soulagée de rentrer à l'hôtel : elle avait peur qu'on nous enlève, qu'on nous traîne dans l'une de ces ruelles sombres qui se faufilent parfois entre deux échoppes. Quand je lui ai demandé à quelles fins, elle m'a dit que nous serions vendues comme esclaves, dont le commerce est florissant au Caire. J'ai eu beau protester du contraire, elle n'a rien voulu entendre et elle a décidé que nous ne nous aventurerions plus dans la vieille ville sans être accompagnées d'un garde anglais ! Aussi, soyez assuré qu'il ne m'arrivera rien et que je suis des plus scrupuleusement gardée, ici, au Caire. Votre fille aimante...

Qu'en est-il d'Emily ? À travers les dires d'Anna, apparaît la servante typique d'une lady de l'époque : Emily « gronde » Anna pour qu'elle aille dans le jardin, Emily aimerait qu'on la laisse coiffer Anna de façon plus sophistiquée, elle regarde le défilé d'Alexandrie, mais le bazar l'effraie. J'essaie de me la représenter, attendant, un peu à l'écart, et surveillant le panierde pique-nique, les nattes et la trousse de premier secours. Quel âge a-t-elle ? Qu'attend-elle de la vie ? Met-elle de l'argent de côté afin d'ouvrir une boutique de modiste ? A-t-elle un enfant illégitime en nourrice à Bournemouth ? A-t-elle seulement des ambitions ? Ou bien Anna est-elle toute sa vie, son seul souci ? Pourrait-elle connaître le même destin que la bonne d'Hesther Stanhope, qui s'éprit d'un cheikh aperçu dans la rue, mais se vit interdire de l'épouser ? Irait-elle s'aventurer dans les ruelles d'Alexandrie, comme Lucy, la servante de Duff Gordon, tombée enceinte du serviteur préféré de sa maîtresse, Omar al-Halaouani ? Je ne saurais le dire. Pour le moment, les écrits d'Anna ne me donnent aucun indice.

> *Le Caire*
> *Le 14 novembre 1900*
> *Chère Caroline,*
> *Je suis au Caire depuis deux semaines et j'ai vu beaucoup de choses curieuses. La plus curieuse étant peut-être le ciel, perpétuellement bleu et pur, sans l'ombre d'un nuage. Comme c'est différent du mois de novembre en Angleterre ! J'aimerais tant que vous veniez ! Je suis certaine que ça vous plairait. J'ai dîné hier soir pour la deuxième fois au bureau du gouvernement — l'« Agence » — et je vous ai imaginée assise en face de moi. Je nous ai vues échanger des regards, quand la conversation est venue sur la visite du khédive, l'été dernier : quel succès et quel honneur pour ce « garçon » (c'est lord Cromer qui parle) de recevoir l'ordre victorien des mains de la reine ! Cela m'a rappelé le jour où vous m'avez apporté* l'Illustrated London News *(je l'ai gardé !). Je nous revois le feuilletant, dans le jardin...*

Sur la couverture, ils portent un toast à Son Altesse. Une longue table couverte de chandeliers, de fleurs, de coupes de fruits. Il y a là, me dit la légende, le prince et la princesse de Galles, le duc d'York, le marquis de Salisbury, le maire de Londres et le Gaikwar de Baroda. Les convives lèvent leurs verres. Au centre, le khédive, penché vers une femme très digne coiffée d'une tiare — la princesse. Il a bien trente ans de moins que les hommes de l'assemblée, il salue, s'appuie des deux mains sur la table, comme pour se soutenir. Étant

musulman, il n'aurait pas dû boire d'alcool. Sur la droite de
la photo, une autre tête coiffée d'un fez : l'ambassadeur turc
vieillissant, qui tient maladroitement son verre de vin par le
pied, regarde le jeune khédive d'un air soucieux. Au-dessus
d'Abbas Hilmi, un objet qui paraît lourd, orné d'un pompon
à son extrémité, est accroché au mur.

Lorsque sir Charles entra, il regarda la couverture du maga-
zine et la masse accrochée au mur de l'hôtel de ville, au-dessus de
la tête du khédive. « Ça lui tombera sur le fez, s'il se tient mal »,
dit-il. C'était la première fois que je riais depuis la mort d'Edward.
Personne n'ignore les opinions de sir Charles ici — loin de s'en
cacher, il les a publiées, exposées le plus souvent possible. Or je ne
puis croire que cette société les souffre. Personne ne s'en ouvre à
moi, bien sûr — par courtoisie, et parce qu'ils estiment me devoir
une certaine considération à cause d'Edward. Mais je les entends
souvent mentionner M. Blunt, qui pense comme mon beau-père et
qu'ils tiennent pour un excentrique qui a choisi de vivre dans le
désert. Ils disent de lui qu'il est « « barré », ce qui signifie sans doute
qu'il ne voit pas les choses comme eux. J'avoue que je serais
curieuse de rencontrer M. Blunt, mais il ne fréquente pas la société
du Caire et je ne puis lui rendre visite sans être invitée par lady
Anne. Rien ne saurait être plus étranger à l'esprit du désert que la
vie à l'Agence — là-bas, on a l'impression d'être à Cadogan
Square, à un jet de pierre du parc, et non de patauger dans les
eaux du Nil.

Ce doit être difficile, de se retrouver brusquement dans
un pays si différent, parmi des gens si différents, de prendre
le pouvoir et d'imposer sa volonté. De croire que toute chose
ne puisse se faire que comme vous l'entendez. Je lis les descriptions d'Anna, les mémoires et les comptes rendus de ces
gentlemen d'une époque révolue, et je pense aux officiels de
l'ambassade américaine et des agences d'aujourd'hui qui traversent Le Caire dans leurs limousines aux vitres fumées et
dont les portières ne s'ouvrent qu'à l'abri et sous la protection
des marines.

Lord Cromer (ou « el-Lord », comme on l'appelle couramment
ici — titre qui marque à la fois le respect et l'affection) est un

*homme de large carrure, impérieux, à l'œil triste et à la paupière
tombante. Ses cheveux sont blancs et clairsemés. Je ne puis prétendre le connaître, mais je l'ai vu présider des dîners : il dégage
une espèce de force tranquille. C'est un homme aux opinions très
tranchées, que personne ne contre en sa présence. Sans doute ne
peut-on travailler longtemps pour lui sans adopter ses vues avec
passion. Il a toute une équipe à son service dont le chef est
M. Harry Boyle, le secrétaire oriental. M. Boyle est un personnage
des plus intéressants, et semble se faire un point d'honneur à
paraître débraillé, voire miséreux, la moustache mal taillée. Il a
une bonne connaissance des Égyptiens et parle l'arabe — enfin, le
dialecte, a précisé M. Barrington. Ces atouts l'ont rendu précieux
à lord Cromer, et les deux hommes sont devenus très proches. Lord
Cromer ne parle pas arabe. Il ne sait dire que* emchi*, *le premier
mot qu'on apprend ici et qui signifie « allez-vous-en », et bien sûr*
bakchich.

*J'espère en apprendre un peu plus sur la vie des autochtones,
même si je ne sais pas encore comment. Ce serait un peu bizarre
de venir jusqu'ici pour ne rien découvrir d'autre que le caractère de
ses compatriotes ! Si sir Charles était là, sans doute pourrait-il me
montrer des choses que je ne puis voir seule. J'ai bien conscience de
ne pas savoir grand-chose sur le pays, et de devoir me cultiver,
pour me forger ma propre opinion.*

*Dans ce même numéro de l'*Illustrated London News, *il y
a ce que nous appelons aujourd'hui une « impression d'Afrique »
avec une photographie de l'entrée triomphale des Anglais dans le
Transvaal : une foule de personnes de petite taille, au bord d'une
route large et poussiéreuse. Certaines agitent des drapeaux anglais.
Au milieu de la chaussée, un officier à cheval conduit ses troupes.
Mais, au premier plan, a surgi un vieil homme barbu (un Boer ?)
qui tourne le dos à lord Roberts sur son cheval crâneur. Il nous
regarde, nous, les lecteurs, l'œil furieux, le poing levé.*

---

* Avance.

8.

« Une femme comme elle
Devrait avoir
Beaucoup d'enfants,
Qu'elle puisse se permettre
D'en perdre un ou deux. »

Ama Ato Aidoo, 1970.

Le Caire, mai 1997

L'interphone résonne dans le couloir. J'étais dans ma chambre, je travaillais, comme j'en ai pris l'habitude, à mon histoire d'Anna : je lis des documents d'époque, je regarde des photos, j'essaie d'imaginer. J'ai toujours aimé travailler dans une chambre, aller du bureau au lit, du lit à la coiffeuse, puis de nouveau du lit au bureau. J'oublie les pièces vides : je passe mes jours et mes nuits dans ce coin de mon appartement. La table près de la fenêtre est devenue la table d'Anna, une table couverte de ses écrits. Je les ai disposés par ordre chronologique. J'ai comparé les documents non datés à ceux qui le sont, j'ai réuni ceux écrits sur le même papier. Ces documents sont classés en douze piles : une par année — certaines années sont plus substantielles que d'autres. Les journaux intimes sont rangés à part. J'ai essayé de ne pas les lire en entier, de respecter la chronologie. Cependant, je connais la fin de l'histoire. Ce n'est pas grave. On sait toujours comment l'histoire se termine. Ce qu'on ignore, c'est ce qui se passe entre le début et la fin.

Je garde les objets d'Anna enveloppés dans leurs tissus d'origine, rangés dans la malle. Je l'ai mise contre le mur, près de ma coiffeuse.

J'attends Isabel. J'ai arrêté de travailler. Je regarde par la fenêtre une femme étendre son linge. Elle a dû faire une lessive de blanc, car elle n'étend que des chemises blanches : des grandes, des moyennes, des petites. Elle se baisse et disparaît un moment derrière le mur de son balcon, puis elle se redresse avec une chemise à la main et une pince à linge entre les dents. Elle secoue le vêtement et l'accroche à l'épaule de sa petite sœur. Lorsqu'elle a fini, qu'elle a emporté son baquet en plastique vert à l'intérieur, les chemises pendent dans l'air immobile, épaule contre épaule.

Et dire qu'il y a eu des moments où j'enrageais d'avoir à laver leur linge ! Mais il y avait aussi des instants où je restais sans bouger, une chaussette mouillée à la main, frappée par la sensation anticipée du temps où il n'y aurait plus de chaussettes à laver, plus de vêtements de sport à étendre le mardi et le jeudi, où je pourrais disposer de ma vie. Qu'est-ce que je voudrais ? Être encore avec mon mari ? Que mes enfants habitent près de moi ? Plus personne n'habite à côté, aujourd'hui. Cette femme, en face de chez moi, qui sait où iront ses enfants quand ils seront grands ? Au Canada, à Dubaï, sur la lune ? Peut-être aura-t-elle de la chance, et l'un d'eux se fixera-t-il ici, au Caire, assez près pour qu'elle ait des petits-enfants à serrer dans ses bras et à qui parler dans son vieil âge.

J'ai regardé les arbres dans le jardin, en bas. Je me suis dit : si quelqu'un les lavait avec un jet d'eau, combien de temps faudrait-il pour qu'ils soient à nouveau recouverts de poussière ? Je me suis demandé quel âge avaient ces arbres : dataient-ils de l'époque où cette partie de la ville n'était qu'une étendue de champs verdoyants ? Sans doute pas. Au Caire, on arrache les arbres, on ne les plante pas. La grande avenue d'eucalyptus géants, au début de la rue de la Haute-Égypte, à Giza : détruite. Des arbres de soixante mètres qui touchaient le ciel, déracinés afin de construire une voie plus large, pour les voitures et les camions qui filent vers la Haute-Égypte.

Lorsque l'interphone a sonné, j'ai pensé que c'était Isabel, qu'elle arrivait en avance. Je suis allée à la porte, j'ai décroché le combiné, et la voix de Tahiyya a beuglé dans mon oreille :

— *Daktora ! Ya Daktora* * !

— *Aywa*, ai-je répondu, en éloignant le combiné de mon oreille. Oui.

— Je peux monter vous voir deux minutes ? crie-t-elle.

---

* Féminin de docteur.

— Bien sûr, *etfaddali.*

— Maintenant ?

— Oui, montez.

Tahiyya est la femme du concierge et mon amie. Elle s'inquiète de ma santé, envoie ses enfants pour voir si j'ai besoin de faire une lessive ou de porter mes vêtements chez la repasseuse. Elle entre, tout sourire, son petit dernier sur la hanche ; il a une jambe dans le plâtre.

— Vous ne dormiez pas, j'espère ?

— Non, non, dis-je, en traversant la pièce pour fermer les portes du balcon.

Elle pose son enfant sur le sol.

— Mais ce machin fait trop de bruit. Je ne m'y habitue pas.

— On pourrait demander aux ingénieurs de couper le son, propose-t-elle.

— Oui, dis-je, en regardant l'interphone.

— Mais ils pourraient tout casser.

— Laissons tomber.

L'interphone est récent, moderne. Tahiyya et '*Am* Madani en sont très fiers.

— On ne voulait pas vous réveiller.

— Je ne dormais pas. On va faire du thé.

Nous allons dans la cuisine.

— Laissez-moi faire, s'empresse Tahiyya.

Aussi je m'assois pendant qu'elle remplit la bouilloire. 'Abd el-Rahman me suit. Il marche à nouveau à quatre pattes, à cause de son plâtre. Il s'installe devant le buffet de mon père, un meuble tout en hauteur, et ouvre le tiroir du bas. C'est là que je range les pinces à linge en plastique coloré.

— Vous voulez bien regarder ça, dit-elle, comme le thé infuse.

Elle pose une grande enveloppe devant moi. Je l'ouvre et j'en sors une radio. Je lis le commentaire, en anglais, puis je lève les yeux vers Tahiyya. Elle a un joli visage, des yeux noirs soulignés au khôl, des sourcils gracieux, épilés, un foulard bleu serré sur le front. Elle a l'air fatigué.

— Encore ? soupirai-je. Encore, Tahiyya ?

— Par Dieu, je ne l'ai pas voulu ! proteste-t-elle. On

avait dit quatre, on a remercié Dieu, et on s'est arrêtés là.
C'est la volonté de Dieu, que pouvons-nous y faire ?

— Mais vous ne vous étiez pas fait poser un stérilet ? Je
pensais...

— Oui, on m'en a mis un, mais j'ai saigné, alors ils l'ont
enlevé. Ils m'ont dit de rester tranquille un moment. Mais
vous savez comment sont les hommes. Puis la volonté de Dieu
s'est manifestée.

Elle goûte le thé, qui a la couleur du bordeaux. Elle le
verse dans nos verres, ajoute des cuillerées de sucre.

— Voilà des biscuits, dis-je.

Tahiyya pose l'assiette sur la table et tend un gâteau à
son fils.

— Par le Prophète, je ne m'en sors pas avec tous ces
enfants ! Hier, la petite avait de la fièvre. Elle a pleurniché
toute la journée et toute la nuit. Et ce garçon-là m'a empêchée
de dormir ! Il a passé la nuit à se promener dans la maison.
Le plâtre lui donne des démangeaisons. J'ai dû le garder dans
les bras, le câliner, le calmer, jusqu'à ce que Madani me dise :
« Que Dieu t'aide. »

— C'est gentil à lui.

— Que peut-il faire, *ya Daktora* ? Il travaille toute la
journée et il a du diabète. Il n'est plus en aussi bonne santé
qu'avant.

J'entends Isabel d'ici : son diabète ne l'a pas empêché de
la mettre enceinte. Quand sa santé était bonne, se levait-il la
nuit pour consoler les enfants ? Mais est-ce Isabel, ou bien
prête-t-elle sa voix à mes pensées ? Une interruption de grossesse est impensable. « *Haram ya Daktora*, dirait Tahiyya,
c'est une âme, après tout. »

— Vous en êtes à combien ? je demande.

— Je ne sais pas exactement.

Je regarde l'échographie.

— Onze semaines, environ.

— Traduisez-moi. Dites-moi tout ce qu'ils ont écrit.

— Il y a écrit que vous êtes enceinte de onze semaines
et que le bébé est normal.

— Grâce à Dieu, soupire-t-elle.

— Que dit *'Am* Madani ?

— Que pourrait-il dire ? Il dit : « Comment allons-nous le nourrir ? » et il remercie Dieu.

— Dieu donne à ceux qui en ont besoin.

— C'est bien connu, acquiesce-t-elle, avant de se lever pour passer les verres sous l'eau.

— *Yakhti*, ça me fait rire. Qu'est-ce que ça nous rapporte ?

— Rien, Dieu est le destin de l'homme.

— Et ils seront cinq dans l'œil de l'ennemi...

L'interphone résonne. Je me lève pour répondre.

Tahiyya est en train de ramasser les pinces à linge sur le sol quand Isabel entre. Elles se sourient.

— Hello, lance Tahiyya, très fort, en anglais.

Elle se redresse, sourit, porte sa main à son front, mimant un salut, au cas où Isabel n'aurait pas compris.

— Hello, répond Isabel. *Ezzay el-saha ?*

Tahiyya ouvre de grands yeux et se tourne vers moi.

— Elle parle arabe !

— Elle est intelligente.

— *Yakhti bravo'aleiha*. Elle a l'air intelligent, apprécie Tahiyya avec un grand sourire approbateur. Elle est mariée ?

— Non, dis-je.

— Belle comme la lune et pas mariée ? Pourquoi ? Ils n'ont pas d'hommes en Amérike ?

— Peut-être qu'elle ne veut pas d'un Américain, dis-je, pour plaisanter.

— *Khalas*, rétorque Tahiyya. On la marie ici. Vous lui trouvez un bon mari parmi vos connaissances et on lui prépare un mariage à tout casser.

Elle se baisse pour prendre 'Abd el-Rahman.

— Puis-je faire quelque chose pour vous avant de partir ?

— Non merci, Tahiyya, ça va.

— Dans ce cas je rentre, dit-elle.

Elle cale son fils contre sa hanche, s'efface pour que la jambe plâtrée passe la porte.

— *Salam'aleikoum*, dit-elle.

— Elle est toujours pleine d'entrain, remarque Isabel. Pourtant elle travaille dur.

— Oui, dis-je.

— Elle lavait les escaliers, la dernière fois que je suis venue.

— Ça devait être jeudi. Veux-tu que je te prépare un verre ? Il est sept heures passées.

— On pourrait sortir, propose Isabel. J'aimerais t'inviter à dîner.

— J'ai de quoi manger ici.

— Sortons. Tu ne sors jamais ?

Je hausse les épaules.

— Il y a bien un endroit que tu aimes ? insiste Isabel. Viens à New York, tu habiteras chez moi.

— Non. Merci tout de même.

— Tu pourras vivre ta vie. Il y a beaucoup de place. On se verra seulement quand tu voudras.

Je secoue la tête en signe de dénégation.

— Tu pourras voir ton frère.

— Je le verrai quand il viendra au Caire.

— Mais il ne vient pas souvent.

— Je sais.

— Tu as fait vœu de quelque chose, ou quoi ?

— J'ai seulement décidé de revenir dans mon pays. J'ai assez voyagé comme ça.

Et puis, irais-je à New York sans m'arrêter à Londres ? Et m'arrêterais-je à Londres sans voir mon mari ?

— Tu viendras un jour. J'en suis sûre.

— Tu crois ?

— Tu viendras quand mon film sortira.

— Sûrement, oui.

— Je suis sérieuse.

— Isabel. Tu ne connais même pas la suite de l'histoire ! Tu ne sais pas comment ça va tourner.

— Ça ne fait rien. J'imagine très bien, d'après la façon dont tu racontes.

Je secoue la tête, ça devient une habitude, chez moi. Cela dit, c'est courageux de ma part d'être sortie, même si je n'ai fait que traverser le fleuve. Courageux d'être venue dans ce restaurant, où nous avions dîné ensemble, où il avait baisé mes mains — j'avais feint de ne pas voir les regards des serveurs.

— Tu paries ? demande-t-elle.

— Non.

— Tu vois comme tu es. Tu ne veux pas parier !

— Ça avance ton travail ? Le troisième millénaire ?

Elle me jette un coup d'œil et nous nous taisons, pendant que le serveur place les mets sur la table : des feuilles de vigne, de l'homos arrosé d'huile d'olive, du *baba ghanouch**, du fromage et de la salade de tomate, du pain frais et du pain grillé.

— J'ai eu l'air idiot, tout à l'heure ? demande-t-elle, gentiment.

Je souris. « Elle a l'air intelligent », a dit Tahiyya.

— C'est plus ton histoire que la mienne, dis-je.

Isabel se sert deux feuilles de vigne et de l'homos.

— Je reconnais, dit-elle, qu'il y a beaucoup de choses que j'ignore. C'est un début, non ?

— Oui, je suis désolée.

Et je le suis, car j'ai beau clamer que je n'ai pas de préjugés, que je suis impartiale, je l'ai toujours considérée, de façon primaire, comme « l'Américaine ».

— Et cet article, tu progresses ?

— Je n'en suis pas sûre. Les gens que j'ai interviewés sont restés prudents. Ils parlent surtout de technologie et j'ai le sentiment qu'ils ne me disent pas ce qu'ils pensent vraiment.

— C'est difficile.

— Mais pourquoi ? Pourquoi est-ce si difficile ?

— Parce que tu es américaine.

— Je n'y peux rien !

— Bien sûr que non, mais ça ne facilite pas la communication. Il y a certaines choses dont il est délicat de parler.

— Ce n'est pas normal. J'ai l'esprit ouvert. À quoi fais-tu allusion ?

— Ça va s'arranger. On trouvera un moyen.

— De toute façon, dit Isabel, après un silence, je me suis prise d'intérêt pour beaucoup d'autres sujets. Je n'abandonne pas le troisième millénaire, mais il y a d'autres choses que j'ai envie de faire.

— Isabel, puis-je te demander ? Tu t'en sors ? Avec tous ces voyages... ?

— Oh, mon père m'a laissé de l'argent. Et puis, je vais vendre l'appartement de mes parents. Je ne suis pas riche, mais...

---

* Purée d'aubergine.

Elle sourit et ses belles dents reflètent la lumière de la bougie, sur la table.

Un bougeoir en verre décoré. En forme de cloche. Givré. C'est le pinceau d'Anna, trempé dans l'encre bleu marine, qui a tracé les lettres fines, arrondies : en glissant, le pinceau a formé la tige d'un *'alef*, qui s'est épanoui en fleur, la queue d'un *ya*, qui explose en un feu d'artifice de signes diacritiques. À ce stade, elle en savait assez pour reconnaître les caractères, mais elle ne pouvait dire avec certitude où finissait un mot, et où commençait le suivant.

Je lève la tête et je regarde Isabel, assise en face de moi, sublime dans son bustier en velours rose thé. Un père décédé et une mère sur le point de mourir. Nous sommes toutes les deux orphelines. Un frère mort pour un frère absent. Je touche le dessous de la table en bois, vite, discrètement : mon frère est absent mais vivant. Un mariage raté, nous avons aussi cela en commun.
— Tu sais, dis-je, d'un ton désinvolte, dans une tentative de confidence, nous venions ici, mon mari et moi, chaque fois que nous séjournions au Caire. C'était notre restaurant préféré. C'est la première fois que je reviens ici, sans lui.
— Tu es divorcée ?
— Non. Mais nous sommes séparés depuis longtemps.
J'ai des fils et Isabel n'a pas d'enfants. Mes fils ne sont pas au Caire, mais je ne passe pas la journée à attendre de leurs nouvelles, à attendre que le téléphone sonne : « Maman, je pensais venir te voir. » Isabel a des cheveux brillants, raides, coupés au carré. Elle porte une chaîne en argent très fine autour du cou. Sa vie commence. Moi, j'approche du versant déclinant. Je lui souris.
— Tu sais, je suis vraiment contente de t'avoir rencontrée, dit-elle.
Je tends le bras et je tapote sa main, posée sur la table.
— Tu as impressionné Tahiyya avec ton arabe, ajoutai-je.
— J'ai appris l'alphabet et quelques listes de mots, explique-t-elle, mais...
— Mais ?

— Cette langue m'échappe. Je ne comprends pas comment ça marche.

— Écoute, tu connais l'alphabet et tu as un dictionnaire. Tout part d'un radical. Le plus souvent, le radical est fait de trois consonnes, parfois deux. Puis le mot prend plusieurs formes. Par exemple... (le professeur en moi reparaît, comme je cherche un papier et un stylo dans mon sac). Prends la racine *q-l-b*, *qalb*. Tu peux lire ça ?

— Oui.

— *Qalb* : le cœur, le cœur qui bat, l'essence des choses. O. K. ?

Isabel acquiesce d'un hochement de tête, en fixant intensément les signes sur le papier.

— Puis le radical peut prendre un nombre de formes défini, donnant presque un motif. Dans le cas de *qalb*, tu obtiens *qalab* : retourner, renverser, mettre sens dessus dessous, changer une chose en son contraire. D'où *maqlab* : un mauvais tour, une inversion de rapport de force, et aussi une décharge à ordures. *Maqloub* : à l'envers, *moutaqallib* : changeant et *inqilab* : un coup d'état...

Ainsi, toute chose contient le germe de sa destruction.

— Il existe un livre dans lequel on peut apprendre tout ça ? demande Isabel.

— Je ne sais pas. Sans doute, oui. Moi j'ai procédé par intuition.

— C'est vraiment utile de comprendre les radicaux.

— Je pense, oui. Cela te donne une base.

— Alors chaque fois que vous utilisez un mot, il y a derrière le cortège de tous ceux qui sont nés du même radical que lui.

Oui, ils arrivent en grappes, comme les larves : la reine au milieu, et tous les œufs, les gros et les petits, qui ne seront pas fécondés cette fois.

— Oui. Plus ou moins. Cherche toujours le radical : les trois consonnes. Ou les deux.

— Je vais étudier ça, promet-elle.

— Fais-moi part de tes réflexions.

Isabel plie le papier et le met dans son sac à main.

Dehors, derrière les fenêtres en verre épais, la nuit est tombée. Sur Maspero, les voitures se font plus rares et les arbres n'ont plus l'air poussiéreux. Les lumières des bateaux, le *Omar Khayyam* et *el-Pacha* scintillent sur l'eau. De temps à autre, un petit canot passe sans bruit sur le fleuve. Près de la rambarde, des couples flânent : les hommes en chemises à manches courtes, les femmes avec de grands foulards sur la tête. Des jeunes gens solitaires se retournent pour les dévisager.

Après être sorties du restaurant, nous marchons tranquillement jusqu'à la voiture, garée près du Hilton Ramses. Isabel me propose d'aller boire un verre : je décline son offre. J'ai ranimé assez de fantômes pour ce soir. Je veux rentrer chez moi, retrouver ma chambre.

Nous faisons demi-tour devant l'immeuble de la télévision, protégé par des sacs de sable depuis 1967. Puis nous repartons vers le pont Qasr el-Nil.

— Comment va Anna ? demande Isabel.

— Tu as perdu le contact.

— Non. Tu m'as dit qu'elle était allée en Égypte ou plutôt venue en Égypte. J'ai lu le petit épisode sur Alexandrie.

— Eh bien elle est au Caire, à présent, et elle fréquente la communauté anglaise. L'Agence. L'ambassade britannique. Elle veut apprendre l'arabe.

— Qui va le lui enseigner ?

— Je ne sais pas. James Barrington parle arabe.

— A-t-elle découvert ce qu'elle cherchait ? Les herbes pour Winthrop ?

— Quelques-unes, oui, au bazar. Mais très peu.

— Elle les trouvera ?

— Je ne sais pas. J'espère. Mais elle va rester ici des années, elle finira bien par les trouver.

— Alors, il y a une scène dans le bazar ?

— Oui, une scène d'une parfaite authenticité, avec des ânes, de vieux artisans, des cris dans la rue, la servante d'une lady, effrayée, réprobatrice, et des garnements qui gueulent pour avoir un bakchich.

— Tu te moques de moi.

— Juste un peu.

— Tu ressembles terriblement à ton frère, tu sais.

Ah. Je me demandais quand nous allions reparler de lui. Mon frère.

9.

« ... dans cette histoire de domination turque, albanaise, puis anglaise en Égypte, c'est l'Égypte qui compte, tout le temps. C'est (comme l'histoire) d'un homme public marié à une femme intelligente. Tant qu'elle le soutient, il prospère, dès qu'elle l'abandonne il choit, mais c'est là un mécanisme difficile à démonter. »

George Young, 1927.

Le Caire
Le 25 janvier 1901
Cher sir Charles,

 C'est étrange pour moi, de ne pas être en Angleterre en ce moment. J'ai l'impression qu'il se passe des choses importantes mais elles restent abstraites : rien, autour de moi, ne témoigne d'événements particuliers, excepté des drapeaux en berne, et la tristesse qui règne à l'Agence mais cela n'a jamais été un endroit très gai. Quant au reste du pays, la vie suit son cours, pour ce que j'en vois : les gens célèbrent la fin du ramadan. En Angleterre, les préparatifs du couronnement et de l'enterrement doivent susciter espoirs et craintes liés à un changement imminent. C'est très curieux de penser que la reine nous a quittés : elle a toujours eu une place si fixe dans notre firmament. Je ne puis dire que je la pleure : elle était trop inaccessible. En revanche, chaque fois que la pensée de sa mort me traverse l'esprit, j'éprouve une réelle surprise à l'idée qu'elle n'est plus.

 Avez-vous bon espoir que ce changement sera bénéfique ? Le prince de Galles sait mieux que sa mère ce qui se passe dans le monde, même lord Salisbury est plus avisé qu'elle, avez-vous dit. Pourra-t-on arrêter la guerre en Afrique du Sud ? Hier après-midi, je suis allée au Sporting Club. Il y avait un monsieur des Finances, un dénommé Argent (Charles Dickens n'aurait pu faire mieux !). D'après lui, la campagne d'Afrique du Sud nous a coûté cent cinquante millions de livres. Je lui ai dit qu'au début de la guerre vous aviez estimé le coût de cette campagne à deux cents millions. Il a répondu que ce n'était pas un chiffre excessif. Écrivez-moi, je vous

*en prie, ce que vous pensez de tous ces événements, car de ma vie
en Angleterre, c'est votre conversation qui me manque le plus.*

Ici, au Caire, il ne se passe rien de nouveau.

*Aujourd'hui, Mme Butcher (dont j'ai déjà dû vous parler)
m'a très gentiment autorisée à l'accompagner dans sa visite d'une
vieille église superbe, construite sur les ruines d'un fort romain de
Babylone dans l'ancien quartier chrétien, au sud du Caire. Cette
église a une étrange voûte en bois, comme l'intérieur d'un bateau
retourné, et pas de dôme. Un vieil homme a attiré notre attention
sur une image de la Vierge Marie, gravée sur une colonne en
marbre. Les autochtones croient que la Vierge a quitté cette image
pour apparaître à Abraham en 969, m'a dit Mme Butcher. Abraham a cité le verset 20 du chapitre 17 de l'évangile selon saint
Matthieu : « Je vous le dis en vérité : si vous aviez de la foi comme
un grain de sénevé, vous diriez à cette montagne : va de là à là,
et elle irait ; rien ne vous serait impossible. » Le calife al-Muizz a
compris ces paroles comme étant celles d'Abraham : il lui a
demandé de déplacer la montagne Mouqattam. Le patriarche s'est
alors enfermé dans l'église pour jeûner et prier. Le troisième jour,
la Vierge lui est apparue et un violent tremblement de terre a secoué
la montagne. Al-Muizz s'est déclaré satisfait. Il a ordonné qu'on
restaure l'église, et qu'on reconstruise l'église d'Abousifin d'un
même élan. C'est une jolie histoire, et cette Vierge ressemble beaucoup aux icônes de l'époque. Son visage est presque le même que
celui d'un tableau accroché près de l'entrée du bâtiment : Marie,
couronnée, tient l'enfant Jésus sur un genou, couronné lui aussi, et
saint Jean se penche en avant pour embrasser le pied de l'enfant.
On dit que, sur cette peinture, les yeux de la Vierge vous suivent,
où que vous alliez. J'ai fait l'expérience avec la décence qui s'imposait, vu que j'étais dans une église, et je n'ai pas eu l'impression
que ses yeux me suivaient. C'est un très bel édifice, quoique sombre,
et petit. La marqueterie des lambris et de la chaire, les murs car-
relés, les lampes à huile dans leurs niches et les dalles de pierre
rappellent beaucoup certaines mosquées plus anciennes. Ne trou-
vez-vous pas qu'il y aurait là l'indice d'une esthétique et d'une
unité divines, qui se seraient illustrées dans les deux édifices ?*

La Mou'allaqah. Un jour, lors d'un voyage avec l'école,
il y a des années, j'ai moi aussi tenté l'expérience avec les yeux
de la Vierge Marie. Je voulais qu'ils me suivent, mais je ne

puis dire que cela se soit produit. Je me rappelle le guide : il nous a dit que les chevrons de bois du toit symbolisaient l'Arche de Noé et les huit colonnes, la famille de Noé. Les treize colonnes de marbre supportant la chaire évoquaient le Christ et les douze disciples. La colonne noire, au centre, rappelait Judas Iscariote. J'ai alors eu le sentiment de mieux comprendre cet édifice. Sans respecter les mises en garde de nos professeurs, nous avons descendu l'escalier de fer branlant qui conduisait à la crypte, et nous avons vu que le sous-sol était rempli d'une eau stagnante, et d'une matière verte et visqueuse. Une créature sombre a surgi devant nous en voletant, et quelqu'un a crié qu'il y avait des chauves-souris. Nous avons battu en retraite et remonté l'escalier en trombe. Quel soulagement, de fendre à nouveau les deux rideaux de velours rouge, de retrouver la pénombre rassurante de l'église, puis d'émerger au grand jour !

Nous nous sommes assis sous un arbre qui a abrité Marie durant sa fuite en Égypte avec l'enfant Jésus. J'admets avoir été touchée par la foi de ce guide, quand il nous a parlé de Settena Mariam et de son fils, Yassou' al-Messih, et par sa conviction absolue que c'était sous cet arbre, et non sous un autre, qu'elle avait trouvé refuge. Après tout, cet homme pourrait bien avoir raison. S'il se trompe (il y a d'autres arbres sous lesquels elle est censée avoir dormi), quel mal y a-t-il à croire que c'est votre arbre qui lui a offert son ombre et son hospitalité ? Tant qu'on n'en vient pas aux mains avec son voisin pour défendre son point de vue. Pourquoi la Vierge ne se serait-elle pas reposée sous plusieurs arbres durant son séjour dans ce pays ?

Mme Butcher est une femme qui a bon cœur. Elle et le doyen vivent en Égypte depuis maintes années. Elle parle la langue et semble bien s'entendre avec les autochtones. Elle n'a pas l'esprit rigide, elle est tolérante. Elle m'a parlé avec ferveur et sympathie de la religion de l'Égypte ancienne et de ses similitudes, au stade majeur de son développement, avec notre chrétienté : l'Égyptien d'hier, comme le chrétien d'aujourd'hui, a-t-elle dit, savait qu'il vivait sous le regard de Dieu, et dans l'ombre des ailes éternelles.

Akhenaton est le jeune roi qui s'est rebellé contre les prêtres puissants d'Amon. Puis il est parti avec sa femme,

Néfertiti, la plus belle des reines de l'Antiquité, et les gens de sa maison, pour édifier une nouvelle capitale à Tell al-Amarna et ordonner le culte d'un dieu unique : Aton. Qu'est-il arrivé ensuite ? Nous avons des fragments de son histoire. Des représentations picturales. On voit la reine assise sur le trône. Penchée vers son mari, elle touche tendrement le col du roi. Nous avons des images sans précédent de la famille royale dans un moment de détente : le roi tient l'une de ses filles assise, sur un genou, la reine embrasse une autre de leurs filles. Puis tout bascula. Pourquoi a-t-il banni et chassé Néfertiti ? Quelles forces rassembla-t-elle alors contre lui ? Nous savons seulement qu'à la mort du roi les prêtres d'Amon-Râ revinrent et interdirent l'enterrement d'Amon. La sœur du roi sortit furtivement pendant la nuit, l'oignit et l'enterra. Pour avoir fait cela, elle fut enfermée dans une cellule obscure et condamnée à mourir de faim et de soif.

Je vois Anna reposer sa plume. Elle relit sa lettre, la plie. Il est onze heures. Emily dort et Anna est agitée. Elle arpente sa chambre. Elle ouvre ses volets, regarde dehors : c'est une nuit de janvier et il n'y a rien à voir, excepté un cheval et son cocher, attendant patiemment que leur maître quitte l'hôtel Shepheard, et rentre chez lui.

Le 10 février
Je disais vouloir apprendre l'arabe. « Ah, vous voulez lire la mou'allaqat », a dit le doyen Butcher. Lorsqu'il a vu que je ne savais même pas de quoi il parlait, il m'a expliqué qu'il s'agissait de sept odes, les plus célèbres de la poésie arabe, datant d'avant l'Islam. À une lettre près, ce mot est le même que le nom d'une église, devenue ma préférée en Égypte. Le doyen m'a dit que allaqa *signifie « suspendre », or cette église s'appelle Mou'allaqah » parce qu'elle est « suspendue » à l'ancien portail du fort romain. Les Mou'allaqat sont les poèmes « suspendus », car ils furent sacrés premiers, dans le concours de poésie qui avait lieu chaque année à La Mecque et eurent l'honneur d'être accrochés sur la porte de la maison de Dieu (la Kaaba).*
Je n'ai pas voulu admettre que, malgré la similitude des noms, l'église et les odes n'avaient rien de commun. J'ai demandé au doyen si autre chose portait cette épithète, et après réflexion, il m'a

répondu qu'un seul autre exemple lui venait à l'esprit : les jardins suspendus de Babylone : Hada'iq Babel al-Mou'allaqah.

'A, l, q : s'attacher, s'accrocher, être fécondée, être enceinte — et, dans sa forme emphatique, 'a, ll, q : accrocher, suspendre, mais aussi commenter.

Je suis retournée à la Mou'allaqah maintes et maintes fois, et plus je vais dans cette église, plus je mémorise les personnages représentés sur les tableaux, plus mon oreille s'habitue aux chants coptes ou au silence, et mon nez à l'odeur âcre de l'encens, plus je me familiarise avec cette église, plus j'ai conscience de l'effet qu'elle a sur mon âme : l'impression d'un espace qui se dilate en moi — comme si j'appartenais, moi aussi, au passé de ce lieu. Je ne puis mieux l'exprimer : cette église m'insuffle une grande paix intérieure, que j'espère durable.

Et maintenant j'ai envie d'y retourner. De lire ces mots gravés dans la pierre du portail, en arabe : demande et on te donnera, cherche et tu trouveras, frappe et on t'ouvrira. Je suis assise par terre, adossée à mon lit. À côté de moi, le journal d'Anna, ouvert ; autour de lui des lettres. Je veux rester calme. Je change de position : je m'assois en tailleur, le dos droit, un poignet sur chaque genou. J'aimais errer dans cette partie de la ville : aller à la mosquée d'Omar, dans les églises, marcher dans les ruelles pavées du quartier copte, m'asseoir un moment dans le cimetière, si différent du nôtre, où sont enterrées les grandes familles coptes, parmi des arbres à feuilles persistantes et des statues en marbre. Je dirai à Isabel qu'elle doit aller à la Mou'allaqah.

Quand on commence à penser à quelque chose, les circonstances nous poussent parfois à y penser encore plus. C'est ce qui arrive à Anna. On le voit dans une lettre à Caroline Bourke qui date, je pense, du 10 mars. La première page manque.

... mais elle est restée pratiquement muette, sauf quand M. Barrington lui a demandé un conseil à propos d'un cheval qu'il envisageait d'acheter, et en une autre occasion. Dans l'assemblée, il y avait un jeune homme du nom de Temple Gairdner, un garçon

*dégingandé et chevelu — il a été ordonné prêtre hier, à Alexandrie.
Il déborde d'enthousiasme à l'idée de convertir des musulmans du
Caire. Il a été assez déconcerté lorsque Mme Butcher a mis en doute
la sagesse de l'entreprise : il ne s'attendait pas à cette réaction de
la part de la femme du doyen. Elle est restée aimable, mais son
intention était bien de l'interroger sur sa mission. Elle a attiré l'attention du jeune homme sur les conséquences de son succès éventuel
(réussir une conversion) : les problèmes légaux liés aux successions,
la brouille irrémédiable avec la famille et les amis. Car le musulman
du cru peut être ami avec son voisin copte — enfin, avoir une
espèce d'amitié pour lui — a-t-elle dit, mais voir son fils ou son frère
renier sa foi est une tout autre affaire. M. Gairdner s'est défendu. Il
a dit que des préoccupations de nature aussi matérielle ne sauraient
se comparer à la souffrance de Notre Seigneur. Lui-même et ses
compatriotes deviendraient la seule famille du converti, a-t-il
conclu. Lady Anne, jusque-là silencieuse, lui a demandé pourquoi
il jugeait nécessaire de faire embrasser le christianisme à un musulman, vu que ce musulman est un croyant. Les soucis que cette
conversion lui causerait à lui et à ses proches se justifiaient-ils, simplement pour que cet homme vénère Dieu d'une autre manière ?
M. Gairdner s'est ainsi trouvé piégé entre deux femmes douces mais
formidables. J'admets avoir été désolée de sa déconfiture : il semble
dénué de toute intention méchante. Tout s'est terminé assez gentiment, car il a refusé de se laisser entraîner dans une discussion sur
la théologie : il s'est contenté de dire que, même en considérant la
question d'un point de vue historique, l'édifice musulman est partie
intégrante de la chrétienté et que son vœu est de revendiquer pour
le Christ des âmes qui déjà sont siennes. Les dames ont cessé de le
torturer et de débattre la question. M. Boyle a raconté l'histoire
d'un muletier, célèbre pour tomber à genoux devant les étrangères
et leur dire : « Madame, madame, je crois. Donne-moi des
bibles ! », telle une variante de l'habituelle supplication de « Bakchich ». Mme Butcher m'a dit, en privé, que le genre d'activité
auquel s'adonne M. Gairdner ne faisait que semer le trouble ici et
qu'elle doutait de le voir réussir une seule vraie conversion, pour
tout le mal qu'il se donnera.*

  *Et maintenant, chère amie, à moins que vous ne m'ayez trou-
vée trop ennuyeuse, je vais vous raconter le sommet mondain de la
saison d'hiver, en Égypte, auquel j'ai eu l'honneur d'assister : le
bal du khédive. Il avait été différé en raison de notre deuil, mais le*

couronnement ayant eu lieu, on a considéré qu'il était désormais convenable de donner le bal surtout parce qu'il s'agit du seul événement cairote auquel participent toutes les nations présentes, ce qui lui confère un caractère à la fois politique et diplomatique.

C'est une réception des plus somptueuses : elle a lieu au palais 'Abdin, la résidence officielle du khédive (sa résidence personnelle est le palais Qubbah). Ce soir-là, nous avons roulé au pas depuis l'hôtel Shepheard. (D'autant plus qu'une procession nous a coupé la route place de l'Opéra : deux cents hommes, portant l'uniforme de la compagnie des tramways, accompagnés de jeunes Égyptiens vêtus à l'occidentale, défilaient, précédés d'une bruyante fanfare ! Ils ont pris la même direction que nous, et nous avons été contraints de les suivre jusqu'au palais. Personne ne savait qui ils étaient, mais nous avons pensé qu'ils célébraient quelque événement). J'étais en compagnie de lady Wolverton et sir Hedworth Lambton, et on nous a jugés assez respectables pour nous présenter à Son Excellence et nous placer à l'avant de sa suite lorsqu'elle a pénétré dans la salle de bal. Le khédive semble être un jeune homme charmant. Il a l'air intelligent, il a un sourire jovial et de bonnes manières. Quel dommage que lord Cromer et lui ne s'entendent pas mieux. Celui-là s'est montré, mais il n'est pas resté longtemps, pas même jusqu'au dîner. On a mis cette réserve sur le compte de son deuil et de son peu de goût pour les fêtes.

La salle de bal est d'une magnificence sans pareille : des dorures, du cristal, du velours, tout ce qu'on peut s'attendre à trouver dans un palais. Au fond, deux portes majestueuses, qu'ils ont ouvertes plus tard dans la soirée sur une salle de banquet d'une égale magnificence. À l'autre extrémité, une galerie étroite courait sur la moitié supérieure du mur, au bout de laquelle se trouvait une étrange grille dorée. Derrière, étaient assises, m'a-t-on dit, les dames de la maison — elles pouvaient nous regarder si bon leur semblait. Cela a éveillé mon intérêt, et j'ai passé la soirée à reluquer la grille, de sorte que mon comportement eût sans doute été jugé inconvenant si j'avais été un homme. Et, pourtant, ma plus grande curiosité était de savoir comment nous apparaissions à ces regards cachés qui nous observaient.

Les danses étaient en tous points semblables à celles que nous affectionnons dans nos bals des grandes maisons d'Angleterre. Cela dit, je n'ai encore jamais vu un tel mélange de nationalités : les représentants de toutes les nations étaient là avec leurs femmes. Il y avait beaucoup d'Anglais, naturellement, mais aussi des notables égyptiens, ceux dont j'étais le plus curieuse, n'en ayant pas rencontré un seul, bien que je sois là depuis plus de cinq mois ! En revanche, je n'ai pas vu une seule musulmane. Sans doute étaient-elles derrière la grille dorée ! Les autochtones portaient l'uniforme de l'armée égyptienne, ou les robes des ordres religieux, ou encore comme le khédive, le costume de cour et un fez rouge. J'avoue en avoir trouvé plus d'un superbe. Mais ils sont restés très réservés. Je n'en ai pas vu un seul danser.

Vous voudrez savoir ce que je portais. J'avais mis ma soie violette, qu'Emily n'a pas estimée assez élégante, et sans doute ne l'était-elle pas, mais sachant qu'il y aurait des notables musulmans, j'ai voulu me couvrir comme il sied, afin de ne pas les offenser. Nous sommes, après tout, dans leur pays. Cela dit, je portais le diadème de lady Winterbourne et le collier d'améthystes de ma mère. Je crois n'avoir pas déshonoré l'Empire !

Lorsqu'on a ouvert les portes de la salle de banquet, il y a eu une vraie ruée ! On aurait pu croire que l'assemblée jeûnait depuis des semaines ! Lady Wolverton et moi sommes restées un moment en retrait, certains messieurs égyptiens ont fait de même, ils ont profité de l'occasion pour prendre congé peu après. J'ai eu l'impression très étrange d'avoir déjà vu l'un d'eux. Je ne l'ai entr'aperçu qu'un instant, comme il tournait les talons pour partir, mais en cet instant, je me suis retrouvée au Costanzi, et il m'a semblé entendre s'élever à nouveau la plainte angoissée de Darclée — avec des conséquences si désagréables pour vous, ma très chère amie...

Mais c'était le début de ma guérison, et je ne doute pas que vous comprendrez, à la lecture de ma lettre, que j'ai fait de réels progrès depuis ces tristes journées, durant lesquelles vous avez fait preuve d'un dévouement sans pareil, votre dévouée...

L'un des Oulama présents ce soir-là, vêtu d'une de ces « robes des ordres religieux », était Cheikh Hassounah al-Naouaoui. Dans une lettre à Cheikh Mohammad Abdou, il dit : « Je sais que les mœurs des étrangers sont différentes, mais dans leur comportement, ce qui m'a le plus frappé, ce sont ces dames aux bras nus, aux poitrines découvertes, dansant avec des hommes, pendant que leurs maris les regardaient, sereins, et visiblement approbateurs. »

Le Caire
Le 10 mars 1901
Cher sir Charles,

Votre dernière lettre m'a ravie : elle me rapporte des événements récents et des conversations d'amis avec un tel luxe de détails, qu'elle me donne la nostalgie de Londres. J'ai de la tristesse à imaginer la maison fermée, désertée et froide, mais je vous promets que l'hiver prochain nous serons à nouveau nous-mêmes — autant que faire se peut — et quand vous viendrez me voir, le soir, j'aurai allumé un feu dans toutes les cheminées, et préparé votre whisky à l'eau.

J'ai dîné tôt, ce soir, en agréable compagnie : votre vieil ami sir Hedworth Lambton était présent, et lady Chelsea, qui ont tous deux promis de venir vous voir à Londres le mois prochain, et de vous raconter ma vie ici ! Lady Anne Blunt était là aussi. Elle ne m'a pas invitée dans sa maison d'Heliopolis, je ne pourrai donc pas rencontrer M. Blunt, je devrai attendre que vous nous organisiez un dîner à Londres. Lady Anne avait amené sa fille, Judith. La jeune fille est très vive, très jolie. Nous avons beaucoup parlé de l'Angleterre, de nos connaissances et amis communs.

Hier, cependant, j'ai bénéficié d'une conversation (je dis bénéficié, car je n'ai fait qu'écouter) qui vous aurait intéressé, et à laquelle, contrairement à moi, vous auriez pu participer car vous auriez eu des choses à dire. Ces échanges ont eu lieu au pied de la grande pyramide (dont j'ai assez fait l'éloge dans plusieurs de mes lettres), où nous avons pique-niqué, après une excursion en bateau et à dos d'âne (je n'ai pas encore osé monter à dos de chameau !). Vous imaginez la scène : les tapis étalés sur le sol, les paniers ouverts, le repas servi. Les domestiques qui s'emploient à chasser les Turcs et autres enfants offrant leurs services : des mulets, des chameaux, une escorte jusqu'au sommet de la pyramide, ou demandant simplement de l'argent. J'oubliais Emily, assise sur un coin de tapis. Je lui ai dit qu'elle ne pouvait rentrer en Angleterre sans avoir au moins vu la pyramide, et l'ai ainsi décidée à m'accompagner. Sans doute a-t-elle interprété cette visite comme l'indice d'un départ imminent et a-t-elle fait preuve de bonne volonté, afin de quitter ce pays le plus tôt possible. Cela dit, elle est restée assise à fixer la végétation luxuriante de la région du Caire, évitant soigneusement de regarder la pyramide — les arbres étant son seul lien avec la civilisation en cette circonstance.

J'admets avoir eu du mal à en croire mes yeux quand j'ai vu le sable du désert se muer subitement en champs verdoyants, cultivés, et en bosquets de palmiers. Quelle impression extraordinaire doit avoir le voyageur, après des jours et des nuits passés à traverser cet immense désert, de découvrir soudain une telle verdure, une telle luxuriance ! Cela doit lui faire l'effet d'un miracle — mais je digresse.

Notre groupe comprenait Harry Boyle, le secrétaire oriental de l'Agence, James Barrington, le troisième secrétaire, qui va bientôt quitter l'Égypte, Mme Butcher (dans le rôle de mon chaperon), M. Douglas Sladen et M. George Young, qui tous deux écrivent des livres sur l'Égypte, M. William Willcocks, chargé de la construction du grand barrage et du réservoir d'Assouan et moi-même. Sous le regard de quarante siècles d'histoire, la conversation a beaucoup tourné autour de l'Égypte, de la vie du cultivateur restée la même, des souverains successifs du pays, et de notre présence ici aujourd'hui. M. Boyle a émis des opinions auxquelles on pouvait s'attendre : le pays, a-t-il dit, n'a jamais été aussi bien gouverné ni les Égyptiens aussi heureux et prospères que sous lord Cromer. De façon tout à fait inattendue, M. Willcocks a émis une opinion contraire (j'ai su ensuite, par M. Barrington, que M. Willcocks avait donné cinq livres à un journal nationaliste vendu par souscription, al-Mou'ayyad, et subi depuis l'irritation de lord Cromer). M. Willcocks a demandé pourquoi, si le peuple était si heureux et prospère, les journaux soulevaient les Égyptiens contre nous. M. Boyle a rétorqué qu'il n'avait pas connaissance d'une telle révolte. Al-Mouqattam et La Gazette sont plutôt aimables avec les autorités, a-t-il ajouté. Cette dernière remarque a suscité des sourires dans l'assemblée, et M. Willcocks a déclaré : « Oh, je ne voulais pas parler de ces deux-là, mais de l'un des deux cents autres journaux qui paraissent ici : les journaux des autochtones. » M. Boyle (avec un certain mépris) : « Mon cher, ces revues-là s'adressent aux classes éduquées, les effendis. Des insatisfaits chroniques. » J'ai été tentée de tirer mon journal de mon sac et de prendre des notes pendant qu'ils parlaient, mais cela eût été inconvenant. Aussi ai-je usé d'un subterfuge : j'ai pris mon carnet de croquis et mes crayons, pour croquer les divers protagonistes et jeter quelques notes sur le papier. J'ai tout repris pour vous dans une petite saynète illustrée qui j'espère vous amusera.

Nous sommes sous la grande pyramide, les messieurs se prélas-

sent sur les tapis, Mme Butcher est assise très droite sur son coussin, dans une sévère robe grise, bordée de bleu marine, un chapeau à brides bien ajusté sur le crâne. Emily est à l'écart, elle regarde dans la direction opposée à notre groupe. Je suis assise, mon carnet de croquis sur un genou. M. S. (que je n'aime pas trop, je l'avoue, car il a une espèce de condescendance qui n'épargne que les vieux monuments) parle des effendis, qu'il traite de « coquins verbeux » et qu'il déteste car ils s'efforcent de nous ressembler. Il rit de leurs cols de golfeurs, de leurs bottes à revers marron, de leur passion « intolérable » pour ces idées européennes de liberté et de démocratie. Il se méfie de leur éducation française.

M. S., homme de petite taille, maigre, au teint cireux, et H. B., gros et rougeaud, semblent d'accord sur tout. Chacun est capable de reprendre une phrase là où l'autre l'a laissée. H. B. affirme que les gens qui comptent en Égypte sont les paysans, et que les Anglais ne leur ont apporté que de bonnes choses. Sur le dessin, c'est l'homme avec le chien, à la moustache tombante, à la veste fripée. Le chien, Toti, l'accompagne partout, mais il est si vieux qu'il faut le porter. Vous voyez ce bonnet rayé blanc et bleu, qu'on lui met sur la tête pour le protéger du soleil ? H. B. s'en occupe bien, il lui glissait des morceaux de nourriture pendant qu'on pique-niquait. Le lord a aboli la corvée, le courbache et la bastonnade, nous a-t-il dit. Maintenant, les paysans peuvent tenir tête au pacha et s'écrier : « Vous ne pouvez pas me fouetter car je le dirai aux Anglais ! » M. Barrington n'a pas l'air de le croire, mais il est très courtois et peu enclin à contredire les gens — surtout ceux qui ont des opinions tranchées. J'espère que mon dessin rendra la douceur de ses traits. Il porte un costume en très beau lin et une cravate des plus élégantes d'un bleu lavande assez pâle. Il a remis une part de notre pique-nique à Sabir, son serviteur, afin qu'il le partage avec les autres serviteurs égyptiens, qui attendaient à l'écart. M. Barrington et Sabir semblent pleins de considération l'un pour l'autre. C'est la première fois que je vois ce genre de rapports entre un membre de l'Agence et son serviteur. H. B. a conclu en disant que les effendis ne sont pas de vrais Égyptiens. Il n'est donc pas utile de tenir compte de leurs opinions. M. S., toutefois, va plus loin : il n'y a pas de vrais Égyptiens, affirme-t-il. Seuls les coptes peuvent prétendre descendre des anciens, or ils sont très peu nombreux et n'ont aucun pouvoir. Quant aux musulmans, ils sont arabes et ne résident en Égypte qu'à la faveur d'événements histo-

riques relativement récents. Mme Butcher n'est pas d'accord : les habitants de l'Égypte antique, dit-elle, avaient un caractère si marqué, si fort, qu'il en reste forcément des traces chez les Égyptiens d'aujourd'hui. Mme Butcher a des manières si douces ! Ceux qui ne la connaissent pas bien s'y trompent et M. S. l'a interrompue en lançant : « Ce caractère ne subsiste pas, madame, il est dégénéré. Complètement dégénéré ! » C'est un terme que j'ai souvent entendu attribuer au caractère égyptien. Une étude (que M. S. s'empresse d'exposer) va dans ce sens : ils usent d'un système de bakchich, ils ont une propension à la fausseté, à l'opportunisme. Cette description s'applique aussi au khédive, prétend M. S. C'est pourquoi lord Cromer refuse de traiter avec lui. M. Rodd prend la défense de Son Altesse : le souverain a suivi des études en Autriche, dit-il, puis accédé au trône à dix-huit ans. Il avait des ambitions trop princières pour occuper une position de subordonné : l'autorité de lord Cromer lui semble difficile à supporter. Cependant, je me demande si un maître étranger peut réellement saisir le caractère des personnes qu'il gouverne. Jusqu'à quel point connais-je Emily ? par exemple. Nous sommes toutes les deux anglaises, nous partageons le même toit depuis vingt ans, mais elle peut me donner son congé n'importe quand et travailler ailleurs un mois plus tard. Je l'observe : elle garde ses distances et ne prend qu'une toute petite place sur le tapis. Je l'imagine dans un petit cottage qui serait à elle, avec des moyens d'existence personnels, entourée de ses enfants, et je la vois s'épanouir, s'ouvrir à une vie plus riche — mais à nouveau je digresse.

M. Y., qui est historien, pense que les Égyptiens ont un caractère propre, mais qu'ils n'en ont pas encore conscience. Le mouvement d'Orabi Pacha (dont j'ai si souvent entendu parler) témoigne d'une identité nationale, dit-il. Or c'était là une pensée trop métaphysique pour H. B., qui a poursuivi sur les réformes économiques effectuées par l'administration de lord Cromer, touchant la production de coton, l'hygiène, la ponctualité des trains. Il était de plus en plus débraillé, alors qu'il ne faisait que parler. Mme Butcher, fraîche comme une rose, a dit qu'en dépit de progrès matériels louables on pouvait reprocher à notre administration d'avoir ignoré la vie spirituelle de la nation qu'elle gouverne. M. Willcocks s'est aussitôt engouffré dans la brèche et a déploré qu'on néglige à ce point l'éducation. « Je ne pense pas que nous ayons l'intention de quitter l'Égypte, quand nous aurons fini de la réformer. Autrement,

*nous veillerions davantage à éduquer la population, afin qu'elle
soit capable de se gouverner elle-même. » Il a parlé en toute connaissance de cause : ingénieur, il s'est attelé à une tâche qui profite au
pays et il a l'intention de partir quand il l'aura achevée.*

*Cependant, H. B. et M. S. disent que les autochtones ne sau-
ront se gouverner eux-mêmes que dans plusieurs générations : ils
manquent d'intégrité et n'ont pas la fibre morale, ayant vécu trop
longtemps sous un joug étranger. Ils doivent donc être dirigés par
d'autres, et autant que ce soit les Anglais — les Français ou les
Allemands ne manqueraient pas d'occuper la place si nous n'étions
pas là, ont dit H. B. et M. S. Là-dessus M. Y. a pris la parole.
Il a déclaré calmement, en offrant à Toti une lamelle de jambon
fumé qu'il a dédaignée, que nous allions devoir partir un jour, et
que si nous ne le faisions pas de notre plein gré, l'Égypte se charge-
rait de nous chasser. M. Barrington s'est allongé, il a posé son
chapeau sur son visage, ses bras sous sa tête, et il a marmonné :
« George aime à nous voir comme une chimère sans avenir. »*

L'Égypte, berceau de la civilisation, qui se rêve elle-
même à travers les siècles. Qui nous rêve, nous, ses enfants :
ceux qui restent, œuvrent pour elle, se plaignent d'elle. Ceux
qui partent, la regrettent, et lui en veulent de les avoir poussés
à partir. Et moi, de retour dans mon pays, arrivée à la moitié
de ma vie, je lis ce qu'Anna a écrit à son beau-père, il y a cent
ans, et je vois ce groupe d'Anglais, qui déjeunent au pied de
la pyramide, leurs serviteurs égyptiens taisant leurs souhaits.
Je mémorise le récit d'Anna, je prépare des notes explicatives
pour Isabel, et je suis déchirée. J'ai de la sympathie pour
M. Young — je l'imagine brun, avec une expression légèrement ironique — et j'ai envie de lui dire : nous avions une
conscience très vive de notre identité. Orabi Pacha, au bas de
sa requête pour un gouvernement démocratique, qui a tant,
et injustement, inquiété vos porteurs de titres que votre gouvernement libéral a jugé bon d'envoyer sir Beauchamp et sa
flotte, et sir Garnet Wolseley avec ses troupes, pour « éradiquer un soulèvement militaire » — Orabi Pacha donc a signé :
« Ahmad Orabi, l'Égyptien ». Il voulait seulement se démar-
quer des Turcs, rétorquerait M. Young, qui tous occupaient
des grades élevés dans l'armée. Non ! Il voulait une constitution. Il parlait en notre nom à tous. Et Harry Boyle, gros,

carré, déterminé, m'avait dit que je délirais. « Parlez-vous au
nom des paysans, avec vos manières de citadine et votre
connaissance des langues étrangères ? » m'avait-il lancé. Le
paysan n'a que faire d'une constitution. Il veut cultiver sa
terre en paix et gagner sa vie. L'homme de la ville veut un
endroit décent où habiter et de l'argent pour nourrir ses
enfants. A-t-il droit à tout cela en ce moment ?

Chaque semaine, il y a de nouvelles expropriations, des
industries nationales et des sociétés de services sont vendues
à des investisseurs étrangers, on voit mourir des enfants iraquiens et détruire des maisons palestiniennes, de nouvelles
batailles au fusil en Haute-Égypte, des intellectuels
condamnés à mort par le Djama'at, des jeunes gens rebelles
emprisonnés, qui brandissent le Coran, des raids, des tor-
tures, des exécutions. Et notre voisine, l'Algérie, nous jette
ses affreux exemples à la figure et, quand les gens — des gens
comme Isabel — soulèvent la question, on dit non, cela ne
peut pas arriver ici. Et quand ils demandent pourquoi, nous
ne pouvons que répondre : parce que c'est l'Égypte.

Le 10 mars
*J'ai une étrange confession à faire : souvent, je m'asseyais
pour écouter sir Charles raconter l'histoire du bombardement et de
l'occupation. Je touchais les objets qu'il avait rapportés : la tasse à
café en porcelaine blanche, le fragment de bois ajouré, devenu
friable et pâle avec le temps, le châle en velours blanc, si doux,
frangé de soie — je les revois, je les sens encore sous mes doigts. Je
lisais des récits de voyageurs ; les lettres de lady Duff Gordon sont
restées des mois sur ma table de chevet. Et peu à peu la conviction
que mon destin était lié à l'Égypte a dû naître en moi. Si une
créature aussi insignifiante que moi peut prétendre avoir une destinée. Chaque fois que la conversation roulait sur l'Égypte, mon intérêt était décuplé, mon attention plus vive. Et durant la maladie de
mon cher Edward, quand M. Winthrop m'ordonnait de prendre
l'air une heure par jour, mes pas m'entraînaient au musée de Kensington, où je découvrais les merveilleux tableaux de Frederick
Lewis. J'avais alors le sentiment d'une intervention divine : il me
semblait que ces peintures avaient été accrochées là pour me réconforter et m'apporter un secours. Pour me rappeler la bonté de Notre
Seigneur, me dire que le monde peut être un lieu de lumière, de vie,*

de couleurs. Et le moment venu, quand il fut jugé décent de voyager — avec l'espoir que la distance, le temps, et des paysages nouveaux me rendraient l'appétit de vivre —, il m'a semblé naturel que mes pensées se tournent vers l'Égypte.

Et pourtant, je suis assise ici, dans ma chambre de l'hôtel Shepheard, et je n'ai toujours pas l'impression d'être en Égypte. Étrange... Je me suis assise au pied des pyramides, j'ai contemplé le ciel bleu lumineux, le désert jaune pâle, le vert sombre et prometteur des champs. Je me suis extasiée devant la ligne de séparation entre le bleu et le jaune, puis entre le jaune et le vert — des lignes qui semblaient tracées par une main humaine. Je suis montée en haut des pyramides, j'ai dansé au bal du khédive. J'ai vu le bazar, j'ai visité les églises, les mosquées. J'ai regardé passer les processions religieuses, j'ai joué au croquet au club de Ghezirah. Je sais quelques mots d'arabe et je reconnais les rues où habitent mes nouveaux amis. Mais quelque chose m'échappe, une sensation perçue dans ces tableaux, et qui maintenant que je suis là se refuse à moi.

10.

« Ils dirent : le prisonnier est caché
Dans une forteresse grise et imprenable
Ils dirent : les nuits sont des monstres,
Et partout le danger menace. »

Sabrin, 1997.

Le Caire, mai 1997

C'est sur ces paroles que le grand journal vert prend fin. Ou, plus exactement, Anna n'écrit plus rien jusqu'au 23 mai 1901. Avec une anxiété grandissante, je fouille les papiers, je cherche des lettres. Anna ne peut s'évaporer ainsi, s'évanouir pendant soixante-quatorze jours ! Je cherche à nouveau dans la malle. Quelque chose m'aurait échappé ? Cependant, pourquoi m'attendre à ce que l'histoire soit complète ? Cette malle date d'il y a un siècle, elle a traversé deux continents, avant d'arriver chez moi. J'ignorais son existence. J'ignorais que j'avais une cousine. Que savais-je, au juste ? Des faits isolés. Que la fille de lady Anna avait épousé un Français du nom de Chirol. Que Chirol s'offusquait de la descendance égyptienne de sa femme. Aussi, à la mort d'Anna, puis à la mort de Laïla, ma grand-mère, une scission s'opéra entre les deux branches de la famille. J'ignorais jusqu'à l'existence d'Isabel. Et maintenant elle est là, au Caire. Amoureuse — bien qu'elle n'en n'ait rien dit — de mon frère. Quand nous sommes assises toutes les deux sur ma terrasse, je puis dire, si je me laisse aller au lyrisme, que nous guérissons les blessures de nos ancêtres. Mais ce ne sont là que des fragments d'histoire, or je veux tout savoir. Je vide la malle avec attention, un objet après l'autre, et là, parmi les tissus, le papier de soie, le bougeoir en verre, je découvre un petit livre bleu. Un livre de prières, avais-je pensé, et je l'avais négligé. J'essaie de le sortir de son étui de cuir bleu, j'ai du mal à le déloger. Patience, patience. À la lumière de ma lampe, je distingue enfin la serrure, astucieusement masquée dans la décoration en métal doré. Aussitôt, je tends la main vers le médaillon, posé sur ma coiffeuse, j'en presse le ressort, et la mère d'Anna me sourit. Je sors la petite clé du couvercle.

Le 12 mars, à dix-sept heures quinze

Mes pensées sont axées sur mes amis de l'Agence — il ne faut absolument pas qu'ils apprennent mon aventure — même si je n'ai pas eu le sentiment d'être en danger une seule seconde. Je tremble davantage en imaginant la réaction de lord Cromer qu'en considérant ma situation actuelle. Je sais qu'il blâmera M. Barrington pour avoir encouragé cette folie. Il insistera sûrement pour qu'il renvoie ce pauvre Sabir, ce qui le rendrait très malheureux. Sabir serait en outre privé à la fois de son protecteur et de son revenu. Je suis décidée à ne pas laisser cela se produire. Pour ma part, ce dont j'ai le plus peur, c'est de devenir, à Londres, cette « lady Winterbourne qui a été enlevée par des Arabes ». Je vois d'ici une mère se pencher à l'oreille de sa fille sur mon passage, je vois l'enfant cesser de sautiller et me regarder avec de grands yeux...

J'avais pensé commencer ce journal dans des circonstances différentes de ma vie habituelle, mais je ne pouvais prévoir jusqu'à quel point elles seraient différentes.

J'ai pris la route aujourd'hui, comme je l'ai déjà fait — mes projets étaient alors plus ambitieux, certes, mais ce n'est pas la grandeur de leur ambition qui les déjoua. Nous n'avions pas encore atteint le désert, nous sortions à peine du vieux quartier religieux d'Azhar et nous dirigions vers le nord-est, pour aller voir les tombes des Mamelouks, quand nous avons été pris dans une embuscade, arrachés de nos chevaux, poussés dans une voiture fermée et amenés ici au petit galop.

J'écris « ici », mais je ne sais pas où « ici » se trouve. Je sais que nous sommes à quelque vingt minutes — à cheval — du vieux quartier, mais je ne saurais dire dans quelle direction, car les rideaux de la voiture étaient tirés, et j'avais deux jeunes Égyptiens assis en face de moi.

Je ne sais si ce sont eux qui nous ont arrachés à nos montures, car il y a eu un vacarme terrible, et on m'a jeté un drap sur la tête. Je n'ai pu l'enlever qu'une fois dans la voiture. Ces garçons ne pouvaient avoir plus de vingt ans — peut-être même étaient-ils plus jeunes. Ils se ressemblaient étonnamment, tous les deux minces, avec la peau claire, des yeux noirs, des moustaches bien taillées. Je me suis demandé s'ils n'étaient pas frères. L'un des deux m'a paru nerveux : il écartait sans cesse le rideau, regardait prudemment à l'extérieur. Sabir, qui dès le départ fut un compagnon attentif bien que réticent, n'a pas voulu me quitter d'une semelle, quoique les jeunes gens lui aient proposé de partir — et il n'a pas cessé de les invectiver. Dans ce flot de paroles arabes, j'ai discerné à plusieurs reprises le mot « el-Lord » auquel les jeunes gens ont répondu par des sourires sardoniques.

La première chose qu'ils ont faite, après que nous nous sommes assis dans la voiture, fut de sortir des mouchoirs blancs de leurs poches et de s'éponger le visage. Finalement, le plus âgé, et le plus posé des deux, m'a adressé la parole dans un français parfait. Il m'a assuré qu'ils n'étaient ni des voleurs, ni des brigands, que ma personne, mes possessions et mes chevaux ne risquaient rien et que j'en disposerais à nouveau dès que le gouvernement égyptien aurait satisfait à leurs requêtes. Bien décidée à cacher ma véritable identité — ou au moins le fait que j'étais une femme — et à conserver la dignité du gentilhomme britannique que j'étais censée être, je suis restée assise très droite, j'ai regardé devant moi et je n'ai pas dit un mot.

Sans doute a-t-il pensé que je ne l'avais pas compris. Dommage, car c'était la première fois qu'un effendi m'adressait la parole. Je comprends à présent les propos de M. Boyle : ces jeunes gens semblent très différents des serviteurs arabes et des muletiers avec lesquels ils ont des rapports quotidiens. Ils ressemblent aux gentlemen que j'ai vus au bal du khédive, mais ils sont plus jeunes et ils ont moins de superbe, ce qui n'est pas une raison, je trouve, pour les considérer comme moins égyptiens que les autres. Ils ont parlé à Sabir en arabe, et les trois hommes n'ont eu aucune difficulté à se comprendre, semble-t-il. Quel dommage que je n'aie pu converser avec eux, apprendre la nature de leurs doléances, et voir comment ils pensaient obtenir réparation par cet acte barbare. Je pensais que c'était le destin qui m'avait envoyée en Égypte : était-ce pour vivre cet événement ? Comme il serait étrange que les Égyptiens obtiennent grâce à moi la constitution qu'ils réclament depuis si longtemps ! Mais je ne suis pas quelqu'un d'assez important, et cette affaire ne prendra pas ces proportions-là ; une fois qu'ils sauront que je suis une femme et une simple touriste, ils me relâcheront avec de vives excuses.

Je relis ma dernière phrase et j'essaie de voir sur quoi je me

*fonde pour penser cela. À l'Agence, il leur paraît inconcevable
qu'une Anglaise sorte sans chaperon. Cependant, je n'ai jamais
entendu parler d'une quelconque mésaventure dont aurait été victime une dame voyageant seule — et je ne puis m'empêcher de
penser que les lettres de lady Duff Gordon donnent un meilleur
aperçu de la nature des Égyptiens que tous les discours des messieurs
de la chancellerie.*

*Pourtant, j'avais cru plus prudent de sortir déguisée en
homme. J'attirerais ainsi moins l'attention. J'avais entendu parler
d'une jeune dame qui s'était déguisée en batelier et avait couru nu-
pieds devant la cavalerie, lors d'un bal costumé à Ghezirah. Cette
même jeune femme avait décidé de traverser le désert à cheval jusqu'à Suez. Apprenant cela, lord Cromer avait envoyé une escouade
de garde-côtes à dos de chameau pour la rattraper. Les gardes lui
rapportèrent qu'ils n'avaient vu qu'un jeune homme à cheval. Bien
que je n'aie pas envie de courir nu-pieds dans les rues du Caire, le
fait de m'habiller en homme pour partir en expédition ne me semble
pas si extraordinaire, lady Anne Blunt le fait souvent, paraît-il,
ainsi que d'autres dames de bonne famille. Et j'avais convaincu
James Barrington de me prêter son fidèle Sabir quelques jours...*

*Pour l'heure, je suis assise sur un banc de bois, ma valise à
côté de moi, une petite lampe à alcool pour toute lumière. Si l'on
pouvait se nourrir de blé et de graines, je crois que je pourrais survivre dans cette pièce voûtée pendant une petite dizaine d'années.*

*La voiture s'est arrêtée dans une grande cour entourée de
murs. J'ai entendu des cliquetis et divers bruits. Une grande porte
s'est ouverte à la volée. On m'a tirée à l'intérieur, une main serrant
mon bras au-dessus du coude. J'ai aperçu une jolie cour, sur la
gauche, mais on m'a entraînée sur la droite, dans une cour plus
petite, pavée, puis ici, dans cette pièce — nombre de pièces donnent
sur cette cour, semble-t-il. C'est une pièce de taille moyenne, avec
des murs de pierre, des fenêtres étroites et hautes, sous la voûte du
plafond. Le sol est dallé, encombré de sacs de farine et de blé empilés
jusqu'à hauteur d'homme.*

*Sans doute sommes-nous dans un grand entrepôt au bord du
fleuve.*

Dix-neuf heures trente
*J'ai dit à Sabir, qui est resté longuement assis par terre, adossé
au mur, complètement abattu, qu'il devait avouer à nos ravisseurs*

ma véritable identité. Je suis sûre que cela me vaudrait certains privilèges : au pire une salle de bains et de l'eau chaude, au mieux une libération plus rapide. Je pense qu'il est à présent en train de leur parler.

Vingt et une heures trente
Sabir est revenu en hochant la tête et en marmonnant, et d'après ce que j'ai compris, ses révélations n'ont fait qu'aggraver la situation et éradiquer tout espoir d'être libérés ce soir. Cela dit, il a eu l'autorisation de m'emmener dans un petit cabinet où j'ai trouvé un broc d'eau froide. Je me suis lavée et détendue du mieux que j'ai pu. Après quoi Sabir m'a accompagnée dans cette nouvelle chambre et a déposé du pain et du lait devant moi.

Ils ne me donneraient pas à manger s'ils avaient l'intention d'attenter à ma vie. Oh, comme j'aimerais savoir où je suis, comme j'aimerais qu'il fasse jour ! Car je suis dans une pièce de belle taille. J'en ai fait le tour avec ma petite lampe et j'ai vu de hautes fenêtres, des divans, contre les murs, de riches tentures et un sol dallé, avec un bassin peu profond. Je sens qu'il y a autour de moi des couleurs, des motifs, mais je ne les vois pas. Tout est si sombre, Sabir est si malheureux et moi si épuisée ! Je ne puis que m'allonger sur un divan et espérer sombrer dans un sommeil réparateur.

C'est une chance qu'Emily et M. Barrington me sachent partie pour plusieurs jours. Il s'écoulera ainsi un certain temps avant qu'on s'inquiète de moi. Si on nous libère à temps, il se peut même que cette affaire ne soit jamais divulguée, ce qui épargnerait à M. Barrington et au pauvre Sabir la colère du lord. Sabir m'a montré où il se proposait de dormir : étendu derrière la porte, pour assurer ma protection.

Elle est si calme ! Je ne l'imaginais pas intrépide. Il n'y a aucun signe de panique dans son récit. Je ne peux m'empêcher de penser qu'en s'écartant des sentiers battus Anna cherchait l'aventure. Et c'est fait. Mais Sabir n'a rien voulu de tout cela. Je le sens désemparé. L'expédition à laquelle on l'a forcé de participer a mal tourné. Les effendis refusent d'être raisonnables et de craindre Dieu. Et la personne dont il a la charge, cette Anglaise, kidnappée et enfermée dans une réserve à grains, que croyez-vous qu'elle fasse ? Elle s'assoit et elle ouvre un livre ! Il a tout d'abord cru qu'elle tentait de

se rassurer en lisant la bible, mais non : elle s'est mise à écrire.
« Écrire ! »

Anna s'endort. Contrairement aux jeunes gens : la
découverte de l'identité de leur prisonnier les a plongés dans
le plus grand affolement. Le gentilhomme anglais qu'ils ont
kidnappé est une femme ! Ils débattent la question, peut-être
se disputent-ils. Ils ne peuvent la laisser repartir, ce serait stupide : elle courrait droit à l'Agence et les répercussions
seraient terribles. Ils ont des scrupules à la séquestrer toute
une nuit, mais que faire d'autre ? Et au matin — si le matin
arrive jamais — que feront-ils ? Ils ne peuvent mettre cet enlèvement à profit, envoyer leurs requêtes au ministère de la Justice, comme ils en avaient eu l'intention. Leur otage ne leur
est plus d'aucune utilité, car ils ne peuvent dire : nous déte-
nons une femme. Ils vont envoyer un messager (qui ira au
simple galop, pour ne pas éveiller les soupçons) dans une maison d'Hemillah, un quartier chic. Si le pacha n'est pas chez
lui, le messager essaiera de le trouver chez sa sœur. Il ne parlera à personne, excepté le pacha ou la hanem, sa sœur, il leur
dira ce qui est arrivé.

Le messager part dans la nuit. Les jeunes gens font les
cent pas. Sabir dit ses prières puis s'allonge par terre. Anna
dort.

Et maintenant il est temps de passer à un autre récit :
les soixante-quatre pages couvertes d'une écriture serrée, en
rouq'a, à l'encre noire. J'ai déjà vu des écrits en arabe de ma
grand-mère : de petits poèmes, des fragments d'articles. J'ai
aimé ses textes, son écriture, son style. J'ouvre le cahier gris
et place un poids — un petit chat pharaonique en bronze que
mon fils cadet adorait et que nous avions acheté ensemble,
par une après-midi ensoleillée, au musée de la place Tahrir —
au coin d'une page pour le maintenir ouvert. Puis je
commence à traduire le texte de ma grand-mère pour Isabel.

La première fois que je l'ai vue, elle portait des vêtements
d'homme. J'ai vu un homme étendu sur le divan, enroulé
sur lui-même, son chapeau posé de telle façon qu'il cachait
son visage et ses cheveux. Ils m'avaient raconté l'histoire :
ils avaient enlevé un Anglais, pour s'apercevoir que c'était

une femme — je comprenais le problème, et pourtant je trouvais étrange de découvrir un Anglais endormi dans le haramlek de ma mère. Cela m'a mise mal à l'aise et je suis ressortie. En ouvrant la porte, j'ai failli heurter un serviteur, qui devait être derrière. Il a fait un bond de côté. Je l'ai regardé.

— Vous êtes sûr ? ai-je demandé.

— Sûr de quoi, *ya sett* Hanem ? a-t-il dit, les yeux braqués sur le sol.

— Que c'est une femme, qui est là ?

— Évidemment que je suis sûr, *ya sett* Hanem : une Anglaise, une lady. Mon Anglais la tient en très haute estime. Le père de la dame a été très bon avec lui. Ce sont des gens importants, en Angleterre. Nous voilà dans une situation catastrophique. Je me demande comment nous allons nous en sortir.

— Que Dieu nous protège.

Ce fut la seule chose que je trouvai à dire. Je priai le serviteur de me suivre sur la terrasse ouverte. Je m'assis et lui désignai un endroit, sur le sol.

— Asseyez-vous, dis-je, et dites-moi tout ce que vous savez.

— Je jure devant Dieu que je ne sais rien. Sur la tête de notre maître...

— Que savez-vous d'elle ?

— Une Anglaise. Lady Anna — ça veut dire Sett Anna. Elle est arrivée il y a deux ou trois mois. Mon Anglais, qui la connaît bien, m'a dit : je te la confie comme la prunelle de mes yeux. Mon Anglais parle arabe. J'ai veillé sur cette dame, mais qu'avait-elle besoin de se déguiser en homme et de créer des problèmes ? Lui m'a dit : elle veut connaître votre pays et pour une femme, c'est difficile de voyager.

— Vous avez déjà voyagé avec elle ?

— À deux reprises. Une fois jusqu'à el-Darb el-Ahmar. Elle a visité les vieilles mosquées, les magasins d'antiquités. Une autre fois, nous avons pris le tramway pour aller voir les pyramides...

— Et personne n'a eu de soupçons ?

— Non. Elle monte comme un homme : les ânes, les mules,

les chevaux. Je dis aux gens que j'accompagne un Anglais
muet...

— Muet ?

— Sa voix, pardonnez-moi, mais une voix de femme ça ne
se change pas. Je dis que mon Anglais est tombé sur la tête
et qu'il a perdu l'usage de la parole. Comme ça, si quelqu'un voit les bandages sous son chapeau...

— Elle se bande les cheveux ?

— La lumière vous éclaire.

— Et cette fois, où alliez-vous ?

— À *Deir Sant Katrin**.

— Dans le Sinaï ?

Je ne pus cacher mon étonnement.

— Mais elle voulait d'abord aller dans les cafés, écouter
les conteurs. J'ai dit à mon maître : elle sait à peine deux
mots d'arabe, à quoi ça va lui servir, d'écouter des histoires et des chansons en arabe ? Elle s'est mis en tête d'y
aller, m'a-t-il répondu. Alors nous sommes partis, et voilà
ce qui est arrivé. Qu'allons-nous faire, *ya sett Hanem* ?

J'ai ôté mes chaussures et ma *habara*. Je me suis assise
sur l'autre divan, face à elle. Je ne voyais pas de solution.
Mon frère rentrait le lendemain : c'était mon seul espoir.
Il avait accompagné ma mère à Tawasi — elle voulait voir
son frère et ses terres. Deux mauvaises nouvelles l'attendaient à son retour : Hosni, mon mari, était en prison, et
il y avait une Anglaise dans la maison de notre père.

Je contemplai la silhouette endormie. Dans la pénombre,
je vis que la jeune femme était mince et qu'elle dormait
paisiblement. Je pris un châle de laine dans la chambre de
ma mère, et l'étendis sur elle : je voulais qu'elle se sente à
l'aise et en sécurité à son réveil. Nous aviserions au retour
de mon frère. J'ai donné l'ordre aux jeunes gens de rester
dans la mosquée avec mon père. Ils ne pouvaient demeurer
dans la maison, et je ne voulais pas les laisser partir, de
peur qu'ils ne fassent encore quelque bêtise. J'ai disposé
des coussins sur le sol, je me suis couvert la tête de ma
habara. J'ai détaché mes cheveux, et je me suis étendue
en disant des prières pour mon mari et pour nous tous.

---

* Au monastère Sainte-Catherine.

11.

« Les années, tels de grands bœufs noirs foulent la terre
Et Dieu le berger les pousse par derrière
Et je suis brisé par leurs sabots de fer. »

W. B. Yeats.

Le Caire, le 29 juin 1997

J'ai eu du mal à m'endormir, hier soir. Je suis rentrée de ma soirée avec Isabel, je me suis déshabillée, j'ai pris une douche froide et j'ai réalisé que je n'avais aucune envie d'aller me coucher. Dans le salon, j'ai allumé la télévision : la voix sans pareille d'Om Kalsoum a résonné dans la pièce. Elle était habillée en noir et blanc, la tête rejetée en arrière, les cheveux relevés en chignon — le célèbre chignon. Je me suis préparé un verre avec des glaçons, et je me suis assise sur le balcon. J'ai écouté la chanson. « Nazra — un regard que j'ai pris pour une invite, et qui s'est éteint. » Dans le salon éclairé de mes voisins, de l'autre côté de la rue, je vois le père, la mère, les grands enfants. Ils sont face à moi, assis en demi-cercle devant la télévision. La lumière bleue de l'appareil éclaire leurs silhouettes de façon intermittente. « Nazra. » El-Sett étire son *n* au maximum. Sa voix s'élève, retombe, vibre sur la consonne. Lorsqu'elle dit enfin le mot en entier, le public hurle. En bas, dans la rue, les jeunes gens sont assis sur les capots des voitures. Un avion fend le ciel. J'ai le sentiment qu'il peut de nouveau se passer des choses dans ma vie. Impression impalpable, que je préfère ne pas analyser — j'espère qu'elle va se concrétiser.

« Un regard que j'ai pris pour une invite
Et qui s'est éteint
Mais il était plein
De promesses, de serments,
De blessures, de chagrin... »

Tout en suçant mon dernier cube de glace, j'éteins la
télévision, puis je vais dans ma chambre. Je regarde les dernières pages que j'ai écrites, je suis tentée de m'asseoir et de
continuer, mais je sais que ce ne serait pas raisonnable. Je me
mets au lit. Allongée sous un drap en coton, je songe à ma
grand-mère.

Je l'imagine en cette nuit de mars 1901 : elle prend sa
habara, grimpe dans sa voiture, arrive dans le haramlek de la
vieille maison et voit Anna pour la première fois. Elle a vingt-
sept ans, elle est mariée avec mon grand-père, Hosni al-
Ghamraoui, son cousin du côté maternel. Jeune avocat radical, il a suivi des études en France. C'est un membre bien
rémunéré des « classes éduquées », selon l'expression de lord
Cromer. Mon père a un an. Il fera plus tard l'école *Oualida*,
la *Khediouiyya*, il entrera à l'académie militaire, puis dans la
cavalerie. Il rencontrera ma mère, Mariam al-Khalidi, lors
d'une visite à nos cousins à Ein al-Mansi, en Palestine. Il
l'épousera en 1935, à Jérusalem. Un mariage magnifique.
Mon frère naît en 1942, dans la grande maison des Khalidi,
à l'ouest de Jérusalem — je n'ai jamais vu que des photos de
cette maison, mais je sais qu'elle existe toujours. À la fin de
la guerre, quand la patrie de ma mère se voit clairement
menacée, mon père démissionne de l'armée et prend la tête
d'un bataillon, qu'il emmène en Palestine. Il combat à Bir-
sheeba, al-Khalil et Bethléem. Après le désastre de 1948, les
familles et les communautés essaiment à travers le monde.
Ma mère sera parmi ces trente mille Arabes qui perdront leurs
maisons au profit de l'État d'Israël. Mon père l'emmènera en
Égypte avec leur fils, quittera l'armée, et s'installera sur ses
terres, à Tawasi. Je suis née là, l'année de la révolution de
Nasser. Ma mère a fait deux fausses couches, une en 1945, et
une en 1947. Après la mort de mon père, elle s'est retrouvée
seule avec moi. Cela aurait peut-être été moins dur, si elle
avait eu deux enfants de plus.

Ils ont envoyé mon frère dans l'Amérique d'Eisenhower
en 1956. Ils auraient pu l'envoyer en URSS : la musique était
aussi bonne là-bas, voire meilleure, mais il parlait anglais, et
puis l'Amérique venait d'empêcher l'Angleterre, la France et
Israël de bombarder Suez et Port Saïd. Mon frère resta en
Amérique. Ce ne fut pas là une décision délibérée, plutôt un

destin : l'université, le Philharmonique, le succès presque
immédiat. Il venait nous voir de temps à autre, il donnait des
concerts au Caire. Dans ma treizième année, la dernière fois
qu'il vit mon père vivant, Omar joua pour nous à Helmeyah*,
sur le vieux piano que j'ai toujours vu à la maison. Nous le
faisions accorder régulièrement, quoique personne ne s'en
servît entre les visites de mon frère. Mon père s'installait pour
l'écouter, l'air tendre et fier, mais quand je l'observais après
son départ, je lisais dans son regard comme une expression
de regret. Je me demandais alors si Omar ne lui manquait pas,
s'il ne s'étonnait pas que la vie de son fils fût là-bas, à New
York.

Ma mère avait voulu rentrer chez elle. Je ne l'ai compris
qu'à la fin. Elle m'avait souvent parlé de la Palestine : son
école, ses amis, la chambre de sa mère, avec ses belles tapisseries, la bibliothèque de son père, le théâtre, le parc, sur la rue
de Jaffa, où la fanfare municipale jouait l'après-midi, les
pique-niques dans les oliveraies à l'époque de la récolte,
l'odeur de l'huile fraîchement pressée, les jarres remplies du
liquide épais, lumineux. J'avais écouté — tout d'abord comme
le font les enfants : en imaginant, puis plus tard avec un
cynisme adolescent — ces descriptions d'un paradis terrestre.
En 1967, après la guerre, quand nous écoutions Fayruz se
lamenter sur la chute de Jérusalem, « fleur de toutes les cités,
avec ces maisons inondées de lumière », quand ma mère éclata
en sanglots après avoir pressé un savon Nabulsi contre ses
narines, je compris qu'elle avait le mal du pays.

J'adorais ma mère. J'ai vécu avec elle jusqu'à vingt-deux
ans, mais l'ai-je vraiment connue ? Je regrette de ne pas l'avoir
écoutée avec plus d'attention. J'aimerais qu'elle m'ait laissé
quelque chose : une lettre, peut-être, écrite un soir de tranquillité. Une lettre que j'aurais lue dans ma maturité, quand
j'aurais pu comprendre.

Plus tard seulement, j'ai compris qu'on peut avoir le mal
du pays au point d'être obligé de rentrer : quand j'ai eu la
nostalgie de notre grande entrée fraîche, à Tawasi, de l'odeur
des champs, des ciels étoilés de la campagne avant que le
grand barrage n'amène l'électricité dans les villages. Quand

---

* Quartier du Caire.

j'ai eu la nostalgie du Caire, du pont Abou el-Ela, des grains de poussière sur la rambarde, lorsque j'y laissais courir mes doigts. La nostalgie de l'odeur du poisson salé, à proximité de Fasakhani Abu el-Ela, des fruits empilés en deux pyramides symétriques, devant la boutique d'un épicier, du froissement du papier brun, dans lequel on rapporte ses fruits à la maison. Quand même les vents du khamsin, qui vous obligent à vous couvrir le visage pour vous protéger de la poussière et à foncer chez vous m'ont manqué, je suis rentrée. Rassembler des fragments épars de mon Caire d'autrefois. Comment font ceux qui ne pourront jamais rentrer chez eux ?

Ma mère est morte quand j'ai fini l'université. Et je suis partie à l'étranger.

Puis je suis revenue, à la recherche de ma ville perdue. Le pont Abou el-Ela est devenu un auto-pont, et par là même obsolète. Ils parlent même de le vendre pour une bouchée de pain. Les épiciers font toujours des pyramides avec leurs fruits, mais la plupart du temps ils les mettent dans un sac en plastique et n'ajoutent pas un fruit supplémentaire, pour faire « bon poids ». Le marchand de poissons salés est toujours là, de même que le vieux banian de Zamalek — qui est tellement cerné par le béton que je me demande comment ses racines vont pouvoir s'épanouir. J'avais vendu la maison d'Helmeyah des années avant de rentrer : à sa place s'élève un grand parking à étages, en béton.

J'ai dit à Isabel : « Voyons si j'arrive à retrouver mon Caire d'antan. »

L'après-midi, nous sommes allées à la Mou'allaqah. Un guide parlait de l'arche de Noé et de la famille du patriarche à un groupe d'enfants. Les colonnes qui soutiennent la chaire symbolisent les disciples, a-t-il dit. Elles sont par couples, parce que le Christ a envoyé ses disciples prêcher la parole de Dieu deux par deux. La colonne noire, au milieu, parce que la parole de Dieu sauva aussi bien les Noirs que les Blancs. Judas Iscariote a ouvert la voie au « politiquement correct ». Nous nous sommes assises sur les bancs, au calme, nous avons fait le tour de l'église et essayé, une fois de plus, de voir si les yeux de la Vierge nous suivaient. Isabel s'est arrêtée devant les fonts baptismaux.

— Regarde, a-t-elle murmuré.

Du doigt, elle me montrait une série de lignes ondulées.

— De l'eau, lui ai-je dit.

— Le hiéroglyphe qui signifie « eau », a-t-elle précisé.

Nous avons échangé un regard ravi : nous pénétrions un peu plus loin dans le passé.

En début de soirée, nous avons longé Chari'al-Mou'izz et mangé des sandwiches à la crème grumeleuse et au miel, vendus à un éventaire, devant la mosquée du sultan Qalawoun. Nous nous sommes assises dans l'échoppe de l'orfèvre. Nous l'avons regardé réparer, puis faire briller une paire de boucles d'oreilles restées deux ans dans leur boîte, sur ma coiffeuse. Nous avons traversé Chari' al-Azhar, pénétré dans la Ghourilla, puis dans la Khiyamilla. Nous avons acheté une petite tapisserie verte et bleue, on nous a offert le thé. Nous avons descendu Chari' Mohammad'Ali, regardé les luths et les tambourins incrustés de perles de culture, dans les vitrines. Nous avons entendu des tambours et des *zagharid*, avons cherché d'où venaient les sons, et nous sommes tombées sur une noce. Nous avons applaudi, chanté et festoyé avec les invités. On a pris notre photo, et les boucles d'oreilles ont fait un bon cadeau pour la mariée, qui à présent doit être au lit avec son époux.

Ils disent que c'est le mois le plus chaud de l'année, mais la chaleur ne m'a jamais gênée. Je suis allongée sur mon lit, le ventilateur tourne paresseusement au-dessus de ma tête. Si le drap devient brûlant, je tends les jambes, et j'ai le plaisir de trouver une zone nouvelle et fraîche sous ma peau. Lorsque les enfants viendront, je veux dire quand les garçons viendront, ou l'un d'eux, nous irons au bord de la mer Rouge. Il fera chaud dans la journée, mais les soirées seront merveilleuses. Nous pourrions passer quelques jours à Tawasi, puis partir de là-bas. J'ai fait cela une fois, avec leur père, il y a des années. Des jours heureux, si heureux que plus tard, dans mes années spartiates, il m'arrivait d'y repenser presque avec dégoût, comme si la douceur de ces heures était excessive.

Je n'ai pas bien dormi, et ce matin je me suis réveillée à onze heures. Je suis allée dans le salon, en traînant les pieds, j'ai commencé une journée qui m'a semblé pleine d'indolence. J'ai baissé les stores et je me suis assise sur un bras du sofa. J'ai regardé les particules de poussière minuscules, en suspens dans les rais de lumière qui filtraient à travers les lattes des stores.

En début d'après-midi, je suis retournée à ma table, j'ai ouvert les journaux d'Anna et de ma grand-mère. Lorsque j'ai posé le chat en bronze sur le coin d'une page, l'interphone a grondé et la voix de Tahiyya m'a annoncé qu''*Am* Abou el-Ma'ati était là. Pouvait-elle monter avec lui ?

Apparaît la silhouette familière, dans sa « meilleure » galabilla de laine bleu marine et son foulard gris, malgré la chaleur de juillet. Il a serré sa *e'mma* blanche autour de son bonnet de feutre marron et ses yeux — hérités d'un seigneur turc du passé — sont toujours de ce même bleu vif et choquant. Il s'appuie sur sa grosse canne, un rien voûté, mais encore grand et robuste. On s'attend toujours à ce qu'il débite des prophéties. Nous nous saluons, sa main dans la mienne comme un morceau d'écorce d'arbre. Derrière lui, Tahiyya sort les paniers de l'ascenseur, un par un.

Nous nous asseyons dans le salon, Tahiyya va préparer le thé. Elle se déplace gracieusement entre les paniers posés sur le sol.

— Le Caire est plein de lumière, dis-je.

Il pose sa main sur son cœur et déclare :

— C'est son peuple qui l'illumine. Puisse-t-on vous vénérer encore davantage, ya Sett Hanem.

'*Am* Abou el-Ma'ati se fait vieux. Chaque année, le réseau de rides sur son front reflète sa vie de façon plus détaillée. J'ignore son âge, mais j'ai toujours connu ce monsieur. Son père était l'intendant de mon père à la ferme, et dès l'instant où ma mère et moi avons vécu au Caire, '*Am* Abou el-Ma'ati est venu nous voir quatre fois par an. Il nous apportait des nouvelles, les comptes, et notre part des produits de la ferme : des paniers pleins de poulets, d'œufs, de beurre, de raisin, de mangues, de dattes — les fruits de saison. Et toujours des miches de pain paysan. Nous allions à Minieh de temps à autre : '*Am* Abou el-Ma'ati venait nous chercher à la gare, avec un parasol, pour nous protéger du soleil. Il nous conduisait à Tawasi dans une petite carriole.

Un mois après mon retour au Caire, il était sur le pas de ma porte. Autour de lui des paniers, les mêmes que vingt ans plus tôt. Des paniers remplis de denrées de toutes sortes, recouverts d'une grande serviette blanche. Je lui ai demandé comment il avait su que j'étais rentrée, et il m'a répondu : « Le monde est petit, *ya sett Hanem.* »

Tahiyya apporte le thé et je la prie de s'asseoir avec nous. Notre village n'est pas son village, mais c'est un village, après tout : elle est contente d'en avoir des nouvelles.

— Quelles sont les nouvelles, '*Am* Abou el-Ma'ati ?

— Les nouvelles sont bonnes, Dieu soit loué.

— Et la famille, ils vont tous bien, j'espère ?

'*Am* Abou el-Ma'ati a deux filles et trois fils. Il avait quatre fils, mais l'un d'eux s'est fait tuer pendant la guerre de 1967. Un autre a été fermier en Iraq, mais il est revenu après la guerre du Golfe, totalement démuni mais vivant. Un autre garçon travaille à Bahrein, et le plus âgé des trois est en mer, sur un navire marchand. La veuve, les épouses, et les plus jeunes enfants vivent tous dans notre village. Les deux filles de '*Am* Abou el-Ma'ati se sont mariées à Minieh. Après avoir perdu son mari, l'une d'elles est revenue à Tawasi. Elle travaille à la clinique.

— Dieu soit loué, soupire-t-il.

Peu à peu, je glane des nouvelles : les naissances, les décès, les arrivées, les départs, les querelles, les mariages. '*Am* Abou el-Ma'ati finit son thé, repose son verre.

— Viendrez-vous passer quelques jours chez nous, *ya sett Hanem* ? me demande-t-il.

— Ça me ferait plaisir, oui, dis-je.

Puis j'ajoute :

— Il s'est passé quelque chose ?

— Pas du tout, répond-il.

Nous nous taisons.

— Il y a juste quelques petites choses — ce serait bien que vous veniez.

— Quel genre de choses ?

— Eh bien (il sort son mouchoir, tousse doucement dedans, le replie et le range). Il y a quelques problèmes.

— Quel genre de problèmes ?

— L'école, dit-il. Ils ont fermé l'école.

Mustafa Bey al-Ghamraoui, mon arrière-grand-père, croyait à l'éducation. Il a été le premier, en 1906, à aider au financement de la nouvelle université nationale. Avec son neveu, Charif Pacha al-Baroudi, il a fondé une petite école dans un village, sur les terres de la famille. Il y consacrait les revenus de cinq hectares de culture, dont il avait fait un fonds en fidéicommis. Son fils, mon grand-père, Hosni al-Ghamraoui, avait ajouté une classe pour adultes, dans laquelle les paysans apprenaient à lire et à écrire. Mon père, Ahmad al-Ghamraoui, avait à son tour créé une petite clinique tenue par une infirmière et une sage-femme, aujourd'hui dirigée par la fille de '*Am* Abou el-Ma'ati. Quand Abd el-Nasser fit construire une école primaire pour le village, notre école continua à donner des cours de lecture et d'écriture aux adultes. En 1979, on a créé des classes supplémentaires pour les enfants, afin de pallier l'enseignement déplorable qu'ils recevaient dans les écoles d'État.

— Ils ont fermé l'école ? Mais qui ? je demande.

L'école existe depuis quatre-vingt-dix ans. En 1963, avec la réforme de Nasser sur les propriétés terriennes, mon père a perdu ses terres. Il a pris la chose avec philosophie. Ma mère a enragé : « Qu'allons-nous perdre encore ? Va-t-on nous chasser aussi de cette maison ? — Faisons la part des choses, a dit mon père, la terre va aux paysans, des hommes qui sont nés là, pas à des étrangers. Ce qu'on nous laisse suffira à nos enfants et à nos petits-enfants. » J'étais petite, je n'ai pas vraiment compris ce qui se passait. Mais deux choses étaient claires : il faudrait préserver l'école et la clinique, et partager le produit des terres avec les paysans qui les cultivaient. Payer une part des engrais et participer à la modernisation du matériel d'irrigation.

— Le gouvernement, dit '*Am* Abou el-Ma'ati.

— Et pourquoi aurions-nous des problèmes avec le gouvernement ?

Notre école est modeste : nous avons deux classes pour aider les enfants à faire leurs devoirs et un cours d'alphabétisation fréquenté par les femmes. Les professeurs sont des volontaires très peu payés pour le travail qu'ils font.

— Il y a des problèmes partout aujourd'hui, *ya sett Hanem*, des problèmes entre les gens, entre le gouvernement et les gens. On le voit dans les journaux : des batailles au fusil, des champs de canne brûlés...

— Les champs de canne ont été brûlés parce que les terroristes s'y cachaient.

— Ils disent que c'est des terroristes, oui.

— Qui sont-ils, alors ?

— Ce sont nos enfants, *ya sett Hanem*. La jeunesse est influençable.

— Ils ont tué le mari de votre fille, *ya 'Am* Abou el-Ma'ati.

— Dieu dispose des vies humaines. C'était une bataille, *ya sett Hanem*. Comment savoir qui a tué qui ?

— Quel rapport avec l'école ?

— Ils ont dit que les professeurs étaient des terroristes et qu'ils pervertissaient l'esprit des enfants.

— Et la classe pour les femmes ?

— Fermée aussi.

— Et la clinique ?

— Ils ont tout fermé.

— *La haoula illah.*

Je ne sais pas quoi dire. Je vais ouvrir les portes-fenêtres, pour laisser entrer l'air. Il y a longtemps qu'on ne m'a pas soumis un problème concret. Je retourne m'asseoir.

— Qu'en pensez-vous, *'Am* Abou el-Ma'ati ? Essayaient-ils d'embrigader les enfants ?

Il écarte les mains.

— Ils ne leur apprennent rien qu'ils n'apprennent dans les écoles du gouvernement, en ville. Ce sont des classes du soir. Les enfants y vont après le coucher du soleil faire leurs devoirs, apprendre leurs leçons.

— Les enfants ne peuvent pas étudier à la maison, intervient Tahiyya. Il y a du bruit, il y a les petits.

— L'étau se resserre sur les gens. Le gouvernement pèse sur leur vie. Et puis maintenant il va y avoir d'autres problèmes.

— Quels problèmes ? je demande.

— À cause des nouvelles lois.

— Les lois sur la propriété ?

— Naturellement.

De nouvelles lois vont entrer en vigueur en septembre. Elles mettront un terme au blocage des loyers, décidé dans les années soixante, et autoriseront les propriétaires à exiger des loyers en rapport avec la valeur réelle des champs cultivés.

— Mais cela ne nous concerne pas. Les paysans savent bien que je n'expulserai personne et que je n'augmenterai pas le loyer puisqu'il n'y a pas de loyer. Pour nous, rien ne va changer.

— Que Notre Seigneur vous protège, s'exclame Tahiyya.

— Ils prétendent que les professeurs ont tenté d'embrigader les enfants. Ce sont de mauvaises lois, auraient-ils dit, les terres appartiennent à ceux qui les cultivent. Et puis les gens parlent, les problèmes ne se limitent pas à notre district, la révolte gronde dans les campagnes.

— Ces professeurs sont islamistes, ou communistes ?

— Ils parlent de justice...

— Mais cela fait deux ans que le gouvernement parle de ces lois. Les gens étaient au courant !

— *Ya sett Hanem*, le paysan cultive sa terre et les ministres discutent au Caire. S'il tient compte de toutes les déclarations du gouvernement, le paysan devient fou. Pour l'essentiel ce sont des paroles en l'air, rien ne se concrétise. Et même s'il pense que cette loi va être appliquée, que peut-il faire ?

— Prendre ses enfants et quitter sa terre ? renchérit Tahiyya. Pour aller où ? La terre ne donne jamais assez, de toute façon. Ils sont obligés de partir : au Caire, au Koweït, en Libye.

— D'où l'intérêt du planning familial, dis-je, en lui jetant un coup d'œil.

— *Yakhti ya Daktora*, rétorque-t-elle. Celui qui planifie a autant de problèmes que celui qui ne planifie pas. On ne vous laisse jamais seul au monde.

— *'Am* Abou el-Ma'ati, demandé-je, y a-t-il d'autres problèmes au village ? Les lois sur la terre ?

— Non, *ya sett Hanem*. Tout le monde sait que vous êtes une femme honnête, qui honore la mémoire de ses ancêtres. Mais ce serait bien que vous veniez.

— Que pourrais-je faire ?

— Venez. Voyez les gens, les professeurs, et jugez par vous-même. À votre retour, vous pourrez parler au gouvernement.

— Moi, *ya 'Am* Abou el-Ma'ati, moi je pourrais parler au gouvernement ?

— Et pourquoi pas ? Vous habitez Le Caire, tout le monde sait qui était votre père — que la miséricorde et la lumière de Dieu soient avec lui ! Votre père était un pacha, même s'ils ont aboli les titres, tout le monde sait que c'était un pacha et un homme de bien.

— *Ya 'Am* Abou el-Ma'ati, je ne connais personne !

Entrer en contact avec le gouvernement ? Par où s'introduire ? Il y a bien un ministère rue el-Cheikh Rihanè, caché derrière de hauts murs. Je revois nettement l'endroit et je pense à Mansour. Mansour était le gardien du parking entre l'université américaine et les ministères. Il était aussi mon ami. Pendant des années, je suis allée à cette université assister à des concerts, voir des films, emprunter des livres à la bibliothèque, rendre visite à des amis. Chaque fois que je traversais le carrefour 'Qasr el-Ayni, je le guettais, et il surgissait devant moi, petit et trapu, de plus en plus trapu avec les années. Il apparaissait, le bras levé, son bonnet sur la tête, une coiffure multicolore.

— Laissez votre voiture, disait-il. Ne vous inquiétez pas.

— Comment allez-vous, *ya* Mansour ?

— Comment allez-vous, *ya sett Hanem* ?

Les clés changeaient de mains. Plus tard, lorsque je repartais, il était à nouveau là, avec mes clés. Il avait toujours un mot aimable. Il me montrait où il avait garé la voiture. Mansour était célèbre. Il a toujours été là, jusqu'à ce qu'il soit tué par la bombe du *Jama'at*, destinée à El-Alfi, ministre de l'Intérieur haï. Aujourd'hui, il ne reste de lui qu'une tache marron pâle, sur le mur de l'université. Une tache qui ne s'effacera pas.

— Je ne connais personne au gouvernement, dis-je.

— Si vous ne pouvez pas parler au gouvernement, qui peut le faire, moi ? dit *'Am* Abou el-Ma'ati.

— Vous seriez plus doué que moi pour ça.

— Marché conclu, dit-il. Topez-là. Nous irons les voir ensemble.

Un grand sourire illumine son visage, je vois des trous entre ses grandes dents.

— Que Dieu vous éclaire, s'écrie Tahiyya, en larmes. Par

le Prophète, je convaincrai Madani de vous accompagner. Il vous soutiendra.

Il ne lui reste plus qu'à porter sa main à sa bouche et à pousser un *zaghrouta*, pour qu'on se croie dans une scène de '*el-Ard*'.

Après le départ de '*Am* Abou el-Ma'ati, Tahiyya et moi nous asseyons sur le sol, au milieu des paniers, pour partager la nourriture : une partie pour sa famille, un peu pour moi, un peu pour les hommes qui manient les presses, dans la vapeur de la boutique de repassage, sans oublier les policiers — des gamins — qui passent la nuit debout, appuyés sur leurs fusils, dans l'ombre de la banque, au coin de la rue.

— Assez, assez, allez-vous tout donner ? proteste-t-elle.

— Je ne pourrais même pas finir ça dans l'année, ya Tahiyya !

Il fut un temps où je cuisinais pour quatre personnes, et souvent plus. Un temps où je détestais devoir faire à dîner tous les soirs. Un temps où je rêvais de disposer de ma vie à mon gré. Et aussi un temps où les petits bras qui se serraient autour de mon cou, le contact d'une joue douce sur la mienne, calmaient tout énervement en moi, me rendaient heureuse, reconnaissante.

— Les jeunes beys vont venir vous voir et mettre un peu d'animation dans votre vie, dit Tahiyya, en lisant dans mes pensées.

— *Inch'Allah !*

— Arrangez-leur un mariage ici. Comme ça, ils seraient à nouveau près de vous.

— Personne n'arrange plus de mariage pour personne, rétorqué-je.

— Exact. Chacun fait son propre choix.

— Et si vous veniez avec moi à Minieh ? Vous pourriez respirer l'air de la campagne.

— Et les enfants, à qui je les confie ?

— Emmenez-les.

— On laisse Madani tout seul ?

— Il ne peut pas venir ?

— Et on laisse l'immeuble sans gardien ? Ils renverraient Madani !

— Réfléchissez. Vous êtes tous les bienvenus.

— Puissiez-vous vivre longtemps, *ya Daktora*. Une autre fois.

Et Isabel, ça lui ferait peut-être plaisir de venir avec moi. De voir la campagne, la vieille maison. J'ouvrirais les volets, j'arroserais le poirier, je dormirais dans le lit de ma mère. J'imagine : je marcherais sur le vieux chemin, à travers le verger, dans les champs, dans le village. Puis-je amener une Américaine sans créer de problèmes ? Oui, elle est discrète, intelligente. Et comment la présenterais-je ? Si je dis que c'est une amie, les visages vont se fermer. Mais si elle est de la famille... Nous dirons qu'elle est la fiancée de mon frère. Cela devrait l'amuser. Je cours lui téléphoner.

12.

« Puissiez-vous entrer avec toutes les faveurs, et repartir
aimé. »

Ancienne prière égyptienne.

Égypte, le 6 juillet 1997
Isabel et moi prenons la route de la Haute-Égypte.

— Le 12 mars 1901, commencé-je, ces femmes qui allaient devenir nos grand-mères ont dormi dans le *haramlek* des Baroudi, sur deux divans qui se faisaient face.

— Tu aimes raconter des histoires, dit Isabel.

— Oui. J'aime bien trouver un enchaînement aux faits.

— Ton frère doit bien te connaître, dit-elle, en baissant le pare-soleil et en ajustant son foulard, dans le petit miroir.

Oui, il me connaît bien. Mon frère aussi aime raconter des histoires, à sa manière. Au téléphone, depuis les États-Unis, il m'a demandé l'autre jour :

— Mon cadeau t'a plu ?

— Oui. Tu as regardé à l'intérieur ?

— Vaguement. J'ai pensé que tu serais intéressée.

— Oh, je suis plongée dedans. Tu as un peu fouillé ?

— Un peu, oui.

— Mais assez pour connaître Isabel.

— Notre cousine éloignée. Oui, j'ai découvert ça.

— Tu ne le lui as pas dit ?

— Qu'étais-je censé lui dire : « Il y a là aussi des papiers qui appartenaient à ma grand-mère. » Allons !

— Et les objets, tu les as regardés ?

— Non. J'ai juste jeté un coup d'œil sur les papiers.

— Eh bien, il y a une tapisserie qui fait le pendant avec celle qui est accrochée dans ton bureau.

— Dans mon bureau ?

— Une tapisserie pharaonique.

— Oh oui, oui ! Je vois de quoi tu veux parler. Sans blague ? Tu veux dire qu'elles vont ensemble ?

— Je crois, je n'en suis pas sûre. Tu pourrais apporter la tienne, la prochaine fois que tu viens ?

— Mais elle est énorme !

— Tu peux la rouler ! Il faut que je les voie côte à côte.

— Mais elle est encadrée.

— Sors-la du cadre. Tu as un type qui bricole... Comment s'appelle-t-il ?

— Je préférerais te payer le voyage jusqu'à New York.

— Mais je ne peux pas. Cette malle me prend tout mon temps. Je vis pratiquement dedans ! Je lis ces journaux intimes, je me projette cent ans en arrière, je devine tout ce qui n'a pas été dit.

— Génial ! *Yalla.* Laisse-toi emporter par ton imagination.

Ma grand-mère avait reçu le message et senti un danger pour son mari, vu la situation politique du moment. Elle avait mis sa habara, puis elle était partie chez sa mère dans une voiture à chevaux. Elle avait laissé son bébé à une horde de nounous et de servantes, j'imagine. Ce jour-là, elle n'a rien écrit dans son journal. Sans doute l'a-t-elle fait plus tard, pour laisser un témoignage. Anna, en revanche, rédigeait son journal chaque soir, parfois aussi l'après-midi.

Le 13 mars

J'ai dormi d'un sommeil paisible et profond. À mon réveil, j'ai d'abord cru m'être abîmée dans la contemplation d'une de ces toiles qui m'apportaient la sérénité, pendant la maladie de mon cher Edward. Devant moi le moucharabieh, en bois ouvragé, et derrière le ciel, bleu pâle. Je me suis étirée. J'ai vu que j'étais couverte d'un grand châle de laine d'un gris subtil, perlé de centaines de boutons de roses. Puis ma situation, ma captivité me sont revenues en mémoire d'un coup et m'ont tirée de mon indolence. Je me suis assise, avec l'idée de vérifier si la porte était fermée. Puis je me suis retrouvée plongée dans l'univers de mes tableaux bien-aimés : de l'autre côté du salon, sur un divan semblable au mien, une femme dormait. Elle n'était pas là la veille au soir : j'avais fait le tour de la pièce avec ma lampe, et j'étais sûre d'être seule. Elle avait dû entrer pendant que je dormais. Je me suis demandé qui elle était, et si cette maison lui appartenait. Elle était égyptienne, et c'était une dame — la première que je voyais sans la grande robe noire et le voile. Elle avait remonté une couverture de soie noire jusqu'à sa taille. Sa chemise, au-dessus, était du blanc le plus pur, et ses cheveux du même noir brillant que la soie du drap. Sa peau avait la couleur du pain d'épice. La jeune femme reposait sur des coussins bleus et vert émeraude. Le tableau, comme au musée, avait pour cadre le bois ajouré du moucharabieh. Je la sentais liée, d'une manière ou d'une autre, aux jeunes gens qui m'avaient amenée ici. Qu'avait-elle à voir avec mon enlèvement ? On m'avait enlevée déguisée en homme, or il arrive souvent dans les contes orientaux, qu'une princesse ou une houri ordonne l'enlèvement d'un jeune homme dont elle est tombée amoureuse. Elle le fait amener dans son palais, derrière les montagnes de la lune, et lui offre de l'épouser. Et s'il ôte son déguisement, et se révèle être une femme ? Elles tombent dans les bras l'une de l'autre en éclatant de rire et deviennent amies à la vie à la mort.

Mes bandages s'étaient emmêlés dans ma chevelure : je devais offrir un triste tableau ! J'ai dégagé mes cheveux, j'ai passé mes doigts dedans pour les démêler. Sans doute était-ce cette houri qui m'avait couverte avec une telle considération pendant mon sommeil. Je me suis de nouveau sentie en sécurité, et cette fois, il semblait que ce fût avec raison.

J'ai ouvert les yeux, et j'ai vu qu'elle me regardait. C'était une belle Européenne. Ses cheveux tombaient sur ses épaules en vagues dorées, les bandages qui les enserraient la veille gisaient sur le sol, à côté d'elle. Sa chemise blanche était ouverte au col, elle était assise, les mains sur les genoux. Elle portait un pantalon de cheval et des bottes marron. Je me suis tournée sur le côté, dans une position plus confortable, j'ai souri à cette inconnue au visage grave, je lui ai dit bonjour en arabe. Elle a répété mon salut, plus qu'elle n'y a répondu, et quand je lui ai demandé si elle parlait arabe, elle a fait non de la tête avec un petit sourire d'excuse. J'ai pointé mon doigt sur ma poitrine, j'ai dit : « anglais », en faisant non de la tête.
— Vous parlez français ? lui ai-je demandé.
Elle a eu un grand sourire de soulagement.
— Oui, oui, a-t-elle dit, empressée. Vous aussi, madame ?

Elle a penché un peu la tête sur le côté, attendant ma réponse.

— J'ai habité Paris avec mon mari pendant un certain temps.

— Ça tombe bien ! s'est-elle écriée, en joignant les mains l'une dans l'autre.

Ainsi avons-nous commencé à engager la conversation et à nouer une amitié.

Je lui ai expliqué les circonstances de son enlèvement et me suis confondue en excuses. J'ai ajouté que je la libérerais volontiers, mais que les deux têtes brûlées qui faisaient les cent pas dehors — ses ravisseurs — s'y opposaient farouchement, par peur des représailles, ai-je précisé. J'ai expliqué à cette Anglaise que j'avais envoyé quérir mon frère et qu'il viendrait dès qu'il le pourrait. Je lui ai promis que cette situation prendrait fin dès son arrivée, et qu'aucun mal ne lui serait fait, pas plus qu'à son serviteur. Chose étonnante, cette jeune femme ne montra pas la moindre crainte. En fait, son intérêt premier n'était pas de recouvrer sa liberté. Elle était très à l'aise dans son déguisement, et très curieuse des circonstances de son enlèvement ! Les événements qui l'avaient provoqué, la maison dans laquelle elle se trouvait, mon opinion sur le sujet, tout la passionnait. J'ai fini par oublier que c'était une étrangère. Et quelle étrangère ! L'armée anglaise d'occupation était dans les rues, dans les casernes de Qasr el-Nil, le lord prenait son petit déjeuner à Qasr el-Dubara. À cause d'eux, mon oncle avait été exilé, mon père cloîtré dans sa mosquée ces dix-huit dernières années, mon mari était en prison. Et voilà que je discutais avec l'une des leurs habillée en homme, enlevée la veille au soir par les amis de mon mari et captive dans la maison de mon père ! Assises dans le salon de réception, nous faisions connaissance. Déjà, nous forgions une amitié.

Lors de cette première rencontre, ce fut elle qui se montra la plus curieuse, qui posa le plus de questions. La conversation était aisée : elle avait l'esprit vif, elle m'accordait d'emblée sa sympathie. Je lui ai raconté l'histoire de notre famille, elle a voulu une foule de détails. Au coucher du soleil, quand j'ai entendu arriver la calèche de mon frère,

Anna m'avait raconté sa vie : la mort de sa mère, son propre mariage, son veuvage, son estime pour sir Charles, le père de son défunt mari — que Dieu ait pitié de lui. Elle m'avait dit son attirance pour l'Égypte, j'imaginais la vie qu'elle avait menée depuis qu'elle était dans mon pays. Elle parla avec simplicité, sincérité. Lorsqu'elle se tourna vers la fenêtre, ses yeux, qui m'avaient paru si sombres pour une blonde, brillèrent d'un éclat violet à vous couper le souffle.

On m'avait enlevée, emmenée dans une maison inconnue. La femme endormie sur le divan en face du mien se réveilla, me sourit, me souhaita le bonjour dans sa langue maternelle. Mais elle parlait aussi bien français que moi et parut soulagée que je ne m'évanouisse, ni ne crie. Jamais je n'aurais fait cela. Il me semblait si étrange d'être assise là, dans l'une de mes peintures bien-aimées. Ma douce geôlière me procura le même plaisir que ces tableaux : son allure, l'élégance de ses gestes, l'intonation mélodieuse de sa voix, j'eus la curieuse impression de l'avoir déjà vue. Et elle semblait si peu consciente de son charme ! Elle ramenait son drap de soie sur elle avec une telle simplicité, glissait son pied dans un fin chausson de brocart d'or, comme si c'était la chose la plus naturelle au monde ! Elle demanda un petit déjeuner de crème grumeleuse et de miel, et me servit avec des gestes charmants. L'histoire qu'elle me conta n'évoquait pas l'Orient médiéval, mais notre temps : elle s'appelle Laïla al-Baroudi, elle est mariée depuis cinq ans à son cousin (le fils de son oncle maternel), un jeune avocat du nom d'Hosni al-Ghamraoui (ici, les femmes ne prennent pas le nom de leur époux. Laïla ne voyait pas la nécessité d'une telle pratique : « Pourquoi renoncerais-je à mon nom ? Quand il le faut, je suis Mme Ghamraoui, mais je n'en reste pas moins Laïla al-Baroudi. »). Ils ont un fils d'un an, Ahmad. Le mari a étudié le droit à Paris pendant un an. Laïla l'accompagnait ; elle en a profité pour apprendre le français. Elle a essayé de m'expliquer leur cause. J'ai posé mille questions. Nous avons fini par passer en revue tout le XIXe siècle, à parler de la Turquie, de l'Europe, du Japon, de Suez. J'ai compris que j'en savais bien peu sur l'Égypte. Sans doute ne pourrai-je jamais tout apprendre.

Quant à mes ravisseurs, ils appartenaient à un groupe de jeunes radicaux, qui voulaient, en prenant un otage anglais, venger l'arrestation de son mari durant une manifestation pacifique. Laïla n'aimait pas leurs méthodes, elle était certaine que son mari et son frère ne les approuveraient pas non plus.

    La procession qui nous avait bloqué le passage, sur le chemin du palais 'Abdine et que nous avions prise pour un défilé religieux était sans doute la manifestation en question.

— Ils ont l'un des nôtres, nous avons l'une des leurs ! disait Ibrahim, le plus jeune des deux.
Je descendais le couloir à la hâte, quand j'ai surpris cette conversation.
— Ils ont « arrêté » l'un des nôtres, nous avons « enlevé » l'une des leurs.
La voix de mon frère, claire et sèche. Je me tenais derrière le moucharabieh, face à l'entrée. Mon frère portait sa robe d'avocat. Il n'avait pas encore ôté son tarbouche. Il s'efforçait de maîtriser sa colère.
— Je ne vois pas la différence, rétorqua Ibrahim. Nous avons seulement essayé d'obtenir...
— La différence est énorme : ils ont agi dans le cadre de la loi, vous pas ! Vous voulez que Hosni Bey ait un procès équitable ? Vous voulez qu'il soit jugé selon les lois en vigueur — en commettant un acte criminel ?
— *Ya Bacha*, la loi sert les Anglais.
— La loi ne sert personne. On peut contourner les lois, mais si nous voulons que les Anglais les respectent, nous ne pouvons nous-mêmes agir comme des brigands, même une seule fois.
— Ils se sont emparés de nos terres par la violence et ils ne partiront que par la force.
Mon frère cessa de masquer sa colère. Il s'approcha du jeune homme, sa voix se fit plus grave, menaçante :
— Tu vas faire un discours patriotique, *ya* Ibrahim, ici, chez moi ? As-tu oublié à qui tu parles ? Et que défends-tu ? Un enlèvement ? Si tu veux enlever quelqu'un, enlève un officier, ou au moins un soldat, pas une femme qui est juste venue voir les pyramides !
Ibrahim et l'autre jeune homme, celui que je ne connaissais pas, baissèrent les yeux.
— Nous n'avions pas réalisé, marmonna ce dernier.

— Comment avez-vous osé l'amener ici ? Dans la maison de ma mère, à mon insu !

— C'était une erreur, marmotta le jeune homme.

— Une erreur qu'il vous faut réparer. Immédiatement.

— Nous allons la réparer, *ya Bacha.*

— Bien. Que proposez-vous de faire ?

Les deux jeunes gens échangèrent un regard.

— Nous attendons votre avis, *ya Bacha*, dit le plus jeune.

— Rendez-vous. Ramenez-la à son Agence et livrez-vous à la police.

À nouveau, les jeunes hommes se regardèrent.

— *Ya Bacha*, ce serait un honneur de mourir ou d'être banni pour la cause de notre pays...

Ibrahim hésita.

— Oui ? fit mon frère, l'incitant à poursuivre.

— Mais être emprisonné pendant des années pour un acte sans conséquences, un acte sans portée, où est l'héroïsme ?

Mon frère se détourna. Il arpenta l'entrée, les mains dans son dos, égrenant son chapelet. Puis il s'arrêta, et reprit d'une voix douce :

— Je veux que vous compreniez une chose : enlever des gens ou leur nuire n'a rien d'héroïque. C'est mal. Et cela a des répercussions. Ce n'est pas de cette façon que nous désirons agir. Cela va à l'encontre de tout ce que nous avons fait depuis dix-huit ans. Les Anglais cherchent à nous accuser de fanatisme. Si nous leur donnons raison, nous sommes fichus.

— Vous avez bonne réputation, *ya Bacha*, murmurèrent Ibrahim et son ami, respectueux.

— Et je ne veux pas l'entacher — d'aucune façon, insista mon frère.

J'attendis, et Laïla — avec quelle aisance, quelle sympathie je prononce déjà ce nom ! — reparut. Elle se glissa dans la pièce, ferma la porte et s'assit sur le divan en face du mien. « Je crois que mon frère va venir », dit-elle. Là-dessus, j'entendis un bruit de gambade derrière la porte, comme si quelqu'un décampait. Des pas sonores, décidés, approchèrent, se turent. Une toux, puis un coup frappé à la porte.

Laïla ouvrit. Elle murmura quelques mots, parmi lesquels je reconnus celui de bienvenue : « Etfaddal. » Un silence, puis il entra. Il se pencha pour embrasser sa sœur sur le front. Elle lui prit le bras et déclara :

— Anna, voici mon frère, Charif Pacha al-Baroudi. Abeih, je te présente lady Anna Winterbourne.

— Madame, je vous prie d'accepter mes excuses, dit-il, dans un français parfait.

Je compris pourquoi j'avais eu l'impression de connaître sa sœur : j'avais devant moi le visage qui m'avait frappée au bal du khédive, et que j'avais entr'aperçu au Costanzi. Fier comme le diable, avais-je pensé...

— Ne vous excusez pas, monsieur, répondis-je. J'ai été très bien traitée.

Il m'a regardée un bref instant et j'ai pris conscience de l'étrangeté de mon apparence : je portais un pantalon et une che-mise de cavalier, inconvenants et plutôt défraîchis. J'avais les che-veux ébouriffés. J'ai baissé les yeux et compté sur la politesse des messieurs arabes : après un premier regard, ils évitent de poser les yeux sur vous.

— Ma sœur m'a tout raconté. On ne s'inquiète pas de votre absence, semble-t-il ?

Comprendre : vous vous êtes mise à mal et le fait qu'on ne s'inquiète pas de vous aggrave votre cas. Je ne fis aucun commen-taire.

— J'ignore quelles sont vos intentions, enchaîna-t-il. Si vous décidez de rapporter cette affaire aux autorités, nous confirmerons vos dires. Cependant, il faut que vous rentriez à votre hôtel. Je vous y accompagnerai moi-même, afin d'assurer votre sécurité. Demain, vous déciderez de l'attitude à adopter...

— Ce n'est pas la peine, monsieur, dis-je.

Je levai un instant les yeux et vis sa surprise, et celle de Laïla. Sans doute n'avait-il pas l'habitude qu'on l'interrompe, ou qu'on le contredise.

— Ce n'est pas la peine de rapporter cet incident, expliquai-je. Je ne le souhaite pas, car je comprends la situation. Et on ne m'a fait aucun mal. Au contraire, j'ai ainsi eu l'occasion de faire la connais-sance de votre sœur, une femme charmante. Et maintenant, si vous aviez la gentillesse de donner l'ordre qu'on selle nos chevaux, Sabir et moi pourrions poursuivre notre voyage et ne pas abuser plus long-temps de votre hospitalité.

Quelle bravoure ! Alors, pourquoi cette sensation de froid dans mon cœur, pourquoi cette excursion me parut-elle soudain impossible ?

— *Vous ne songez pas réellement à repartir à cheval dans le désert ?* s'étonna Laïla.

Assise à côté de moi, elle m'interrogeait du regard.

— *Si, dis-je. Si, j'en ai bien l'intention.*

— *Puis-je m'asseoir ?* demanda-t-il, en indiquant le divan de Laïla.

— Etfaddal, *répondis-je.*

Il eut un petit sourire. Laïla étouffa un rire.

— *Sérieusement, Anna, reprit-elle. Après tout cela ?*

— *Si je rentre maintenant, où serai-je censée avoir passé ces deux derniers jours ? Ma bonne, Emily, et M. Barrington, de l'Agence, savent que je devais aller dans le désert.*

— *On fera taire cet homme, déclara-t-il. Et vous direz à votre bonne que vous avez perdu courage et rebroussé chemin.*

— *Elle me croit avec un groupe.*

— *Ce que croit la bonne est sans importance, rétorqua-t-il avec impatience. Ce qui compte, c'est votre sécurité.*

— *Ma sécurité n'aurait pas été troublée si vos jeunes amis n'étaient pas intervenus, répliquai-je.*

Je me surpris moi-même. Je ne me souvenais pas d'avoir jamais parlé sèchement à qui que ce soit. Il s'appuya contre les coussins et me regarda dans les yeux. Je fixai mes mains.

— *Et Sabir parlera, ajoutai-je. On l'interrogera. Ça ne marchera pas.*

— *Je puis vous garantir qu'il ne parlera pas, dit-il, d'un ton détaché.*

— *Non. Et personne ne croira que j'ai perdu courage. Ce n'est pas dans ma nature.*

Il y eut un silence. Je levai les yeux. Il se cala à nouveau contre les coussins, fixa les grains de son chapelet, qu'il tenait nonchalamment entre ses mains. Puis il redressa la tête.

— *Très bien, dit-il. Je comprends. Vous irez à Sainte-Catherine. Mais pas ce soir, et pas seule.*

Je jetai un coup d'œil à Laïla qui couvait son frère d'un regard intense. Allait-il lui proposer de m'accompagner ?

— *Lady Anna a raison, lui dit-il, et vu qu'elle a interrompu son voyage à cause de nous, nous avons des obligations envers elle.*

(Il s'interrompit, comme si son propre discours l'agaçait.) Dans tous les cas, vous me permettrez de vous escorter jusque dans le Sinaï. Vous vous sentirez plus en sécurité avec moi que seule, j'imagine ?

— *Absolument pas, monsieur, répliquai-je. Je suis tout à fait capable...*

— *Je ne vous autoriserai pas à voyager seule.*

— *Pardonnez-moi, mais je n'ai pas besoin de votre autorisation.*

— *Anna ! me souffla Laïla, en me touchant le bras.*

Mais je restai de marbre : comment osait-il m'imposer quoi que ce soit ?

— *Vous oubliez, madame, que vous êtes chez moi.*

— *Ce qui signifie ?*

— Que vous ne quitterez pas cette demeure sans escorte. Qu'on vous raccompagnera à votre hôtel. Que vous rentriez directement ou que vous passiez par le Sinaï : à vous d'en décider.

— *Et si je refuse ?*

— *Vous pouvez rester ici. Après tout, personne ne s'inquiète de vous.*

Il avait un air malicieux.

— *Monsieur, dis-je, c'est de la coercition.*

— *Employée pour une bonne cause, repartit-il.*

Je me tournai vers Laïla, qui ne semblait pas tout à fait remise de sa surprise.

— *C'est une excellente idée, fit-elle. Je sais que vous n'avez pas peur de voyager seule, mais croyez-moi, lorsque vous serez dans le désert, vous comprendrez qu'il est préférable d'être accompagnée.*

Je restai silencieuse.

— *Bien. Donc c'est décidé, conclut-il, en se redressant. Il me faut la journée de demain pour tout organiser, et pour faire cesser la garde à vue du Maître (il sourit à sa sœur). Nous partirons après-demain. Nous essaierons de rattraper le temps perdu.*

Il se leva. Laïla l'imita. Elle mit ses chaussons, sa cape, attacha sa coiffure. Il se tourna vers elle et lui parla en arabe. Après un bref échange, Laïla vint vers moi, prit mes mains dans les siennes.

— *Je ne veux pas laisser mon enfant seul une nuit de plus, dit-elle. Vous serez bien ici, n'est-ce pas ? Je vous dirais volontiers de m'accompagner, mais mieux vaut ne pas ébruiter cette affaire. Je reviendrai demain matin avec Ahmad, que vous le voyiez.*

Elle sourit et m'embrassa, d'abord sur une joue, puis sur l'autre, et à nouveau sur la première joue.

— Je suis très heureuse de vous avoir rencontrée, dit-elle.

Là-dessus elle sortit. Son frère la suivit.

Je me suis assise sur le divan. Comment a-t-il osé, marmonnai-je, comment a-t-il pu oser prendre ainsi la direction des opérations ? Mais, peu à peu, je sentis s'offrir à moi des perspectives nouvelles. Je songeai à sir Charles — que penserait-il de ce Pacha égyptien dans la maison duquel j'avais échoué de si étrange façon ? Puis je me convainquis que, dans des circonstances similaires, sir Charles eût probablement agi de la même façon. Il m'apparut que cette expédition dans le désert contrariait les projets de Charif Pacha. J'entendis frapper à la porte et dis « Entrez ! » sans réfléchir. Personne n'entra. Je me levai pour aller ouvrir. Il était dans le couloir, Sabir derrière lui.

— Pardonnez-moi, dit-il, mais j'ai pensé que vous n'étiez sans doute pas à votre aise. C'est le mieux que je puisse faire, pour le moment.

Il me tendit un vêtement bien plié. Au toucher, le tissu semblait être de la soie.

— Ce sera trop grand, bien sûr, c'est à moi, cependant...

— Merci, coupai-je, froidement. Je suis certaine que ce sera confortable.

— Je regrette qu'il n'y ait pas de femme ce soir pour s'occuper de vous, mais j'ai... Si vous voulez bien aller à la salle de bains dans un quart d'heure, vous trouverez... des choses...

Il eut un geste incertain. Je le rassurai : c'était très aimable de sa part.

— Bonsoir, dit-il.

Il inclina la tête pour me saluer.

— Un instant, monsieur, dis-je.

Il s'arrêta.

— J'ai pensé, repris-je, que j'allais vous créer des soucis.

Il paraissait las, à présent.

— Je croyais que c'était réglé ?

— Si jamais lord Cromer avait vent de cette affaire...

Il se raidit.

— Oui ?

— Cela causerait des problèmes, n'est-ce pas ?

— *Vous auriez dû y songer plus tôt. Avez-vous peur ?*

— *Pas pour moi-même, monsieur.*

— *Eh bien alors ?*

— *Cela pourrait vous causer du désagrément.*

— *Je saurai m'en arranger, dit-il. Il y a autre chose qui vous inquiète ?*

— *Non. Pas pour le moment.*

— *Bien. Alors à nouveau bonsoir.*

Là-dessus il s'éloigna à grands pas dans le couloir, Sabir sur ses talons.

Dans la salle de bains, je trouvai un pot en cuivre rempli d'eau très chaude, un savon qui sentait l'huile d'olive et la rose, et plusieurs serviettes chaudes pliées.

Je m'assis au bord de la grande baignoire de marbre. La flamme de la lampe à huile suspendue au mur projetait une lumière mouvante sur le carrelage. Je pris le broc en faïence bleu et blanc, me versai de l'eau sur la tête. La pensée de lord Cromer me quitta, je me détendis.

Je sortis de la salle de bains dans son peignoir de soie bleu foncé, les manches roulées plusieurs fois, une serviette sur la tête. Au centre du salon, je trouvai un grand plateau de cuivre posé sur une table basse. Dessus, une bougie allumée, du yaourt, du fromage, des abricots, des clémentines, des olives, du pain chaud enveloppé dans une serviette en lin et un grand verre d'eau glacée. Je m'assis par terre et mangeai de bon cœur, l'esprit engourdi par la fatigue et le bien-être.

Je m'étendis sur le divan, le châle gris remonté jusqu'au menton. Je me demandai s'il se souvenait, lui aussi, de nos précédentes rencontres, car j'étais sûre que nos regards s'étaient croisés...

13.

« Oui, le cœur a besoin d'un langage »

S. T. Coleridge.

Le 14 mars 1901

Il est presque midi. Laïla al-Baroudi s'appuie contre les coussins de lin, dans l'ombre fraîche de la terrasse en saillie du haramlek. Dans ses mains, un petit vêtement blanc. Laïla pique le tissu, pousse l'aiguille avec un dé à coudre. Elle tire sur le fil, qui se tend sur son petit doigt, entend le rire aigu d'Ahmad et lève les yeux : devant la fontaine aux carreaux colorés, Anna asperge de gouttelettes les jambes potelées du bébé. Laïla sourit, puis baisse les yeux sur le prochain point.

Hosni a été libéré sur parole, tôt ce matin, comme son frère l'avait promis. Il est rentré à la maison plein d'entrain, comme s'il venait de respirer un grand bol d'air frais. Il a embrassé Laïla et Ahmad, il s'est lavé, rasé, changé, puis a réclamé des œufs sur le plat. Pendant le petit déjeuner, il a dit à Laïla qu'il avait refusé de sortir de prison sans ses camarades. Finalement, on les avait relâchés, après qu'il eut répondu de leur bonne foi. Hosni, qui voyait toujours le bon côté des choses, se félicitait d'avoir connu la prison, comme la plupart de ses clients. Il s'en félicitait d'autant plus que cette expérience n'avait duré que trois jours. « Tu m'as manqué », souffla-t-il à Laïla, comme elle lui servait son thé.

Il attendait avec impatience son procès, qui lui donnerait l'occasion d'attirer l'attention sur les revendications légitimes des travailleurs. Il était retourné à son bureau, terminer un article pour *al-Liwa*. Il bénissait son beau-frère d'être intervenu, et lui avait promis de sermonner Ibrahim et ses amis. Laïla s'interrogeait : elle ne l'avait jamais vu sermonner qui que ce soit. Il disait toujours — comme cette fois : « *Hassal kheir* », ça s'est bien terminé, ne nous affolons pas, tout a une solution.

— Il faut que tu leur parles, avait-elle insisté, ils vont t'attirer des ennuis. Si tu ne le fais pas pour toi, fais-le pour eux, pour leurs amis, mon frère les avait presque livrés à la police...

— *Ya setti hassal kheir*, dit-il. La dame va bien, *al-hamdou lillah* ?

Il avait raison. « Hassal kheir » : personne n'avait subi de préjudice, et ils avaient cette délicieuse invitée, cette adorable jeune femme qui s'extasiait sur tout ce qu'elle voyait. Laïla leva les yeux. Anna leva la tête au même moment et lui sourit. Elle se redressa et resserra, pour la dixième fois, la ceinture du peignoir bleu autour de sa taille. Ahmad l'adore, se dit Laïla, en voyant le bébé gazouiller à ses pieds. Anna se pencha, jusqu'à ce que le garçonnet, sous le charme, lève les mains et touche, curieux, les cheveux d'or.

Laïla prit la petite robe, la secoua pour la remettre à l'endroit, puis la posa de nouveau sur son genou. Anna avait eu l'air si sérieux en lui disant le nom de ce point : *'ish el-naml*. « Oh, bien sûr », s'était-elle exclamée, en examinant les plis serrés de la robe. Laïla avait soudain réalisé que ce nom signifiait « fourmilière », et vu la pertinence de la métaphore. Quoiqu'il fût préférable de ne pas pousser la comparaison trop loin. Laïla se demanda si elle allait ajouter du jaune — il y avait déjà du bleu et du blanc.

Quel dommage qu'Anna dût repartir le lendemain ! Elles auraient pu faire tant de choses ensemble ! Laïla lui aurait fait découvrir des merveilles, à cette femme qui avait traversé l'Europe et la Méditerranée pour aller à la rencontre de l'Égypte, l'Égypte qui s'était fermée à elle, lui avait confié Anna. La jeune Anglaise avait le sentiment de n'avoir rien pénétré. Laïla comprenait ce qu'elle voulait dire, car elle-même, qu'aurait-elle vu de la France, si Juliette Clemenceau ne l'avait pas prise sous son aile ? Anna verrait tout de même le Sinaï, et Sainte-Catherine, elle voyagerait dans de bonnes conditions, et sans risques, avec son frère. Laïla avait été surprise qu'Abeih Charif lui fasse cette proposition, hier. Proposition ? Cela avait plutôt été un arrêt, un décret royal : vous irez à Sainte-Catherine, et vous irez avec moi ! Anna s'était hérissée et l'avait contré. C'était la première fois que Laïla entendait quelqu'un parler sur ce ton à Abeih. C'était généralement lui qui donnait des ordres. Ça ne lui ressemblait pas non plus de partir dans le désert avec des inconnus — avec une inconnue, une Anglaise. Laïla s'était demandé, se demandait si Anna lui plaisait. Sa famille s'était tellement habituée à le voir célibataire, solitaire, qu'elle avait cessé de l'inciter à se remarier, cessé d'attirer son attention sur de possibles épouses. « Ton frère prend tout au sérieux, se lamentait leur mère, les livres qu'il a lus, la poésie de ton oncle sont restés dans son cœur. Pour lui, tout est prétexte à philosopher, il n'y a pas moyen de discuter. »

Laïla avait sept ans au moment du mariage de son frère et du scandale qui s'ensuivit : Abeih avait renvoyé sa femme chez ses parents six mois plus tard. À l'époque, Laïla n'avait pas bien compris, mais cette histoire avait eu le parfum d'une malédiction, assombrie encore par la révolution, l'occupation, et le bannissement de son oncle, d'Orabi Pacha et de leurs amis. Quand Laïla connut mieux les hommes, elle interrogea sa mère sur le bref mariage de son frère. Zeinab Hanem lui avait parlé de femme à femme. « Il s'est bien conduit. Il a pris la faute sur lui. "Votre fille est une princesse, leur a-t-il dit. Seulement nous sommes mal assortis. Je ne puis la rendre heureuse. Elle trouvera un meilleur époux que moi, et Dieu lui accordera le bonheur qu'elle mérite." Il leur a donné encore plus d'argent qu'ils n'en demandaient. La fille s'est mariée dans l'année et depuis, Dieu lui a donné trois enfants. En vérité, je crois que sa famille a été soulagée qu'il la quitte. Je peux les comprendre. Au moment du mariage, le père de leur gendre était un homme puissant, son oncle était à la tête du gouvernement. Et puis, en vingt-quatre heures l'armée d'occupation était dans les rues, et tous nos espoirs étaient ruinés. Là-dessus, il arrive chez eux, il leur fait un grand discours, il leur rend leur fille et leur donne une belle somme d'argent. Une bénédiction pour eux. La fille n'était pas enceinte, ils pouvaient donc se faire discrets et espérer que le monde oublierait qu'ils avaient un jour été liés aux al-Baroudi. Mais j'ai tout de même voulu savoir. "Rassure-moi, mon fils, lui ai-je dit, rassure-moi sur toi." Il a baissé la tête, considéré la question, puis il m'a ouvert son cœur : "*Ya*

Ommi, m'a-t-il répondu, je ne peux pas vivre jusqu'à la fin de mes jours avec une femme qui ne me comprend pas et qui ne partage pas mes préoccupations. Elle ne peut, ou ne veut, rien lire. Si je lui parle des graves problèmes du moment, elle hausse les épaules et me demande ce que je pense de sa nouvelle nappe. Nous vivons une époque difficile. Il ne suffit pas de s'intéresser à sa maison, à son travail, à sa vie personnelle. J'ai besoin que ma femme soit quelqu'un sur qui je puisse compter, j'ai besoin de sa compassion, besoin de la croire quand elle me dit que je me trompe, et de me sentir plus fort quand elle me dit que j'ai raison. Je veux aimer, être aimé en retour. Or ce que j'avais là n'était ni de l'amour, ni de la fraternité, mais une espèce de transaction de convenance, sanctionnée par la religion et la société. Je ne veux pas de ça." Tu vois sa philosophie ? Je lui ai proposé de lui trouver une femme, ou une ou deux filles — pas des esclaves, parce qu'ils venaient de déclarer l'esclavage hors la loi, mais deux femmes bien qui vivraient dans son harem et satisferaient ses besoins, et je n'ai eu droit qu'à un nouveau sermon sur la dignité des êtres humains. Il avait vingt et un ans, il était grand, large d'épaules, beau comme un Dieu. "Très bien, ai-je déclaré, mais dis-moi franchement ce que tu vas faire." Il a ri, il m'a baisé la main et m'a répondu : "Laisse-moi me débrouiller, mais rassure-toi. Ne dit-on pas : Le fils du canard n'est pas un mauvais nageur ?" Il voulait parler de ton père, bien entendu, et connaissant ton père comme je le connaissais je me suis tue. »

Laïla réfléchit : depuis la retraite mystique de leur père, Abeih Charif est devenu l'homme de la famille : il gère les biens, les propriétés, il s'occupe des autres, il exerce son métier d'avocat, il siège au conseil, il œuvre pour le progrès social. Il entretient des relations polies, mais distantes, avec le palais.

— Maman, maman !

Ahmad court vers elle en titubant, les bras levés. Il court, il court, sans même savoir marcher. Laïla jette son ouvrage, se met à genoux, se penche et serre le petit corps qui se précipite contre son sein.

— *Esmallah esmallah, ya habibi**, s'écrie-t-elle.

---

* Littéralement : « Dieu bénisse, mon chéri. »

Elle passe la main sur les cheveux noirs et doux, embrasse le front humide de sueur.

Elle le cajole, elle l'étreint. Ahmad cherche à se dégager. Sa mère le remet debout sur le sol. À quelques mètres de là, Anna s'assoit par terre et ouvre les bras à l'enfant qui vient vers elle. Un pas, un autre pas, puis l'accélération irrépressible vers Anna, qui s'agenouille comme Ahmad se jette dans ses bras. Lorsqu'elle relève le nez du cou tiède et parfumé de l'enfant, elle voit Charif Pacha al-Baroudi dans l'entrée de la cour. Il la regarde, en fronçant les sourcils.

Il se tourne vers sa sœur.

— J'ai toussé, j'ai tambouriné à la porte : est-ce que tout le monde est devenu sourd ?

— Bienvenue, *ya* Abeih.

Laïla se dirige vers lui, souriante.

— Bonjour ! dit-elle.

— Bonjour.

Il baisse les yeux vers elle, sourit, pose la main sur sa joue.

— *Khalas ya setti* ? Ton mari t'est revenu sain et sauf ?

— Que Dieu soit béni pour ta bonté, dit-elle.

Laïla sourit, prend la main de son frère, pose dessus un petit baiser.

— Itfaddal, tu as pris ton petit déjeuner ?

— *Al-hamdou lillah*, dit-il, en s'asseyant dans le fauteuil en osier.

Et Anna ?

— Quand était-ce ? demande Anna. Quand l'as-tu su ? À quel moment es-tu tombé amoureux de moi ?

Ils sont dans cette période merveilleuse où les amants reviennent indéfiniment sur les débuts de leur histoire. Quand aucun regard, aucune intonation ne prête à confusion mais rayonne de clarté. Quand chaque moment, chaque sensation sont rappelés avec dévotion, de nouveau révélés, telle une pierre précieuse qu'on extrait des replis d'un papier de soie, exposés au regard du bien-aimé — retournés sous tel angle, sous tel autre, examinés, considérés. Ainsi ils s'assoient, se caressent, se parlent, ainsi ils rattachent chaque moment au précédent, en font une chaîne glorieuse, la jettent au cou de leur aimé, s'en font l'un l'autre une guirlande. Invisible aux autres, elle brille pour eux, tel un signal lumineux visible à l'autre bout d'une salle bondée, de l'autre côté d'un océan, à travers le temps.

— Quand je l'ai su ? Quand je t'ai vue assise dans ce ridicule accoutrement de cavalier, les cheveux en bataille. Quand je t'ai vue prisonnière, pas lavée. Puis tu m'as dit, avec un tel calme : « Ce ne sera pas nécessaire, et maintenant, si vous voulez bien avoir la gentillesse de seller mon cheval. »

— Je ne t'ai pas demandé de seller mon cheval !

— Tu m'as quasiment ordonné de seller ton cheval ! Tu n'as pas songé à avoir peur.

— Qu'avais-je à craindre ?

— Moi. Tu n'avais pas peur de moi ? Le méchant pacha qui t'enfermerait dans son harem et te ferait des choses abominables ?

— Quelles choses abominables ?

— Tu devrais le savoir. On en parle dans vos histoires anglaises. J'aurais pu appeler mes eunuques noirs et leur dire de t'attacher...

— Tu as des eunuques ?

— Quelle immoralité ! Mais qu'attendre de la part d'une infidèle ? Tu t'habilles avec des vêtements d'homme, tu effraies ce pauvre Sabir, puis tu te jettes au cou du premier Arabe que tu rencontres...

— Tu n'es pas exactement un Arabe.

— Un autochtone, alors.

— Tu ne te souvenais pas de m'avoir vue au bal du khédive ?

— Pas vraiment, non.

— Mais nos regards se sont croisés. J'en suis certaine ! Tu étais debout à une fenêtre.

— Tu n'étais que l'une des leurs. L'une de ces femmes à moitié nues...

— Arrête ! Ne fais pas comme si tu n'étais jamais sorti du Caire.

— Oui, mais cela se passait au Caire, vois-tu. Et tu étais là : tu riais, tu dansais.

— Je n'ai pas dansé.

— Je sais.

— Donc tu m'as remarquée !

Anna eut un rire triomphant.

— Non, je ne t'ai pas remarquée !

— Si !

— Eh bien peut-être.

— Et alors ?

— Alors quoi ?

— Qu'as-tu pensé ?

— J'ai pensé que tu te conduisais mieux que certaines autres.

— Merci. Et puis ?

— Et puis quoi ?

— Et j'étais belle, et ma robe était ravissante et...

— Non. Tu sais à quel moment je me suis dit que tu étais belle ?

— Quand ça ?

— Quand je t'ai vue à genoux dans la cour, dans mon vieux peignoir, avec Ahmad dans les bras. Quand tu as levé la tête et que tu m'as regardé. Tu avais le soleil dans la figure. J'ai vu tes yeux, tes yeux violets. Puis ton visage et ton cou se sont empourprés, tu as baissé la tête, tu t'es cachée derrière Ahmad. Je n'ai plus vu que tes cheveux et j'ai pensé : « Qu'est-ce qu'elle est belle ! »

Anna a relevé la tête, lâché Ahmad qui s'élance vers son oncle. Et elle le suit, une main tendue vers lui au cas où il tomberait — l'autre main tient son peignoir fermé sur sa poitrine.

— Bonjour, dit-elle, en arrivant près de lui.

Il se penche en avant, ouvre grand les bras — « *Lalou ! Lalou !* », prend son neveu, le pose sur son genou.

— Bonjour. Vous avez bien dormi, j'espère ?

Il ne la regarde pas. Il s'occupe d'Ahmad, qui essaie de se mettre debout sur son genou.

— Très bien, merci.

Anna s'assoit à côté de Charif Pacha, dans l'autre fauteuil en osier. De ses petits pieds potelés, Ahmad piétine le costume d'intérieur gris pâle de son oncle. Sa veste est ouverte, on voit la grosse chaîne en or de sa montre, qui forme une courbe jusqu'à la poche de son gilet. Laïla a repris son ouvrage, elle lève les yeux et dit : « *Bass ya Ahmad* », quand l'enfant pose la main sur le tarbouche de son oncle. Charif Pacha enlève son tarbouche et le donne à son neveu. Il garde le petit dans le creux de son bras, pour l'empêcher de basculer. De l'autre main, il lisse ses cheveux en arrière.

— Je me demandais, dit-il à Laïla, en français pour qu'Anna le comprenne, quelle serait pour notre invitée la meilleure façon de voyager.

Laïla regarde Anna, qui ne se prononce pas.

— Sabir affirme qu'Anna est bonne cavalière, répond Laïla. Comme toutes les Anglaises, non ?

— Où est ce Sabir ? demande Charif Pacha. Pourquoi ne stationne-t-il pas à la porte ?

— Je lui ai donné congé, dit Laïla, pour qu'il aille rassurer sa famille. Il n'avait pu les prévenir qu'il partait. Il craint qu'ils ne s'inquiètent et ne s'enquièrent de lui à l'Agence. Il sera vite revenu.

— Sa famille ? s'étonne Anna.

— Sa femme et ses enfants. Il n'a pas eu le temps de leur dire qu'il s'absentait.

— J'ignorais qu'il avait une femme, dit Anna, surprise.

— Votre M. Barrington ne doit pas le savoir non plus, répliqua Charif Pacha, d'un ton froid.

— Mais pourquoi, commence Anna, puis elle se tait.

S'ensuit un long silence.

— Je vais te faire un café, *ya* Abeih, propose enfin Laïla.

Charif Pacha lui fait signe qu'il n'en veut pas.

— Viens me montrer la fontaine, dit-il à Ahmad en arabe.

Il se lève avec l'enfant dans les bras. Il l'emmène au milieu de la cour, le pose par terre avec précaution et s'accroupit à côté de lui. Laïla et Anna se taisent en attendant que l'homme et l'enfant reviennent.

— Pourquoi ne viens-tu pas avec nous ? dit Charif Pacha à sa sœur.

Il a parlé d'un ton désinvolte, mais Laïla lève les yeux, surprise.

— Je ne peux pas, réplique-t-elle. Papa ne va pas très bien et maman n'est pas là.

— Oui, bien sûr, dit-il. Bien sûr.

Il soulève Ahmad, le pose par terre. Il se tourne légèrement vers Anna, lui jette un coup d'œil, détourne les yeux.

— Vous ne voudriez pas voyager dans une litière, n'est-ce pas ? demande-t-il.

— Je préférerais aller à cheval, répond Anna.

— Je comprends, dit-il.

Il repousse le tarbouche sur le front d'Ahmad.

— Dans ce cas, vous devrez voyager sous une identité d'emprunt. Vous vous ferez à nouveau passer pour un homme, un jeune homme.

Il la regarde un bref instant, s'autorise un sourire ironique.

— Mais pas un Anglais, précise-t-il.

Il marque une pause.

— On dira que vous êtes français. Vous serez le fils d'un vieil ami à moi. Vous vous inventerez un nom.

— Armand, dit Anna, et il sourit.

— Va pour Armand. Armand Demange. Nous vous trouverons des papiers, des vêtements. Je vous parlerai de votre père pendant le voyage.

*

— J'ai su que c'était toi, au Costanzi, et que tu m'avais vue.

— Quand l'as-tu su ?

— Au moment où tu as souri, quand j'ai choisi le nom d'Armand.

— Mais Armand n'était pas dans cet opéra-là !

— Non, mais ça t'a fait penser à l'opéra.

Les trois bougies diffusent une lumière tremblotante, mais ne peuvent rivaliser avec les étoiles qui scintillent sur les coussins, les tapis, sur le toit de la vieille maison. Par instants, Anna sent monter l'odeur des orangers en fleurs.

— Anna, dit-il, est-ce que cette vie-là te manque ?

— Non, répond-elle aussitôt. Je ne voudrais être nulle part ailleurs. Pour rien au monde.

Elle a glissé les doigts dans les cheveux épais et doux de Charif, dont la tête repose sur son genou. De son autre main, elle suit le contour de la bouche du pacha, la lèvre supérieure est cachée par la moustache.

— Cela ne t'ennuie pas que nous soyons obligés de parler français ? dit-elle.

— J'aime cette langue.

— Mais ça ne te gêne pas, de ne pas pouvoir me parler en arabe ?

— Non. Cela nous met sur un pied d'égalité. Nous devons chacun faire un bout de chemin pour nous rejoindre.

Il saisit la main qui caresse sa bouche, porte le bout des doigts à ses lèvres.

— C'était si triste, Tosca, dit Anna. Quand elle est assise par terre, et qu'elle demande au baron Scarpia ce qu'elle a fait pour mériter ça.

— Oui. Tu étais en noir.

— J'étais encore en deuil. Cela ne faisait que dix mois.

— Anna ?

— Mon chéri ?

— Où est ton alliance ? Ta vieille alliance ?

— Dans un sac. Dans ma commode, avec celle d'Edward et mes journaux intimes de l'époque.

— ...

— Tu pourras les lire, si tu veux. Je n'ai rien à te cacher.

— Non.

— Je suis sincère !

— Non, ma chérie. Pas maintenant. Peut-être un jour, quand on sera vieux.

*

Le Caire
Le 14 mars 1901
Mon cher sir Charles,
Cette fois j'ai des nouvelles plus intéressantes (pour moi et j'espère pour vous) que d'habitude ; autre chose qu'une soirée au concert ou une visite touristique. J'ai rencontré, dans des circonstances curieuses, une jeune dame appartenant à la communauté des Égyptiens musulmans. Je dis « dame » délibérément, car vous la considéreriez comme telle, autant par sa famille que par son comportement. Elle est la nièce de Mahmoud Sami Pacha al-Baroudi, premier

ministre dans le bref gouvernement d'Orabi Pacha, et son compa-
gnon dans leur infortunée « rébellion » dont je vous ai entendu parler
avec une certaine sympathie. Ce monsieur, Mahmoud Sami Pacha,
a été autorisé à revenir dans son pays il y a dix-huit mois, parce qu'il
est vieux et pratiquement aveugle, qu'il ne s'occupe plus de politique,
mais de poésie. La mère de mon amie s'appelle Zeinab Hanem al-
Ghamraoui. Elle est issue d'une riche famille de Minieh, en Haute-
Égypte, mais je ne la connais pas encore.

Ma nouvelle amie se prénomme Laïla. Le jour où je l'ai ren-
contrée, son mari, un jeune avocat, était en prison depuis trois
jours pour avoir organisé une manifestation d'ouvriers réclamant
de meilleures conditions de travail. Ces hommes, employés sur les
lignes de tramway, voulaient bénéficier des mêmes avantages que
les travailleurs étrangers.

Le refus du gouvernement de satisfaire leurs exigences, les a
poussés à se mettre en grève. Les compagnies ont fait appel à des
briseurs de grève. Au plus fort de la confrontation, le mari de Laïla
et l'un de ses confrères se sont couchés sur les voies pour empêcher
les rames de rouler. Ils ont été arrêtés avec les chefs des grévistes et
mis en prison — on les a ensuite libérés, grâce aux bons offices du
frère de mon amie, Charif Pacha al-Baroudi, avocat et homme
d'influence, semble-t-il, de par sa position, son intégrité, son patrio-
tisme, et son ascendance.

Vous imaginez les questions que j'ai pu poser à ma nouvelle
amie. Je connais à présent les exigences des classes éduquées : elles
veulent mettre un terme à l'occupation anglaise, avoir une constitu-
tion et être gouvernées — comme nous — par un parlement élu.

Qu'en pense le khédive ? Mon amie a souri à cette question.
Elle m'a répondu qu'il approuvait les demandes des nationalistes
et que son père les eût satisfaites, si Orabi Pacha était venu le
trouver, au lieu de se précipiter chez les Anglais. Cependant, cer-
tains pensent qu'il se sert des nationalistes dans son conflit avec
lord Cromer. Rien ne prouve qu'il satisferait aux demandes du
peuple s'il en avait l'opportunité et qu'il serait un monarque éclairé.
Une question qui restera à résoudre, à la fin de l'occupation.

Il y a d'autres motifs d'interrogation : la dette nationale, dont
j'ai tellement entendu parler à l'Agence, le statut du sultan de
Constantinople, si l'Égypte devenait une monarchie constitution-
nelle, et j'ai bien l'intention de m'informer si l'occasion se présente.
Pour l'heure, je suis ravie de cette rencontre. J'espère pouvoir mieux

connaître Laïla et par là même comprendre quelque chose à ce pays qui exerce une réelle attraction sur moi depuis si longtemps.

 Il me semble étrange de n'avoir pas rencontré d'Égyptienne plus tôt, je séjourne ici depuis un certain temps. Nous avons tendance à fréquenter nos compatriotes, les membres des autres consulats, et les seuls autochtones avec qui nous soyons en contact sont nos serviteurs. C'est comme si quelqu'un venait en Angleterre, ne rencontrait que les boutiquiers et les domestiques, et se faisait une idée de la société anglaise d'après eux. Non, en fait, c'est pire, car en Angleterre la société se montre, et l'étranger, même non introduit, la voit. Ici, la société vit derrière des portes closes — mais elle n'en existe pas moins. Et puis, il y a le problème de la langue. Je parle français avec ma nouvelle amie, mais je suis à présent résolue à apprendre l'arabe, et j'espère vous impressionner bientôt en concluant mes lettres dans cette langue, pour vous dire que je suis votre très dévouée, etc.

LA FIN D'UN DÉBUT

« Il y a des contes typiquement égyptiens.
Trois caractéristiques les distinguent : ils sont
picaresques, féministes et panthéistes. »

Yacoub Artin Pacha, 1905.

Ainsi nos trois héroïnes, prennent-elles trois chemins différents. Anna Winterbourne quitte Le Caire et se dirige vers l'est, vers le Sinaï, en compagnie de Charif al-Baroudi. Amal al-Ghamraoui et Isabel Parkman empruntent la route de la Haute-Égypte qui les conduira à Tawasi, dans le district de Minieh.

— Je t'avais dit que je travaillerais le sujet, s'esclaffa Isabel.

— Et tu l'as fait, dit Amal, en jetant un coup d'œil au papier que lui a donné son amie.

Elle ralentit derrière une charrette tirée par un âne, lisse le papier sur le volant, l'examine. Elle lit :

Omm : mère (également le dessus de la tête).

Ommah : nation, d'où : *ammama*, nationaliser.

Amma : conduire les prières, d'où : *imam* : chef religieux.

Un espace, et :

Abb : père.

— C'est tout ? dit Amal, en rendant le papier à Isabel, car la voie est libre.

Elle passe en seconde, elle double.

— C'est tout, répond Isabel, à moins que tu ne voies autre chose.

Amal fronce les sourcils, se concentre, murmure :

— Paternité, paternel. Non. Je ne vois rien d'autre.

— Ainsi deux concepts extrêmement importants : nationalité et autorité religieuse, viennent du mot « mère ». On retrouve ce radical dans politique, religion, économie et même dans anatomie. Alors, comment peuvent-ils dire que l'arabe est une langue patriarcale ? s'étonne Isabel.

— Intelligent, apprécie Amal, en se tournant un instant pour décocher un grand sourire à sa voisine. D'un autre côté, on pourrait dire que *abb* se détache du reste parce qu'il est unique, qu'il ne peut appartenir au même domaine que d'autres concepts.

— Non. Même toi tu n'y crois pas.

Ils se ressemblent tant ! pense la jeune Américaine. Ils ont les mêmes yeux noirs, mais surtout les mêmes manières, le même sourire, doux, amusé. Et cette façon de vous faire des compliments, comme s'ils plaisantaient. De poser brusquement une question qui vous va droit au cœur. Cependant, Amal n'avait pas le rayonnement, la vitalité de son frère. Ou disons qu'elle semblait tenir sa propre vitalité — son aura — en respect.

— Arrêtons-nous un moment, propose Amal.

Elles étaient sur la route depuis une heure et demie. Lorsqu'elles sortirent de la voiture, la chaleur les saisit comme si elles venaient d'ouvrir la porte d'un four. Tandis qu'elles faisaient les cent pas sur la route brûlante, Amal sembla soudain remarquer la longue jupe d'Isabel, le chemisier ample, à manches longues, le foulard noué négligemment sur sa tête.

— Qu'est-ce que c'est que ça ? Une nouvelle image ? s'enquit-elle.

Isabel haussa les épaules. Elle s'était bricolé une tenue toute seule. Elle avait vu les groupes de touristes, dans la vieille ville, dans le bazar, exposer leur chair nue et rouge au soleil. Les gens du cru les dévisageaient ou détournaient les yeux sur leur passage. Et puis, ces vêtements étaient tellement plus confortables. Amal sourit.

— Tu es toujours aussi belle, dit-elle.

Elles observèrent une femme qui venait dans leur direction. Devant elle marchait un mulet, la tête pendante. En travers de son dos, un gros tas de cannes oscillait à chacun de ses pas, telles des marchandises, sur une balance, qui pouvaient tomber d'un côté comme de l'autre.

— *Salam 'aleikoum.*

— *'Aleikoum el-salam.*

La femme s'arrêta et engagea la conversation avec Amal :
Où allez-vous ? Qui est cette fille belle comme la lune ? Le
mulet profita de l'occasion pour laisser traîner son museau
dans la poussière, à la recherche d'une touffe de verdure. Isabel s'était habituée à voir Amal discuter avec les gens, au
Caire, durant leurs balades — boutiquiers, gardiens de parking, agents de la circulation. Cependant, comme elles s'éloi-
gnaient de la ville, Isabel s'était sentie... pas mal à l'aise, mais
moins rassurée. Ici, elle ne pourrait pas s'échapper. Ici, il n'y
avait ni arrêts de bus, ni téléphones, rien que la route qui
traversait des champs, une petite ville, puis encore des
champs. De temps à autre, un panneau portant le nom d'un
endroit dont elle n'avait jamais entendu parler. Il leur arrivait
d'être bloquées derrière une charrette, ou un camion. C'était
l'essentiel de la circulation sur la route de la Haute-Égypte :
camions, charrettes, breaks Peugeot qui servaient de taxis et
dans lesquels chacun payait sa place. Et puis la route menait
au pays des terroristes. C'est du moins ce qu'on disait dans
les journaux.

Isabel avait confiance en son amie, mais si quelque chose
arrivait à Amal ? Si elle s'évanouissait à cause de la chaleur
ou si elle avait une crise d'appendicite ? Que ferait Isabel ?
Amal, quant à elle, semblait n'avoir aucune inquiétude. Elle
devisait gaiement avec la paysanne. Elle choisit une canne,
avant que la femme ne poursuive son chemin.

Amal arracha l'écorce brillante, épaisse, coupa un morceau de canne. Isabel le mâcha, avala le jus sucré, puis recra-
cha discrètement la pulpe blanche et sèche dans sa main.

— Elle te l'a donnée ? dit-elle à Amal.

— Elle m'a demandé si ça te ferait plaisir.

— Tu ne l'as pas payée.

— Elle ne voulait pas de mon argent. Ce n'est qu'un
bâton de canne à sucre, dit Amal, comme elles remontaient
dans la voiture.

La première barricade n'était pas trop effrayante. Elles
l'aperçurent de loin : les barils rouges et blancs, la guérite sur
le côté, les soldats leur faisant signe de s'arrêter. Amal baissa

la vitre. Le jeune officier se pencha à l'intérieur. Amal el-Ghamraoui et Isabel Parkman. Américaine. La fiancée de mon frère. Tawasi à Minieh. Notre village, notre terre. Quelques jours... Des gardes se tenaient près de la voiture, fusil en main. L'officier recula.

— Faites attention à elle. Nous ne voulons pas voir répandre du sang étranger ici.

Après la deuxième barricade, à trois heures du Caire, la voiture tomba en panne. Lorsque le moteur se mit à fumer, elles décidèrent de continuer. Puis la voiture fuma de plus en plus, et elles durent s'arrêter. Le thermostat était dans le rouge. Elles se garèrent sur le bas-côté, ouvrirent le capot : de la fumée jaillit de partout. Le soleil était haut dans le ciel, il faisait une chaleur terrible.

— Qu'allons-nous faire ? questionna Isabel.

— Je ne sais pas, dit Amal, mais elle ne semblait pas inquiète. Attendre, j'imagine.

— Vous avez un système de dépannage, ici ?

— Non ! Asseyons-nous à l'ombre et attendons.

Elle prit une natte dans la voiture, l'étendit par terre, au bord d'un champ. Elles s'assirent, mangèrent des tangerines. Amal frotta l'écorce du fruit entre ses mains et en respira l'odeur. Une voiture s'arrêta, l'un de ces vieux breaks, mais sans passagers.

— *Kheir* ? Il y a quelque chose qui ne va pas ? demanda le chauffeur.

— La voiture est en panne, répondit Amal. Le moteur a chauffé, fumé, et j'ai préféré m'arrêter.

— Je vais jeter un coup d'œil, dit l'homme.

Il sortit de son break. Un petit homme à la peau foncée, en pantalon marron et chemise fantaisie. Il portait des chaussures usées, sans chaussettes. Il prit un chiffon dans son coffre et ouvrit le radiateur, qui siffla et lâcha encore de la fumée.

— Il n'y a plus d'eau, constata-t-il.

Il retourna à sa voiture, revint avec un jerricane plein. Il versa dans le radiateur un peu d'eau, qui s'écoula en filet entre les roues.

— Il y a un trou dans le radiateur, annonça-t-il.

— Alors, qu'est-ce qu'on fait ? s'enquit Amal.

L'homme dit quelque chose, tendit le bras vers le lointain. Il alla chercher une corde dans son break, entreprit d'attacher leur véhicule au sien.

— Tu es sûre que c'est une bonne idée ? demanda Isabel, à voix basse.

— Comment ça ?

— On ne risque rien ?

— Il dit qu'il y a un endroit pas loin où ils peuvent réparer le radiateur.

— On ne risque rien en allant avec lui ?

— Bien sûr que non, dit Amal.

Là-dessus elle se tourna vers l'homme.

— Ma belle-sœur, annonça-t-elle. Khaouagayah. Nous allons dans notre village, Tawasi, à Minieh.

— Soyez les bienvenues, dit-il, en tirant sur le nœud, pour vérifier s'il tenait bon.

Il les remorqua pendant vingt minutes. Deux fois la corde glissa et il la rattacha. Après quoi ils bifurquèrent sur une petite route cahoteuse et arrivèrent en vue de maisons délabrées, d'une petite mosquée et d'une place de marché. L'homme s'arrêta devant un bungalow en béton devant lequel gisaient quelques carcasses de voitures. Il sortit de son break, cria deux ou trois fois, et un homme apparut de derrière le bungalow. Il était couvert de graisse noire et s'essuyait les mains sur un chiffon. « Reste dans la voiture », dit Amal, qui se dirigea vers le mécanicien. Tous trois parlèrent en plein soleil. Sans air conditionné, la voiture était aussi chaude qu'un sauna, et Isabel sentait la sueur lui couler sur le crâne. Elle eut un début de migraine, les silhouettes devant elle ondulèrent dans la chaleur qui montait du sol. Le mécanicien s'approcha et se glissa sous la voiture. Il ressortit, rejoignit les deux autres, et ils se remirent à palabrer. Enfin quelque chose se décida, car l'homme qui les avait remorquées salua Amal et le mécanicien d'un geste de la main, puis regagna sa voiture. Amal le suivit, tendit la main. Isabel assista à une pantomime qui lui était désormais familière : l'homme recula en souriant, secoua la tête, les yeux baissés, la main sur le cœur. Il monta dans sa voiture, fit un salut de la main et s'en fut. Amal rejoignit Isabel.

— Allons nous asseoir à l'intérieur, dit-elle. Il fera un peu plus frais.

Isabel avait des élancements dans la tête. Sa jupe lui collait aux cuisses, elle sentait la sueur couler dans son cou, sous ses bras, entre ses seins, derrière ses genoux...

À l'intérieur du bungalow, il faisait sombre et frais. Cela sentait le gasoil. Sur le sol, des pièces de moteur éparses, des outils, des pneus. Isabel avait la tête qui tournait, mais elle ne pouvait se résoudre à s'appuyer contre le mur graisseux. Un petit garçon parut, noir de crasse. Il apportait deux chaises, qu'il posa près de l'entrée. Il alla chercher un vieux ventilateur au fond de la boutique, le cala sur une pièce de voiture, le raccorda à des fils qui pendaient du mur, et l'appareil entama sa rotation. Le gamin nettoya les chaises avec le bord de son tee-shirt et sourit.

— *Etfaddalou*, dit-il.

Isabel se laissa tomber sur une chaise, puis se releva d'un bond, car l'un des pieds bougea.

— N'ayez pas peur s'esclaffa le garçonnet,

Il redressa le pied du siège, le cala avec un morceau de carton. Isabel s'assit, le ventilateur ronronna sous son nez. L'appareil n'avait pas de grille protectrice.

— C'est dangereux, ici, marmonna-t-elle.

— Pas quand on a l'habitude, dit Amal, avec un sourire malicieux. Ça va ? Tu es toute pâle.

— Ça va.

Elles restèrent assises en silence, jusqu'à ce que le gamin revienne avec deux bouteilles de Seven Up, ouvertes, les capsules de métal dentelé coincées sur le goulot.

— *Kattar kheirak*, dit Amal.

Elle en prit une et tendit l'autre à Isabel. Elles enlevèrent les capsules, essuyèrent le goulot, burent. Le mécanicien utilisa un fer à souder sans masque, sans gants, les pieds nus. Il souffla, martela, sans protection d'aucune sorte. Lorsqu'il se coucha sous la voiture, le garçon s'étendit à sa droite, en tenant une grosse ampoule électrique par le col pour lui donner de la lumière. L'électricité sembla jaillir après qu'il eut entortillé des fils avec ceux qui pendaient du mur.

— Isabel, dit Amal, et sa voix sembla lointaine. J'ai peur que tu n'aies une insolation. Je reviens.

Elle revint avec un seau en plastique, un seau orange vif. Isabel se sentit encore plus mal, rien que de le regarder.

— Penche un peu la tête, dit Amal.

Elle défit le foulard d'Isabel. La jeune femme sentit quelque chose de frais glisser dans son oreille. Puis dans l'autre oreille.

— Qu'est-ce que c'est ? demanda-t-elle.

— De la glycérine, dit Amal. Ça va chasser la chaleur. Maintenant, prends ça.

Elle sortit un gant de toilette du seau dégoulinant d'eau froide, l'essora et le donna à Isabel. Elle appliqua un autre gant sur sa nuque, un troisième gant sur son front. Amal se leva, pour maintenir en place les deux gants mouillés.

— Tu vas te sentir mieux, maintenant, assura-t-elle.

— Je suis désolée, dit Amal, lorsqu'elles eurent regagné la voiture. C'est idiot de ma part de t'avoir emmenée. On ferait peut-être mieux de rentrer.

— Non, protesta Isabel. Non.

Elle ne voulait pas rentrer. Elle avait le sentiment d'avoir survécu au pire. Elle voulait continuer.

— La voiture ne va pas retomber en panne.

— Je ne sais pas. On devrait peut-être faire demi-tour.

— Mais on n'est plus très loin ?

— Encore une heure.

— Je me sens mieux, maintenant. Et puis la voiture va tenir le coup. Ne t'inquiète pas. Et la glycérine, ça a vraiment marché !

— Ça m'est revenu d'un coup : ma mère s'en servait, quand j'étais petite. Oh Seigneur ! Non ! Pas encore une barricade...

Jamais Isabel ne s'était sentie aussi loin de ses repères familiers. S'en remettant entièrement à Amal al-Ghamraoui, elle avait l'impression d'être à nouveau une petite fille. Depuis quand ne s'était-elle pas trouvée dans une telle situation de dépendance ? Impossible de s'en souvenir. Et puis il y avait la langue. Elle avait travaillé son arabe, et au Caire elle se débrouillait. Elle arrivait à suivre une conversation. Mais ici, ils ne parlaient qu'en dialecte. Son sort était entre les mains d'Amal. Amal qui, un mois plus tôt, se montrait réticente rien qu'à l'idée d'aller dîner en ville, et qui à présent trouvait naturel de conduire cinq heures dans la campagne. Enfin, la campagne... Pas pour une Américaine — il n'y avait ni motels, ni stations-service ! Ce n'était qu'une succession de champs et de villes qui semblaient à la fois inachevées et décadentes. Et puis les gens, il y avait toujours des gens et des bêtes : des mulets, des chevaux, des chiens, des buffles, des chèvres, des chameaux, tout ce petit peuple animal errant sur la route, sous les klaxons des camions. Et des barricades. Plus elles s'enfonçaient dans le Saïd, plus les barricades étaient sommaires. Plus d'uniformes, mais des treillis. Les policiers portaient la barbe, et les cheveux plus longs. L'un d'eux avait même un bandana autour de la tête. Ce n'étaient plus des policiers, mais des militaires dans une jungle étrangère. À un type armé qui lui demandait pour la troisième fois pourquoi elle avait emmené Isabel, Amal répondit :

— J'ai l'air de l'avoir kidnappée ?

— Ce n'est pas un jeu, avait-il répliqué, d'un ton sec. Vous savez ce qui se passera si une Américaine est tuée.

L'un de ses camarades s'était empressé d'ajouter : « Laisse-les passer. » Elles repartirent. Cependant, elles virent trois jeunes paysans qu'on poussait dans le cabanon sur le bord de la route, du sang sur leurs galabillas, des cordes autour du cou et des poignets.

À quinze heures trente, après une série de routes en terre pleines d'ornières, elles longèrent un mur blanc et arrivèrent devant une grille verte. Amal entra avec la voiture. Elle s'arrêta devant la maison. Un vrai décor de film mexicain, pensa Isabel. C'était une maison blanche et basse, avec des voûtes, des meurtrières en guise de fenêtres. Une femme parut, deux petites filles sur ses talons, et ce ne fut plus qu'étreintes, embrassades, exclamations de bienvenue. On présenta Isabel.

— Isabel, *khatibet akhouya**.

— *Ya marhab, sett* Eesa, dit la femme.

Et cela devint son nom. Réduit à son expression première, sans le latin *bella* — simplement le nom de la déesse de cette terre. Cela eût amusé Jonathan. Une fois de plus, Isabel regretta que son père ne soit plus de ce monde.

Elle adora la maison. L'entrée était fraîche : les murs

---

* La fiancée de mon frère.

épais ne laissaient pas entrer la chaleur. Amal lui fit faire le tour du propriétaire. La maison formait un fer à cheval, encerclant un jardin luxuriant. La *mandara* avait son entrée séparée : les hommes recevaient des visiteurs sans exposer les femmes aux regards. Il y avait de grandes salles de bains avec des baignoires victoriennes aux pieds griffus. Amal ne pensait plus aux trois jeunes gens, sur la route, elle semblait heureuse.

— On a l'impression que tu viens de retrouver ton foyer, dit Isabel.

— Vraiment ? s'exclama Amal, surprise. Quand je suis rentrée d'Angleterre, j'ai pris cet appartement, au Caire, parce que je n'ai rien trouvé d'autre. Tawasi est ma vraie maison. C'est tout ce qui reste de mon enfance. Les meubles, le décor.

Il y avait des cadres sur tous les murs : photos en noir et blanc, aquarelles lumineuses. Isabel les observa.

— C'est un peu chargé, déclara Amal. Tous les tableaux ont atterri ici, ceux des trois maisons du Caire.

Isabel reconnut les aquarelles sans les avoir jamais vues.

— Ce sont celles d'Anna, dit-elle.

— Oui, ce sont bien les aquarelles d'Anna. Tu vois, là. Dans le coin droit, sa signature.

L'un de ces tableaux représentait une cour, entourée d'une pergola. Au centre, une fontaine. L'eau éclabousse des tuiles de couleur. Un enfant est agenouillé, et regarde l'eau. Sur une autre peinture, on aperçoit, entre deux buissons en fleurs, un homme debout sur une grande pelouse, de dos. Il tend le bras, comme s'il indiquait où planter — enterrer ? — quelque chose. Sur une troisième aquarelle, un homme est allongé sur un divan. Le moucharabieh, derrière lui, est plongé dans la pénombre. Une femme est accroupie à côté de lui.

— Elle était douée.

— Une bonne éducation anglaise, dit Amal, en souriant. Isabel s'approcha des photos.

— Laisse-moi deviner qui c'est. Oh, celle-là est superbe !

— C'est Al-Ghazi Moukhtar Pacha, le représentant du sultan ottoman en Égypte. Il était ami avec Mahmoud Sami al-Baroudi.

— Regarde cette barbe. Ces médailles, ces décorations, tout ce cuivre !

Il y a une photo de famille : Hosni al-Ghamraoui, sa femme et son fils, le portrait d'un homme âgé, vêtu de la *e'mma* blanche traditionnelle, et de la robe noire. Sa barbe et sa moustache sont blanches, mais ses sourcils sont restés noirs. Il a l'air soucieux.

— Cheikh Mohammad Abdou, dit Amal. Le grand imam, mais regarde celle-là.

Sur ce portrait, le cheikh avait une barbe et une moustache d'un noir de jais et le front moins dégarni. Il lançait un regard de défi à l'objectif. Isabel avait rêvé de voir un portrait de son arrière-grand-père, Charif Pacha al-Baroudi. Elle l'avait trouvé dans la chambre de Laïla al-Baroudi, celle qu'elle occuperait ici.

— Tu ferais bien de t'étendre et de te reposer, conseilla Amal.

Elle tâta le front d'Isabel.

— Je crois que tu es tirée d'affaire. Comment te sens-tu ?

— Très bien. Je vais défaire mon sac. Je peux utiliser les tiroirs ?

— Tu peux utiliser tout ce que tu veux.

Amal ouvre les tiroirs de la commode de sa grand-mère, l'un après l'autre.

— Qu'est-ce que c'est que ça ?

Dans le tiroir du bas, elle a trouvé un ballot de tissu enveloppé de lin blanc. Elle le pose sur le lit, le déplie. C'est un drapeau. Un drapeau vert, avec, au centre, une croix blanche et un croissant.

— Qu'est-ce que c'est ? demande Isabel, debout à côté d'elle.

Amal lisse les plis du rectangle vert.

— Le drapeau de l'Unité nationale. J'avais oublié qu'il était ici. Il date de 1919, de la révolution de Saad Zaghloul. C'était la première fois dans l'histoire de l'Égypte moderne que des femmes manifestaient. C'est ce drapeau que les gens brandissaient pour dire aux Anglais que tout le pays, chrétiens et musulmans, voulait les voir partir.

— Seulement avec ce drapeau ?

— Isabel ! Non. Des centaines de drapeaux ! C'est celui qu'a dû utiliser ma grand-mère.

Amal le replie, le glisse sous son bras.

— Tu devrais te reposer. Moi, je vais faire la sieste, dit-elle à Isabel.

Elles ne parlent ni l'une ni l'autre de ce qu'elles ont vu sur la route.

Le soleil s'était couché, disque rouge descendant sur l'horizon argenté.

À la tombée de la nuit, les femmes avaient commencé à arriver : petites tentes noires glissant en silence sur le chemin. Sur le seuil, elles enlevèrent leurs chaussures. Dans l'entrée, elles ôtèrent leurs enveloppes sombres et la pièce s'emplit de couleurs vives : robes en satin rose, rouge, vert, tranchant sur le mobilier foncé, les sièges recouverts de lin blanc. Chacune avait apporté quelque chose : un plat cuisiné, un gâteau, des œufs, une pastèque. Plusieurs étaient venues avec leurs enfants. Ils firent le tour de la pièce, puis s'égaillèrent dehors, dans un monde plus vaste.

On étreignit, on embrassa Amal maintes et maintes fois.

— Voilà la fiancée de mon frère, disait-elle à chacune.

Il y eut les mots de bienvenue, les bénédictions, les compliments : « Que le nom de Dieu la protège », « Il a bon goût », « Sa lumière éclaire notre village », « Elle parle arabe ? ».

— Chouaïah, hasarda Isabel.

— *Khalas*, reste avec nous et nous t'apprendrons.

— Vous lui apprendrez notre langue ? La langue des fellahs ?

— Que pourrait-on lui apprendre d'autre ? La langue de la télévision ?

— Qu'est-ce qu'elle a de mal, la langue des fellahs ?

— On va se moquer d'elle, quand elle rentrera au Caire.

— Elle pourrait nous apprendre l'anglais. Qu'en dites-vous ? Vous nous apprendrez l'anglais, *ya sett Eesa* ?

— Et que ferez-vous de votre anglais, *ya habibti* ? dit Amal.

— Nous apprendrons. Des rudiments. Ça pourrait être utile.

— Les *yakhti* apprennent d'abord l'arabe.

— Elles n'apprendront plus ni l'anglais, ni l'arabe. Ils ont fermé l'école.

Isabel suivit la conversation tant bien que mal : elle comprenait un certain nombre de mots, observait les gestes des femmes. Amal traduisait discrètement. On se passa le plateau à thé, les petits morceaux de *kounafa* et de baleh el-cham* qu'elles avaient apportées du Caire, des verres d'eau froide.

— Ils ont fermé l'école, *ya sett*. Où les enfants vont-ils étudier, maintenant ?

— Et l'antenne médicale. Elle nous était très utile.

— L'une d'entre nous avait presque convaincu son mari d'adopter ce système de planning familial, et là-dessus ils ferment la clinique. Plus de stérilets, plus de préservatifs.

— *Yakhti*, ayez un peu de pudeur. Vous ne savez plus tenir vos langues, ou quoi ?

— Qu'est-ce qu'on a dit ? Nous sommes entre femmes. La *sett* est-elle une étrangère ?

— Pas une étrangère mais le diable. Nous sommes toutes du même village.

— Que vas-tu faire, *ya sett* Amal ?

— Je ne sais pas.

— Alors, qui pourrait le savoir ? Ton grand-père et ton père se sont occupés de cette école. Aujourd'hui, c'est toi qui en es responsable.

— Oui. Mais...

— Parle au gouvernement.

— C'est facile, de parler au gouvernement ?

— Non, mais ils devraient se montrer compréhensifs. Le village n'a rien fait.

— Ils ont mis des soldats devant les portes. Personne ne peut approcher.

— Ils disent que les professeurs étaient des terroristes ?

— Il n'y a pas de terroristes dans notre village. Et la sage-femme, c'est une terroriste, elle aussi ? Elle est là, devant toi. Demande-lui.

La fille veuve d'Abou el-Ma' ati était une femme ronde, avec un doux visage et un tatouage sur le menton. Elle sourit.

---

* Dattes.

— Que pouvons-nous faire ? dit-elle. Le gouvernement est dur.

— Dur avec les faibles.

— Ils ne veulent pas de problèmes.

— Nous ne créons aucun problème ! Chacun d'entre nous s'occupe de ses propres affaires.

— En venant, sur la route, on les a vus arrêter trois jeunes gens.

— Personne ne peut rien contre le gouvernement. Ils font ce qu'ils veulent. Ils enferment les gens, ils brûlent les champs de canne, ils disent que les terroristes se cachent dans les champs de canne et ils brûlent nos récoltes. Les gens en ont assez, *ya sett* Amal, assez !

— J'irai voir l'école demain, promit Amal.

— Que Dieu t'éclaire ! Mais les soldats n'ont aucun pouvoir. Même le chef de la police ne peut rien faire. Tout dépend du gouvernement, au Caire.

— Que Dieu aplanisse les obstacles devant toi.

— Et puisque *sett* Eesa est ici avec nous, dis-lui, Sett Amal, dis-lui de prier son gouvernement de nous lâcher un peu la bride.

— Chaque fois qu'ils font quelque chose, ils disent que c'est sur ordre de l'Amérique. Ils dissolvent les coopératives paysannes, ils disent que c'est sur ordre de l'Amérique.

— Et quand tu vas à la banque demander un prêt pour ta prochaine récolte, ils te disent : « Mais vous aurez à payer tellement d'intérêts. »

— Que disent-elles ? demanda Isabel.

Amal traduisit.

— Ils suppriment les subventions sur le sucre et le pétrole, et ils disent : c'est sur ordre de l'Amérique.

— Les médicaments atteignent des prix déments.

— Ce n'est pas l'Amérique. (Amal était en partie amusée, en partie gênée.) C'est la... c'est plutôt la banque mondiale et...

— C'est la même chose. L'Amérique est le pays le plus riche du monde. Elle impose ses vues.

— Oui, mais le problème...

— Quoi ?

— C'est plus compliqué que ça.

— Compliqué ou pas, nous sommes ici sur ces terres, nous travaillons toute la journée, jusqu'à en avoir mal au dos, et malgré cela nous n'avons pas de quoi vivre ! Et les jeunes ? Ils font des études, et après ? Ils veulent se marier, ils veulent une maison, ils veulent travailler et vivre décemment. Or la vie est devenue très difficile.

Isabel s'était assise pour écouter, essayant de comprendre.

Dehors, dans le jardin, les enfants jouaient au mariage. Un petit garçon et une petite fille étaient assis sur les marches, des branches vertes et des feuilles de palmiers autour d'eux pour figurer la *kosha* — l'arche de verdure nuptiale. La petite fille a un tissu blanc sur la tête et regarde le sol timidement, comme le petit garçon lui prend la main. Deux fillettes, des foulards noués autour des hanches, dansent devant eux. Les autres enfants sont assis en cercle à leurs pieds. L'un d'eux bat le rythme sur un morceau de bois, comme un tambour, les autres frappent dans leurs mains et chantent :

> Mon père a dit : Oh quelle jolie brune
> Allah Allah
> Ne monte plus ton mulet
> Allah Allah
> Je t'achèterai un avion
> Et je veux du Pepsi-Cola
> Car je ne bois pas de thé
> Va me chercher un Pepsi-Cola
> Non, je ne veux pas de thé
> Mon père dit : Non tu ne sors pas
> Allah Allah
> Tu pourrais devenir noire et perdre ta pâleur
> Allah Allah
> Garde ta pâleur pour ton fiancé
> Et je veux du Pepsi-Cola
> Non, je ne bois pas de thé
> Va me chercher un Pepsi-Cola
> Car je ne bois pas de thé.

La maison est plongée dans un silence total. Isabel repousse le drap de lin et s'assoit dans le grand lit à baldaquin de Laïla al-Ghamraoui. Sur le mur, face à elle, le portrait de Charif Pacha al-Baroudi. Elle ne distingue pas ses traits, mais c'est une photo qu'elle connaît bien, pour l'avoir longuement regardée. Charif Pacha la fixe, dans son cadre doré, son fez serré sur son grand front. Ses sourcils noirs et fournis se touchent presque, au-dessus du nez droit. L'épaisse moustache masque la lèvre supérieure. La lèvre inférieure est ferme, pulpeuse, le menton carré, volontaire. Le regard fier, distant, triste, si l'on y regarde mieux. Ce portrait lui rappelle Omar el-Ghamraoui. Omar lui manque. Combien de fois se sont-ils vus ? Elle revit ces rencontres dans sa tête. Le dîner chez Deborah, le déjeuner sur la Sixième Avenue. C'est dans ce restaurant qu'elle est tombée amoureuse de lui, quand il a levé la main en venant vers elle, qu'il a souri. Puis le rendez-vous à l'université : il s'arrêtait tous les deux mètres pour parler à quelqu'un, comme Amal dans les rues du Caire. Après qu'il eut discuté avec un jeune étudiant arabe, elle lui avait demandé :

— Vous fréquentez les intégristes ?

— Quels intégristes ? avait-il dit.

— Je ne sais pas. Hamas, ou le Hezbollah. Ou des intégristes égyptiens.

— Vous devriez faire le tri.

— Mais c'est vrai ?

— Est-ce que j'ai l'air d'un intégriste ? Est-ce que je me conduis comme un intégriste ?

— Non. Mais c'est ce qu'on dit de vous.

— Il n'y a pas si longtemps, on aurait volontiers traité Hillary Clinton de communiste, à cause de ses vues sur la santé publique.

— Donc vous n'êtes pas un intégriste ?

— Ma chère enfant, bien sûr que non. Regardez, voilà Claudia. Quel chapeau étonnant !

La quatrième fois, ils allèrent voir *Les Fourberies de Scapin*. Puis ils dînèrent. Même s'il n'avait pas pris l'initiative de cette soirée — Isabel l'avait invité —, il était heureux d'être avec elle. Pour la énième fois, Isabel revit ce moment, au théâtre, où elle fait glisser son manteau sur ses épaules, où il lui dit :

— Vous êtes divine !

Il la prend par le coude, pour la guider jusqu'à son siège. À la fin de la soirée, elle l'avait raccompagné chez lui. Il avait eu un moment d'hésitation avant de sortir de la voiture. N'osait-il pas l'inviter ?

— Vous verrai-je avant votre départ ? avait-il dit.

— Oui, je vous appellerai, avait-elle répondu.

Ainsi, elle n'aurait pas à attendre son coup de fil. Omar s'était penché vers elle, lui avait fait un baiser rapide, timide.

— Bonne nuit.

La semaine suivante, elle l'avait invité chez elle. Elle avait préparé des pâtes, une salade. Omar avait regardé le contenu de la malle. « Anna était ma grand-mère », lui avait appris Isabel. Il avait dû voir le lien, mais il n'avait fait aucun commentaire.

— Vous savez ce que vous devriez faire ? lui avait-il dit, en buvant son café. Emporter cette malle au Caire et la montrer à ma sœur. Elle vit là-bas. Elle pourrait vous aider à voir clair dans tout ça.

— Cette malle pleine de papiers ?

— Pourquoi pas ? Mettez-la dans l'avion. Trouvez quelqu'un pour l'emmener à l'aéroport.

Isabel avait accepté parce qu'il l'envoyait au Caire. Elle connaîtrait sa sœur : cela donnerait plus de sérieux à leur relation.

— Vous vivez avec elle ? avait-elle demandé.

— Avec qui ?

— Samantha Metcalfe.

— Non, non. Je ne vis avec personne. Je ne vis plus en couple.

— Vous avez divorcé depuis combien de temps ?

Cela d'un ton désinvolte, en s'affairant avec la cafetière.

— Longtemps. Dix ans. Pourquoi ?

— Je me posais la question, c'est tout.

— Et vous ? Vous étiez mariée.

— Oui. Deux ans.

— Mariée pendant deux ans ou divorcée depuis deux ans ?

— Les deux, avait-elle répondu, en souriant. Mariée deux ans et divorcée depuis deux ans.

— Et vous recommenceriez ? Vous vous remaririez, je veux dire.

— Je ne sais pas, avait-elle répondu, en le regardant. Si je trouve l'homme qu'il me faut.

— Il faut faire des enfants. C'est bien, les enfants. J'en ai deux. Enfin, ils sont quasiment adultes, maintenant.

— Je sais, avait-elle dit.

Puis il s'était levé pour partir, il avait enfilé son manteau, mis son écharpe, et elle s'était glissée dans ses bras. Elle avait levé son visage vers lui, il l'avait embrassée. Isabel l'avait enlacé avec passion. Elle aurait pu s'abandonner indéfiniment à cette étreinte chaude et si délicieuse. Leur baiser s'était fait plus sensuel, Isabel vibrait de désir. À ce moment-là, il s'était dégagé.

— Oh, Isabel, murmura-t-il.

Dans sa voix, comme une note de regret, mais sa main était toujours glissée dans ses cheveux. Il tira sa tête en arrière, pour qu'elle le regarde.

— Je suis assez âgé pour être ton père, dit-il.

— Je sais. Ça n'a pas d'importance.

— Si, cela en a.

Il lui avait caressé la joue un moment, son pouce était passé sur sa lèvre.

— Fais attention à toi, avait-il ajouté.

Puis il était parti, la laissant avec cette douleur.

Cette douleur demeure. Même si elle sent ses lèvres sur les siennes, même si elle le voit déboutonner son chemisier, caresser ses seins à travers la dentelle de son soutien-gorge, même si elle sent cet homme peser sur elle, bien qu'elle imagine tout, jusqu'au bout, quand elle a fini de fantasmer, il continue à lui manquer.

À travers le filet métallique qui protège la fenêtre, Isabel voit le jardin baigné de lune. Elle écarte le tulle de la moustiquaire, ouvre la grille fine, la referme derrière elle. Puis elle sort sur la véranda.

On a enlevé tous les coussins, à cause de la rosée. Isabel s'assoit sur un fauteuil en osier. Elle sent l'air doux de la nuit sur son cou, sur son visage : une tiédeur agréable, froissée de temps à autre par une brise porteuse des senteurs du jasmin, relevées d'une pointe d'acidité : les citronniers. Le silence en contrepoint des stridulations des criquets, du coassement des grenouilles, surgis des touffeurs du jardin.

Autour d'elle la maison, solide, sereine. Une maison de cent vingt ans, qui s'est agrandie avec la famille, sur quatre générations. Au milieu, la grande entrée et la mandara hospitalière. L'aile nord, avec ses trois chambres, construite par Mustafa Bey al-Ghamraoui. La véranda, les chambres et les salles de bains de l'aile sud, rajouts de Hosni al-Ghamraoui. Le groupe électrogène, la plomberie et la nouvelle cuisine, installés par Ahmad al-Ghamraoui. Et puis le jardin, arrosé, soigné — on avait planté de nouveaux arbres au fil des années. Il y avait des poiriers, des citronniers, des orangers, des buissons de jasmins et de roses.

Amal paraît sur la véranda, dans une longue chemise de nuit, un châle sur les épaules.

— J'ai bien pensé que tu serais là, dit-elle. Tu préfères être seule ?

— Non, non.

Amal s'appuie sur la rambarde, regarde le jardin, inspire profondément.

— N'est-ce pas sublime ?

— Si, confirma Isabel.

Amal se tourne vers elle.

— Tu t'es mis du spray antimoustiques ?

— Non.

— Alors fais-le.

— Mais il n'y a pas de moustiques !

— Il peut y en avoir. Un seul suffirait. Va chercher le vaporisateur. Où est-il ? Je vais te le chercher.

— Non, j'y vais, dit Isabel, en se levant.

Isabel revient avec la bombe. Elles se vaporisent les bras, les pieds, les mains, le visage.

— Beurk, fait Isabel.

— Je sais. Mais dans un moment, tu ne le sentiras plus et les moustiques, eux, le sentiront.

— Il n'y a pas de photos de toi dans la maison, s'étonne Isabel.

— Non.

— Il devrait y en avoir.

— Pourquoi ?

— Vous êtes les deux dernières générations, toi et tes fils.

— Mes fils n'ont rien à voir avec tout ça. Ils ont fait leur choix.

Amal s'efforce de garder un ton désinvolte.

— Ils sont jeunes. Ils peuvent changer d'avis, proteste Isabel.

Amal ne dit rien.

— Quoi qu'il en soit, continue Isabel, ce serait normal que tu aies ta photo. Pas un instantané, un vrai portrait, comme tous les autres. On en fera faire un au Caire.

— Alors tu poseras avec moi ! On appartient à la même famille, non ?

— Tu as fait exprès de me donner cette chambre ? demande Isabel.

— Exprès ? Comment ça ?

— À cause de sa photo ?

— Charif Pacha ?

— C'est le portrait craché de ton frère.

— Vraiment ? Je n'y avais jamais pensé, dit Amal.

Elles vont étudier le cliché de plus près.

— Tu vois ? insiste Isabel.

Amal fixe le portrait de Charif Pacha.

— Oui, dit-elle. Omar ressemble plus à Charif qu'à notre père.

— Surtout, les yeux, le menton. L'énergie qui émane de lui. Et cet air de ne rien livrer.

— Isabel ?

— Oui. Est-ce si évident ?

— Je ne sais pas si c'est évident...

— Je n'arrive pas à me le sortir de la tête. Je pense à lui constamment.

Soulagement d'en parler, de l'avouer. Enfin.

— Et il... il a... avez-vous...

— Non. Il ne s'est rien passé. Je ne sais même pas s'il partage mes sentiments. L'alchimie est là, donc il la sent forcément. C'est peut-être la différence d'âge qui l'inquiète, mais on ne lui donnerait pas cinquante-cinq ans. Il en fait quarante, quarante-cinq à tout casser.

Les deux femmes restent assises sur le sofa, devant le portrait de Charif Pacha.

— Tu es malheureuse ? demande Amal.

— Non, mais je voudrais seulement qu'il... Oh mon Dieu, je le veux vraiment !

— Il doit avoir un sentiment pour toi. Il ne veut pas te blesser.

— S'il m'aimait comme je l'aime, il ne s'inquiéterait pas de ça.

— Allons !

— Non ! Il penserait que je ne souffre pas. Ça ne lui viendrait pas à l'esprit que je puisse souffrir. Et je ne souffrirais pas.

— Mais ce n'est pas la première fois que ça t'arrive ? demande Amal, au bout d'un moment.

— Essaies-tu de...

— Je pensais juste...

— Tu sais que j'ai été mariée.

— Tu as déjà vécu ça, tu sais que c'est passager. Je sais que ça a l'air...

— Je n'ai jamais éprouvé cela pour personne.

Après un silence, Isabel ose :

— Il t'a dit quelque chose ?

— Non. Non, il ne m'a rien dit.

— Mais après avoir regardé dans cette malle, il a dû comprendre qu'on était cousins. C'est pourquoi il m'a demandé de te l'apporter.

— Oui, mais il ne m'a rien dit. Il m'a laissée le découvrir toute seule !

— Et me le dire.

— Ça a dû lui plaire de nous imaginer ici ensemble, en train de reconstituer l'histoire.

— Mais ça ne devrait rien changer. Notre ascendance commune. Je veux dire, ça ne devrait pas l'empêcher de... m'aimer ? S'il m'aime.

— Non. Je ne vois pas pourquoi ça le retiendrait.

— Amal, tu crois que c'était écrit ? Ça paraît si étrange ! Que je le rencontre, d'abord, puis que je trouve la malle, et qu'il s'avère que nous sommes cousins ?

— Mais vous auriez pu ne pas vous rencontrer. Si tu n'étais pas allée à ce dîner.

— Oui, mais nous nous sommes rencontrés.

— Oui.

— Amal. C'est ton frère. Dis-moi quoi faire !

— *Ya habibti*, il est assez âgé pour être ton père.

— Ne dis pas ça, je t'en prie !

— C'est la première chose à laquelle on pense.

— Mais ça n'a aucune importance.

Amal ne dit rien.

— Je vais l'appeler, décide Isabel. Dès que je rentre.

— Ça a marché ? demande Isabel.

Amal ôte ses chaussures sans se baisser, soupire d'aise en posant ses pieds nus sur les dalles fraîches de l'entrée.

— Non, dit-elle. Pas vraiment. Seigneur, qu'est-ce qu'il fait chaud dehors !

— Viens t'asseoir, propose Isabel. Je vais t'apporter une boisson froide.

Cela lui paraît si naturel, à présent, d'aller chercher à boire, de s'occuper d'Amal, d'assister aux conversations, quand elles ont des visiteurs.

— Nous n'avons pas pu rentrer, raconte Amal, en posant sa joue contre le verre froid, puis sur son front. Ils se sont montrés tout à fait courtois. Mais ils ne nous ont pas laissées entrer dans l'école.

— Qu'est-ce que ça vous aurait donné de plus, d'aller à l'intérieur ?

— Je ne sais pas. C'était symbolique.

Amal s'adosse à son siège, renverse la tête, regarde le vieux ventilateur, au plafond.

— L'endroit a l'air abandonné. Ils ne leur permettent même pas de balayer la cour.

— Que vas-tu faire ?

— Je ne sais pas. J'avais pensé aller voir le chef de la police, mais je ne crois pas que ça serve à grand-chose.

Au mur, il y a une photo en pied de Hosni al-Ghamraoui. Il est souriant, son fez est bien droit sur la tête, sa main posée sur l'épaule de sa femme assise. Laïla al-Baroudi a des cheveux noirs bouclés, coiffés en chignon, sur le dessus de la tête. Sa longue robe noire, tenue par une broche brillante, retombe en plis sur le sol. Ses yeux noirs fixent l'objectif. Son fils, Ahmad al-Ghamraoui, se tient derrière elle. Il n'a pas encore de moustache, mais il est déjà aussi grand que son père. Il porte son fez légèrement de travers, il a l'air confiant dans l'avenir, comme tous les jeunes gens.

— Qu'aurait fait ton père ? demande Isabel.

— Je ne sais pas. Il serait allé voir le gouvernement, sans doute.

— Dans ce cas, c'est ce que tu dois faire.

— Je pense à quelqu'un, le fils d'un vieil ami de mon père. Sa famille a des terres près d'ici. Je vais l'appeler. On verra ce qu'il dit.

Les deux femmes restent quelques minutes silencieuses, dans leurs vieux fauteuils Assiuti. Le seul mouvement, dans la pièce, est celui du ventilateur.

— Je vais prendre une douche, puis m'allonger un moment, annonce Amal. (Elle fait un nœud de ses longs cheveux noirs, se tourne vers Isabel.) Ça va ? Tu ne te sens pas cloîtrée ici ?

Isabel sourit.

— Ça va. Je me sens chez moi, dans cette maison.

— Tant mieux, dit Amal, mais elle a un sourire las.

— Les villageois m'ont raconté des choses horribles, déclare Amal, après la sieste. La police arrête les gens, le matin. Des petites gens, qui vont travailler. Ils connaissent leur identité, mais ils les arrêtent quand même. Tu peux passer cinq jours en cellule, avant qu'ils s'aperçoivent que tu ne les intéresses pas. Et la garde à vue, ce n'est pas exactement des vacances : on est battu. Si la police vient arrêter un homme et qu'elle ne le trouve pas, elle emmène les femmes de sa famille : l'épouse, la sœur, la mère, la fille. Elle les garde jusqu'à ce que le type se rende. Les hommes ne peuvent le tolérer, et ce qui était une petite affaire devient une vendetta entre la police et tout le village.

Isabel ne sait que répondre. L'obligation d'avoir un mandat d'arrêt, le droit de ne parler qu'en présence de son avocat : tous ses repères volent en éclats.

— La situation se dégrade, continue Amal. Un bijoutier copte a été cambriolé. Les militants islamistes claironnent que c'est bien de voler un copte : ça aide à financer le Djihad. Du coup, toute l'affaire prend un tour sectaire. Or les gens, les petites gens, ne trouvent pas du tout normal de cambrioler un copte, et les Américains... excuse-moi mais...

— Vas-y. Dis-moi.

— Ils essaient d'imposer une loi au Congrès qui leur permette de faire leur « devoir » : protéger la minorité chrétienne en Égypte. C'est le jeu qu'a joué l'Angleterre il y a cent ans. Les gens le savent, cela réveille de vilains sentiments.

— Les coptes se sentent persécutés ?

— Même si c'est le cas, ils ne voudraient pas voir des étrangers résoudre leurs problèmes. Tout le monde sait ce que ça implique. Anba Shenouda a écrit au Congrès pour leur dire : c'est gentil, mais non merci...

— Qui ça ?

— Anba Shenouda, le patriarche, le chef de l'Église copte, le pope Shenouda III. Il est vraiment impressionnant. Il a été exilé par Sadate de 1981 à 1985.

Il y a des bruits de pas, dehors. On frappe à la porte. Isabel ouvre et s'efface. Abou el-Ma'ati et d'autres hommes sont sur le seuil. Abou el-Ma'ati a un fusil à l'épaule.

— *Kheir ya 'Am Abou el-Ma' ati, etfaddal*, dit Amal, en se levant.

Il entre, mais les autres restent dehors. Amal s'empresse de lui donner un siège.

— *Kheir* ? Que se passe-t-il ?

— Il y a eu des incidents entre la police et les villageois. Cette nouvelle loi va avoir des conséquences dramatiques. Ils ont essayé de chasser les gens de la terre, de l'autre côté du village. Les paysans ont refusé de partir. Ils ont sorti leurs fusils et tiré.

— *Ya sater ya Rabb*, souffle Amal. Que va-t-il se passer, à ton avis, *'Am* Abou el-Ma'ati ?

— Dieu seul le sait, *ya sett Hanem*. Mais il faut s'attendre à tout, aujourd'hui, le peuple est pressuré de tous les côtés. Certains propriétaires terriens connaissent Dieu. Yousouf Bey el-Qommos, le directeur de l'école des garçons, a déjà dit qu'il n'augmenterait pas ses loyers. Deux autres propriétaires ont accepté de rencontrer les fellahs et d'instaurer une augmentation progressive, sur plusieurs années. Mais il y a des têtes de bois.

— Le gouvernement a promis de dédommager les fellahs en leur donnant d'autres terres !

— Des terres désertiques, *ya sett Hanem*. Sans eau, sans subventions. Où vont-ils trouver de nouvelles terres cultivables ? Le gouvernement — que Dieu me pardonne — va-t-il créer des champs ?

Des champs, et encore des champs, de chaque côté de la route. De leur point d'observation, le monde paraissait entièrement vert. Mais d'un point plus élevé, on verrait l'étroitesse de la bande verte, de chaque côté du fleuve sinueux. Le fleuve, comme la ligne de vie du désert. Les villes et les villages agglutinés sur ses rives, serrés les uns contre les autres. Et derrière eux le désert, omniprésent. Pour calmer sa soif, ils en font la demeure de leurs morts.

Amal et Isabel, amies depuis trois mois, reprennent la route du Caire dans un silence complice. Dans ce sens-là, on leur fait signe d'un geste de passer les barricades, après avoir jeté un rapide coup d'œil dans la voiture. Elles font la route d'une traite. La voiture ne bronche pas. Amal pense au village et à sa promesse de « parler au gouvernement ». Elle pense aussi aux journaux d'Anna, sur sa table, devant la fenêtre. Elle est impatiente de retrouver Anna, d'aller avec elle dans le Sinaï. Isabel songe à son retour à New York, à un rendez-vous avec Omar. Elle lui parlera de son projet de film sur l'histoire d'Anna. Elle se demande si elle pourrait filmer quelques scènes à Tawasi. Elle essaie de reconnaître la ville où l'on a réparé la voiture, Beni Mazar, puis l'endroit où elle est tombée en panne.

— L'homme qui nous a dépannées ne voulait pas accepter ton argent, n'est-ce pas ?

Chaque fois qu'Isabel avait assisté à cette pantomime, l'argent avait finalement changé de mains.

— Non.

— Pourquoi ?

Amal sourit.

— Il a dit : que penserait la dame étrangère si je prenais de l'argent pour aider deux femmes en panne sur la route ?

— La dame étrangère penserait qu'il est malin. Il n'avait pas l'air riche. Et puis, c'est un miracle que sa voiture à lui ne soit pas tombée en panne !

— Il nous faut parfois compter sur un miracle, conclut Amal.

14.

« ... et faciliter l'effeuillage
De ces déguisements qui nous entravent. »

John Milton.

Le 15 mars 1901

On allume un feu, on pose la selle de l'un des chevaux près d'Anna pour qu'elle s'y assoie. Quelques mètres plus loin, les hommes s'affairent, s'occupent des chevaux, dressent une tente, préparent à dîner. Parmi ces silhouettes sombres dans la nuit, Anna sait toujours où il est.

— Heureuse, maintenant ? Madame est heureuse ?

Anna met son doigt devant sa bouche, lève les yeux vers Sabir, qui sourit.

— Ne m'appelez pas « madame », souffle-t-elle.

Il a un geste désinvolte.

— Eux pas anglais, dit-il.

Puis de nouveau :

— Vous heureuse maintenant ?

— Oui, répond Anna, très heureuse.

— Sahara, dit-il. Tente, chameaux, feu. (D'un geste du bras il englobe tout l'univers.) Les Anglais aiment les tentes. Tentes très bien.

— Oui, approuve Anna. (Elle montre le ciel du doigt.) Les étoiles aussi.

— Kétir étoile. Étoile yama. Pas une ou deux. Beaucoup. Trop d'étoiles.

Je suis dans le désert du Sinaï. Aucun guide, aucun récit de voyage, pas même l'étendue désertique que j'ai vue à Gizeh n'auraient pu me préparer à cela. Je n'essaierai pas de coucher mes pensées et mes sentiments sur le papier : ils sont trop confus. Il y a là une immensité dont je fais l'expérience pour la première fois —

la terre, la mer, le ciel s'étirent à l'infini, dans une parfaite unité. Et notre petite troupe d'hommes et de bêtes, qui va l'amble au milieu de tout cela.

J'écris ceci dans la tente qu'on a dressée spécialement pour moi, quoique j'envie les hommes qui dorment à la belle étoile. J'ai demandé à Charif Pacha s'ils ne risquent pas d'avoir froid, quand le feu sera éteint. Il m'a montré les manteaux dans lesquels ils sont emmitouflés. Des manteaux de laine, doublés de mouton. On m'a donné un tapis persan, un grand coussin de soie rayée sur lequel m'étendre, et des couvertures de la plus belle laine. J'ai aussi une lanterne avec une chandelle. On m'a apporté mes sacs et mon écritoire, on a placé un pot de cuivre rempli d'eau au fond de ma tente. Sabir m'a fait comprendre que ce bout de désert derrière ma tente était mon domaine pour la nuit.

Ce soir, à la lumière du feu, j'ai remarqué pour la première fois que Sabir était beau. Il a la peau foncée des Nubiens, des traits fins, de grands yeux doux comme ceux d'un faon. Tout en lui respire la gentillesse. Il dort devant ma porte. Quand j'ai exprimé ma surprise, il m'a dit, avec un grand sourire : « Quand le loup viendra, c'est moi qu'il trouvera. » J'ai été tentée de lever le rabat, d'enjamber Sabir, et de sortir, mais ça n'aurait pas été correct. J'ai malgré tout jeté un coup d'œil dehors : j'ai vu un ciel superbe, piqué de milliers d'étoiles. En dessous, ce n'était que ténèbres, hormis la lueur vacillante du feu qui mourait. J'ai aperçu les silhouettes de quatre hommes endormis, sans rien entre eux et l'univers qu'une peau de mouton.

Je préfère ne rien dire de lui. Je ne sais ce qu'il conviendrait de dire.

Je commencerai par le début : dans la cour de cette maison magique, il m'a expliqué que je le retrouverais avant de pénétrer dans le désert. Je voyagerais avec l'un de ses hommes de confiance, Moutlaq. Restait la question délicate du déguisement à porter jusqu'au Sinaï.

« Le problème, c'est le train, avait dit Laïla. Si vous vous faites passer pour un Anglais, vous serez obligée d'aller en première, et sans escorte. On tentera d'engager la conversation avec vous, ce qui représente un risque. Si vous voyagez en tant qu'Arabe, vous serez en deuxième classe avec Moutlaq. Mais vos voisins vous verront d'assez près pour réaliser que vous n'êtes pas arabe, et ils se montreront curieux. Aussi voyagerez-vous sous l'identité d'une

Égyptienne, la sœur de Moutlaq. Vous serez entièrement voilée. Vous arrivez à Suez, vous traversez le canal, et sur l'autre rive, vous retrouvez mon frère. Vous ôtez votre cape, vous mettez votre keffieh — et voilà : vous êtes un Arabe ! Venez, on va essayer les vêtements. »

— Ça vous va très bien, s'exclame Laïla. Tout ce que vous mettez vous va à ravir !

Elle recule et regarde Anna.

— Que va-t-on faire pour vos cheveux ?

— Et si je les tressais ?

— Oui, asseyez-vous. Je vais le faire.

Laïla brosse les cheveux d'Anna et dresse un chignon serré, sur l'arrière de sa tête.

— Et maintenant, dit-elle, voilà votre keffieh. Vous pouvez le porter avec ou sans l'ougal, la cordelette, mais ça aide à le maintenir sur la tête. Il doit retomber sur les épaules, comme ça. Maintenant regardez.

Anna s'observe dans le miroir, et voit un jeune Arabe blond à l'air étonné.

Laïla regarde dans la glace et lui sourit.

— Toutes les filles vont tomber amoureuses de vous !

— Quelles filles ? demande Anna, en souriant. Nous allons dans le désert.

— Oh, il y a des filles, dans le désert. On peut se faire une écharpe avec les deux bouts de tissu qui pendent autour du cou. On peut aussi se voiler le visage avec et les attacher derrière la tête, pour se protéger du vent ou du sable, s'il y a une tempête. Mais si vous êtes assise avec des gens, ne vous couvrez pas le visage : vous donneriez l'impression de vouloir vous cacher. Vous comprenez ?

— Oui, dit Anna, en essayant différents styles.

— Certains hommes mettent les extrémités du keffieh dans leur dos, ou les remontent sur les tempes, comme ça. Mais ne le faites pas parce que, regardez...

Anna se contemple dans la glace.

— On voit que je suis une femme, dit-elle.

— Oui. La plupart des hommes le portent en écharpe, ce qui cachera votre cou et en partie votre menton.

— Effectivement, oui.

— Et vous devrez garder vos bottes de cheval et vos chaussettes. Autrement, vos pieds vous trahiront.

— J'aimerais tellement que vous veniez !

— La prochaine fois, dit Laïla, en riant. Quand Ahmad sera plus grand.

Elle a soudain l'air sérieux.

— Vous n'avez pas peur, n'est-ce pas ?

— Peur ?

— Abeih Charif vous protégera. Contre tous les dangers.

— Vous savez, Laïla, j'ai l'impression de l'avoir dérangé.

— Il a proposé de vous accompagner.

— Oui, mais il se sentait responsable et...

— Anna, écoutez. Vous voulez y aller ?

— Oh oui !

— Alors allez-y. Et profitez-en. Ça va être merveilleux. Et n'oubliez pas de vous mettre de la crème sur le visage et sur les mains plusieurs fois par jour. L'air du désert est très sec.

Anna a laissé ses chemises et ses pantalons sur ce qu'elle considère à présent comme son divan. Laïla a glissé un vêtement en soie dans l'une de ses sacoches — « au cas où vous en auriez assez des vêtements d'homme ». Malgré cela, au moment de partir, Anna lui demande :

— Je vous reverrai ?

— Bien sûr !

Laïla sourit. Elle ouvre les bras et les deux femmes s'étreignent.

— Je serai là pour vous accueillir à votre retour.

Je suis montée dans une voiture fermée, stationnée devant la porte. Je portais le costume blanc et ample d'un Arabe, sous la robe noire et fine d'une Égyptienne. Ma tête et ma figure étaient entièrement voilées, mon ougal dans le sac de toile noire que j'avais emporté. Sabir est monté dans la voiture avec moi, de peur que quelqu'un ne le reconnaisse s'il s'asseyait avec le cocher. Il s'est installé dans le coin le plus éloigné de moi, et il a marmotté des excuses tout le long du chemin. Laïla m'a dit qu'il n'a pas voulu partir devant avec Abeih Charif ni rester chez eux pour attendre mon retour, car il a promis à son maître qu'il ne me quitterait pas d'une semelle : il tiendra sa promesse, ou il mourra.

À la gare, je suis restée derrière les hommes, comme me l'avait recommandé Laïla. Moutlaq, telle une mère, avait des yeux derrière la tête : si je m'arrêtais il s'arrêtait, si j'avançais il avançait, de sorte que la distance entre nous restait la même — et cela sans qu'il se retourne une seule fois !

Nous entrions dans le hall de la gare quand un train siffla, prêt à partir. J'ai jeté un coup d'œil à Moutlaq.

— Iskanderïa, a-t-il murmuré dans sa barbe.

On fermait les portes. Les gens couraient sur le quai. Nous traversions le hall et soudain, il y a eu une vive agitation. On nous a refoulés sur les côtés, avec beaucoup d'autres, des porteurs dégageaient la voie. Moutlaq a posé la main sur moi pour que je retrouve mon équilibre, et j'ai cru mourir de peur car là, devant moi, parurent lord et lady Chelsea, lady Wolverton et lady Saint Oswald, et sir Hedworth Lambton, avec qui j'avais déjeuné récemment et que j'avais vu à la table de sir Charles de nombreuses fois. Ce fut une sensation des plus bizarres. Ils sont passés si près que j'ai senti l'eau de Cologne de lady Saint Oswald ! Eussé-je tendu la main, j'aurais pu saisir la manche de sa veste de voyage. J'ai à la fois craint d'être découverte, et goûté l'étrangeté de la situation : ils me frôlaient sans me reconnaître, mais le plus curieux fut que je les voyais soudain comme des créatures exotiques, avançant dans une espèce d'espace magique, oublieux des gens autour d'eux. Très à l'aise, devisant gaiement, comme s'ils se promenaient dans le parc, pendant que les Égyptiens, refoulés sur les côtés, les regardaient et attendaient qu'ils passent.

Il y avait un autre homme avec eux, et plus tard, quand j'ai eu le loisir d'y réfléchir, j'ai présumé qu'il s'agissait de M. Wilfrid Blunt, car ses cheveux, ses yeux et sa voiture correspondaient à la description qu'on m'en avait faite. J'avais souhaité le rencontrer depuis cinq mois, et voilà qu'il passait devant moi, et que je ne pouvais pas me montrer !

Ce voile est une chose des plus libératrices : je pouvais regarder autour de moi sans qu'on me voie. Personne ne pouvait connaître mon identité. J'étais l'une des nombreuses harim qui circulaient dans la gare et dans le train, vêtues de noir. J'aurais pu échanger ma place avec n'importe laquelle d'entre elles sans que personne se rende compte de rien.

Nous arrivâmes à Suez et prîmes aussitôt le chemin du canal, que nous traversâmes dans un bateau très confortable. Moutlaq s'occupait de tout, comme d'habitude. Je suivais humblement, Sabir suivait moins humblement. Lorsque nous abordâmes la rive opposée et que le batelier eut retourné la pointe de son embarcation vers Suez, j'entendis un bruit de sabots et je vis Charif Pacha arriver au petit galop, sur un bel alezan de couleur noisette.

— Dépêchez-vous de vous changer, dit-il, en guise de bienvenue.

Il sauta de son cheval. Les trois hommes se mirent en cercle, dos à moi, me faisant un paravent de leurs corps. Je compris ce qu'on me demandait : j'ôtai ma robe et mon voile, je déroulai mon keffieh, je le fixai sur ma tête avec l'ougal. Quand on me demanda si j'étais prête, je pus répondre « Oui », tout en repliant les vêtements de femme. Lorsque mes trois compagnons s'écartèrent, un observateur étranger aurait vu un quatrième homme, vêtu comme un Arabe, apparaître au sein de leur groupe et se pencher au-dessus des sacoches posées sur le sol, pour ranger un petit ballot de tissu noir.

Je dis que je « vis Charif arriver au petit galop... », mais en vérité, ce fut seulement quand il s'approcha, qu'il parla et descendit de cheval, que je le reconnus. Il portait les mêmes vêtements que moi, la robe et la cape de l'Arabe du désert — il avait également deux carabines dans le dos. Cette tenue lui allait si bien que j'eus du mal à me le représenter à nouveau dans son costume européen. Il me vit lui lancer des regards de côté et fronça les sourcils.

Il tira un coup de feu en l'air : aussitôt apparurent deux autres hommes à dos de chameau, tenant plusieurs montures par leurs brides. On fit agenouiller quatre chameaux dans le sable. Quand Moutlaq en eut monté un, Charif Pacha me dit de bien observer le mouvement de l'animal se redressant.

— Vous vous sentez capable de monter sur un chameau ?

Je répondis que oui. Il m'emmena devant l'un d'eux, mit mon pied dans l'étrier en tenant fermement les rênes. Avec un grognement sonore et un fort mouvement de rotation, la bête se remit debout sur ses pattes de devant, puis se hissa sur ses pattes arrière, chaque mouvement accompli en deux temps — le chameau se met d'abord à genoux, puis debout.

Lorsque tout fut prêt, nous partîmes, six hommes à dos de chameau. Deux autres chameaux suivaient, avec des provisions et des sacoches. Les chevaux, un alezan et une jument blanche, suivaient à vide.

Nous partîmes au petit trot, laissant nos montures prendre l'allure qui leur convenait. Monter un chameau est bizarre : l'animal ondule, mais une fois qu'on maîtrise ce rythme, il est plaisant, et la grande selle, avec sa poignée, est confortable. Je vis que Sabir et moi étions les seuls à monter avec des étriers.

Nous allâmes sans presque parler, mais il (Charif Pacha) me dit que les deux hommes qui l'escortaient resteraient avec nous pendant tout le voyage. Leur chef nous avait invités : nous devions bivouaquer dans leur village le lendemain.

Nous chevauchâmes toute l'après-midi et toute la soirée. J'eus le sentiment que le désert nous avait jeté un sort pour nous rendre silencieux, hommes et bêtes. C'était comme si, en ce premier jour, seule une raison grave eût pu justifier de rompre ce merveilleux silence. Silence ponctué par le grondement sourd de la mer, qui venait frapper la côte rocheuse.

Nous ne fîmes que deux arrêts : pour installer notre campement, et un peu plus tôt, pour prier. Le soleil se couchait sur le golfe de Suez, accentuait le rouge et le noir du minerai des montagnes — d'où le nom de la mer Rouge. Dans ce paysage sublime, les couleurs rouge, jaune, orangé, pourpre, s'estompaient dans des tons d'une grande douceur. Je sentis qu'il nous fallait sacrer cette beauté fugace d'une façon ou d'une autre. Au moment où j'avais cette pensée, nous fîmes une halte, comme par consentement tacite. Les animaux s'agenouillèrent, les hommes descendirent et se tournèrent vers le sud-est. Une voix s'éleva : « Allahou Akbar », et ils prièrent ensemble en silence. Je contournai leur groupe par-derrière, je me dirigeai vers la mer, l'eau sombre, où dansait encore la lumière quelques minutes plus tôt. Je fis moi aussi une prière, je demandai humblement la paix intérieure, qui en cet instant me semblait presque accessible.

15.

« Le monde n'est plus du tout le même,
Depuis que j'ai entendu mon âme
Marcher, sur la pointe des pieds. »

Elizabeth Barrett Browning

Le 12 juillet 1997

Je suis si impatiente de retourner dans le Sinaï, dans la vie d'Anna, pour échapper à la mienne. Au Caire, tout le monde parle du « Culte de Satan », un groupe de jeunes gens qui portent des tee-shirts noirs et écoutent du Heavy Metal dans le palais en ruine du baron Empain, à Héliopolis ! Les fellahs se sont soulevés, la police les a matés. Le courrier des lecteurs de *al-Ahram* regorge d'avis contraires à propos des nouvelles lois. J'ai passé quelques coups de fil, réactivé de vieilles amitiés, retrouvé Tareq Atiyyah, le fils de l'ami de mon père : je suis allée le voir à son bureau, dans un grand immeuble en marbre et en verre noir, à Muhandesin[*]. Une jolie secrétaire m'a introduite dans son bureau, et j'ai cru reconnaître Atiyyah Bey, l'ami de mon père, dans l'homme qui s'est levé pour me saluer. Il m'a pris les mains :

— Amal ! Tu n'as pas changé.

Nous nous asseyons dans des fauteuils de cuir et nous échangeons des nouvelles : nos familles, nos enfants, notre vie depuis vingt ans. Nous parlons comme à notre habitude : de l'arabe ponctué de phrases en français et en anglais. Il importe des revêtements pour les pipelines en béton qui traversent le désert. Il possède un hôtel à Marsa Matrouh[**] et un autre à Charm el-Cheikh, dans le Sinaï. Il va sans doute être le premier à vendre des téléphones mobiles en Égypte.

— Il faut que tu viennes à la maison, dit-il. Ma femme

---

[*] Quartier du Caire nouvellement construit.
[**] Station balnéaire non loin d'Alexandrie.

et les filles sont à Agami* pour l'été, mais en septembre, on organisera un dîner.

— Et toi, tu passes l'été ici, au Caire ?

— Je vais les rejoindre le jeudi soir et je reviens le dimanche matin. C'est rapide en voiture, deux heures et demie.

— Le problème, c'est d'arriver à sortir du Caire.

— L'année prochaine, la route qui relie Muhandesin au désert sera terminée, ce sera plus rapide.

Il a changé. Je n'ai pas gardé le souvenir d'un bel adolescent, mais j'ai devant moi un bel homme brun, large d'épaules, le regard vif. Et puis il a une telle assurance !

— J'ai besoin de ton avis, dis-je.

Je lui parle de l'école et de la clinique.

— Ce n'est pas un problème, assure Tareq. J'en parlerai au gouverneur de Minieh.

— Vraiment ?

— Si tu es d'accord, bien sûr.

Il va jusqu'à son bureau, décroche le téléphone. Il demande à sa secrétaire de voir si Mouhyi Bey est au Caire. Elle le rappelle pour lui dire qu'il est effectivement en ville : on pourra le joindre après trois heures. Tareq jette un coup d'œil à sa montre.

— Une heure, dit-il. Allons déjeuner.

À une table d'angle du Rive Gauche, nous commandons des crevettes de la Méditerranée, des salades, puis nous évoquons nos souvenirs — les vacances de notre enfance, les années d'université.

— Puis tu es partie à l'étranger et on ne t'a plus revue, conclut-il.

— Je suis tombée amoureuse et je me suis mariée.

— Ton mari est au Caire en ce moment ? Je vous inviterai bien tous les deux à dîner.

— Non, il est en Angleterre.

Je n'en dis pas plus. Je lui demande s'il est allé à Minieh récemment.

Il m'explique qu'il a licencié des fellahs avec indemnités,

---

* Station balnéaire très en vogue.

il y a des années. Il a modernisé la ferme et gardé seulement les gens qui pouvaient travailler comme il l'entendait.

— La ferme fait des bénéfices honnêtes, avoue-t-il. Sans rapport avec ce que je gagne dans les affaires, bien sûr, mais c'est notre histoire, nos racines. Et sans doute peut-elle produire davantage. Je vais faire venir une équipe d'Israéliens, pour qu'ils repensent l'infrastructure.

— Une équipe de quoi ?

— D'Israéliens. Pour réorganiser la ferme.

Je m'arrête de manger.

— Mais comment peux-tu faire une chose pareille ? Amener des Israéliens sur ta propre terre !

— Ils ont la technologie, l'expérience, argumente-t-il. Tu as l'air choquée ?

— Je suis choquée. Éberluée ! Après toutes ces années, toutes ces guerres... Et la cause palestinienne, alors ?

— Les Palestiniens font des affaires avec les Israéliens.

— Mais, Tareq, comment peux-tu faire une chose pareille ? Tu ne comprends pas que tu joues leur jeu ? Rentrer en Égypte. Ils veulent rentrer en Égypte, nous coloniser.

— Tu es restée à l'étranger trop longtemps, Amal. Tu tiens un discours des années soixante-dix. Les choses ont évolué.

— Mais elles ne peuvent pas évoluer ! Elles ne devraient pas évoluer. Pas s'ils veulent le pouvoir sur toute la région !

— C'est à nous de ne pas le leur donner. Si je loue les services d'un groupe d'Israéliens, si j'utilise leur technologie, en quoi cela leur donne-t-il le pouvoir ? Au contraire, c'est moi qui utilise le leur. À quoi bon nous accrocher à nos anciennes méthodes et faire comme s'ils n'existaient pas ? C'est la politique de l'autruche. Ces vieilles idéologies ne tiennent plus, aujourd'hui. Tout repose sur l'économie.

— Tout ?

— Tout.

— Je pensais que tu étais un patriote, dis-je, avec amertume. Nous avons manifesté ensemble.

— Je suis un patriote ! Je fais plus pour mon pays en redressant son économie qu'en restant dans mon trou, à espérer que les choses changeront.

Il y a un silence.

— Tu m'offenses en disant cela, murmuré-je. Tu me blesses, même.

Il me sourit, avec chaleur, comme un vieil ami.

— Tu réagis de façon émotive. Or ce n'est pas une question affective, mais pratique.

Nous retournons à son bureau.

— C'est fait, annonce-t-il, en raccrochant le combiné. La clinique rouvrira la semaine prochaine. Et l'école le pourra si les professeurs satisfont aux critères de l'administration. Il me faudra la liste de leurs noms, et quand on aura examiné leur cas, l'école rouvrira.

Isabel ne voit pas pourquoi les paysans refuseraient de donner une liste de noms aux autorités.

— Ils n'ont rien pu faire de mal, dit-elle. Ce sont des volontaires !

J'essaie de lui expliquer : des siècles de listes pour taxer les gens, leur prendre leurs fils, qu'on envoie creuser des canaux, cultiver la terre du khédive, mourir à la guerre. Des siècles de méfiance, dissipée une seule fois dans notre histoire, à l'époque d'Abd el-Nasser. Isabel a l'air perplexe. Je fais bifurquer la conversation sur un terrain qui m'ébranle moins : le passé.

— Je veux voir la maison de Charif Pacha, dit-elle. Celle dont parle Anna dans ses journaux intimes. Elle existe toujours ?

— Oui. C'est un musée, à présent. Tu peux y aller quand tu veux.

— J'aimerais la visiter avec toi.

Nous y allons. Nous longeons le fleuve, puis nous prenons vers l'est, par des rues où l'on circule mal, à cause des autos garées de chaque côté. L'une de ces rues débouche sur une place, où se dresse une bâtisse de trois étages en pierre claire, avec des zones brun foncé : les moucharabiehs. Attenant au mur ouest, la mosquée, avec son petit dôme vert. Des femmes en galabiyyas noires sont assises dehors avec leurs enfants.

Nous passons le porche massif de la vieille maison. Après l'agitation, le bruit, la chaleur de la ville, nous pénétrons dans un espace frais, silencieux, ordonné. L'odeur, le décor, me donnent l'impression de replonger dans le passé, même si le guide, qui insiste pour nous faire visiter la maison, nous annonce fièrement qu'on l'a utilisée dans un film d'Agatha Christie. Nous voyons le cellier où Anna passa les premières heures de sa captivité, le salon du haramlek, avec les deux divans, où Laïla et la prisonnière dormirent et se lièrent d'amitié, la cour où Anna joua avec l'enfant de douze mois qui allait devenir mon père. Nous voyons aussi la pièce dissimulée sous le parquet, où le père de Charif Pacha a dû se cacher après l'échec de la révolution. Quand les choses se furent calmées, il comprit qu'il ne saurait ni vivre sous l'occupation anglaise, ni la combattre, ni s'exiler. Il s'installa dans la mosquée de Cheikh Haroun, attenante à la maison, et passa là les trente dernières années de sa vie. Nous trouvâmes la porte de la mosquée fermée par une chaîne et un cadenas. Je demandai si nous pouvions la visiter : le guide se mit à rire.

— Non, *ya sett Hanem*, c'est devenu une vraie mosquée, et on ne peut y entrer par la maison. On y accède par la rue.

Quand la maison avait été transformée en musée, nous dit-il, on avait créé un fonds en fidéicommis pour l'entretien de la mosquée et du cheikh qui l'habiterait.

Avant de partir, Isabel demanda au guide si elle pouvait revenir avec un appareil photo.

— *Ahlan oua sahlan*, dit-il. Mais ça coûte cinq livres.

La maison nous a envoûtées. Nous restons dans le quartier, nous retardons le moment de rentrer. Les femmes ne sont plus là, la porte de la petite mosquée est fermée. Derrière se dresse la vieille mosquée, dans l'ombre de laquelle fut construite notre maison, au XVIIᵉ siècle. À gauche, là où étaient les jardins, de petites maisons, des boutiques et des rues, datant de ces trente dernières années. Sur une place avec un petit kiosque, des arbres, poussiéreux et mal entretenus. Nous allons les toucher, nous les identifions : un jacaranda, avec quelques pyramides de fleurs bleues, un *sarw*, un poinciana, un magnolia sans fleurs, un *zanzalacht* et un sifsafa. Nous nous asseyons sur deux cageots retournés, près du kiosque, nous sirotons du Pepsi-Cola. Isabel m'annonce qu'elle va rentrer aux États-Unis en août.

— Il faut que je le voie. Et je veux voir ma mère. J'ai

tellement de choses à lui demander ; mais il est sûrement trop tard. Nous n'avons jamais abordé les sujets graves.

— A-t-elle jamais parlé de sa grand-mère, d'Anna ? m'enquis-je.

— Si, répond Isabel, qui trace des triangles dans la poussière avec une brindille. Elle disait toujours qu'Anna influerait sur le destin des femmes de la famille, qui épouseraient des étrangers et quitteraient leur pays.

Isabel lève les yeux sur moi.

— Ma mère a épousé un Américain, dit-elle. Sa mère, Nour, s'est mariée avec un Français. Mon premier mari était américain, mais je l'ai quitté. Ma mère n'a pas été surprise.

Quand Isabel décida de quitter Irving parce que sa vie était devenue triste — et encore plus tristes ses nuits —, elle prit rendez-vous avec Jasmine pour lui annoncer la nouvelle. Elles se retrouvèrent au Metropolitan ; sa mère aimait ce musée, et Isabel voulait que le décor, au moins, joue en sa faveur. Devant une soupe de palourdes fumante, et en réponse à l'innocent « Comment va Irving ? », Isabel répondit : « Nous allons divorcer. » Le fait que sa mère se contente de hocher la tête la désarçonna. Jasmine se tapota la bouche avec sa serviette et déclara :

— Vous vous en remettrez l'un et l'autre, j'imagine.

— Mais, tu n'as même pas l'air surprise ! s'exclama Isabel.

— Ça fait un moment que vous n'êtes plus très heureux, non ?

— Je pensais que tu...

— Que je pousserais les hauts cris ?

— Que tu aurais une autre réaction, oui.

— Si vous n'êtes pas heureux, vous n'êtes pas heureux. Vous n'avez pas d'enfants. Je ne vois pas pourquoi vous resteriez ensemble.

— Je croyais que tu l'aimais bien ?

— Je l'aime bien, oui. C'est un garçon adorable, mais cela ne veut pas dire que tu es obligée de rester mariée avec lui.

— Dans ce cas c'est réglé, conclut Isabel.

Elle était à la fois déçue et soulagée. Qu'avait-elle espéré ?

Devoir se justifier ? Réfuter les objections de sa mère ? La sur-prendre ? Pourquoi était-ce si simple ? Parce que sa mère la connaissait bien ? Ou parce qu'elle s'en fichait ? Autant de questions qu'Isabel continue à se poser.

Comme elles se dirigeaient vers la sortie, Jasmine s'at-tarda devant les mosaïques de Pompéi.

— Imagine, dit-elle. Ils sont là, en train de déjeuner, et le volcan entre en éruption. Comme ça, en deux secondes.

C'était un sujet à éviter.

— Allons-y, ajouta Isabel, en poussant sa mère hors du musée.

— Peut-être aura-t-elle une rémission, dis-je.

Quelle bêtise ! Il n'y a pas de rémissions dans la maladie d'Alzheimer.

— Peut-être, soupire Isabel.

Nous restons sous les vieux arbres, pendant que la nuit tombe.

C'est le soir. On ne peut plus rien me demander. En pei-gnoir, une coupe de sorbet à la main, je vais m'asseoir à la table de ma chambre. Je suis libre de rejoindre Anna Winter-bourne et Charif al-Baroudi, qui, vêtus du grand vêtement blanc des Bédouins, vont côte à côte à dos de chameau, dans le désert du Sinaï.

Le 16 mars 1901
Je viens de regagner ma tente après une soirée de festivités. Je suis si fatiguée, mon pouls bat si vite, que j'arpente le fond de la tente, incapable de dormir, et de poursuivre mon journal.

Quel dommage que je ne puisse écrire ni à sir Charles, ni à Caroline, j'aimerais tant leur raconter cette journée dans les moindres détails. Mon récit les intéresserait à bien des égards. Mais ils devront attendre mon retour en Angleterre pour connaître mes aventures. Je saurai les persuader que ce voyage n'était ni fou, ni dangereux, même si, ce matin, j'ai eu du mal à m'en persuader moi-même. Nous avions chevauché toute la journée sans presque parler, et j'étais un peu angoissée. La plaine que nous avions tra-versée n'était que gravier, le paysage désolé. Je savais, pour avoir lu mon guide, que le plus beau restait à venir, mais je me trouvais tout à coup bien désinvolte. En effet, l'expédition à Sainte-Cathe-

rine, aller-retour, durerait quatorze jours, et ma conscience me taraudait : j'avais arraché Charif Pacha et ses hommes, sans parler de Sabir, à leurs occupations quotidiennes sur un simple caprice.

Quant à mon hôte, je ne pouvais savoir ce qu'il pensait : le keffieh protège celui qui le porte des regards furtifs ou fortuits, et les rares fois où il s'est tourné vers moi pour me parler, son expression était impassible, ses manières courtoises et distantes. On pourrait le prendre pour un Français, car il a une parfaite maîtrise de la langue. Je ne puis croire qu'il ne connaisse pas l'anglais, mais il semble être ce genre d'homme qui préférera s'abstenir plutôt que de faire une chose de façon imparfaite, et peut-être son anglais n'est-il pas parfait. De toute façon, le français suffit pour le peu d'échanges que nous avons. Je suis censée m'appeler Armand Demange, fils de maître Demange, qui a défendu le capitaine Dreyfus lors de ce procès infâme, il y a trois ans. Il s'avère que l'avocat est un ami de Charif Pacha. On m'a donné des informations sur ma mère, sur nos propriétés, dont je n'aurai sans doute pas l'utilité : il est peu probable que nous croisions un Français indiscret dans ce désert ! Lorsqu'il fut convaincu que je pouvais voyager à dos de chameau comme n'importe lequel d'entre eux sans éprouver de fatigue excessive, nous allâmes sans nous arrêter, sauf pour prier, manger et boire un brin à midi, à quatre heures, et au coucher du soleil. J'en suis venue à penser que le désert n'encourage pas les bavardages. Parmi les hommes qui nous escortaient, seuls Sabir et Moutlaq connaissaient ma véritable identité, et peut-être Charif Pacha craignait-il que j'oublie de jouer mon rôle, que je parle de ma voix de femme et me trahisse. Il se montre réservé et un peu froid envers moi. Je m'en réjouis, car il ne peut s'instaurer entre nous de véritable amitié, vu la situation, et nous n'avons nul besoin de nous faire des civilités.

J'ai été surprise que nous ne montions pas notre campement en fin de journée. À la tombée de la nuit, un groupe d'hommes à cheval s'est dirigé vers nous au petit galop. J'ai jeté un coup d'œil inquiet à Charif Pacha. « Des amis », m'a-t-il dit. Il a levé le bras pour les saluer, puis il a galopé à leur rencontre. C'étaient des hommes de la tribu 'Alaoui : nous avions pénétré dans leur territoire, ils venaient nous accueillir et nous escorter jusqu'à leur village, où nous campons ce soir en tant qu'invités de leur chef, Cheikh Salim ibn Hussein.

Leur campement est un lieu des plus plaisants, au cœur du

Ouadi Gharandal, traversé par un torrent. De l'eau douce ! D'autant plus douce que nous n'avons croisé aucun point d'eau depuis notre départ. Il y a beaucoup d'acacias alentour, pas très feuillus, et épineux, sans doute pour mieux survivre au climat rude du désert. Les 'Alaoui habitent sous des tentes noires, tissées avec du poil de chèvre. Ils vivent de leurs troupeaux de chèvres et de brebis, ainsi que du commerce des pur-sang dont j'ai vu quelques beaux spécimens ce soir, dans le spectacle qu'on a joué en notre honneur.

Ils nous ont très bien reçus : ils nous ont offert du mouton rôti à la broche, de grands plats de riz épicé, et un café léger, amer, servi dans des pots fins et hauts, qui ne dépareraient pas au musée de South Kensington.

Le vieux chef, un petit homme à la main aussi dure qu'une pierre du désert (ce sont des hommes de petite taille, et sans doute sont-ils obligés de l'être pour survivre dans le désert, comme les acacias), a été des plus aimables avec moi. Il m'a installée à sa droite, Charif Pacha à sa gauche. Il m'a gavée de mouton, et s'est excusé de ne pouvoir s'adresser à moi dans ma langue maternelle — le français ! Il a paru ravi que j'apprécie leur spectacle, du grand art, vraiment : les hommes montent à cru et font des acrobaties. Le public pousse des cris sauvages, frappe des tambours. La scène est éclairée par des torches. Dans cette assemblée, Charif Pacha sembla perdre une part de sa réserve. Il se renversa sur son coussin, parla et rit avec le vieux chef. Pendant un moment, je l'ai même soupçonné de dévoiler à cet homme ma véritable identité ; en effet, le chef m'a souri avec ostention en me disant bonsoir.

Mon seul regret est de n'avoir pu passer du temps avec leurs femmes, frêles silhouettes drapées de longues robes brodées. Elles évoluaient autour de nous avec grâce, tendaient la nourriture aux hommes qui nous servaient, leurs voiles pailletés scintillant à la lueur des feux ; elles m'observaient avec curiosité, ce qui donnait encore plus de piquant à la situation. Bien qu'on ne les ait pas vues pendant le spectacle, elles y ont participé en jouant du tambour, en tapant dans leurs mains, en poussant des cris aigus, ces fameux hululements dont je connaissais l'existence par mes lectures, mais que je n'avais jamais entendus. Ce fut une expérience fascinante.

Si j'en crois mon guide, nous devrions traverser demain ces terres qui font la beauté du Sinaï. Les auteurs de ce livre, comme les amis de l'Agence, ont une meilleure opinion du désert que de ses habitants.

Voici un extrait du guide *Thomas Cook* d'Anna :

« Les gens qui vivent dans le désert ont toujours eu une aura romanesque, mais un bref contact avec eux suffit pour dissiper de telles illusions. Les Bédouins, du moins ceux qu'on trouve entre l'Égypte et la Palestine, ont un caractère très prosaïque : vulgaires, ignorants, paresseux et cupides, ils n'offrent aucun intérêt. L'Arabe moyen est tout aussi dépourvu de grâce et de force, son corps est couvert de haillons, ses pieds nus — ou chaussés, mais c'est rare, de sandales grossières — ses mains et son visage trahissent le fait que l'eau est rare... [Ils] sont incultes et n'ont cure des avantages de la vie civilisée, ils ont des armes sur eux en permanence, s'ils peuvent s'en procurer. Un homme dont le meilleur vêtement est une peau de mouton non tannée ne sortira pas sans un sabre, ou un fusil en bandoulière, voire les deux... Cependant, c'est un peuple gai et heureux, qui offre de grandes ressemblances avec les nègres d'*Amér*ique dans sa simplicité, sa légèreté, sa bonne humeur... Pas un seul d'entre eux n'ignore le sens du mot *bakchich*, c'est le premier mot que sait dire un jeune enfant, le dernier que marmonne un mourant. »

Le 19 mars 1901
Oh comme j'aimerais que l'on puisse se passer de sommeil, ou que les heures du jour soient multipliées par deux ! J'aurais ainsi le temps de voir et de ressentir tout ce qu'il y a à voir et à ressentir, tout en ayant le temps d'y réfléchir, de laisser mes impressions se former, se raccorder à d'autres pensées. Et, bien sûr, j'aurais aussi le temps de les écrire toutes — j'ai découvert qu'en jetant mes pensées sur le papier, elles se clarifient. Ce qui n'était que bafouillage hystérique se mue en discours clair, précis comme une peinture.
Je n'ai jamais aimé les tableaux représentant le Sinaï, je préférais les intérieurs sophistiqués, les portraits de la vie domestique. Les toiles plus ambitieuses ne m'émouvaient pas. À présent, je comprends pourquoi. J'ai repensé aux merveilleux Turner de Petworth, car aucun génie de moindre classe ne saurait rendre justice, à l'aquarelle, à la magnificence de ces paysages. Parmi les peintres qui travaillent à l'huile, seul Corot pourrait rendre l'âme de ces montagnes. Cela dit, un tableau du désert induirait l'observateur en erreur : il croirait avoir le Sinaï entier sous les yeux. Or chaque matin nous découvrons un nouvel aspect de ce lieu étonnant, terre

de rencontre des deux grands continents de l'ancien monde. Un jour c'est une plaine de gravier, nue, s'étirant aussi loin que porte le regard, puis on croise un ruisseau et des acacias épineux, dont les racines plongent profondément dans la terre pour y trouver l'eau nécessaire à leur survie précaire. Le lendemain, on se retrouve au cœur d'une chaîne de montagnes extraordinaires, faites de roches noires, violettes et rouges, on foule la terre que les habitants de l'Égypte ancienne ont creusée pour en extraire du cuivre et des turquoises. On voit même des vestiges de ces excavations. On émerge ensuite dans une plaine au bord de la mer Rouge, et des centaines d'oiseaux vous suivent, puis s'arrêtent sur la rive proche de votre campement et y passent la nuit. Ils s'ébrouent au lever du soleil, comme les hommes font leurs prières du matin. Ils montent en flèche vers le ciel, tournoient, se lancent des appels, se rassemblent en une immense volée d'ailes, qui virent de concert vers la mer, en direction du nord, où ils passeront l'été. Et soudain, entre deux falaises de trois cents mètres de haut, un oued s'étend devant vous, et la vie est de nouveau pleine de jardins de tamarins et de pommiers, de champs de blé et d'orge. Comment un seul tableau pourrait-il ne serait-ce que donner un aperçu de tout cela ?

Notre campement est à une journée du monastère Sainte-Catherine et face aux montagnes du Sinaï. Nous avons chevauché, Charif Pacha et moi, dans un défilé formidable, le Nougb Haoua, si escarpé, si étroit, que les chameaux n'y passent pas, obligés de suivre la route de Darb el-Cheikh, plus large et moins abrupte. Charif Pacha m'a demandé si je préférais la route la plus spectaculaire ou la plus praticable. Et bien sûr j'ai choisi le chemin le plus beau.

— On ne peut le faire qu'à cheval, a-t-il prévenu. Et vu que nous n'avons que deux chevaux, nous devrons y aller seuls.

— Il va falloir que vous convainquiez Sabir, dis-je, et il a souri.

Pour la première fois, Sabir a consenti à m'abandonner. Charif Pacha et moi avons laissé nos compagnons derrière nous et sommes entrés dans l'étroit défilé de Nougb Haoua. De chaque côté s'élevaient des falaises de granit de plus de cinq cents mètres de haut, et parfois, en me penchant légèrement à droite ou à gauche, j'aurais pu toucher une paroi. À certains moments, nous avions l'impression d'aller droit sur un mur de roche, mais en nous approchant, une ouverture apparaissait miraculeusement, et nous l'enfi-

lions. La pente devenait alors si raide, pendant des centaines de mètres, que seul un cheval calme et entraîné pouvait la grimper sans dommage pour son cavalier. Nos montures étaient agiles et de bonne volonté, et nous avancions, le plus souvent en file indienne, Charif derrière et moi devant, même s'il arrivait que mon compagnon me précède et s'assure, par de brefs coups d'œil en arrière, que tout allait bien pour moi.

Je profitai de l'une de ces occasions — c'était la première fois que nous étions seuls — pour le remercier de ce qu'il avait fait pour moi et lui dire que j'avais bien conscience d'avoir dérangé ses projets.

— Ce n'est rien, affirma-t-il. Vous auriez fait le voyage de toute façon.

— J'aurais essayé, mais sans doute avec un groupe, à partir de Suez, et cela n'aurait pas été du tout pareil.

— Pourquoi ? demanda-t-il, surpris. Vous auriez voyagé confortablement, et sans avoir à vous déguiser.

— Je serais... (je ne savais trop comment le formuler), je serais restée dans mon univers. Mes compagnons auraient tenté de m'imposer leur vision des choses, et j'aurais été trop occupée à résister à leur point de vue pour me faire mes propres idées.

— Vous avez toujours été comme ça ?

— Comme quoi ? dis-je, surprise à mon tour.

— Si désireuse de vous faire votre propre opinion.

— Vous donnez l'impression que j'ai un caractère volontaire.

— Ce n'est pas le cas ?

— C'est la première fois que j'agis selon ma volonté.

Là-dessus le défilé se fit plus étroit, Charif Pacha tira les rênes de son cheval et se rangea derrière moi. Notre échange me laissait une impression plaisante, j'étais heureuse de l'avoir remercié.

Le défilé de Nougb Haoua se termina aussi abruptement qu'il avait commencé. Nous émergeâmes d'un coup de la passe sombre dans une immense plaine baignée de soleil, avec les montagnes du Sinaï, majestueuses, à l'arrière-plan. Le reste du groupe nous rejoignit. Sabir m'accueillit avec des sourires, il ne semblait pas inquiet. À vrai dire, plus nous nous enfonçons dans le Sinaï, plus je suis affolée à l'idée d'avoir voulu faire ce voyage avec Sabir pour seule compagnie — même si je ne l'avouerais pour rien au monde, sauf à mon journal. Je n'ai pas menti quand j'ai dit à Charif Pacha que je me serais jointe à un groupe de voyageurs de l'agence Cook à Suez et que j'aurais sans doute voyagé avec eux, mais une part de moi-même résistait vivement à l'idée de me retrouver ici avec des Anglais. Comme si mon instinct me disait que leur conversation, leur présence, même, m'empêcheraient de pénétrer l'âme du Sinaï. Je sais à présent qu'il en aurait effectivement été ainsi. Le silence environnant, la tranquillité — ou l'indifférence — de mes compagnons avaient laissé tout loisir à mon âme de contempler ces lieux, de se gorger de merveilleux.

C'était l'endroit rêvé pour que Moïse entende la parole de Dieu. Car ici, où l'homme est obligé de vivre — si tel est son destin — si près de la nature et par la grâce de celle-ci, je me sens si proche du mystère de la Création que je ne serais pas surprise de me voir accorder une vision, une révélation. Chaque fois que les hommes s'arrêtaient pour prier, je priais moi-même. Des louanges à Son égard pour avoir créé toute cette beauté et m'avoir envoyée ici afin de l'admirer. J'ai aussi prié pour l'âme d'Edward, car il m'est arrivé, de penser que s'il était venu ici en pèlerin, au lieu d'aller combattre au Soudan, il serait peut-être vivant aujourd'hui, et en paix.

Le 21 mars
C'est l'après-midi : les moines se sont retirés en prières, nous faisons la sieste.

Au sommet du Djabal Moussa, nous avons regardé le jour se lever, au son mélodieux du chant du muezzin.

L'air est sec, léger, il a le même effet sur l'esprit qu'une coupe de champagne avant le dîner.

Je n'ai rien dit du monastère dans lequel nous sommes logés. L'abbé est très gentil. Vu que je ne puis camper dehors avec les hommes, Charif Pacha lui a dit qui j'étais — on n'accepte pas l'hospitalité de quelqu'un sous une fausse identité.

Le bâtiment rappelle un château médiéval. Il date du VIe siècle. À cette époque, les armées musulmanes avançant vers l'ouest, quelqu'un eut la prescience d'ériger une petite mosquée dans la cour du monastère. Au temps des croisades, ce fut le monastère qui protégea la mosquée. Et il en fut toujours ainsi : chaque maison de Dieu protégeant l'autre des attaques tour à tour chrétiennes et musulmanes.

Hier soir, nous avons rejoint nos quartiers très tôt. J'ai essayé la robe de Laïla, elle est en soie vert foncé, longue et ample. J'étais ravie de la mettre, même s'il n'y avait pas de miroir dans ma cellule !

Je suis sortie dans le jardin. Je savais que nous devions nous lever de bonne heure, mais la nuit venait à peine de tomber. Et puis, quel mal y avait-il à prendre l'air ?

Je l'ai vu sortir de la chapelle. Lui aussi s'était changé : il portait un pantalon et un pull de laine. Sa tête était découverte.

Il a sursauté en me voyant. Il est venu vers moi. J'ai pensé qu'il serait fâché que je sois sortie, surtout dans cette robe, avec mon keffieh sur les épaules. « Que faites-vous ici ? » m'a-t-il demandé. J'ai répondu que je voulais respirer l'air frais. « Vous devriez rentrer », a-t-il dit. Comme je ne bougeais pas, il m'a indiqué le banc d'un geste et, après m'en avoir demandé la permission, il s'est assis à côté de moi. Je sentais son trouble, sa nervosité, sans avoir besoin de le regarder. Finalement j'osai lui demander :

— Vous n'arriviez pas à dormir ?

— Je n'ai pas essayé.

— Vous étiez dans la chapelle ?

— Je regardais les ossements des moines, répondit-il, d'une voix dure et amère.

Il était penché en avant, les coudes sur les genoux, il fixait la nuit.

Je ne trouvai rien à dire. J'eus seulement conscience de mon désir : tendre la main et toucher ce bras si proche du mien, poser la main sur sa tête, pour calmer la tempête — désir si vif que je serrai mes bras autour de moi. Il me regarda.

— Vous avez froid ?

— Non, dis-je.

— Mais vous frissonnez.

— Non, pas vraiment.

Il m'observa un moment, et détourna la tête.

— Qu'est-ce qui vous a amenée en Égypte, lady Anna ? demanda-t-il.

Il disait mon nom pour la première fois.

— Des tableaux, répondis-je.

Il se tourna vers moi. Je lui parlai de la lumière dans les toiles de Lewis. Je lui racontai mes visites au musée de South Kensington, quand Edward était mourant.

— Vous avez été très malheureuse, dit-il.

— Oui. Il ne méritait pas de mourir dans cet état.

— *Dans quel état ?*

— *Inquiet.*

— *Mais il croyait en ce qu'il faisait, non ? Il pensait devoir se battre pour son empire.*

— *C'était une guerre injuste.*

— *Mais il ne le savait pas.*

— *Si, mais il l'a compris trop tard. Et ça l'a tué.*

Il y eut un silence. Je n'avais jamais dit cela à personne. Sans doute était-ce la première fois que cette vérité m'apparaissait aussi clairement. Je frissonnais pour de bon à présent, et m'eût-il prise dans ses bras, que je n'aurais pas protesté. Mais il se leva.

— *Il faut que vous rentriez, répéta-t-il.*

— *Non, soufflai-je.*

Il eut une exclamation d'impatience et s'éloigna à grands pas. Je crus qu'il s'en allait, mais il arpenta le jardin, nerveux. Puis il revint vers le banc et se planta devant moi.

— *D'après vous, dit-il, vaut-il mieux agir et risquer une erreur fatale, ou ne pas agir et mourir à petit feu ?*

C'était difficile de réfléchir : il était devant moi, je ne voyais plus que lui !

— *Je crois, finis-je par bredouiller, qu'il faut d'abord se connaître soi-même, avant toute chose.*

— *Oh ! En plus d'être belle et têtue, elle est sage !*

Je gardai les yeux baissés. « En plus d'être belle. » Il me trouvait belle !

— *Et si vous vous connaissez trop bien ? insista-t-il. Et que vous n'aimiez pas ce que vous êtes ?*

Je restai silencieuse, il se ressaisit.

— *Pardonnez-moi. Ce sont tous ces crânes et ses os, les squelettes des moines. Donc vous êtes partie à la recherche de ce que vous aviez vu dans ces tableaux. L'avez-vous trouvé ?*

— *Oui, monsieur, dans votre maison.*

— *Oh, il y a d'autres maisons comme la mienne, s'empressat-il de répondre, comme pour nier le compliment. Nous vous les montrerons.*

Devais-je me réjouir ou me désoler ? Il m'envoyait quelque part — mais il m'éloignait de lui.

— *Qu'y a-t-il ?*

— *Rien.*

— *Je ne voulais pas vous faire peur, tout à l'heure, pardon-nez-moi.*

— *Je n'ai pas peur.*

— *Alors pourquoi tremblez-vous ?*

— *Il commence à faire un peu froid.*

— *Dans ce cas rentrez. Tout de suite.*

Il se leva.

— *Vous y allez, ou va-t-il falloir que je vous porte ?*

— *Vous êtes un tyran, monsieur, dis-je — mais je me levai.*

— *Il paraît, oui !*

Une fois devant ma porte, je lui tendis la main. Il la prit dans les siennes.

— *Vous aurez assez chaud ?*

— *Oui.*

— *Alors dormez bien. Dormez bien, lady Anna qui n'a peur de rien.*

Il porta ma main à ses lèvres. Un bref instant, je sentis sa bouche sur ma peau. Et bien que je n'eusse pas froid, je ne puis dire que je dormis paisiblement.

16.

«Nos faiblesses l'emportent, nos vertus ne sont pas assez fortes, la combativité nous fait défaut, au coucher du soleil. »

Robert Louis Stevenson.

Le Caire, 13 juillet 1997
Une vieille histoire : plus ça change, moins ça change. Moi non plus je n'ai pas bien dormi la nuit dernière : j'étais dans mon pays des merveilles, mon jardin londonien, par une fraîche soirée d'été, à l'instant où un homme que je connaissais depuis quelques heures me prenait dans ses bras et changeait le cours de ma vie. Comment aurais-je pu entrevoir, à cet instant, les moments affligeants que l'avenir nous réservait ? Puis cette question, si longtemps refoulée : Y aura-t-il un autre homme ? Me donnera-t-on le temps de vivre un autre amour, mon cœur s'emballera-t-il encore ? Tareq Atiyyah était le premier homme qui m'émouvait depuis des années. Mais il était marié et il envisageait de travailler avec les Israéliens. Je n'ai pas l'impression d'avoir fait un bond dans le temps, mais j'avoue qu'il me paraît plus simple de me confronter à des événements d'il y a cent ans que d'avoir affaire à ma situation présente.

Aussi, quand je m'évade en pensée, c'est pour rejoindre Anna. Je la vois, dans sa robe de soie scintillante, ses cheveux d'or lâchés sur le keffieh drapé sur ses épaules. Elle s'adosse un moment à la porte qu'elle a refermée derrière elle. Elle sent encore les lèvres de Charif sur sa main. Elle s'étend sur son lit et revit la scène qui vient d'avoir lieu. Elle pense à son pays, à un homme brisé par la douleur morale. Or Charif al-Baroudi s'est libéré de ses démons, il a arpenté le jardin, puis il est revenu vers elle. Anna pense à ses paroles, au ton qu'il avait, à son visage, à son corps, à l'état dans lequel il l'a mise. Quelle femme ne se demanderait pas : « Est-ce que nous nous comprenons, est-ce que nous donnons le même sens aux mots ? « Je pense à Isabel et à sa certitude douloureuse : « S'il m'aimait comme je l'aime, je ne souffrirais pas. » Isabel veut partager l'univers de mon frère. Elle veut l'impressionner, à son retour, par sa connaissance toute fraîche de l'Égypte. J'ai décidé de l'emmener à l'Atelier, de la présenter, encore une fois comme la fiancée de mon frère. J'ai dit à mes amis qu'elle préparait une thèse sur le troisième millénaire et les Égyptiens.

J'ai un peu menti et j'ai raconté qu'elle avait participé à une manifestation pour mettre fin aux souffrances des femmes et des enfants de l'Iraq.

Le 15 juillet 1997
À l'Atelier, le serveur, '*Am* Ghazali, nous tend des verres de thé, déjà sucrés. Dans un coin de cette salle tout en longueur et basse de plafond, aux murs jaunis par la fumée de milliers de cigarettes, mon vieux professeur, Ramzi Yousouf. Penché sur l'échiquier, il gagne une fois de plus contre Mahgoub al-Tilmisani, avec les pièces noires. Dina al-Oulama, assise à leur table, corrige les épreuves d'un article sur l'affaire. Ils se lèvent pour nous saluer.

— *Khalas ya* professeur ? dit Mahgoub.
— *Mafich khalas*, répond Ramzi Yousouf. On finit la partie !
— Mais les invités ?
— Ils attendront. Asseyez-vous et regardez. Dans une minute, j'ai gagné, dit Ramzi à Isabel. Ça ne vous ennuie pas d'attendre, n'est-ce pas ?

Nous nous asseyons. Dina fourre ses papiers dans un grand sac et appelle Ghazali pour qu'il prenne notre commande.

— Alors, c'est la première fois que vous venez en Égypte ? demande-t-elle à Isabel.

Dina enseigne les mathématiques à l'université du Caire et travaille comme bénévole pour le syndicat des professeurs, l'organisation des droits de l'homme, le bureau d'aide judiciaire et le comité pour le soutien du peuple palestinien. Elle porte des sandales, un jean, un haut bleu marine. Elle a l'air fatigué. Dans ce brouhaha incessant, des gens entrent et sortent constamment, passent et repassent. Un téléphone sonne en permanence. Il y a deux expositions de peinture : l'une dans la galerie, au premier, l'autre dans une salle plus petite, à côté du café. L'un des artistes vient d'être placé en garde à vue pour avoir signé une pétition contre les nouvelles lois sur la propriété terrienne. L'autre peintre est assis à la plus grande table, avec un groupe de clients.

— *Sallem silahak* * *ya Orabi*, psalmodie le professeur Ramzi.

— *Lessa* ** *ya Bey, lessa*, dit Mahgoub, qui hésite, puis déplace le vizir pour protéger son roi.

— *Mafich lessa*, s'écrie Ramzi, triomphant, en bougeant son cheval. *Kech Malik !*

— *Lek yom, ya* professeur ! dit Mahgoub, gaiement.

Il ramasse les pièces, les verse dans leur boîte en bois. Il tapote sa cigarette au-dessus du cendrier, en propose une à Isabel, qui sourit et refuse.

— Des cigarettes égyptiennes, insiste-t-il. Regardez.

Il lève le paquet blanc, lui montre une image de Cléopâtre.

Il repose le paquet sur la table.

— Ça fait longtemps qu'on ne vous a pas vue, Amal, dit le professeur Ramzi, en souriant. Il faut la visite d'une Américaine pour que vous vous déplaciez ?

— Vous savez comment c'est, ya professeur, soupiré-je, maladroitement. Les circonstances...

— Vous venez de New York ? demande-t-il à Isabel.

Ramzi Yousouf a dans les soixante-dix ans. Dans ma jeunesse, il était aussi célèbre pour ses conférences de philosophie que pour sa belle chevelure et son regard doux. Il a toujours ses cheveux, même s'ils sont blancs, et les mêmes yeux intelligents, quoiqu'ils soient plus petits à présent, et un peu plus enfoncés dans leurs orbites. Il a toujours aimé les femmes, et regarde Isabel avec une admiration non dissimulée.

— Ah, si j'avais vingt ans de moins, je vous montrerais une Égypte...

Il secoue la tête avec regret.

* Rends-toi.
** Pas encore.

— Et dans vingt ans ? demande Isabel.

— Dans vingt ans ?

Il part d'un grand rire, puis il a une petite quinte de toux.

— Je pourrais vous montrer ma nouvelle résidence, dans l'Imam. Ou le paradis, peut-être.

— Isabel veut savoir ce que nous pensons du troisième millénaire, dis-je. Elle a un projet de...

— Je sais, je sais, interrompt-il, avec un geste impatient. Ce n'est pas à moi qu'il faut poser la question. Je suis vieux. (Il hausse les épaules.) Pour moi, ça ne change rien.

— Il n'y a qu'une jeunesse : la jeunesse du cœur, professeur, dit Mahgoub.

Il travaille pour une compagnie d'aviation, mais il a été suspendu pour avoir craché dans le verre d'un passager de première classe qui avait fait pleurer une hôtesse, après l'avoir pelotée.

— Même le cœur vieillit, rétorque le professeur Ramzi.

Il se tait, regarde devant lui. Je ne sais pas ce qu'il voit.

— Mais vous êtes jeune, reprend-il, et vous ne me croirez pas. Le millénaire ? Rien ne change, jamais. Ce sera pareil.

— Comment ça pourrait être pareil, ya professeur ? objecte Mahgoub.

— *Haram 'aleik, ya* professeur, intervient Dina. *Ya'ni*, tout ce que nous faisons ne servira à rien ?

— Eh ! soupire Ramzi en haussant les épaules. Ce que vous faites, vous le faites parce que vous êtes jeunes. Les jeunes doivent se battre. S'ils ne se battent pas, ils ont l'impression que la vie n'a pas de sens. Ils sont perdus. Vous savez (il s'adresse à Isabel), dans les pays où l'on n'a pas besoin de se battre, la Norvège, la Suède, les jeunes se tuent.

— Comme ça on meurt dans tous les cas, ricane Mahgoub. Merci.

— Ça ne peut pas être si simple, plaide Isabel. Les choses évoluent, notamment dans votre pays.

— *Tochki*, dit Mahgoub, en riant. Tochki résoudra tout.

— *Tochki ou alla ma Tochki*, dit le professeur Ramzi. Tout ça, c'est des paroles en l'air (il dessine une spirale avec sa main).

Une femme hésite dans l'embrasure de la porte, fait quelques pas dans la salle. On la regarde. Dina se lève.

— Arwa ! s'écrie-t-elle, et elle va l'accueillir.

— Qui est-ce ? demande Isabel.

Arwa Salih, l'un des chefs de file du mouvement étudiant du début des années soixante-dix. Je me souviens d'elle, la nuit du *Great Stone Cake*, en 1972. On avait arrêté nos camarades, à l'université, et nous avions organisé un *sit-in* place Tahrir. Tout Le Caire s'était joint à nous. Cela non plus n'avait servi à rien. Nos revendications n'avaient pas abouti, on nous avait dispersés. Après cela, Arwa cessa tout militantisme. Elle prit un travail dans une agence de presse, où elle traduisait les nouvelles financières. Le soir, elle s'occupait bénévolement d'une petite galerie d'art à Zamalek*. Elle s'est mariée trois fois, n'a jamais eu d'enfants.

— Elle est étonnante, souffle Isabel, comme Dina conduit Arwa vers notre table.

— Je ne voudrais pas vous interrompre, hésite Arwa.

Puis elle me voit et nous nous étreignons. Cela fait plus de vingt ans. Mahgoub apporte une chaise.

— Écoute, *ya setti*, dit-il.

Il lui parle du projet d'Isabel.

— Le professeur Ramzi dit que rien ne va changer, conclut Mahgoub.

— Si, ça va changer, affirme Arwa en s'asseyant.

Elle accroche son sac à main au dossier de sa chaise, croise les jambes.

— Ça va empirer, poursuit-elle. Nous nous préparons une ère de suprématie israélienne dans tout le secteur. Un empire israélien.

— Bravo, s'exclame Mahgoub. Arwa a résumé la situation.

— Vous pensez réellement cela ? s'étonne Isabel.

Elle paraît médusée. Nous n'avons jamais évoqué la question, je trouvais notre amitié trop fragile.

— Oui. Ils œuvrent en ce sens, et ils ont l'*Am*érique derrière eux. Une *Pax Americana*, pour masquer la domination israélienne sur cette région qu'ils appellent le Moyen-Orient.

Arwa surprend toujours : elle parle de façon très directe,

---

* Quartier résidentiel du Caire.

pour une femme — pour une belle femme à l'air timide, hésitant.

— C'est une vision extrémiste, hasarde Isabel.

— Ils parlent déjà de cerveaux israéliens et de main-d'œuvre arabe, rétorque Dina.

Avec son jean, ses lunettes, ses cigarettes, Dina est toujours passée pour une militante — ce qu'elle est, sauf qu'elle s'est fatiguée avec le temps.

Sans doute est-ce le premier détail qui frappe lorsque l'on regarde ces trois femmes : Arwa et Dina ont des poches sous les yeux, les épaules voûtées, la peau terne, elles paraissent usées. Alors qu'Isabel respire la santé, affiche un optimisme innocent. Elle a l'air toute neuve.

— Et puis regardez la région, enchaîne Mahgoub. Regardez l'Algérie. Pensez à ce qui est arrivé au Liban. Au Soudan. En Libye. Aux Palestiniens. À l'Iraq. Le troisième millénaire ? L'avenir qu'ils nous réservent est horrible !

— Ce qui est horrible, remarque Dina, c'est d'avoir adopté la position de la victime, de ceux à qui on fait du tort. Nous sommes assis à cette table, et nous disons : « Ce qu'ils ont planifié pour nous, ce qu'ils nous font. » Nous attendons de voir ce qu'« ils » vont encore nous faire. Et quels moyens avons-nous de riposter ?

— C'est l'histoire, dit Ramzi. La conjonction de plusieurs facteurs. Dans cent ans, les historiens prétendront que c'était inévitable. Si nous pensons à l'Égypte d'il y a cent ans, nous voyons que ce qui s'est passé était inévitable.

— Que s'est-il passé ? demande Isabel.

— Nous appartenions à un Empire ottoman moribond. Notre khédive Ismail adorait le modernisme, l'Europe, le spectacle. Ce projet de canal à Suez lui plaît, il emprunte de l'argent. Il ne prend pas garde à l'identité des prêteurs. Il emprunte en Europe — à l'Angleterre, aux Rothschild, à la France. Ce faisant, il s'ampute d'un index à chaque main. L'Europe est puissante, elle va de l'avant, l'époque est au colonialisme. Leur vieil ennemi, l'Empire ottoman, est à l'agonie. Aussi profitent-ils des dettes du khédive pour s'implanter dans cette partie de l'empire qui est la nôtre : l'Égypte. Le reste appartient à l'histoire.

— Et le mouvement nationaliste, *ya* professeur ?

— Le mouvement nationaliste ne compte pas. Les Anglais ont prétendu qu'il mettait en péril le remboursement de la dette. Ce qui leur a permis de justifier l'occupation du territoire. Mais ils seraient venus, de toute façon. Ils auraient trouvé un moyen.

Dina remonte ses lunettes sur son nez, l'un de ses tics.

— C'est injuste, intervient-elle. Les Anglais sont arrivés à un moment crucial de notre histoire. Ils ont stoppé le développement du pays : notre avancée vers la démocratie, l'éducation, l'industrialisation, la modernité.

— *Taïeb, ya setti*, cela fait maintenant cinquante ans, cinquante-six ans, que nous avons retrouvé notre indépendance, et qu'avons-nous fait ?

— Vois la différence entre nous et nos cousins de l'autre côté de la frontière, dit Arwa. Tu crois que si les Anglais ne les avaient pas aidés, s'il n'y avait pas eu de déclaration de Balfour, Israël n'existerait pas ? Bien sûr que si ! Ils n'auraient pas baissé les bras, ils n'auraient pas pensé : « Les Anglais ne vont pas nous aider, le sultan ne va pas nous vendre la Palestine, les Arabes ne vont pas partir. »

— Mais ils appartenaient au mouvement colonialiste. L'esprit du temps jouait en leur faveur, déclare Mustafa al-Charqaoui, qui, debout près de la table, n'avait rien dit jusqu'ici.

Mahgoub se tourne vers lui.

— Pourquoi es-tu si peu loquace, *ya* Mustafa ? Ça ne te ressemble pas. Dis-nous ce que tu penses.

Mustafa est un petit homme au regard intense, il porte des lunettes en écaille à l'ancienne mode. Il ne lui manque plus qu'un béret pour qu'on l'imagine aux Deux Magots, dans les années cinquante.

— Ce que je pense ? Je pense que nous sommes une nation de lâches, répond-il, amer. Je regrette de devoir dire ça, surtout en présence d'une invitée. Nous nous contentons de slogans : « Les Égyptiens, ce grand peuple. » « La nation non violente, patiente, qui bouleverse le monde quand elle se rebelle. » Quand s'est-elle rebellée ? Lorsque Orabi a pris leur défense, les Égyptiens l'ont trahi. Ils se sont défilés, ils ont laissé les Anglais rentrer. Tu vas me parler de 1919, or 1919 n'a pas été une révolution, mais des manifestations qui n'ont rien changé.

— Doucement, doucement, *ya* Mustafa. 1919...

— 1952 ? Ce n'était pas un soulèvement populaire, mais un mouvement militaire qui a profité de la colère du peuple et qui a prétendu parler en son nom. Or le peuple ne s'est pas exprimé.

— Et « nous » alors, que sommes-nous ?

— Nous sommes un groupe d'intellectuels qui allons à l'Atelier ou au Grillon pour palabrer. Dans nos écrits, nous nous adressons à nos amis. Nous sommes totalement coupés du peuple. Le peuple ignore notre existence.

— Les gens du peuple en savent plus que tu ne crois, rétorqué-je. Ils regardent la télévision. Ils ont des récepteurs satellites dans les villages.

— Bien. Et que regardent-ils, à la télé ? Des nouvelles censurées. Des *soaps* émasculés, parce que la télévision a besoin de les vendre à nos maîtres, dans le Golfe. Ce n'est pas toi qu'ils voient, à la télé.

— Et les intégristes, dans tout ça, demande Isabel. Pensez-vous qu'ils parlent au nom du peuple ?

— Les fondamentalistes ne sont rien, marmonne le professeur Ramzi. Ils ont juste besoin d'un peu de nourriture et d'un toit.

— Ce sont eux qui sont sur le terrain, réfute Mahgoub. Quelqu'un peut expliquer comment ils ont réussi à occuper une telle place ?

— Tous les autres partis ont été interdits, remarque Dina. Cela fait cinquante ans que nous n'avons pas de démocratie.

— Le parti intégriste a été interdit comme les autres, dit Mustafa al-Charqaoui. On les a contraints à la clandestinité et ils ont resurgi. On a tué leurs leaders. Ils en ont trouvé d'autres. Les projets économiques se sont révélés être des escroqueries, or leur crédibilité n'a pas été entamée. Leurs militants se font tuer tous les jours : ils en recrutent des nouveaux. Ils ne disparaîtront pas. Ils ont même un programme électoral, et ils ont adopté le langage de la gauche : ils parlent de justice sociale.

— Ils ont un idéal qui plaît au peuple, renchérit Arwa,

car il redore leur ego. « Vous n'êtes pas obligés de devenir la décharge publique de l'Occident, leur disent-ils. Vous valez mieux que ça. » Cette pensée trouve un écho parmi les milliers de jeunes gens qui vont à l'école, à l'université, puis qui se trouvent dans une impasse.

— Vous connaissez l'histoire de la lampe ? demande Mahgoub. Un jeune homme va se marier et il ne déniche pas d'appartement. Sa fiancée menace de le quitter et d'épouser un riche Arabe. Il erre dans la rue, découragé, et il voit la lampe d'Aladin dans le caniveau. Il n'arrive pas à y croire. Il la ramasse, la frotte, le génie apparaît et lui dit : « *Chobbeyk lobbeyk, Khaddamak beyn eidek*, quel est ton désir ? — Un appartement, génie, un tout petit appartement : une chambre, une entrée, une petite salle de bains et une cuisine. » Le génie le regarde avec mépris : « Si un tel appartement existait, dit-il, tu crois que je vivrais dans cette maudite lampe ? »

Tout le monde éclate de rire. Je traduis la plaisanterie à Isabel, qui rit à son tour. Ghazali apporte du café au professeur Ramzi.

— Quelqu'un, *ya bahawat*, veut un sandwich ? demande-t-il.

— Oui. Qu'est-ce que vous avez ? dit Ramzi.

— *Ya'ni*, que pourrait-il avoir, *ya* professeur ? se moque Dina. Du fromage et du rosbif ! Ça fait trente ans qu'il a du fromage et du rosbif !

'*Am* Ghazali sourit.

— Aujourd'hui, nous avons aussi du poulet, pérore-t-il.

— *Taïeb*, je vais prendre du poulet. J'espère qu'il est frais.

Nous passons notre commande.

— '*Am* Ghazali, où serons-nous en l'an deux mille ? demanda Mustafa al-Charqaoui.

— Nous serons sous la protection de Dieu, par Sa Grâce.

— Voilà. Vous voyez, dit-il, quand Ghazali est parti. Un vrai cliché. Cela lui évite de penser.

— Cela lui évite d'avoir à vous répondre, rétorque le professeur Ramzi.

— C'est là-dessus que s'appuient les militants, sur ces formules religieuses toutes faites, ronchonne Mustafa.

— *Ya Akhi non*, réplique Mahgoub. Non ! Les discours

religieux condamnent les tueries et les bombardements. Tout cela est lié à l'économie.

— Et à la politique du gouvernement, renchérit Dina. On les a laissés prendre de l'importance. On les a même encouragés ! En voulant éradiquer les mouvements d'extrême gauche, Sadate les a encouragés.

— Et pas seulement Sadate, ajoute Arwa, bien qu'elle le haïsse. Qui leur a donné l'élan dont ils avaient besoin dans les années quatre-vingt ? Qui les a financés, qui leur a donné des armes en Afghanistan ?

— Pourraient-ils prendre le pouvoir, s'il y avait des élections libres ? hasarde Isabel.

Il y a un silence. Un long silence. Un homme qui braillait dans le téléphone regarde autour de lui, surpris, et baisse la voix.

— Probablement, oui, déclare Dina. Ils sont organisés. Ils ont des fonds. Et un véhicule publicitaire à disposition dans chaque mosquée.

— Et alors ?

— Alors ils nous pendraient, tous.

— Vraiment ?

— Ils seraient bien embêtés. Ils n'ont pas de programme politique, excepté : « L'islam est la solution. » Ils n'ont réponse à rien.

— Tu réalises, dit le professeur Ramzi avec un grand sourire, quand tu parles de programme politique, que le gouvernement de Mahmoud Sami al-Baroudi a essayé de mettre en place le même programme que toi, il y a plus de cent ans ?

— C'est vrai ? demande Isabel.

— Mais oui, répond le professeur Ramzi. Écoutez : la fin de l'occupation étrangère, le remboursement de la dette égyptienne (il compte sur ses doigts), un parlement élu, une industrie nationale, l'égalité des hommes devant la loi, la réforme de l'éducation, la liberté de la presse. C'était le programme en sept points de ce gouvernement. Et c'est toujours ce que veulent les jeunes d'aujourd'hui.

Ghazali pose les sandwiches sur la table, son plateau en équilibre sur une main.

— Et c'est aussi ce que réclament les fondamentalistes ?

— Ça se peut, dit Mahgoub, mais ils s'opposeront à la

liberté de la presse. Et ils ne laisseront pas n'importe qui se présenter au parlement.

— Nous sommes allées à Minieh il y a quelques jours, dis-je.

— Comment ça, nous ? Tu n'as pas emmené ton invitée avec toi ?

— Si. Nous sommes allées à Tawasi. Il y avait des barricades tout le long du chemin. Nous avons vu trois jeunes gens arrêtés par la police, des paysans. Ils les avaient ligotés avec des cordes.

— C'est devenu la guerre. Surtout dans le Saïd.

— Mais je ne pense pas que ces jeunes gens soient des terroristes, ni même des islamistes.

— Quand on lâche la bride aux policiers, ils se défoulent.

— Le problème, c'est qu'ils profitent de ces nouvelles loi sur la propriété terrienne, remarque Dina. Si une personne proche des autorités veut chasser des paysans de ses terres, elle usera du prétexte fondamentaliste pour le faire. Nous avons monté quelques dossiers, mais il est difficile de convaincre un fellah d'entreprendre une action en justice. Cependant, certains le font.

— Ils ont fermé notre école, déclaré-je. J'ai envoyé un ami chez le gouverneur. L'homme veut une liste des professeurs avant de rouvrir l'école. Or ce sont des classes du soir, deux petites classes.

— Tu ne peux pas remettre une liste de noms au gouverneur ! s'offusque Dina. De toute façon, personne ne te la donnera.

— Des siècles de méfiance, dit le professeur Yousouf. On ne se débarrasse pas de son histoire.

— Je sais, dis-je.

— Ya professeur, on peut influer sur l'histoire de son pays, proteste Dina. Ce sont les gens qui font l'histoire ! Le problème, c'est que nous abandonnons ce devoir à d'autres.

— Mais ce sont les gens qui ont le pouvoir qui font l'histoire ! rétorque Arwa, et nous, nous n'avons aucun pouvoir. Au moins, quand il y avait deux superpuissances, on pouvait s'infiltrer entre les deux. Aujourd'hui il n'y a plus d'espace.

— C'est nous qui avons le pouvoir ! s'insurge Dina. On essaie de nous persuader du contraire, c'est tout. Et pour user de ce pouvoir, il faut le vouloir. Et puis, on ne peut pas se permettre de jouer les riches contre les pauvres, les coptes contre les musulmans.

— Je pense qu'on pourrait désamorcer le phénomène islamiste si l'on avait une vraie démocratie, intervient Mahgoub. Si chacun, eux y compris, pouvait s'exprimer publiquement, débattre des questions importantes en public. Il faudrait inviter les islamistes à un débat télévisé avec des intellectuels musulmans, avec le Cheikh d'al-Azhar.

— Les gens éteindraient le poste ! s'exclame Mustafa. *Salam 'aleikoum.* Tout cela ne mènera nulle part. Il faut que j'y aille.

— Pourquoi es-tu si pressé ? dit Mahgoub. Reste avec nous.

— Non, j'y vais. Je vous laisse refaire le monde.

Il lève la main pour saluer l'assemblée et s'en va.

— Le gouvernement ne fera pas ça, poursuit Dina. Ils ne prennent pas de risques, et quant aux enjeux religieux, ils surenchérissent sur les islamistes : nous sommes plus musulmans que vous, disent-ils. Ce faisant, ils jouent leur jeu.

— Leur popularité tient au fait que les gens ont besoin d'un idéal. La politique de Nasser, avec tous ses défauts, toutes ses erreurs, tous ses inconvénients, offrait un idéal aux jeunes. Un projet à l'échelle nationale. Qu'en est-il aujourd'hui ? Nous avons l'idéal du consommateur, nous essayons de rester accrochés aux jupes de l'Amérique.

— Où iras-tu pêcher un projet national aujourd'hui ? marmonne le professeur Ramzi. Tu crois que tu peux nous inventer un projet national ? Sur quoi a débouché le projet de Nasser ?

— *Ya* professeur, un projet national ne se réalise que s'il reflète la volonté du peuple, dit Arwa. Or le peuple a besoin d'espace et de liberté pour avoir une volonté. De liberté pour s'interroger sur tout : la religion, la politique, le sexe.

— Parce que les sans-culottes avaient l'espace et la liberté qu'ils voulaient.

— Non, et votre révolution sera islamiste, et radicale. Toutes les autres idéologies tournent court. Le capitalisme n'est pas une idéologie, ce n'est pas quelque chose auquel les gens aspirent — et, dans notre pays, il n'est qu'une cause de frustration, d'irritation. Voyez ces publicités, à la télévision. Des annonces pour des produits que l'Égyptien moyen ne pourra jamais s'offrir, même s'il économisait toute sa vie.

— Ce sont des pubs pour ceux qui ont des palais à Agami, renchérit Mahgoub. Des types comme Tareq Atiyyah.

— Vous savez, hasarde Isabel, nous avons ce problème aux États-Unis : le fossé grandit entre les riches et les pauvres. J'ai lu un article dans lequel on comparait la vie en Amérique aux dernières années de l'Empire romain.

— Le capitalisme, en un mot, ricane Arwa.

— Il me semble, reprend Isabel, au bout d'un moment, que les gens analysent la situation, mais que personne ne dit : « Voilà ce que nous devrions faire. »

— Je ne crois pas que quiconque, parmi nous, sache ce qu'il convient de faire, objecté-je.

— Moi, j'ai plusieurs idées, annonce Dina. Nous devrions protester contre les sanctions visant l'Iraq. Nous devrions imposer une date butoir à ce prétendu processus de paix. À quoi sert de parler de paix, quand les Israéliens continuent à construire des infrastructures qu'on ne pourra pas démolir ?

— Si c'était vraiment nécessaire, vous feriez la guerre ? demande Isabel.

— S'il le fallait, oui. Et j'arrêterais cette plaisanterie de « normalisation ». Quelle normalisation est possible avec des gens qui créent sans cesse de nouvelles infrastructures et chassent les gens de leur terre ? Qui disposent d'un arsenal d'armes nucléaires et crient au loup quand un pays possède quelques missiles ? Et tout cela nous concerne : tôt ou tard, nous allons subir le sort des Iraquiens et des Palestiniens.

— Et quand l'Amérique vous coupera les vivres ? dit Mahgoub, avec un sourire malicieux à l'égard d'Isabel.

— Quels vivres ? Tu sais que soixante-dix pour cent de leur argent sert les intérêts de leur économie ! Ça revient directement dans leur poche ! Tu crois qu'ils nous aident par charité ? Moi je leur fermerais la porte. Je mobiliserais les gens pour que nous redressions la situation.

— C'est impossible. Il y a trop d'intérêts économiques en jeu entre l'Égypte et l'Occident.

— Tu as mis le doigt dessus, remarque Dina. Les intérêts des classes gouvernantes sont différents, quasiment opposés aux intérêts du peuple.

— *Ya* Dina, *ya Ulama* ! lance un homme, debout devant l'appareil téléphonique.

Il agite le combiné à l'adresse de Dina. Elle bondit.

— C'est mon fils ! s'exclame-t-elle. Je lui avais dit qu'il pouvait m'appeler ici.

— *Khalas ya Mahgoub*, enchaîne Arwa. C'est soit la domination israélienne — soutenue par l'Amérique —, soit les Islamistes. Fais ton choix.

— Ni l'un ni l'autre ! Nous les tiendrons en respect, réplique Mahgoub.

Il se tourne vers Isabel.

— Votre gouvernement... Les Américains que je rencontre sont des gens bien, mais la politique étrangère de ton gouvernement est affreuse. Ce n'est pas bon, pour un pays, d'être haï par autant de gens.

— Eh bien, soupire Isabel, comme je le disais tout à l'heure, d'aucuns pensent que nous sommes déjà en plein déclin. En plein déclin moral.

— L'histoire, conclut le professeur Ramzi. C'est...

Il a un geste évasif.

— Peu de chose. L'Égypte existe depuis si longtemps ! Elle a vu maints événements. Le prochain millénaire ne sera pour elle qu'un millénaire de plus.

17.

« Mais nous, telles des sentinelles,
devons veiller dans la nuit
noire et attendre notre heure. »

John Dryden.

La situation ne peut pas être aussi dramatique. Il doit y avoir une issue. Mais les choses évoluent, et le temps que vous mettiez une stratégie au point, le monde autour de vous a changé et vous êtes décalé. C'est tout l'avantage du passé. Il reste inchangé. L'histoire vous est donnée dans son entier. Vous pouvez revenir en arrière, relire le début, lire la fin avant d'avoir terminé. Vous connaissez toute l'histoire — ceux qui l'ont vécue n'en avaient que des fragments.

Le 3 avril 1901
Pas de message. Pas de lettre. Rien. Cela fait trois jours que nous sommes rentrés.

James Barrington sait en partie mon aventure. J'ai jugé préférable de rester près de la vérité. Je ne puis dire que j'ai voyagé seule avec Sabir dans le Sinaï sans frôler l'invraisemblance. Cela dit, j'ai passé sous silence la première partie de notre aventure. Je nous ai fait rencontrer Charif Pacha et ses compagnons dans le désert oriental : ils apprennent notre destination, qui se révèle être la leur, et nous prennent sous leur protection.

J'ai fait part à Sabir de cette version censurée. Il l'a très bien comprise et nous avons cheminé à cheval jusque chez James, dans de meilleurs termes qu'au départ. James fut si soulagé de nous voir ! C'était touchant. Cependant je m'interroge : à quoi attribuer ce soulagement ? À sa peur d'affronter la colère de lord Cromer si jamais il nous était arrivé malheur ? Toutefois, il s'est oublié au point de passer un bras autour des épaules de Sabir et de lui donner quelques coups de poing pour rire. Après m'être changée (comme cela me paraît étrange tous ces laçages, ces agrafes, ces tralalas !)

et avoir fait prévenir Emily de mon retour, je me suis assise — sans chaperon — et j'ai raconté mes aventures à James. Peut-être mon récit a-t-il été plus explicite que je ne le souhaitais, car au moment de mon départ, il a pris mes mains dans les siennes et m'a dit : « Ça ne va pas vous monter à la tête, n'est-ce pas, Anna ? » J'ai ri. « Qu'est-ce qui ne doit pas me monter à la tête ? » lui ai-je demandé. « Ces ciels étoilés, ce désert, a-t-il répondu. Vous savez que ce n'est pas souhaitable. »

En arrivant chez les Baroudi, j'ai eu l'impression de rentrer chez moi, j'en ai pleuré de joie ! Nous nous sommes présentés devant la grande porte, dans des circonstances bien différentes, cette fois ! Je me suis glissée à l'intérieur, j'ai ôté mes voiles. Laïla a couru vers moi pour m'accueillir. Nous nous sommes embrassées comme deux sœurs, elle m'a tenue à bout de bras, elle m'a regardée. « Quel beau jeune homme vous êtes devenue ! s'est-elle exclamée. Et si bronzé ! Il va vous falloir utiliser des tonnes de poudre à votre prochaine réception chez les Anglais ! » Elle a ri. Le petit Ahmad a crié mon nom et n'a eu de cesse que je le prenne dans mes bras et l'assoie sur mes genoux, comme je mangeais mon sorbet et racontais mon voyage à sa mère.

Puis, quand j'ai repris mes habits d'homme et mis mon chapeau, Laïla a été troublée.

— C'est toujours moi.

— Je sais... mais quand même...

Alors j'ai claqué les talons et lui ai baisé le bout des doigts. Elle a promis de m'envoyer un mot et elle l'a fait : demain elle m'emmène voir plusieurs dames de sa connaissance.

Demain j'aurai peut-être des nouvelles de lui.

Le Caire
Le 5 avril 1901
Mon cher sir Charles,

Je suis rentrée à l'hôtel Shepheard depuis une semaine, et ce n'est pas désagréable d'avoir une salle de bains, un bon lit et une armoire pleine de robes. Néanmoins, la vie simple et grandiose du désert me manque. De retour au Caire, j'ai encore plus de mal qu'avant à écouter les propos suffisants proférés à l'Agence avec une telle inconscience, je crains de devenir plus susceptible sur certains points qu'il ne sied à une femme.

Mais parlons d'un sujet plus plaisant : mes nouveaux amis

gagnent à être connus. Hier, je suis allée voir une dame du nom de Nour al-Houda Hanem avec Laïla al-Baroudi. Les dames de l'Agence s'ennuient lors des visites au Grand Harem. Après les salutations d'usage, elles s'assoient en cercle et sirotent du café en silence jusqu'au moment de partir. Eh bien, c'est sans rapport avec la réception à laquelle j'ai été conviée hier dans un petit palais près du Nil — un véritable joyau. Nour al-Houda Hanem (âgée de vingt-deux ans) est plus jeune que Laïla et moi, mais elle est très sage et possède une excellente éducation. Cependant, je l'ai trouvée un peu triste. J'ai appris ensuite qu'elle avait récemment consenti à retourner chez son mari, après une séparation de sept ans. Elle ne le souhaitait pas, et elle n'y a consenti que parce que son frère — un frère aîné qu'elle adore — a fait le vœu de ne pas se marier tant qu'il ne la saura pas en sécurité dans la maison de son mari.

Chez elle, nous avons rencontré deux dames françaises : une Mme Richard, veuve d'un ingénieur français qui a travaillé aux projets d'irrigation. Restée en Égypte après sa mort, elle est devenue, semble-t-il, une sorte de préceptrice pour Nour al-Houda Hanem. L'autre femme est très intéressante. Elle s'appelle Eugénie Le Brun et a épousé un pacha égyptien — un pacha turc, en fait, du nom de Hussein Rushdi, ils font la différence, ici, entre les notables d'ascendance turque et ceux d'origine égyptienne. Elle s'est installée au Caire, et convertie à l'islam. Cette petite réception était donnée en l'honneur d'une certaine Zeinab Fawwaz, qui réside habituellement à Alexandrie. Elle est syrienne, et très bien vue. Elle a publié plusieurs articles sur « la question des femmes ». Je vous vois froncer les sourcils, mais je vous assure, cher sir Charles, que vous trouveriez ces dames sympathiques. Elles pensent que le premier devoir d'une femme est de veiller au bien-être de sa famille, mais qu'elle s'en occupe mieux si elle est instruite. Elles écrivent également des articles pour dénoncer la réclusion de la femme, arguant du fait que les paysannes ont toujours travaillé avec leurs maris et que la société ne s'en est pas plus mal portée. Mme Fawwaz a publié un livre contenant de courtes biographies de dames éminentes — nos reines Elizabeth et Victoria en font partie !

J'avoue avoir trouvé la compagnie et la conversation de ces dames des plus plaisantes. Nous sommes bien loin de l'image d'indolence et de torpeur qu'on attribue généralement à la vie dans les harems.

Je vais conclure, car je me laisse emporter et vous allez penser que je deviens féministe, quand je reste, en fait, votre fille aimante...

Je vois là une Anna transformée, revigorée. Chaque matin, elle attend quelque chose de nouveau et de bien de la journée. L'Égypte, qui jusqu'alors se dérobait à elle, lui ouvre à présent les bras. Devenue l'amie de Laïla Hanem al-Baroudi et de Mme Hussein Rushdi, ces dames du Caire l'accueillent dans leurs maisons et l'invitent à leurs thés. Emily a noté ce changement. Elle se réjouit de voir sa maîtresse plus heureuse, mais s'inquiète qu'il ne soit pas question de rentrer en Angleterre. Effectivement, il n'est pas question de rentrer ; si Anna se régale d'impressions nouvelles, son cœur reste sur sa faim.

Le 4 avril
Aujourd'hui, dans la voiture, j'ai profité que nous soyons seules pour demander à Laïla si Charif Pacha était bien rentré du Sinaï, et m'inquiéter du fait que son travail aurait pu souffrir de son absence. Elle m'a rassurée sur ce point. « Vous êtes une bonne cavalière et vous avez une grande résistance, paraît-il », a-t-elle ajouté. Ce fut tout. Par la suite, j'ai compris qu'il part demain en Haute-Égypte : il accompagne sa mère sur ses terres. Je ne pourrai donc avoir de ses nouvelles avant quatre ou cinq jours.

Le Caire
Le 8 avril 1901
Cher sir Charles,
J'ai reçu votre lettre du 23 mars et je suis heureuse que vous soyez en bonne santé, de belle humeur et optimiste pour les affaires irlandaises, qui sont au mieux, dites-vous, depuis la mort de Parnell. J'espère que vous trouverez là un motif de satisfaction qui vous consolera, du moins en partie, des événements d'Afrique du Sud. Quand j'ai des nouvelles de là-bas, je pense aussitôt à vous, car je sais à quel point cette situation vous affecte.
Nous avons eu une tempête de sable hier et aujourd'hui c'est encore pire que notre fog *londonien. Car à Londres on peut se réfugier chez soi et oublier le mauvais temps. Ici, le sable s'infiltre partout, à travers les fenêtres les plus hermétiques, jusque dans mes cheveux, dans mes papiers, dans mes effets, quels que soient les*

meubles où ils sont enfermés. J'ai la nostalgie de l'Angleterre, car nous sommes en avril et la nature va refleurir. Je vois le vert tendre des pelouses, brillant de pluie, et je sens l'odeur de l'herbe fraîchement coupée. Je pense surtout au magnolia : sa floraison est si brève ! Je vais devoir attendre un an pour le voir à nouveau en fleurs.

La dernière fois que nous avons pris la voiture, j'ai repéré un grand arbre très beau, avec des branches presque horizontales. M. S. m'a dit qu'il s'agissait d'un bombax malabricum, *ou mûrier rouge, et qu'il venait d'Asie tropicale. Il ne connaissait pas son nom en arabe. Je trouve curieux que ce monsieur, et d'autres, semblent adorer ce pays autant qu'ils détestent ses habitants. Dans leur esprit, la séparation entre les deux est très nette.*

M. S. et moi avons échangé des propos peu aimables il y a deux jours. Nous marchions rue Qasr el-Nil et nous sommes passés devant un café où un groupe de messieurs égyptiens discutaient d'un article qui venait de paraître : j'ai vu l'un d'eux tendre le journal plié à un autre. Ils se sont tus quand nous sommes arrivés à leur hauteur et nous ont jeté un rapide coup d'œil. Ils ont repris leur discussion une fois que nous fûmes passés. M. S. a profité de l'occasion pour fulminer contre « ces vieux nationalistes » qu'on voit assis dans les cafés, qui se plaisent à tenir « des propos séditieux et à mettre dans l'embarras, avec leurs regards libidineux, les dames européennes qui passent devant eux ». Je lui ai dit, très gentiment, n'avoir rien perçu de la sorte dans les regards de ces messieurs. Il m'a répondu que je n'étais pas capable de juger du « caractère des autochtones » et que j'avais bien de la chance de ne pouvoir comprendre ce qu'ils disaient sur moi. Aussi, il savait de source sûre que ces hommes sont tous des vauriens, et ne rêvent de rien tant que de déshonorer une Européenne — a fortiori une Anglaise. Je ne lui ai pas fait remarquer qu'il parle encore moins bien arabe que moi, mais je lui ai demandé s'il connaissait des Égyptiens. Il m'a répondu, avec assurance, qu'il n'en connaissait pas « de ce genre-là », mais qu'il était lié avec M. Faris Nimr, le directeur d'al-Mouqattam, « un vrai gentleman et un anglophile » et qu'il tient son opinion de ses conversations avec M. Nimr. N'ayant jamais rencontré ce M. Nimr, je ne sais que penser.

Mardi, je vais à l'opéra avec Mme Rushdi, voir Sarah Bernhardt dans La Dame aux camélias. *Je serai dans une loge de harem et j'attends cet événement avec impatience. Soyez certain*

que je vous raconterai la soirée dans le détail. Dans cette attente,
je reste votre dévouée...

Le 10 avril
Toujours rien. Mais un mot de Laïla pour me dire que sa
maman est rentrée et qu'elle serait heureuse de me recevoir. Aussi
irai-je les voir demain.

Nous avons eu une soirée musicale chez James Barrington
hier. Temple Gairdner a joué du piano de façon inspirée.
Mme Butcher m'a dit que cet homme avait une belle âme. Elle
préférerait seulement qu'il s'inquiète davantage de faire le bien
autour de lui que de convertir des musulmans.

J'ai eu une étrange conversation avec James. De tous mes
compatriotes ici, c'est celui dont je me sens le plus proche — en
partie parce qu'il connaît mes aventures (j'ai promis de ne plus
recommencer). Cela n'a pas été une décision difficile, car, grâce à
Laïla, je découvre une Égypte que je n'aurais jamais pu connaître
en continuant à circuler habillée en homme. Et puis, James a de
la sympathie pour les gens, il n'est pas aussi prompt que M. S.
dans ses jugements et ses déclarations. Ce dernier m'a dit que je
devrais faire plus attention, que je prenais ouvertement la défense
des Égyptiens et que ça finirait par se remarquer : « Moi qui vous
prenais pour une femme sensée... »

Je suis sensée — je le suis juste assez pour avoir conscience du
préjudice qu'on porte à ce peuple, à ces gens dont on refuse de
reconnaître l'existence. Cette sensibilité vient de mon affection pour
mes nouveaux amis, je le sais. Elle n'en est que plus authentique.

Le Caire
Le 13 avril 1901
Chère Caroline,
J'ai beaucoup pensé à vous ce soir, car j'ai passé la soirée à
l'opéra du Caire. J'ai vu la divine Sarah Bernhardt, expérience
mémorable, vous auriez aimé. J'étais l'invitée de Mme Hussein
Rushdi, une Française mariée à un pacha égyptien. Nous étions
toutes les deux conviées par une princesse Ingie (qui n'était pas là).
Nous nous sommes assises dans l'une des loges réservées au harem
royal, toute de peluche et de velours rouges, dotée d'un éclairage
tamisé et d'une jolie grille en fer forgé, parsemée de fleurs dorées —
ce qui nous a permis de suivre le spectacle sans être vues. C'était

extraordinaire d'assister à la représentation dans des conditions si particulières. J'aurais tellement aimé que vous soyez là !

J'ai soupé en tête à tête avec Mme Rushdi après le théâtre. Elle est très intelligente ; elle parle l'arabe et le turc, et j'ai bien l'intention d'apprendre des choses par son entremise. Nous prenions le café, quand un serviteur parut et souffla quelques mots à l'oreille de Mme Rushdi, qui m'expliqua que son mari était arrivé et demandait s'il pouvait être reçu. N'est-ce pas charmant ? Quand j'eus donné mon accord, le serviteur se retira et le pacha ne tarda pas à entrer. Il est assez âgé, mais des plus plaisants, des plus courtois. En outre, il approuve mon désir de connaître l'arabe et de découvrir l'Égypte. D'après lui, je n'aurais pu choisir de meilleur professeur que Laïla Hanem al-Baroudi. J'ai ri et dit que je ne pouvais me flatter d'avoir fait un choix judicieux puisque le destin avait choisi pour moi. « Ah, quel meilleur guide que le destin ? » s'est-il exclamé.

Je suis allée chez Laïla deux fois depuis. Sa maison est joliment meublée, à la française, mais, selon moi, la vieille maison de style arabe est plus belle et mieux adaptée au climat. J'y suis allée il y a quelques jours, et on m'a présentée à la mère de Laïla, Zeinab Hanem al-Ghamraoui, une belle femme d'une soixantaine d'années. Elle a été très gentille, très accueillante, mais nous avons peu conversé, vu qu'elle ne parle pas français, et que mon arabe se limite à des formules de politesse. Cependant, c'était charmant de la voir avec son petit-fils. Laïla se plaint qu'elle le gâte trop, mais cela ne semble pas nuire au petit. Il trouve naturel d'être en compagnie d'adultes, entre et sort à son gré. Sa nounou reste assise dans un coin et l'appelle de temps à autre pour lui essuyer le visage, ou remettre sa chemise en place, mais le plus souvent pour l'embrasser. Je l'ai vue lui souffler dans l'oreille. J'ai demandé à Laïla pourquoi elle faisait cela : « Oh, elle croit que ça chasse les mauvais esprits ! » m'a répondu mon amie.

Vous voyez que je passe le temps agréablement. Je vois toujours mes amis de l'Agence, mais la vie égyptienne me passionne davantage. Peut-être parce que c'est nouveau pour moi. Si l'une de mes amies arabes venait nous voir à Londres, nous trouverait-elle aussi intéressants et plaisants ? Je me le demande.

Il y a longtemps que je n'ai pas eu de vos nouvelles. Écrivez, je vous en prie, car je crains que vous n'oubliiez votre fidèle amie...

Le 20 avril

C'est aujourd'hui le premier jour de l'année 1319 du calendrier musulman, et il ne m'a toujours pas fait signe. Je sais qu'il est au Caire, j'ai réussi à obtenir cette information de sa sœur. Que puis-je, que dois-je penser ? Je me répète nos conversations, je relis mes journaux intimes. Une amitié est née entre nous, là-dessus je n'ai aucun doute. Et, après notre échange dans le jardin du monastère, je n'ai plus craint de lui peser. Il n'était pas sorti pour me voir, mais il s'est inquiété de moi — cela dit, il se serait inquiété de n'importe quelle étrangère sous sa protection. Nous n'avons plus jamais eu de conversation comme celle-là ; cependant les circonstances ne favorisaient pas l'intimité.

Je repense à nos adieux à l'orée du désert, pendant que j'attendais le bateau qui devait me ramener à Suez, à nouveau vêtue de mes voiles noirs. Il se tenait en silence à mes côtés. Il a parlé à Sabir et à Moutlaq, leur recommandant la prudence, j'imagine, tant que nous ne serions pas arrivés à sa maison du Caire. Puis, comme le bateau approchait, je l'ai entendu dire : « Ce fut un plaisir de voyager avec vous, lady Anna. » Sans attendre de réponse, il a tourné les talons, il a enfourché son cheval, et il est reparti dans le désert au galop.

Je ne lui ai pas demandé si je le reverrais. Je pensais qu'il viendrait me voir. J'ai attendu un mot. Laïla et Zeinab Hanem sont des plus adorables et accueillantes, mais elles ne parlent pas de lui, sauf de façon anodine.

Mon frère a emmené Anna dans le Sinaï. Elle a vu le désert, vécu la vie du désert et visité le monastère Sainte-Catherine. Elle a grimpé en haut de Jabal Moussa, elle a étanché sa soif d'aventure, et elle est rentrée saine et sauve au Caire. Comme j'ai été heureuse de la voir, et comme elle-même était contente de me retrouver ! Elle m'a raconté son voyage, et j'ai eu le sentiment que mon frère lui a laissé une bonne impression — voire plus...
Quand Abeih est rentré, je l'ai interrogé sur son voyage. « Tout s'est bien terminé, *al-hamdou lillah* », a-t-il dit. J'ai essayé d'en savoir plus, j'ai demandé : « Lady Anna est-elle bonne cavalière ? — Très bonne cavalière », a-t-il répondu. « Elle t'a causé des problèmes ? — Aucun », m'a-t-il assuré. Je lui ai dit qu'elle m'avait raconté son voyage

et qu'elle lui était reconnaissante d'avoir si bien veillé sur elle. Il n'a pas relevé. Mais je l'ai trouvé plus nerveux que d'habitude. Ma mère aussi l'a remarqué, à son retour de Minieh.

Plus tard, au salon, j'ai parlé à Abeih de ma visite à Nour el-Houda Hanem avec Anna. J'ai dit que Mme Hussein Rushdi était là, que nous avions passé un moment très agréable ensemble et qu'Hussein Pacha semblait très heureux en ménage. Mon frère m'a regardée durement.

— Mme Hussein Rushdi est française, a-t-il dit. C'est différent.

— Différent ? ai-je demandé, innocemment.

— Différent d'une Anglaise, vu la situation.

— Oh, mais tu as toujours dit qu'on devait juger les gens en tant qu'individus et non comme les fruits d'une culture ou d'une race.

— D'après toi, on devrait délibérément chercher les ennuis ?

— Dans le cas présent, ai-je rétorqué en riant, ce sont les ennuis qui sont venus te chercher.

— Merci, ma sœur, fut sa seule réponse...

Le Caire
Le 21 avril 1901
Chère Caroline,
J'ai reçu votre lettre du 7 avec un grand bonheur. Sir Charles m'avait écrit que ce pauvre Bron Herbert avait perdu une jambe pendant la guerre des Boers. Maintenant vous me dites que miss Herbert est devenue théosophe et qu'elle est partie vivre en Californie. C'est étrange que deux événements de ce genre aient lieu dans la même famille, à un si court intervalle ! Pensez-vous qu'ils puissent être liés ? J'aimerais tellement que vous soyez là, que nous puissions discuter, je suis la proie de tant d'impressions nouvelles ! Et si difficiles à coucher sur le papier... Hélas, il est trop tard dans la saison pour que vous veniez, même si vous le souhaitiez.

Les températures commencent à être élevées. Cela dit, ce n'est pas encore la canicule. J'étudie la flore et la faune locales. J'ai vu un cop héron survoler le terrain du club de polo de Ghezirah, l'autre jour. Je l'ai dessiné. Je joins ce dessin à ma lettre.

Le Caire
Le 24 avril
Chère Caroline,

Je viens juste de rentrer d'une étrange réception et je voulais vous en parler sans tarder. C'est un genre de salon littéraire et politique, que tient la princesse Nazli Fadhil dans son palais de façon régulière. Elle est la nièce de Mohammad Ali, et donc assez âgée, mais elle est restée très jeune d'esprit.

Normalement, les femmes ne sont pas admises à ces réunions, mais j'ai montré une telle curiosité quand on m'en a parlé qu'Eugénie (Mme Rushdi) a persuadé son mari de demander à la princesse de faire une exception pour moi.

Elle m'a accordé sa permission, et j'ai accompagné Hussein Pacha chez elle ce soir.

Il y avait là-bas une dizaine de messieurs — Hussein Pacha et un M. Amin étant les seuls Égyptiens. Notre M. Young était là, ainsi que M. Barrington. La princesse est une dame extraordinaire. Elle portait une jupe et un chemisier, elle avait les cheveux teints en noir bleuté, elle fumait cigarette sur cigarette, parlait d'une voix rauque et traînante, en français, en anglais, en turc, en italien, n'utilisant l'arabe que pour s'adresser aux servantes. Je l'ai amusée, je crois, et elle a tenu à m'appeler « la petite veuve ». Il y a eu des discussions passionnées sur le féminisme et le cinématographe (on peut voir des films au Caire et à Alexandrie toute l'année, semble-t-il). Nous avons aussi parlé de la naïveté des Américains, de la rébellion des Boers, de l'interprétation des rêves, de Karl Marx, de la découverte récente de momies égyptiennes — et Dieu sait de quoi d'autre. Et, tout ce temps-là, le champagne coulait à flots.

Vers la fin de la soirée, la princesse a appelé l'une de ses servantes (elles portent toutes des robes en soie somptueuses), elle lui a donné un ordre, et un petit orchestre s'est constitué sans plus de façon. Il y avait un luth, mais l'instrument le plus important était une espèce de tambour, que le musicien tenait sous le bras, et dont il jouait avec les deux mains. Sur un nouvel ordre de la princesse, l'une des servantes — une fille extrêmement belle — se place au centre de la pièce et se met à danser une danse orientale. Les messieurs égyptiens ont paru s'ennuyer, les Anglais m'ont semblé un peu gênés, mais les autres étaient très animés : le Russe et l'Allemand, non contents d'applaudir, se sont levés pour rejoindre la fille.

Rien n'était plus amusant que de voir ces deux hommes, grands et patauds, essayer d'imiter les torsions et tournoiements de la danseuse vêtue d'un costume à paillettes.

Une fois la danse achevée, la maîtresse de maison a demandé plus de champagne, du café turc et des liqueurs italiennes. L'assemblée s'est calmée, puis soudain la princesse s'est écriée : « Regardez la petite veuve, comme elle a l'air heureux ! Il n'y a donc personne parmi vous, messieurs les Anglais, pour l'attraper avant qu'elle ne s'éprenne d'un de ces nationalistes égyptiens aux yeux noirs ? » Malgré les rires, j'ai senti une certaine gêne dans la pièce. Sa remarque n'était pas innocente, j'en suis certaine, la princesse s'amusait de moi avec une certaine cruauté.

Je ne pense pas retourner là-bas : M. Rushdi ne pouvait m'emmener qu'une seule fois, et il est peu probable que je trouve un autre parrain. En outre, je ne pense pas que la princesse puisse devenir mon amie, ou plutôt je pense que je ne peux pas devenir son amie. Je crains de ne pas être assez distinguée pour elle. Il en irait tout autrement pour vous, ma chère Caroline.

Le Caire
Le 25 avril
Cher sir Charles,
J'ai été ravie de recevoir votre lettre du 18 et d'apprendre que nos amis vous ont parlé de moi en bien. Quoique sir Hedworth se soit montré trop flatteur, à mon avis.

Je suis surprise qu'il connaisse Orabi. Il l'a rencontré à Ceylan il y a trois ans, dites-vous. Lorsque nous avons dîné ensemble ici il n'y a fait aucune allusion, ce qui n'est pas étonnant en soi, mais qui aurait pensé qu'il avait des sympathies nationalistes !

Peut-être n'est-ce pas si surprenant, finalement. J'ai moi-même du mal à parler de mes amis égyptiens à mes amis anglais. Quand j'ai dit être allée à l'opéra avec Mme Rushdi, lord Cromer a eu un air désapprobateur. Harry Boyle m'a prise à l'écart et m'a dit : « Vous savez qu'elle s'est convertie à l'islam ? », comme si cela la mettait au ban de la société civilisée.

J'ai essayé — car ce qu'ils savent ils le savent par « ouï dire » — de leur parler de mon expérience. Ils ont semblé écouter, puis la conversation a continué comme si je n'avais rien dit. Deux dames se sont plaintes d'être de nouveau invitées dans un harem et de trouver ces visites monotones. J'ai tenté de leur parler des

Égyptiennes que je connais et elles m'ont paru agacées, comme si ces femmes, déjà si ennuyeuses dans les harems, ne pouvaient l'être que doublement à l'extérieur !

Mon cher sir Charles, je comprends mieux à présent ce que vous disiez dans le passé. Nous nions aux Égyptiens le droit à une identité propre. C'est du moins ce que disait M. Young, lors de ce pique-nique au pied des pyramides, que je vous ai décrit il y a des mois. Ainsi, nous gommons tout scrupule moral quant à notre présence ici. Tant que nous les considérerons comme des animaux domestiques ou de jeunes enfants, nous pourrons rester ici pour les « guider » et les aider à « évoluer ». Mais si nous voyons qu'ils ont conscience de leur place dans le monde et d'eux-mêmes en tant qu'individus, l'attitude honorable consiste à faire nos valises et à partir ; peut-être à conserver un rôle de conseillers économiques, ce que souhaiteraient les Égyptiens, d'après moi.

Tout cela est perturbant. J'aimerais que vous soyez là : je pourrais ainsi vous faire part de mes pensées et de mes expériences de façon plus immédiate. Cela m'aiderait et serait pour vous de quelque intérêt, j'en suis sûre. Hélas, pour le moment, je dois me contenter d'être votre fille exilée...

Le 30 avril
Je suis de moins en moins à l'aise avec mes amis anglais. La façon de penser de M. M. et de M. W. fait écho à la mienne. Le premier a dit hier que nous « émasculions » les classes supérieures égyptiennes afin qu'elles ne soient pas aptes à diriger le pays. Après quoi il m'a demandé de lui pardonner, il n'avait pas voulu employer des mots si forts. Mme Butcher reste mon amie. Cependant, même à elle, je ne puis parler de ce que je ressens. Quant à lord Cromer, j'ai essayé de le sensibiliser aux problèmes de l'éducation des femmes, qui préoccupe mes amies égyptiennes. Il a dit que, si je connaissais mieux l'Égypte, je saurais que les chefs religieux n'accepteraient jamais d'encourager les femmes à sortir de leur condition. Il a ainsi clos le débat.

En m'entendant mentionner lord Cromer, Laïla s'est fermée. J'ai insisté pour avoir son sentiment, et elle m'a dit : « Lord Cromer est un patriote qui sert son pays. Nous comprenons cela. Mais qu'il ne prétende pas servir l'Égypte. »

Le 2 mai
Les jours passent, et le bonheur éprouvé dans le Sinaï n'est plus qu'une douleur qui me pèse sur le cœur. Chaque matin je me réveille avec ce poids sur la poitrine, puis me vient cette pensée : il n'a pas écrit. Il n'est pas venu me voir. Je crois à présent qu'il ne viendra pas.

Le 5 mai
Il paraît que la période de grande chaleur est pour bientôt, et je pense à rentrer en Angleterre. Je me suis attachée à Laïla et au petit Ahmad. J'aime aussi beaucoup les autres dames qu'elle m'a présentées. Mais la compagnie des Anglais ne me sied plus, hormis celle de James, qui reste un ami et m'a pressée l'autre jour de « vous ébrouer, jeune femme ». Sans doute ai-je attribué à Charif Pacha un sentiment qu'il n'a pas, et ne suis-je pour lui qu'une Anglaise excentrique placée sous sa protection, avec laquelle il a été obligé de se montrer courtois. Sans doute lui suis-je parfaitement indifférente.

Cependant, j'espère tomber sur lui chaque fois que je sors, j'espère le voir à chacune de mes visites chez sa sœur, j'espère trouver un mot de lui chaque fois que je rentre à l'hôtel. Le seul moyen d'en finir avec cette obsession est de mettre une distance entre nous, de rentrer en Angleterre.

On frappe à la porte. On délivre un pli. Anna en brise le sceau :

Le Caire, le 5 mai
Madame,
Ma sœur me dit que vous avez l'intention de retourner en Angleterre.
J'ai décidé — après mûre réflexion — de vous écrire. Nous avons voyagé ensemble, et j'espère que nous sommes devenus suffisamment proches pour... Ma chère lady Anna, je n'essaierai ni d'être éloquent, ni de vous parler à mots couverts. Je suis amoureux de vous. Voilà. C'est dit. Pendant des années, j'ai cru que je ne dirais jamais ces mots-là, que tel était mon destin. Il y a longtemps j'ai espéré — comme tous les jeunes hommes —, non, j'ai plus qu'espéré : je me suis attendu, sûr de mon fait, à voir ma vie bouleversée par ces sentiments qu'on trouve dans les romans. Jusqu'alors j'ai attendu en vain. Et à présent cela m'arrive.

J'ai essayé de me persuader qu'il s'agissait d'une illusion. Je ne vous connais pas vraiment, et peut-être n'aurai-je jamais le loisir de vous connaître davantage. Je me suis dit que c'était le fait d'un homme qui voit la vieillesse approcher, qui craint d'avoir raté cette expérience bouleversante dont parlent les poètes, cette expérience sans laquelle la vie n'a aucun prix. Cependant, je ne crois pas que ce soit cette crainte, ou mes fantasmes, qui m'attachent à vous. C'est vous, tout simplement. Vous, Anna, avec vos yeux violets, vos fins poignets, votre façon de rester assise parfaitement immobile, d'écouter et d'observer, la tête droite. C'est votre regard franc, votre curiosité, vos intonations, la grâce de vos mouvements — mais je m'oublie.

J'ai évité de vous voir, depuis notre retour, peut-être l'avez-vous remarqué. Je ne vous dirai pas combien cela m'a été difficile, et à quel prix. Il n'y a pas eu un instant où mon cœur ne me parlait de vous : elle rend visite à ta sœur, va la voir ! Passe devant l'hôtel Shepheard, elle est peut-être assise sur la terrasse ! Nous sommes dimanche, passe devant la Mou' allaqah. J'ai résisté et je n'aurais pas succombé, si ma sœur n'était pas venue me voir. Elle m'a laissé entendre qu'un mot de moi — une lettre, comme celle-ci — pourrait être accueilli favorablement.

Ma très chère Anna, car c'est ce que vous êtes pour moi, que vous le vouliez ou non, j'ai bien conscience, vous aussi, j'en suis sûr, de toutes les choses qui joueront contre nous. Je dis « nous » avant même d'avoir reçu votre réponse ! Cela confirmera ce qu'on aura pu vous dire de ma prétendue arrogance. Mais croyez-moi, chère, douce Anna, vous ne me trouveriez pas arrogant, ni fier, ni impatient, si j'avais la chance de vous appartenir.

Charif al-Baroudi.

P. S. Je dirai au porteur de cette lettre de ne pas attendre de réponse. Cela pour vous donner le temps de réfléchir. J'attendrai.

Et le temps s'arrête, elle n'a pas encore tout à fait compris, elle n'y croit pas entièrement, elle relit la lettre en diagonale, une joie immense lui serre le cœur comme une douleur, elle se précipite à la fenêtre, revient dans la pièce :

— Emily, Emily, courez voir si le messager est toujours là !

Il n'est plus là. Fidèle à ses ordres, il est parti, et il n'y a plus rien d'autre à faire qu'arpenter la maison et attendre le matin. Plier la lettre, puis la rouvrir et la relire, encore et encore.

— Qu'y a-t-il, madame ? Je vais vous tirer les cheveux, si vous bougez comme ça.

— Ça suffit, Emily ! Vous les avez assez brossés, dit Anna, en secouant la tête avec impatience. Je vais les natter, maintenant. Vous pouvez aller vous coucher. Oh, et puis, arrêtez de faire les bagages. On va attendre un peu. Et ma robe de soie bleue, elle est déjà dans la malle ?

— Non madame, pas encore.

— Bien. Je la mettrai demain matin. Merci, Emily. Bonne nuit.

Il l'aime ! Les choses qui jouent contre eux ? Des broutilles ! Le monde entier s'efface pour laisser place à une seule pensée : il l'aime ! Elle occupe ses pensées ! Au-dessus du lit, les pales du ventilateur ronronnent doucement. La nuit mourra, le matin viendra et il l'aime !

18.

« Errant entre deux mondes...
Un monde est mort,
L'autre ne peut pas éclore. »

Matthew Arnold.

Je suis assise devant la fenêtre, la lettre de mon grand-oncle à la main. Je le vois s'installer à sa table pour l'écrire. Comment est-il vêtu ? À l'européenne, sans doute. Je m'interroge une fois de plus sur ce qui reste de nous après notre mort. Charif Pacha avait mon âge quand il a écrit cette lettre : c'était un homme impérieux, un homme qui pensait, parlait, souffrait, aimait — tout cela s'est évaporé, mais cette feuille de papier demeure. Le papier qu'il lissa et sur lequel il écrivit, de façon décidée, avec une large plume. L'encre a bruni avec le temps, mais c'est l'écriture d'un homme énergique et maître de lui : les lettres sont bien droites, les traits vifs, les espaces bien proportionnés. Je suis presque amoureuse de lui.

Mon père, qui le vénérait dans son enfance, m'a raconté son histoire, ma mère aussi — elle ne l'a pas connu, mais nos cousins d'Ein el-Mansi lui parlaient souvent de lui. On peut lire son histoire dans Al-Raf-i, Hussein Amin et d'autres chroniques de l'époque. Et on peut lire ses écrits dans *al-Ahram*, *al-Liwa*. Plus tard, il écrira dans *al-Garidah*. Quand Laïla le décrit, c'est mon frère que je vois. Lorsque Anna parle de lui, m'apparaît un homme mystérieux, ténébreux, un héros de roman. Et voilà qu'il m'incombe de raconter cette histoire et de décrire Charif Pacha al-Baroudi comme je l'imagine.

Mon grand-oncle, Charif Pacha al-Baroudi, comme en témoigne la lettre que j'ai sous les yeux, a déclaré sa flamme à Anna. Cependant il a hésité à le faire. Pendant cinq semaines — non, sept (car il faut compter les deux semaines dans le Sinaï) — il s'est défendu de l'attirance qu'il avait pour cette jeune Anglaise. Il se méfiait de ses impulsions depuis si longtemps — oh, il s'autorisait parfois un achat, un voyage, mais pour l'essentiel, il dominait ses pulsions. Son ami, Cheikh Mohammad Abdou, faisait de même, et c'était devenu un sage. Où était-il, le jeune et fier Azhari aux yeux noirs, qui n'aurait pas reculé devant l'assassinat de Tawfiq pour défendre la liberté de l'Égypte ? Il fut une époque où il suffisait d'être courageux, semblait-il. Où ils avaient la certitude que leurs exigences étaient légitimes, où ils avaient le courage de s'approprier ce qu'ils convoitaient. Ils se sont aperçus qu'ils se trompaient. Ils ont vu des hommes tués sur le champ de bataille, détruits par l'exil, par le renoncement, d'autres finir sur l'échafaud. La prudence, le calcul, sont devenus une seconde nature.

Dans le jardin du monastère Sainte-Catherine, ses sentiments — et Anna — l'avaient pris par surprise. Dès le lendemain, il s'était réfugié dans la politesse. Cependant, Anna s'insinuait dans son esprit et l'occupait.

Tawasi, le 7 avril 1901
Charif Pacha écrase la terre grasse et noire entre ses doigts. Accroupi, il regarde ses champs, autour de lui. Les cris des enfants qui jouent près du canal lui arrivent assourdis. La dernière fois qu'il est venu ici, au mois de *Toubah*, on venait de récolter la canne à sucre. L'époque des brûlis, pour faire disparaître l'éteule. Le paysage était carbonisé, nu, désolé. À présent, trois mois plus tard, en Baramhat, les racines vivaces faisaient monter une sève nouvelle à la surface de la terre. Charif Pacha se relève, tape ses semelles, s'étire. Ici, rien ne la lui rappelle. Il essuie ses mains sur son pantalon de coton. Derrière les cultures de canne, les derniers rayons du soleil font briller les champs de *kittan* d'un éclat pourpre, bleu et or. Il y a deux, trois, quatre mille ans, des hommes, debout à la même place que lui, ont contemplé le même spectacle, les mêmes couleurs, senti la même brise, qui caresse les fleurs, passe sur les champs lumineux et les fait frémir. Pour lui, la magie de la scène égale celle du désert. Peut-être même la surpasse-t-elle. Anna serait-elle, comme lui, émue par cette vision ? Elle possède des terres en Angleterre. Des terres cultivables, des forêts, des prairies ? Il l'ignore. Devant lui, à une centaine de mètres, une fillette détache un bœuf de la noria,

ôte le bandeau de ses yeux. L'enfant et la bête repartent chez eux d'un pas tranquille. Charif Pacha marche jusqu'à la noria, ôte ses chaussures, ses chaussettes, et se lave les pieds.

Dans la mosquée du village, les hommes lui font de la place au premier rang. Après les prières du soir, Charif Pacha s'en va avec l'*Omdah* dans les ruelles sombres. Ils s'assoient dans la mandara du vieil homme, la porte ouverte sur la rue. Des hommes vont et viennent, le plateau à thé passe et repasse. En fond sonore, des cris d'enfants. Propriétaire et Omdah parlent de l'école que Charif Pacha et son oncle, Ghamraoui Bey, vont ouvrir au village. Les enfants iront toujours au Kouttab, le Cheikh n'a pas à s'inquiéter. Dans la nouvelle école, ils apprendront l'arithmétique, l'histoire de leur pays, la géographie. Il faudra persuader les fellahs qui cultivent la terre avec leurs enfants de libérer ceux-ci (les garçons « et » les filles, précise Charif Pacha) deux heures par jour, afin qu'ils puissent s'instruire. Non pas pour en faire des *afandiyyah*, mais des citoyens éduqués, plus à même de veiller à leurs intérêts.

— Vous avez raison, *ya Bacha*, soupire l'Omdah.

Personne ne sait ce que l'avenir nous réserve.

— Que du bien, *inch 'Allah, ya Omdah*. Nous essayons de faire le maximum.

— Il se passe quelque chose de nouveau tous les jours. D'abord le marchand de vin. Nous avons dit : que Dieu nous protège ! Les villageois ont été raisonnables : seuls les vauriens y sont allés. Maintenant ce sont les usuriers ! Non contents d'avoir ouvert boutique en ville, ils viennent dans les villages et essaient de tenter les gens.

— Nous avons déjà parlé de ça et vous m'avez dit que nos paysans avaient une aisance financière suffisante.

— Suffisante, oui, *ya Bacha, al-hamdou lillah*, mais un homme peut se retrouver coincé : il veut marier sa fille, il a des dépenses imprévues. Et ils prennent de gros intérêts — ils sont grecs, tous grecs.

— Dites-leur de s'adresser à Hasib Efendi, mon comptable. Je lui parlerai. Nous avancerons l'argent, en cas d'urgence, avec un pour cent d'intérêts et les récoltes comme garantie.

— Que Dieu illumine votre chemin, *ya Bacha*. Les villageois vont être contents.

— Dites-leur.

— Je leur dirai vendredi.

— Vous viendrez prier avec nous ?

— Si je suis encore là, oui.

Les paysans devraient créer une coopérative, se dit Charif Pacha. Mettre un peu d'argent de côté après la récolte, et puiser dans cette réserve si besoin est. D'autres villages fonctionnent déjà sur ce mode. Hasib Efendi peut s'occuper du capital. Le placer. Charif Pacha va lui en parler, il lui donnera une augmentation pour ce travail supplémentaire. Charif Pacha rentre chez lui à pied. Il salue sans façons les hommes qu'il croise en chemin. La vie est facile sur ces terres : l'Ibrahimillah leur donne de l'eau toute l'année. Charif Pacha a persuadé les fellahs de ne pas tout miser sur le coton, comme le voulait Cromer. Ainsi, ils ne seront pas à la merci des fluctuations d'un marché qu'ils ne contrôlent pas. Ils font un peu de coton, soit, mais ils continuent à cultiver des haricots, des pois, du blé, de l'orge. Et des pastèques, qui reposent en ce moment sur leurs lits de fleurs jaunes, telles des princesses.

Charif Pacha se lave et se change, enfourche son cheval, et va dîner chez son oncle, Mustafa Bey al-Ghamraoui. Ici, un homme peut oublier Le Caire, l'occupation anglaise, le monde. Cependant, Charif Pacha n'a jamais envisagé de vivre une existence agreste. Il adore la campagne, mais il aime aussi la ville : les lumières, le bruit, l'action, l'agitation. Vivre sur ses terres équivaudrait à se retirer — à renoncer. Charif Pacha voit un cavalier venir à lui au petit galop, sur la route qui mène à la maison de son oncle. Comme il se rapproche, Charif Pacha reconnaît la voix de l'homme qui le salue.

— *Ya misa'al-khairat !*

Choukri al-'Asali, son cousin, et ami d'enfance. Les deux hommes sautent de leur cheval et s'étreignent. De 1860 à 1880, leurs parents se fréquentaient assidûment. Les enfants passaient l'hiver à Tawasi, et l'été sur les terres d'Ein el-Mansi, entre al-Nasirah et Jenin. Charif Pacha et Choukri Bey s'écrivent et se voient toujours. Leur amitié a résisté au temps.

— Depuis quand es-tu là ? demande Charif Pacha.

— Je viens d'arriver. Ils m'ont dit que tu étais à Tawasi

et que tu venais dîner. On ferait mieux d'y aller. Ils t'attendent.

— Et, comment vas-tu ? demande Charif Pacha.

Les deux hommes remontent à cheval et s'éloignent au trot.

— Bien, bien. À part les petits problèmes habituels. Tu devrais venir nous voir. Il y a longtemps que tu n'es pas venu.

— C'est le même problème partout, dit Choukri Bey el-Asali.

L'homme a la peau plus claire que ses cousins égyptiens. Ses cheveux sont d'un brun moins foncé et ils les portent un peu plus longs. Cependant, tout comme Charif Pacha et Mustafa Bey, il a l'air assuré et charmant des hommes que les femmes encensent depuis leur naissance. Quelques années plus tard, en 1915, les Turcs le pendront pour avoir pris part à la révolution arabe. Pour le moment — nous sommes en avril 1901 —, il dîne à la table de son oncle, à Tawasi.

— Les Turcs ne sauront pas nous garder des convoitises européennes, dit-il. Mais ils nous gouvernent : nous devons compter sur eux pour contrer les attaques extérieures. Ils ont laissé les Anglais rentrer en Égypte. Et même si on allie nos forces aux leurs, ils ne feront pas le poids contre les sionistes.

— Jusqu'ici, Abd el-Hamid s'est rangé de leur côté, déclare Mustafa Bey el-Ghamraoui, en prenant l'assiette que lui tend sa femme, Jalila Hanem.

— Jusqu'ici. Mais ils tentent de corrompre sa cour. Ils veulent imiter Cecil Rhodes, qui a obtenu une charte pour coloniser le Zambèze. Ils veulent que le Kaiser leur en octroie une pour coloniser la Palestine.

Choukri Bey prend la carafe d'eau. Il remplit le verre de sa tante, assise à côté de lui, puis le sien.

— Et le peuple ? demande Jalila Hanem. Les paysans, que deviennent-ils ?

— C'est le problème, dit Choukri Bey, en regardant sa tante. Et les sionistes le savent. Abraham Shlomo Bey s'est rendu à leur congrès et leur a dit — au cas où ils ne l'auraient pas remarqué — que six cent cinquante mille Arabes, musulmans, juifs et chrétiens, vivent depuis des siècles sur la terre qu'ils se proposent de coloniser. Aussi ont-ils envoyé des hommes enquêter sur place. À leur retour, ces délégués leur ont dit la même chose. Alors ils ont rangé leur rapport dans un tiroir.

— Mais il y a des restrictions en vigueur, non ? s'énerve Charif Pacha. Ils ne peuvent venir qu'en pèlerinage, et pas plus de trois mois, c'est bien ça ? Et puis, ils doivent laisser leur passeport à la frontière.

— Oui. Depuis vingt ans, il y a des lois restrictives, mais ils les contournent. Les gouverneurs qui appliquent vraiment ces lois, comme Tawfiq Bey, ne restent jamais longtemps en place. Les autorités, et les États-Unis, ne cessent d'envoyer des ambassadeurs pour s'ériger contre cette « discrimination ».

— Mais les colonisateurs ne sont pas les autorités, et ils ne sont pas américains ?

— Non. Ils viennent de Russie, de Roumanie, certains sont allemands.

— Alors, où est l'intérêt des États-Unis dans tout ça ?

Choukri Bey hausse les épaules.

— Ma théorie vaudra la tienne : pressions de la part de personnes influentes, antipathie pour la Turquie.

— Il faut que les pays arabes cessent de subir la domination turque, dit Charif Pacha. La Turquie a vécu.

Zeinab Hanem regarde son fils avec inquiétude et son frère lui sourit.

— Tout va bien, ma sœur. Il n'y a pas d'espions d'Abd el-Hamid ici.

— J'irai voir diverses personnes, poursuit Choukri Bey. Au Caire, à Alexandrie. Je pense à Rafiq Bey el-Azm, et à plusieurs autres, qui ont de la famille en Palestine. J'attiserai la révolte dans l'opinion publique. J'informerai la presse.

— *Al-Ahram* a publié des lettres édifiantes, intervient Mustafa Bey. On voit que les colonisateurs accaparent des terres communes, confisquent les biens qu'ils trouvent sur place.

— Ils ont diverses méthodes, qui toutes visent à s'approprier la terre et à rendre la vie difficile aux fellahs. Je pourrais essayer de rencontrer Cromer. Je sais que tu le hais, mais l'Angleterre est le plus puissant des pouvoirs. S'ils obtiennent son soutien, la question sera quasiment réglée.

— Assez. Assez de politique ! s'écrie Zeinab Hanem,

avant que son fils ne puisse continuer. Toujours la politique. Parle-nous des tiens. De tes enfants — Dieu les garde — et de leur mère. Comment vont-ils ?

Le Caire, le 12 avril 1901
Charif Pacha repousse ses papiers.

— A-t-on lancé l'appel aux prières Isha ? demande-t-il à Mirghani.

L'homme répond par l'affirmative. Charif Pacha lui ordonne de préparer ses chevaux. Il sortira après avoir prié.

Il traverse Darb el-Gamamiz, puis la grande place de Midan 'Abdin. Il jette un coup d'œil au palais, mais Effendina* doit être chez lui à Qbba. Charif Pacha résiste au désir de tourner dans la rue 'Abdin, qui mène à l'hôtel Shepheard. À la place, il remonte la rue 'al-Boustan.

Le club Mohammad Ali brille de mille feux. Le portier s'avance pour le saluer.

— Vous nous avez abandonnés, *ya Bacha*.

— J'étais en voyage. Qui est là ce soir ?

— Tout le monde, *ya Bacha* : Mustafa Fahmi Pacha, Boutros Pacha et Hussein Pacha Rushdi. Milton Bey et le prince Gamil Tousoun sont dans la salle à manger. Le prince Ahmad Fouad et le prince Yousouf Kamal sont dans la salle de billard. Et puis (il baisse la voix) M. Boyle est arrivé il y a dix minutes.

Charif Pacha va faire un tour dans le grand salon, salue Mustafa Fahmi, Boutros Ghali et Hussein Rushdi, mais il ne s'attarde pas. Il voit Harry Boyle assis un peu plus loin, en train de lire un journal. Boyle a pris l'habitude de passer une demi-heure ici, plusieurs fois par semaine.

Dans la salle de billard, le prince Ahmad Fouad est en train de gagner — ce qui n'entame en rien sa morosité. C'est dans cette pièce que le prince Ahmad Sayf-el-Din lui a tiré dessus, deux ans plus tôt. Milton Bey l'a sauvé, mais il est resté longtemps souffrant, ce qui a agi sur son humeur. Yousouf Kamal est tout son contraire : nerveux, enthousiaste, clairvoyant. Charif Pacha allume une cigarette et décide d'attendre. Il veut parler au prince Yousouf d'un projet qui lui

* Notre seigneur, notre maître.

tient à cœur : la création d'une école des Beaux-Arts. La
construction du musée avance. L'université n'a pas encore
ouvert — Cromer fait traîner l'affaire. Il est difficile de trouver
des fonds. Il faut des financements privés : ils n'auront pas
une piastre de l'État tant que Cromer sera au pouvoir. « Le
budget de l'État ne nous permet pas... » dit toujours l'agent
anglais. Or le budget de l'Égypte a pu financer l'expédition
du Soudan à hauteur d'un million et demi de livres, puis
éponger les déficits annuels soudanais — deux cent cinquante
mille livres. Et l'intérêt de l'Égypte, dans tout ça ? Le budget
de l'État permet d'employer des officiers britanniques pour
des salaires trois fois plus élevés que ceux de leurs homologues
égyptiens. Cependant, on n'alloue pas la moindre subvention
aux projets culturels ou éducatifs. L'éducation technique plaît
à Cromer : des écoles qui forment de petits employés et des
ouvriers. Intelligence britannique et main-d'œuvre arabe, tel
est le credo de Cromer pour l'Égypte.

Charif Pacha se lève, écrase sa cigarette et se dirige vers
la fenêtre. Il regarde la résidence de Cromer, Qasr el-Doubara
où, même en ce moment, « el-Lord » décide de l'avenir du
pays. Anna est peut-être à sa table. Vêtue à l'européenne. Elle
parle sa langue. Elle regarde un jeune officier — Charif Pacha
prend son chapelet dans sa poche. Il reste devant la fenêtre,
les mains dans le dos. Les grains du chapelet passent et repassent entre les doigts de sa main droite. Comment ose-t-il penser qu'Anna et lui pourraient s'entendre ? Pure illusion ! Elle
l'aura oublié. Ou circonscrit dans la part exotique de son
voyage. Il n'est qu'un exemple plus civilisé d'autochtone, avec
qui elle a traversé le désert et à qui elle parlé un soir, dans un
jardin baigné de lune. La voilà revenue dans son univers : le
club de Ghezirah, les courses de mulets, les bals costumés, les
dîners à l'Agence avec ses compatriotes. Il y a des hommes
ici, des hommes plus jeunes que lui, qui assassineraient Cromer en sachant qu'ils le paieraient de leur vie. Mais ça servi-
rait à quoi ? Les casernes de Qasr el-Nil sont à cinq minutes
à pied. Les Anglais ne partiront pas. Pas de leur plein gré. Ils
ne partiront que par la force, ou par intérêt. D'où leur tactique : se débarrasser des officiers égyptiens. Disperser les
troupes armées. Placer un officier britannique à la tête de
chaque régiment. L'armée britannique d'occupation coûte un

million de livres chaque année. Une somme qui pourrait éponger la dette du pays et le libérer de ses maîtres étrangers. Et le peuple ne se battra pas. Il n'en a pas les moyens. Charif Pacha a calmé les têtes brûlées, il a voulu une juste observation de la loi — l'un des points sur lesquels il était en accord avec Cromer. L'Anglais a voulu lui aussi mettre un terme aux capitulations par lesquelles tout étranger était jugé par son propre consul et non par les tribunaux égyptiens. Puis Cromer a trahi sa parole en imposant les « lois spéciales » dans les procès opposant les « autochtones » aux Anglais. Il a instauré ces lois après l'affaire Gelgel, défendu par Charif Pacha. L'abolition des capitulations allait donner à Cromer une mainmise encore plus grande sur l'Égypte. Ils auraient dû les laisser en vigueur — même si elles plaçaient tout résident étranger au-dessus des lois. Il leur fallait souffrir en silence mille indignités, dans ce pays gouverné par des étrangers. Et puis ils perdaient un temps précieux. Toutes ces générations d'enfants qui auraient pu être instruits, ces industries qu'on aurait pu créer, les lois qu'on aurait dû changer. Pis : une fois l'occupant parti, comment déloger les descendants de ceux qui recherchaient la faveur des Anglais ? Et cette méfiance entre les musulmans et les coptes.

Le prince Yousouf Kamal est un homme mince à l'air intelligent, sensible. Il a la passion de l'art et entend financer l'école, si on ne peut trouver d'autres fonds.

— Où est passé l'argent ? dit-il. Regardez les statues, regardez les temples que nos grands-pères ont construits ! Regardez les mosquées des Fatimides, les reliures et le verre taillé des mamelouks ? Où est passé l'argent ? Les Ottomans ont à répondre de beaucoup de choses... Croirez-vous, ajoute tristement le prince, qu'ils m'accusent d'encourager Koufr ?

— Koufr, Votre Altesse ?

— Le dessin ! La sculpture ! Tenez.

Il tire une enveloppe de sa poche, en sort une lettre, la secoue pour la déplier.

— Lisez cela, dit-il.

Charif Pacha lit :

« ... et le doute ne pénètre pas nos cœurs quant à la nature élevée de Votre Altesse ou à la noblesse de ses intentions, mais nous jugeons de notre devoir de vous rappeler, avec tout le respect qui est dû à... de l'injonction claire contre les activités que vous vous proposez de parrainer dans l'établissement. Cette injonction apparaît dans le discours digne de foi du Messager de Dieu : Ceux qui seront le plus sévèrement tourmentés à l'heure du Jugement dernier sont les faiseurs d'images. Par conséquent, nous vous demandons de reconsidérer... l'argent peut être utilisé plus utilement à promouvoir et renforcer notre foi, quotiennement mise à mal par la présence sur notre sol de l'injuste et infidèle occupant... »

Charif Pacha rend la lettre au prince.

— Votre Altesse peut difficilement accorder une importance...

— Je ne puis minimiser la menace qu'ils représentent, dit le prince Yousouf. Ils pourraient embrigader le peuple. *Ya Bacha*, ils n'auraient qu'à dire que je suis d'intelligence avec les Anglais pour importer de l'art européen et diabolique dans le pays, pour apprendre à nos jeunes à perpétuer cette tradition de licence.

Harry Boyle vient d'entrer dans la salle. Charif Pacha pose une main sur l'épaule de son ami.

— Et si nous allions manger quelque chose ? propose-t-il.

Dans la salle à manger, les deux hommes s'arrêtent pour saluer Milton Bey et le prince Gamil Tousoun. Ils choisissent une table d'angle, commandent du pigeon grillé et de la salade. Entre eux, un pichet de limonade dans son verseur d'argent.

— Que proposez-vous de faire ? demande Charif Pacha.

— Je ne sais pas. Que devrions-nous faire, d'après vous ?

— Organiser un débat public. Nous débarrasser d'eux.

— À quoi bon...

— Les accuser, « eux », de conspirer avec les Anglais pour nous neutraliser.

Charif Pacha rit de sa propre idée mais le prince Yousouf est troublé.

— Vous ne pourrez convaincre ces gens par la logique. Il vous faut employer leur propre langage.

Le serveur paraît avec les plats, les deux hommes mettent leurs serviettes sur leurs genoux. Le prince Yousouf verse de l'huile d'olive et du vinaigre sur la salade.

— Employer leur langage, c'est accepter, de façon implicite, de combattre sur leur terrain, insiste Charif Pacha. Notre position devrait être claire : la foi est une chose, les établissements scolaires, les institutions civiles, en sont une autre.

— Ils n'accepteront jamais cela, objecte le prince Yousouf Kamal.

— Mais nous aurons le même problème sur tous les plans ! Avec l'université, l'éducation des femmes. Il faut trancher la question une fois pour toutes, fixer une limite à ces religieux, ne pas les laisser intervenir trop avant dans le développement du pays. Et notez que leurs interventions sont toujours négatives, pour eux, tout est *haram*.

— *Ya* Charif Pacha, c'est là un débat dans lequel nous ne pouvons entrer maintenant. Avec la présence anglaise sur notre sol, les gens ne diront pas : « Voilà des patriotes qui ne pensent pas comme nous », mais : « Ces hommes sont à la solde des Anglais. » Ils conspireront d'autant plus avec la Sublime Porte pour nous lier encore plus à la Turquie. Pour le moment, axons-nous sur un objectif plus humble : l'école des Beaux-Arts.

— Laissez-moi parler à Cheikh Mohammad Abdou, dit Charif Pacha, avec impatience.

Il ôte sa serviette de ses genoux, la froisse, la pose près de son assiette.

— Il soutient la création de l'école. Il nous donnera des arguments en ce sens, des arguments qu'ils trouveront convaincants.

— S'il nous accorde son soutien..., soupire le prince Yousouf, plein d'espoir, ce serait la fin de nos soucis. Après tout, c'est lui le « Moufti », la plus haute autorité religieuse.

— Je vais aller le voir. Dès qu'il rentre d'Istambul. S'il accepte de nous aider, vous direz à ces gens de s'adresser au Moufti. Dites que vous vous soumettrez à sa décision. (Charif Pacha repousse sa chaise.) Mais ce sont tout de même des solutions bancales.

Rien ne peut se régler actuellement. Il y a toujours une raison d'éviter la confrontation. Charif Pacha ordonne à son cocher de parcourir le pont Ismaïl dans les deux sens avant de retourner chez lui. Il veut voir le Nil. Il aurait préféré rentrer à pied : une longue marche rapide dans l'air vif. Mais à une heure du matin, ce serait chercher les ennuis. Il risque de croiser des soldats anglais ; s'ils le provoquent, il n'est pas certain de garder son sang-froid. Charif Pacha s'adosse au siège de sa voiture, comme les chevaux font demi-tour pour retraverser le pont. Sur la droite se dessinent les contours de l'Agence, bâtiment long et bas. Même si elle a dîné là, elle sera de retour à l'hôtel à présent. Quelque chose lui dit qu'elle n'est pas heureuse. Il l'imagine entrant dans sa chambre, vêtue à l'européenne. Elle s'arrête devant son miroir, lève les bras pour ôter les pinces de son chapeau. Charif Pacha voit sa propre image, derrière elle, dans le miroir. Il est si près d'elle qu'il sent la chaleur de son corps, hume le parfum qu'exhalent ses cheveux...

Charif Pacha a si longtemps négligé son cœur qu'il était devenu muet. Et voilà qu'il s'exprime ! Au moment où il revient chez lui, tard le soir. Il va dans sa bibliothèque. Anna laisse retomber le rideau, se détourne de la fenêtre, lui sourit. « Tu es en retard. Je commençais à m'inquiéter. » « Tu », fait-il en grimaçant, elle le tutoie déjà. Il se penche sur son bureau, regarde si des messages sont arrivés en son absence. Il trouve un exemplaire de *al-Mou'ayyad* avec un mot de Cheikh Ali épinglé dessus. Il y a aussi une carte de visite de grand format, frappée au nom de Mustafa Kamil, qui l'invite à l'inauguration de sa nouvelle école à Breem, le 15 de ce mois. Charif Pacha éteint la lampe, sort de la pièce, monte l'escalier. Mustafa Kamil est un patriote, sans conteste. Il soulève l'opinion contre l'occupation. Il crée des écoles. Alors, pourquoi sa présence met-elle Charif Pacha mal à l'aise ? Il se sèche le visage devant le miroir, fronce les sourcils. Serait-il jaloux ? Parce que Mustafa Kamil est jeune, fougueux, doué pour la rhétorique ? Non, mais quelque chose lui déplaît chez ce jeune homme qui recherche le succès, qui a une trop bonne opinion de lui-même. Et puis, il est trop proche du sultan. Il ne souhaite pas la fin de la domination turque en Égypte. Il mise trop sur les Français. Il pense que, étant les ennemis éternels de l'Angleterre, ils vont prendre le parti de l'Égypte. Il va à Paris : on le fête, on le gâte, on l'appelle Caramel Pacha dans son dos. Il croit tout ce que lui dit Mme Juliette Adam. Mais une inimitié de toujours ne saurait suffire. L'Angleterre et la France font toutes les deux partie de l'Europe : tôt ou tard elles s'entendront. Elles s'allieront comme elles l'ont fait durant les Croisades. Une alliance entre la France et l'Angleterre paraît plus naturelle qu'une alliance entre la France et l'Égypte. Cependant, Mustafa Kamil a créé un journal. Et lui, Charif al-Baroudi, qu'a-t-il créé ? À quarante-cinq ans, de quelles réalisations peut-il se flatter ?

Dans la chambre, il allume une cigarette, ouvre les rideaux, sort sur le balcon. La lune est dans son dernier quartier. D'ici à quelques jours, on ne la verra plus. Il se concentre sur l'astre blanc, il arrive à en discerner la partie cachée, éclairée par le croissant lumineux. Si sa mère était là, peut-être irait-il lui demander son avis. Elle l'a rencontrée. Et Laïla lui a raconté le voyage dans le désert, ou du moins ce qu'elle en sait. Le sycomore bruit dans le vent. Charif Pacha se demande si le jardinier a entaillé les figues — une légère incision qui permet au fruit de respirer et de grossir. Il le lui rappellera demain. Oui, il devrait parler à sa mère. Elle le connaît assez bien pour juger.

Dans le train, au retour de Minieh, il n'avait pratiquement pas desserré les dents. Parce qu'il se sentait coupable à son égard — il se sentait toujours coupable à son égard, mais surtout lorsqu'il la ramenait chez elle après un séjour à la campagne. Et puis, il y avait l'histoire de Choukri Bey : son cousin voulait rencontrer Cromer. Charif Pacha n'avait fait aucun commentaire, mais sa mère n'était pas dupe :

— Je ne veux pas que tu te brouilles avec ton cousin.

— Pourquoi es-tu si inquiète ? Avec qui me suis-je brouillé ?

— Ton père.

— Il faudrait que mon père soit là pour que je me fâche avec lui.

Zeinab Hanem avait en quelque sorte perdu son mari, puisqu'il était devenu mystique. Quand le père de Charif Pacha s'était retiré dans son sanctuaire, ils avaient cru que cela durerait une quinzaine de jours, au maximum un mois ou deux. Mais les mois avaient passé, Mahmoud Sami, Orabi et les six autres avaient été exilés, Souleïman Pacha Sami avait été pendu et son père — probablement honteux de s'être caché, même s'il ne devait jamais l'avouer — avait pris racine dans la mosquée. Finalement Tawfiq avait convoqué Charif

Pacha, et lui avait dit, devant Riyadh et Malet : « Nous sommes au courant pour ton père. Dis-lui qu'il peut sortir de sa retraite. Il ne lui arrivera rien s'il sait tenir sa langue. Quant à toi, tu as des excuses : tu es jeune, et ton oncle t'a donné le mauvais exemple. Mais nous aurons l'œil sur toi, alors prends garde. » Charif Pacha s'était levé et leur avait répliqué : « Je suis fier d'avoir pour oncle Mahmoud Sami Pacha. Et je préférerais le suivre dans l'exil plutôt que de vivre dans mon pays sous domination étrangère. » Le khédive l'avait congédié d'un geste de la main. « Nous aurons l'œil sur toi », lui avait-il répété. Charif Pacha a gardé un souvenir cuisant de cette entrevue, alors que Tawfiq est mort et que presque vingt ans ont passé. Il avait rapporté l'incident à sa mère, les larmes aux yeux. Elle avait dit : « Puisqu'ils savent où il est, allons vivre à Tawasi jusqu'à ce que nous réussissions à le persuader de revenir. » Charif Pacha avait laissé sa mère partir avec Laïla. Il s'était retrouvé seul avec cette pauvre enfant, censée être sa femme. Elle passait ses journées chez sa mère, elle rentrait le soir, avec l'air d'avoir beaucoup pleuré. Elle sursautait, effrayée, chaque fois que Charif Pacha entrait dans une pièce, si bien qu'il finit par ne plus l'approcher. Il lui avait rendu sa liberté, elle avait été heureuse de partir. Et dire que je pense à tout recommencer à plus de quarante ans ! se dit Charif Pacha. Mais avec elle, ce serait différent. Si c'était elle qu'il avait épousée, elle serait toujours à ses côtés, il est prêt à le parier — *a fortiori* parce que ses compatriotes occupaient le pays. Supposons qu'il ait été marié à une Soudanaise et qu'un bataillon égyptien ait attaqué le village de sa femme, et l'ait brûlé. N'aurait-il pas eu d'autant plus envie de la serrer dans ses bras ?

Charif Pacha arpente son balcon. Fallait-il qu'elle soit anglaise, cette femme qui lui donne à nouveau envie d'aimer ? Il pense à elle dans les moments les plus inattendus : au petit déjeuner, il l'imagine, souriante, en face de lui. Il quitterait la maison en sachant qu'il la retrouverait le soir, chez lui, heureuse. Elle serait à côté lui, maintenant, sur le balcon. Ils contempleraient ensemble le jardin assombri, il lui parlerait de l'école des Beaux-Arts. Elle se passionnerait pour le sujet — elle était venue en Égypte à cause d'un tableau. Et comment lui expliquerait-il la situation présente ? Lui parlerait-il de la lettre ? Comment lui expliquerait-il qu'on a besoin d'une fatwa religieuse pour ouvrir une école des Beaux-Arts ? Cela donnerait du pays une image médiévale.

Pouvait-il compter sur la compréhension d'Anna ? Charif Pacha tâte sa poche, retourne dans sa chambre chercher ses cigarettes. Il regarde cette grande chose en bois sculpté et dotée de rideaux qu'est son lit. Un lit qu'il n'a partagé avec personne depuis vingt ans. Il a des arrangements, à l'extérieur. Mais lui faire l'amour ici, dans sa maison, en toute quiétude, voir son regard chavirer, espérer un enfant, être tendre avec elle comme son ventre s'arrondirait. Il se détourne du lit.

Quelle est la part de lubricité dans tout cela ? S'il l'avait rencontrée en Italie, en France, n'auraient-ils eu qu'une brève liaison ? Non. Anna est quelqu'un de sérieux, de profond — voyez comme elle parle de son défunt mari, son idiot de mari qui avait tout ce qu'un homme peut désirer, qui l'avait, elle, et vivait une vie libre, dans un pays libre, gouverné par un parlement élu de façon démocratique. Cet homme à qui s'offraient tous les choix et qui était parti combattre à des milliers de kilomètres de chez lui, pour que Kitchener puisse avoir le Soudan et y cultiver du coton, pour que les manufactures de Manchester s'enrichissent encore davantage ! S'était-il seulement demandé pourquoi l'Angleterre devait conquérir le Soudan ? S'était-il inquiété de son vieux père ? De sa jeune épouse ? Sans doute n'avait-il pas prévu d'y laisser sa vie, mais seulement pensé jouir d'un peu d'action, donner une leçon aux sauvages, puis revenir avec une image flatteuse de lui-même et raconter ses exploits dans son club de Londres. Cependant, Charif al-Baroudi n'allait pas déplorer la mort du capitaine Winterbourne. Ni s'inquiéter du fait qu'Anna ait déjà été mariée. Il annihilera Edward, il l'effacera du corps et de l'esprit d'Anna. Non, cela ne le trouble pas. Combien d'années a-t-il encore devant lui ? Dix, quinze ? Juste assez pour refaire sa vie sans compliquer les choses. Sans compliquer les choses ? Avec une Anglaise ? ! Charif Pacha quitte le jardin. Cette nuit il ne dormira pas.

Le 20 avril 1901
— Quelle importance si tu l'idéalises ? Nous avons tous une vision faussée des autres, jusqu'à un certain point...

Yacoub Artin Pacha se penche pour offrir un cigare à Charif Pacha. Son corps replet est ceint d'un peignoir en soie avec un motif cachemire brun, rouge et vert. Il porte une cravate vert foncé, un pantalon noir, des chaussons marocains verts. Charif Pacha choisit un cigare, puis s'adosse à son siège. Il roule le cigare entre ses doigts avant de tendre la main vers le coupe-cigare.

— Notre poète ici présent te dira ça mieux que moi.

Yacoub Artin fait un signe à Ismaïl Sabri. Les trois amis sont assis dans des fauteuils profonds, dans la bibliothèque de Yacoub Artin. Sur une table basse avec un dessus en marbre, des tomates, des concombres, des olives, des fromages, des viandes froides et du pain. Les portes-fenêtres sont ouvertes sur la terrasse.

— J'ai du bon, de l'excellent whisky.

Yacoub Artin se lève, va jusqu'au buffet, de l'autre côté de la pièce.

— Et vu que notre ami ne boit pas, ajoute-t-il, ça en fera plus pour nous deux.

Il prépare deux verres de whisky.

— C'est un crime de mettre de l'eau dedans, mais buvons à ton bonheur naissant ! s'exclama-t-il, en tendant un verre à son ami.

Ismaïl Sabri porte un toast à Charif Pacha avec de la limonade.

— Il te faut des enfants, dit-il. Les hommes ont besoin d'avoir des enfants.

— Je voyais bien qu'elle m'idéalisait. Elle m'a créé à son image, pendant tout le voyage.

Charif Pacha porte une allumette enflammée au bout de son cigare, tire plusieurs bouffées rapides.

— Le héros de roman ! Le corsaire ! Et pourquoi pas, mon ami, tu en as le physique.

Le désert, les étoiles, un ancien monastère : tel était le décor. Comment s'arrangerait-elle de ses doutes, de ses désespoirs à lui ? Lui qui se construisait une vie sous un joug qu'il n'avait pas choisi, et qui se méprisait parfois à cause de ça. Anna réussirait-elle jamais à le connaître ? Saurait-il la comprendre ? Ou bien resteraient-ils sur l'image qu'ils avaient l'un de l'autre, de sorte que leur vie commune serait encore plus solitaire que leur vie de célibataires ?

— Je ne parle pas sa langue, elle ne parle pas la mienne. Nous sommes obligés d'utiliser le français pour communiquer.

— C'est peut-être mieux ainsi, souligne Ismaïl Sabri. Vous ferez plus d'efforts. Pour comprendre, et être compris. Ce n'est pas parce qu'on utilise les mêmes mots que l'on se comprend.

— Ah ! Le poète ! s'écrie Yacoub Artin. Tu vois ! Il dit des choses profondes.

Yacoub Artin lève son verre.

— Ne serait-ce pas le moment de publier ses œuvres complètes ? renchérit Charif Pacha. J'espère qu'il garde tout dans un dossier.

— Il ne veut pas, regrette Yacoub Artin. Il prétend que c'est trop de travail.

— Si tu les publies, je t'en prendrai cinquante exemplaires pour l'école de Tawasi.

— Sans doute craint-il d'être attaqué s'il publie ses écrits.

— Je n'ai pas peur de ça, s'esclaffe Ismaïl Sabri. Simplement, tous mes poèmes ne sont pas...

— Ils diront qu'il désacralise la poésie, dit Yacoub Artin.

Il se penche pour offrir les plats d'apéritif à ses amis.

— Ils le disent déjà, remarque Charif Pacha.

Il prend un petit morceau de pain plat, lui donne la forme d'une petite pelle, avec laquelle il se sert de fromage blanc battu.

— C'est absurde ! La poésie existe toujours grâce à des gens comme moi. Plus personne n'a le temps de lire ces longs poèmes épiques. Dans le monde moderne, les poèmes seront courts, et intenses.

— Comme l'amour, ajoute Yacoub Artin, songeur, en ôtant avec délicatesse un noyau d'olive de sa bouche.

Charif Pacha éclate de rire.

— Il est infatigable, ce vieux don Juan !

Yacoub Artin hausse les épaules.

— Eh ! Que nous reste-t-il, sinon ? Il a de la chance, ajoute-t-il, en désignant Ismaïl d'un geste, il est poète. Il vivra éternellement. Mais toi et moi, mon ami, nous vivons un temps puis nous disparaissons. Comme ça. (Il souffle sur une poussière imaginaire, au creux de sa paume.) Nous disparaissons en un rien de temps. Tu as ton métier, les affaires que tu défends. Mais que t'apporteront-elles ? La joie ? La vie éternelle ? Vas-y ! Épouse ta petite Anglaise ! *Carpe diem.*

Ismaïl Sabri tend une feuille de papier à Charif Pacha, sur laquelle il a griffonné quelques vers. Charif Pacha les lit à haute voix :

> « Profite de la lune tant qu'elle brille
> Les jours sans elle sont difficiles
> Seras-tu résolu demain mon Cœur ?
> Ou bien iras-tu là où vont ses pas ? »

— Tu viens d'écrire ça à l'instant ? demande Charif Pacha à son ami, admiratif.

Ismaïl Sabri hausse les épaules.

— Promets de lui écrire une chanson pour son mariage.

— Il y a cette vieille chanson de toi que j'adore, dit Charif Pacha. « Arrête de faire l'effarouchée, arrête de dire non/Et inonde le feu de mon amour/Un moment d'intimité avec toi/M'est plus précieux que ma vie. »

Les trois hommes entonnent en chœur la fin de la ballade :

— « Pour toi j'ai perdu le sommeil/Pour toi j'ai perdu mes amis/Et pour garder ton amour/Je me lie à des étrangers. »

S'ensuit un silence, puis Charif Pacha bâille.

— Il faut que j'y aille, déclare-t-il.

Il se lève de son fauteuil.

— Je peux compter sur ton soutien, pour l'école des Beaux-Arts ?

— Il faut que vous vidiez la querelle entre musulmans, dit Yacoub Artin, en ricanant. Je ne suis qu'un pauvre chrétien, moi ! Que sais-je de tout cela ? Mais si tu vas de l'avant, tu auras mon soutien, oui, et une partie de mon argent.

Charif Pacha prend son tarbouche.

— Tu n'as pas peur de déplaire à Cromer, n'est-ce pas ? dit Artin Pacha avec un sourire malicieux.

Charif Pacha pose le tarbouche sur sa tête avec soin.

— Je tremble, comme tu vois, dit-il.

Le 27 avril 1901

C'est là qu'il l'a réellement vue pour la première fois. Il avait quitté une créature rebelle, décoiffée, habillée en cavalier, et retrouvé une fille aux cheveux d'or, enveloppée dans son peignoir, jouant avec son neveu. Pendant leur voyage dans le Sinaï, il se moquait de lui-même : je vais finir par désirer un homme, se disait-il. Un jeune amrad blond, qui monte à cheval avec grâce, et galope aussi vite que moi. Par instants, il oubliait que ce compagnon était une femme : elle se fondait si bien dans cette assemblée d'hommes muets, dans le silence du désert. Puis il la regardait, et soudain il se souvenait : il la revoyait, enveloppée dans la soie bleue, ses pieds d'un blanc laiteux sur la pierre de la cour.

Charif Pacha traverse la cour à grands pas. Il entre dans la maison par un petit vestibule, ouvre la porte qui conduit à la mosquée. Encore une cour, encore une porte. Il s'arrête. Dans la pénombre, un vieil homme lève lentement la tête. Charif Pacha traverse la pièce.

— *As-salam 'aleikoum.*

— *Aleikoum el-salam oua rahmat allah oua barakatouh.*

Charif Pacha s'assoit sur le banc de bois, près de la chaise de son père. Le vieil homme penche la tête en avant, les grains de son chapelet tournent lentement entre ses doigts. Sa robe et son turban sont 'emmaculés. Ses mains tremblent légèrement.

— Comment va la santé, père ?

— *Al-hamdou lillah. Al-hamdou lillah.*

Le vieux monsieur hoche la tête mais ne lève pas les yeux.

Quelle conversation entretient-il avec lui-même ? À quoi pense-t-il ? Son père a soixante-six ans. Seulement. Depuis dix-huit ans, il n'a pas quitté cette pièce sombre et fraîche. Pour seules sources de lumière, de petites fenêtres, percées en hauteur, dans les murs de pierre, et quelques bougies allumées près de la tombe de Cheikh Haroun, qui se dresse à l'autre bout de la pièce, couverte d'un drap noir. La nuit, le vieillard dort dans la petite cellule de la mosquée. Le jour, il reste assis dans cette salle. Parfois, en hiver, on doit insister pour qu'il s'installe au soleil dans la cour.

— Ton frère, Mahmoud Sami Pacha, envoie ses *salam*. Il a demandé des nouvelles de ta santé.

— *Al-hamdou lillah. Al-hamdou lillah.*

Se souvient-il seulement de son frère ? D'Orabi ? Sait-il qui il est ? Charif Pacha se lève et arpente la pièce dans sa longueur. Son père ne bouge pas. À Sainte-Catherine, dans la salle des ossements, il s'était abandonné à d'amères pensées. Que faisait-il de sa vie ? Qu'allait-il laisser derrière lui ? Son oncle s'était rebellé, il avait laissé des descendants, des poèmes, on citerait son nom dans l'histoire de l'Égypte. Et lui, Charif al-Baroudi, quels étaient ses hauts faits ? Il avait mené une existence honorable, il avait tenté de faire le bien autour de lui, mais cela suffisait-il ? Une fois de plus, il se dit : et si la révolution avait réussi, et s'ils avaient construit le pays dont ils rêvaient, développé ses institutions, réformé le système éducatif, changé les lois, créé des industries ? Au lieu de cela, leurs vies avaient été happées dans ce combat sourd contre les Anglais. Et ils étaient pris entre le sultan, le khédive et l'occupant. Et qu'avait-il fait, lui, Charif Pacha, pour améliorer le sort de son pays ? Bientôt, il serait réduit au même état que ces moines, il ne serait plus qu'un tas d'os et un crâne, ce serait comme s'il n'avait pas existé. Il aurait aussi bien pu mener la même vie que son père, glisser lentement vers la sénilité dans le sanctuaire d'un cheikh fou.

Tout à ces pensées, Charif Pacha avait quitté la salle des ossements pour sortir dans le jardin — et il était tombé sur elle, assise sur un banc. Dieu, ou le diable, lui offrait une réponse à sa question. Prends-la. Prends cette belle femme courageuse qui a surgi dans ta vie, si féminine dans sa robe en soie qui scintille sous la lune. Il aurait voulu la serrer dans ses bras, se dispenser de tous ces discours, se pelotonner contre elle, s'oublier dans l'appel de cette chair blonde. Puis elle avait raconté son histoire d'une façon qui l'avait touché. Tant d'efforts pour offrir son aide à un homme qui l'avait toujours repoussée. Oh, lui ne la repousserait pas, il prendrait ce qu'elle avait à offrir et se trouverait riche de le posséder ! Son père reste assis en silence, le chapelet tremble entre ses mains. N'a-t-il donc jamais pensé à sa femme, et à lui, Abeih Charif, grandi avant l'heure, pour avoir endossé les responsabilités de ce père démissionnaire ?

— Père.

Le vieillard garde la tête baissée, Charif Pacha lève la voix.

— Père !

Le vieil homme le regarde.

— J'envisage de me marier.

Un sourire très doux éclaire le visage du vieillard, qui ne répond pas.

— Père. Qu'en dis-tu ?

— Le mariage est la moitié de la religion, martèle le père, citant le Coran.

— À une Anglaise, ajoute Charif Pacha.

Le sourire de son père s'envole, l'homme baisse de nouveau la tête.

— J'envisage d'épouser une Anglaise. Qu'en dis-tu ?

Le vieillard, qui fixe toujours son chapelet, cite le Coran, dans un murmure : « Et nous avons créé diverses nations et tribus, pour que vous fassiez connaissance les uns avec les autres. Les plus honorables aux yeux de Dieu sont ceux qui Le craignent le plus. »

Charif Pacha regarde son père d'un air triste.

— Donc je considère que j'ai ta bénédiction, conclut-il.

Il trouve sa mère à la cuisine avec deux servantes. Elle choisit des fruits, qu'elle met dans des compotiers.

— *Ahlan ya habibi*, dit-elle, en lui ouvrant les bras.

Elle l'étreint, il se penche pour l'embrasser sur le front.

— Tu as pris ton petit déjeuner ?

— *Al-hamdou lillah.*

— Alors je vais te peler une orange. Sens.

Elle lui tend une orange lisse et brillante.

— Les dernières de la saison. Elles viennent de Jaffa. C'est un cadeau de Choukri Bey.

Elle lui prend le bras, le conduit hors de la cuisine.

— On s'assoit ici ? Il ne fait pas encore trop chaud, dit-elle, en l'entraînant vers la loggia couverte où il s'est assis avec Anna et Laïla, ce premier matin. *Kheir ya habibi.* Tu as l'air fatigué, et il n'est même pas midi !

— Je sors de chez mon père. Il semble bien se porter.

— *Al-hamdou lillah*, soupire-t-elle.

— À quoi pense-t-il, toute la journée ? demande Charif Pacha, après un silence.

— Qui sait ? Il récite le Coran.

— Il te reconnaît ?

— Je crois. Il sourit quand il me voit.

Charif Pacha a un geste impatient.

— N'aie plus de mauvaises pensées à son endroit, supplie Zeinab Hanem. C'est ton père. Et s'il a été injuste avec nous, il a d'abord été injuste envers lui-même.

— Chaque fois que je pense à ce qu'il t'a fait...

— Il ne m'a rien fait. Il a été gentil et bon avec moi pendant vingt-six ans, puis la révolution a mal tourné.

— Il aurait pu réagir autrement.

Sa mère fait non de la tête.

— On aurait pu nous exiler. Il aurait pu — que le mal ne nous approche pas — être tué. Ou emprisonné pendant des années. Toi qui es si philosophe, tu ne comprends pas cela ? Nous avons raté notre révolution. Cela devait forcément avoir des conséquences sur nos vies.

— Je ne puis lui pardonner.

— Parce qu'il te fait honte. Mon fils, « Dieu n'attend rien d'autre des hommes que ce qu'ils peuvent donner ». Dieu pardonne, et toi tu ne peux pas ? Ton oncle a honoré notre famille, tu as mené une vie irréprochable, tu t'es fait un nom, une réputation, même en ces temps difficiles. Ne garde pas de mauvais sentiments dans ton cœur à l'égard de ton père.

Oui, il s'était fait un nom, une réputation. Mais il avait toujours eu le sentiment de vivre en suspens, comme s'il évoluait dans un étroit passage et qu'un jour, enfin, une route allait s'ouvrir devant lui. Il regarda sa mère, toujours belle à soixante ans, la peau veloutée, le regard clair. Elle avait quarante-deux ans quand son mari s'était enfermé dans son sanctuaire.

— Cela n'a pas dû être simple, pour toi, hasarde-t-il. Tu étais jeune.

Un sourire malicieux illumine le visage de Zeinab Hanem.

— Qu'essaies-tu de me dire ? Que j'aurais dû me remarier ? Alors que mon fils était déjà un homme ! Quelle honte ! (Elle rit.) *Ya sidi*. J'avais Laïla, je t'avais toi, j'avais ma famille.

J'étais comblée. Mais, au lieu de te faire du souci pour ta mère, tu pourrais peut-être penser à toi ! Pas de fils pour t'appeler papa, pas de fille pour s'asseoir sur tes genoux. Qui va...

— Mère...

— Je sais, je sais, dit-elle, en levant les mains. C'est un sujet qu'on ne doit pas aborder. Qui va s'occuper de toi quand tu seras vieux ? Tous tes amis sont mariés.

— C'était ce dont je voulais te parler.

— Quoi ?

Zeinab Hanem ouvre de grands yeux, se penche en avant, pose la main sur le genou de son fils.

— Par le Prophète ? Tu es venu me parler de mariage ? Que dois-je faire ? Demander une *zaghrouda** ? J'en ai oublié le son ! Qui, *ya habibi* ? Qui veux-tu, que j'aille demander sa main tout de suite ?

— Mère, écoute-moi.

Les manifestations de joie de sa mère le mettent mal à l'aise.

— Écoute-moi bien. J'ai besoin de ton opinion et de tes conseils. Mes pensées se tournent vers une femme, mais cette histoire n'est pas sans problèmes.

— Des problèmes ? Quels problèmes ? Tout problème a une solution.

Zeinab Hanem s'adosse à son siège, les yeux toujours écarquillés et fixés sur son fils.

— Elle, tu la connais. Je pense à lady Anna.

— Lady Anna ? L'Anglaise ?

Il acquiesce d'un hochement de tête, observe sa mère. Elle baisse les yeux et pousse un profond soupir. Lorsqu'elle relève la tête, elle a un regard soucieux.

— N'as-tu pas déjà assez de problèmes comme ça ?

— Je te l'ai dit.

— Elle est anglaise.

— Je sais.

— Et c'est elle que tu veux ?

— Il semblerait, oui, répond-il en souriant.

— Tu peux choisir qui tu veux en Égypte. N'importe quelle fille voudrait t'épouser !

---

* Singulier de *zagharid* : « youyou ».

— Oui, mais je ne les connais pas.

— Tu apprendrais à connaître ta future femme pendant les fiançailles.

— Je suis trop vieux pour ça, et puis nous avons déjà eu cette conversation des centaines, des milliers de fois.

— Oui, *ya habibi*, je sais, je sais. Mais une Anglaise...

Charif Pacha se lève, parcourt la petite distance qui le sépare du mur, puis revient.

— J'aimerais qu'elle soit égyptienne, française, n'importe quoi mais pas anglaise, avoue-t-il. Puis je pense à elle, et je ne suis plus capable de raisonner. Elle est anglaise, oui, mais cela signifie-t-il que c'est impossible, que ça ne peut pas marcher ? Je ne sais pas. Ce que je sais, c'est qu'elle est entrée dans mon cœur et qu'elle refuse d'en sortir.

— Tu lui as parlé ?

— Non, dit-il, en s'appuyant contre le dossier de son siège.

Oh, elle l'accepterait sans doute. Peut-être pour de mauvaises raisons. Elle l'a trouvé beau et fier, son imagination a fait le reste. Et puis, elle est assez courageuse, assez seule pour donner ce camouflet à l'establishment anglais. Voire pour prendre plaisir à le défier.

— *Ya habibi*. Tu as vraiment l'air fatigué.

— Ce n'est rien.

— C'est donc l'amour que tu attendais. Et il a fallu que ce soit une Anglaise !

— Mère, aie pitié de moi. Comment aurais-je pu rencontrer une Égyptienne, et tomber amoureux d'elle ? Oh, j'en vois dans les réunions de famille, mais comment engager la conversation avec l'une d'elles ?

— *Khalas, khalas*. Ne te tracasse pas. Tu l'aimes et tu la veux. Que Dieu vous rende heureux.

— Je peux donc lui parler ?

— Tu sais qui sont ses parents ? Son père, sa mère ?

— Oui. Ses parents sont morts.

— Elle a déjà été mariée.

— Elle est veuve.

— Cela ne t'ennuie pas ?

— Non.

— Dans ce cas, va lui parler, et que Dieu te bénisse.

— Elle pourrait ne pas vouloir de moi. Comme ça il n'y aurait pas de problèmes !

Refuser son fils, le Pacha ? Zeinab Hanem sait qu'une mère peut manquer de lucidité, mais le monde entier est d'accord pour dire qu'Abeih est un homme exceptionnel, un homme juste, qui occupe dignement sa position. De là à penser qu'une Anglaise épouserait un Égyptien... Même un Pacha comme lui... Il est vrai que, si elle refuse, ça évitera bien des problèmes. Et maintenant que les pensées d'Abeih se sont tournées vers le mariage, peut-être que...

— Attends. Ne pars pas tout de suite ! dit Zeinab Hanem.

Elle pose la main sur le bras de son fils, qui allait se lever.

— Buvons une tasse de café ensemble, pendant que je réfléchis.

Elle appelle pour qu'on leur apporte du café. Ils restent assis en silence en l'attendant.

— Écoute, mon fils, dit-elle, après avoir bu une gorgée. Comme tu sais, j'ai rencontré cette jeune femme. Nous n'avons pas pu discuter, bien sûr. Mais Laïla m'a parlé d'elle. Elle est belle, elle est généreuse. Mais ce mariage lui posera plus de problèmes qu'à toi.

— Tu crois ?

— Oui. Son univers entier va changer. Sa famille va lui en vouloir. Les Anglais d'ici vont l'éviter. Même s'ils s'adoucissent, il sera difficile pour elle, une fois qu'elle sera devenue ta femme, de continuer à les fréquenter. Cette union la coupera de ses compatriotes. Elle ne pourra même plus parler sa langue.

Charif Pacha repousse sa chaise, mais sa mère appuie sur sa main pour le retenir.

— Si elle t'aime comme tu l'aimes, elle renoncera à tout pour toi. Mais si tu l'épouses (Zeinab Hanem tient fermement la main de son fils dans les siennes), tu seras tout pour elle. Si tu la rends malheureuse, à qui ira-t-elle se plaindre ? Pas de mère, pas de sœur, pas d'amies. Personne. Cela veut dire que, si elle te met en colère, tu lui pardonnes. Si elle te contrecarre, tu ne lui en tiens pas rigueur. Et puis, quoi que fassent les Anglais, jamais tu ne le lui reprocheras. Elle ne sera pas seulement ta femme et la mère de tes enfants — *inch'Allah* —

mais ton hôte, et une étrangère placée sous ta protection. Si tu es injuste avec elle, Dieu ne te le pardonnera pas.

Charif Pacha porte la main de sa mère à sa bouche pour la baiser, les yeux brillants de larmes. Lorsqu'il lâche sa main, Zeinab Hanem prend sa tasse à café, la retourne sur la soucoupe, l'inclinant légèrement pour que s'écoule l'excès de liquide.

— On renoue avec de vieilles superstitions ? dit Charif Pacha, mais avec un sourire.

— Mabrouka ! crie Zeinab Hanem.

La vieille servante éthiopienne paraît. Zeinab Hanem lui fait signe de s'asseoir.

— Viens lire dans la tasse du Pacha !

Mabrouka s'assoit en tailleur sur le sol. Elle soulève légèrement la tasse, regarde dedans, puis la retourne de nouveau sur la soucoupe.

— Pas encore, dit-elle, puis elle sourit. Ça fait longtemps, *ya* Charif Pacha.

— Je te laisse lire l'avenir juste cette fois, pour faire plaisir à ma mère.

On avait offert Mabrouka à al-Ghamraoui Bey, qui l'avait donnée à sa fille. Elle vivait chez Zeinab Hanem depuis qu'elles étaient petites. Mabrouka avait été mariée deux fois mais n'avait jamais eu d'enfants. Au moment de l'abolition de l'esclavage, la servante avait refusé de sortir de sa condition. Elle convertissait toutes ses économies en bracelets et colliers, qu'elle portait sur elle en permanence. Elle remit la tasse à l'endroit et la tint, songeuse, dans sa main.

— *Kheir ya* Mabrouka, dit Zeinab Hanem.

— Je vois un chemin. Un chemin étroit. Qui monte et qui descend. Un chemin périlleux. Je vois une silhouette, un homme, il est fin, menu, il porte un chapeau. Pas un tarbouche, ou une *e'mma*. Un chapeau. Mais ses intentions sont sérieuses. Et il vous attend, *ya Bacha*. Il attend quelque chose de vous.

Zeinab Hanem sourit à son fils, qui hausse les sourcils.

— Le chemin aboutit à un espace ouvert avec beaucoup de lumière. Allah ! Beaucoup de lumière et de joie ! Et je vois un petit, un enfant, c'est un enfant qui vient vers vous. Regardez !

Elle tend la tasse à Charif Pacha qui y jette un coup d'œil, réajuste sa veste, puis tend la main vers son tarbouche.

— Vous voyez l'enfant ? insiste Mabrouka.

— En vérité non, je ne le vois pas, avoue-t-il.

— Là !

Elle tourne la tasse vers Zeinab Hanem.

— Là ! Un enfant court vers le Pacha !

— Et ensuite ? demande Zeinab Hanem.

— Je ne sais pas, dit Mabrouka. Je ne vois rien d'autre. Tout est blanc. Vous n'avez pas fait tournoyer le liquide comme il fallait, *ya sitti*, avant de retourner la tasse.

Le 1er mai 1901

— *Ya* Abeih, je serai toujours ta petite sœur, mais là je te demande la permission de te parler franchement.

Laïla est debout dans le bureau de Charif Pacha. Elle a ôté sa cape. Elle porte un magnifique costume rose et bleu.

— Bien. Je t'écoute. Mais es-tu obligée de rester debout comme ça au milieu de la pièce ?

Il lui fait signe de s'asseoir sur le sofa.

— Non, dit Laïla. Je préfère rester où je suis. Je veux te parler de lady Anna.

— Que lui arrive-t-il à lady Anna ?

Lady Anna avec qui il a parlé au clair de lune, comme il n'avait encore jamais parlé à une femme, excepté sa mère et Laïla. Et encore, avec elles, il se devait de cacher sa tristesse, ses faiblesses. Il s'efforce à un ton léger pour demander :

— Elle s'est de nouveau fait kidnapper ?

Laïla lui lance un regard de reproche.

— Elle s'en va.

— Elle s'en va ?

— Elle rentre chez elle. En Angleterre.

Il se détourne. Il va à la fenêtre. Qu'espérait-il ? Qu'elle reste en Égypte indéfiniment ? Bien sûr qu'elle allait rentrer dans son pays. Il se tourne vers Laïla.

— Et alors ? Et après ?

— Abeih. Ça fait cinq semaines qu'elle attend. Qu'elle attend un mot de toi.

— Ah. Et comment le sais-tu ?

— Je le sais parce que je suis une femme.

Laïla vient vers lui, pose une main sur son bras.

— Je « sais ». D'après la façon dont elle parle de toi, avec cette fausse désinvolture. Je sais qu'elle pense à toi sans cesse. Et toi aussi tu penses à elle.

— Comment tu peux savoir ça ?

— Je l'ai deviné, et puis maman m'a dit que tu lui avais parlé.

— Ah, vous les femmes ! Vous ne pouvez pas vous empêcher de répéter ce qu'on vous dit !

Charif Pacha s'éloigne de sa sœur.

— Et est-ce que ma mère t'a fait part de ses objections ? Est-ce qu'elle t'a décrit ce que serait la vie de cette dame, si elle m'épousait ?

— Oui. Ce ne sera pas simple pour elle. Si ç'avait été n'importe qui d'autre, j'aurais été sceptique. Mais Anna est différente. Elle est large d'esprit. Et puis, elle n'a pas eu une vie heureuse. Et tu l'aimes. Demande-lui de t'épouser. Tu verras bien ce qu'elle en pense.

— Laïla, dit Charif Pacha, en regardant sa sœur dans les yeux. Tu crois qu'elle sera heureuse avec moi ? Que je saurai lui faire oublier tout ce à quoi elle va renoncer ? Pas pendant deux ou trois mois, mais le restant de mes jours ?

— Oui, *ya* Abeih.

Les yeux de Laïla brillent de larmes, qu'elle ne cherche pas à cacher.

— Oui. Je sais que tu la rendras heureuse. Et elle aussi te rendra heureux. Cette femme sera une bénédiction pour toi.

C'est ce que je lui ai dit ce jour-là. J'étais sûre de moi, certaine d'avoir raison, sinon je n'aurais jamais trouvé le courage d'aller lui parler de cette façon. J'ai envisagé la chose à travers le filtre de mon propre mariage, un mariage heureux. Et puis je ne voulais pas perdre cette nouvelle amie qui avait porté un regard neuf sur les petites choses de ma vie et m'avait donné l'impression de les redécouvrir avec elle. Mais j'ai surtout agi par amour pour lui, persuadée que, s'il laissait repartir lady Anna, il resterait seul toute sa vie — sa solitude ajoutant à son amertume jour après jour. J'étais sincère en lui disant qu'il la ren-

drait heureuse. Comment pourrait-il ne pas la rendre heureuse, ce frère dont je connaissais l'amour et la gentillesse
depuis toujours ?

*

— Dans le jardin de Sainte-Catherine, j'ai pensé que je
te plaisais.

— J'ai dû faire un terrible effort de volonté pour ne pas
te prendre dans mes bras !

— C'est pour ça que tu gardais les mains dans le dos ?

— Il le fallait. Sinon elles se seraient tendues vers toi.
Comme ça.

Prise dans son étreinte, Anna l'embrasse trois fois.

— Regarde ce que j'ai trouvé, dit-il. Un bouton. Et
encore un. Et voilà un trésor.

Les doigts de Charif effleurent sa peau, il ouvre le bijou,
dans le creux de son cou.

— Ma maman.

— Ce pourrait être toi. Si tu frisais tes cheveux et si tu
les lâchais. C'est si joli !

Anna lève les bras, défait le fermoir, tend sa main.

— Prends-le.

— Quoi ? Pourquoi ?

— Parce que tu l'as admiré. Ils le disent dans tous les
guides : si quelqu'un admire une chose, il faut la lui donner.

— Non. Ils disent que si tu admires quelque chose, on
doit te le donner.

— Alors ça marche dans les deux sens.

— Non.

Il la regarde, voit de la malice dans les yeux violets.

— Anna, tu me taquines.

— S'il te plaît, prends-le ! J'aimerais que tu l'aies.
Comme ça je serais avec toi tout le temps : à ton travail, dans
ces réunions avec tes amis.

— Je ne peux pas, ma chérie. Si je le gardais sur moi, je
pourrais le perdre.

— Pourquoi tu ne peux pas le porter ?

— Parce que c'est de l'or, et puis, regarde cette fine
chaîne.

— Dans ce cas je la changerai, que tu puisses le porter.

— Anna, Anna, je n'ai pas besoin de ce médaillon. Je t'ai, toi. Regarde : c'est ça que je veux. Et ça.

Anna prend sa main, ne la lâche pas.

— Pourquoi ne m'as-tu pas prise dans tes bras ? Tu voyais bien que j'en avais envie !

— Je n'en étais pas sûr. Je pensais seulement que tu ne résisterais pas.

— Alors pourquoi ne l'as-tu pas fait ?

— Parce que je pensais que ce ne serait pas bien. Voilà, je te fais une réponse digne d'un Anglais.

— Et pourquoi aurait-ce été mal ? insiste-t-elle, tenant toujours sa main.

— Ce désert... ces étoiles...

— Tu croyais que ça m'avait tourné la tête ?

— Écoute. Voilà ce que je pense. Tu veux une cigarette ? Non ?

Il se dégage de son étreinte, tend la main pour attraper ses cigarettes, en prend une, l'allume.

— Si nous nous étions rencontrés sur un paquebot qui traversait la Méditerranée, par exemple.

— Pourquoi un paquebot ? demande Anna.

— J'essaie de trouver une situation qui nous aurait amenés à passer du temps ensemble. Ce n'est pas évident.

— Très bien. Sur un paquebot, donc.

— Ou quelque part en Europe, dans un lieu qui t'aurait été familier, mettons Paris. Tu te serais mise devant moi comme ça, tu aurais voulu que je te touche ?

— Oui. Si j'avais eu le loisir de te connaître, comme j'ai pu le faire ici.

— Ce n'aurait pas été possible.

— Je sais. Aussi fallait-il que ça se passe ici, mon amour. Et le désert et les étoiles ont joué leur rôle.

— Merci le désert, merci les étoiles. Lève-toi, Anna. Je veux te regarder. Maintenant, défais ces boutons. Lentement.

Plus tard, blottie contre Abeih Charif, le souffle de son mari dans les cheveux, Anna murmure :

— Tu crois que c'était écrit ?

— Notre rencontre ? dit-il, d'une voix douce.

Il la tient serrée contre lui, il s'émerveille du fait qu'une femme ait pu à ce point transformer sa vie.

— Oui. Tu crois que le destin a essayé de nous mettre en présence ? Au Costanzi, au palais 'Abdine.

— Lequel destin, ne sachant plus quels moyens employer, t'a fait kidnapper.

— Puis il m'a déposée dans ta maison, que tu me « voies » cette fois !

— Mabrouka t'a vue dans ma tasse à café, dit-il, ravi.

Anna sent de la joie dans sa voix.

— Cela règle la question, conclut-elle, en se peletonnant contre lui avec bonheur. Mabrouka sait tout du destin.

LE DÉBUT D'UNE FIN

« Et se fondant sur elles il peut créer
Des formes plus réelles que l'humaine réalité. »

P. B. Shelley.

Est-ce le destin ? La force du passé ? Ou bien n'est-ce qu'une application consciencieuse à la tâche qu'elle s'est fixée ?

Une courbe dans l'escalier sombre. Un rai de lumière, une porte entrebâillée.

Deux jours après sa soirée à l'Atelier, Isabel paya les cinq livres qu'on lui demandait pour photographier la mosquée, passa l'antique seuil, pénétra dans la cour fraîche et pleine d'échos. Elle se débarrassa de son guide avec un peu d'argent, puis erra dans la maison vide. Elle essaya de l'imaginer, cent ans plus tôt : un journal froissé sur le rebord de la fenêtre ; sur une table un livre ouvert, un verre d'eau à moitié bu, un trousseau de clés ; une paire de mules sur le sol, abandonnées par leur propriétaire, allongée sur le divan. Isabel se promena dans la maison. Mentalement, elle mit des rideaux aux fenêtres et les regarda onduler dans la brise. Elle écrasa dans les encensoirs suspendus de l'encens, qui emplit l'air de senteurs subtiles. Elle redonna vie aux fontaines et entendit le doux murmure de l'eau sur les dalles. Le bruit d'enfants à leurs jeux couvrit le son cristallin des fontaines, des voix de femmes les interpellant quand ils devenaient trop bruyants. De la cuisine, en bas, montait l'odeur d'épices frites et de pain chaud. Isabel s'assit derrière le moucharabieh et vit Charif Pacha arpenter le vestibule, les mains dans le dos. Les jeunes ravisseurs d'Anna attendaient, découragés, qu'il vienne leur parler. Isabel cadre des scènes imaginaires dans son viseur, fait le point sur des salles vides, appuie sur le déclencheur. Ses

photos surprendraient Omar. Il s'étonnerait qu'elle en sache
autant sur leurs ancêtres.

Isabel descend l'escalier du fond, plongé dans la
pénombre. Elle arrive au pied des marches escarpées, voit le
rai de lumière. Elle pousse la porte, l'ouvre, se retrouve dans
un espace baigné de soleil. Elle met sa main en visière, plisse
les yeux. La voilà dans une cour, avec un mur de chaque côté.
Face à elle, un bâtiment bas, coiffé d'un dôme vert-de-gris.
Une porte s'ouvre, une femme vient vers elle. Ce visage
accueillant lui rappelle quelqu'un, les vêtements bleu et blanc
aussi. La femme lui ouvre les bras.

— Marhab, dit-elle, d'une voix chantante. Soyez la bienvenue. Nous vous attendions.

Elle s'efface pour laisser Isabel entrer. Une pièce fraîche
et pleine d'ombres. Sur la droite, derrière une grille en fer
forgé, une tombe assez haute, entourée de bougies allumées.
Certaines ne sont plus que des flammes vacillantes dans des
flaques de cire. D'autres sont presque neuves. Les flammes
illuminent les verts, les rouges, et les ors du tissu qui recouvre
la tombe et qui vient mourir sur le sol de marbre avec de jolis
plis. Près de la tombe, une porte entrebâillée semble donner
sur la rue. À gauche, un grand espace, clos par un rideau de
nattes en paille, d'autres nattes recouvrant les dalles de pierre.
Il y a deux bancs à haut dossier, avec des coussins et une table
basse en bois. Seules sources de lumière : de petites fenêtres,
percées dans le haut des murs, et les flammes lointaines des
bougies. Sous l'une de ces fenêtres, un métier à tisser, une
longueur de tissu brillant roulé en dessous. Près du métier à
tisser, un vieil homme, assis sur une chaise à dossier droit. Il
porte la *gibba*, le kaftan et le turban blanc d'un cheikh. Il a la
tête baissée et semble perdu dans ses pensées. Les bruits de
la rue sont étouffés. Isabel se retourne, mais la femme en bleu
a disparu.

Isabel fait deux pas en avant. Le Cheikh ne bouge pas.

— *As-salam 'aleikoum*, dit-elle, d'une voix hésitante.

— *Oua 'aleikoum el-salam*, lui répond-on, que Dieu t'accorde sa pitié et ses bénédictions.

Le Cheikh lève la tête, se tourne vers Isabel. Les rais de
lumière que laisse filtrer la porte entrouverte, derrière elle,
éclairent un visage jeune, ouvert.

— Approchez-vous, dit le Cheikh.

Isabel s'avance jusqu'à une limite qu'elle juge convenable, puis s'arrête. Le Cheikh lève les yeux et la fixe.

— Vous êtes venue m'épouser ? demande-t-il, ému.

— Je...

Isabel hésite.

— *As-salam 'aleikoum*, lance une voix dans la cour.

Une femme entre dans la pièce à la hâte. Elle porte le sarrau noir traditionnel des femmes du peuple. Elle est replète. Elle a un visage rond, joyeux, drapé d'une tarha noire.

— *Salam 'aleikoum ya Cheikh Isa*, s'écrie-t-elle de nouveau en courant vers Isabel. *Marhaba ya sett*, bienvenue.

Isabel respire une bouffée de fleur d'oranger, comme la femme la serre contre sa poitrine chaude et généreuse.

— Bienvenue, et mille fois bienvenue, s'exclame-t-elle de nouveau. Asseyez-vous, ma chérie, asseyez-vous, pourquoi restez-vous debout ? Vous ne dites pas à votre invitée de s'asseoir, *ya* Cheikh Isa ? Ne lui en voulez pas, ma chérie. Nous n'avons pas beaucoup de visiteurs. Hormis ceux qui viennent voir sidi Haroun (elle désigne la tombe d'un geste). Ils sont légion. Votre présence nous honore. Vous voulez du thé, ou autre chose ? Boirez-vous du thé, *ya* Cheikh Isa ?

— Non, répond Cheikh Isa. Je préfère quelque chose de frais. Du Seven-Up.

— Très bien. Je vais vous en chercher une bouteille. Et la dame ? Nous n'avons pas l'honneur de connaître votre nom ?

— Isabel, dit Isabel.

— Longue vie à ce nom. *Om* Aya, pour vous servir. Asseyez-vous, ma chère, et mettez-vous à l'aise. Vous voyez ce tissu (elle passe la main sur le coussin du banc), il porte chance. Cheikh Isa l'a fait lui-même. Prendrez-vous quelque chose ? Chaud ou froid ?

— Ce que vous avez, dit Isabel, qui s'assoit et pose son sac, ouvert, à côté d'elle sur le banc.

— Nous avons tout ce que vous voulez, s'écrie *Om* Aya.

Elle déroule sa *tarha* sur sa tête. En dessous, elle porte un foulard blanc. Elle replie grossièrement la *tarha*, la glisse sous son bras.

— Boissons chaudes et froides, je vous apporte cela dans une seconde. Je vais d'abord vous donner quelque chose de froid, et ensuite le thé. Soyez la bienvenue ! Parlez avec votre hôte, Cheikh Isa. Ne la laissez pas là assise à s'ennuyer.

Elle se hâte de sortir de la pièce, qui retombe dans le silence. Le Cheikh regarde fixement Isabel.

— Êtes-vous étrangère ? interroge-t-il.

— Oui.

— Vos cheveux sont jaunes.

— Mon père avait les cheveux de cette couleur.

— Et votre mère ?

— Les cheveux de ma mère sont — étaient — châtain foncé, presque noirs.

— Vous aimez votre mère ?

— Oui. Oui, j'aime ma mère.

— Le paradis est au pied des mères. Souvenez-vous de ça.

Isabel tâte le tissu sur lequel elle est assise. Dans cette lumière, elle ne voit pas très bien les couleurs, mais il y a des rayures dans divers tons de brun, et, à intervalles irréguliers, une bande scintillante de doré.

— C'est vous qui avez fait cela ? demande-t-elle.

— Oui.

— Qu'avez-vous fait d'autre ?

— Oh ! Beaucoup de choses, répond-il, d'une voix triste. Je peux seulement travailler quand mes mains sont en état.

— Qu'ont-elles, vos mains ?

— Parfois elles me font mal.

Il ouvre ses mains, les regarde. Dans cette faible lumière, Isabel ne peut discerner qu'une légère marque au centre de chaque paume, avant que les longues mains blanches de la femme en bleu ne les recouvrent. Elle s'agenouille à ses pieds. Sur ce visage qui se lève vers le Cheikh, Isabel lit une infinie tendresse.

— Elles te font mal ? s'enquiert la femme.

— Non, répond-il. Non.

La femme se penche et baise la paume de chacune de ces mains. Puis elle les place l'une dans l'autre, avant de les mettre sur les genoux du Cheikh. *Om* Aya arrive, portant avec empressement deux bouteilles vertes sur un petit plateau de cuivre.

— *Salam 'aleikoum*, dit-elle.

Elle pose le plateau sur la table. La femme en bleu se relève. *Om* Aya prend sa main et la baise.

— Comment l'avez-vous trouvé — que le nom de Dieu le protège ? demande-t-elle, anxieuse.

— Bien. Que Dieu soit loué, répond la femme en bleu.

— Et maintenant *sett...*, dit-elle, en se tournant vers Isabel.

— Isabel, dit Isabel.

— *Sett* Isabel est venue.

— Je... peut-être n'aurais-je pas dû, hésite Isabel, gênée, mais *Om* Aya l'interrompt :

— Pourquoi n'auriez-vous pas dû ? « Entre dans les maisons par leurs portes », dit-elle, citant le Coran. Vous êtes entrée par la porte, nous vous avons reçue.

— Malgré tout je...

Isabel s'apprête à se lever. La femme en bleu se tourne vers elle, lui sourit.

— Vous êtes de bonne compagnie, déclare-t-elle. N'ayez aucun scrupule à rester. Vous êtes chez vous ici.

— Faites-nous l'honneur, renchérit *Om* Aya, en essuyant le goulot d'une bouteille avec sa manche et en l'offrant à Isabel.

Isabel prend la bouteille. *Om* Aya donne l'autre au Cheikh Isa.

— Buvez, ma chère, et restez en bonne santé.

La femme en bleu est près de la porte.

— Je vous quitte en bonne santé, dit-elle.

Puis elle disparaît dans la cour ensoleillée. *Om* Aya s'assoit sur l'autre banc.

— Alors, dites-nous, ma chère, où avez-vous appris l'arabe ?

Amal a pris une décision : quand l'histoire d'Anna sera finie, elle fermera son appartement et ira vivre à Tawasi. Pas définitivement, mais pour un temps. Si elle a une responsabilité à présent, c'est envers sa terre et envers les gens qui l'habitent. Elle a tant à apprendre et à faire là-bas, tant à donner. Si seulement elle pouvait résoudre cette histoire de liste. Elle ne peut demander une liste de noms aux fellahs, et elle ne peut rouvrir l'école sans cette liste. Amal arrive au bout du pont de l'Université, la statue de Nahdet Masr se dresse devant elle. Ils se rassemblaient au pied de cette statue, à l'époque où ils manifestaient. Après la guerre de 1967, sa génération avait pressenti les conséquences de la défaite, deviné qu'elle étendrait son ombre sur leur vie entière. Ils avaient déboulé dans les rues, tenté une parade. En 1968, il avait semblé que la jeunesse allait conquérir le monde, et que les étudiants d'Égypte seraient du nombre. Ils avaient choisi Nahdet Masr comme symbole : une fellah une main posée sur la tête d'un sphinx, l'autre écartant son voile, statue à la fois ancienne et moderne, en granit rose d'Assouan. Une œuvre de Mahmoud Moukhtar, le premier diplômé de l'école des Beaux-Arts. Cette statue avait été financée par le gouvernement et par souscription. Si Amal réussit à rouvrir l'école, elle passera les murs à la chaux, elle mettra des affiches de couleurs vives. Elle fera chanter les enfants, elle les enregistrera, elle apprendra à faire le pain. Elle trouvera un conteur. Il doit toujours y avoir des conteurs dans la région...

Pendant qu'elle attend au feu rouge, Amal sent qu'on la regarde et lève les yeux. Un jeune homme la dévisage à travers la vitre d'un fourgon pénitentiaire arrêté à côté d'elle. Il a une barbe épaisse et noire, un regard noir intense. Ses mains serrent les barreaux en acier de la fenêtre. Amal détourne les yeux, fixe la route, devant elle. Elle a honte. Honte d'être libre, de se trouver dans cette voiture, de pouvoir aller où elle veut, alors que ce jeune homme est en cage, comme un animal. À qui appartient ce pays ? C'est la question qu'on se pose, à présent. Le feu passe au vert, Amal accélère. Elle avait pleuré, au téléphone, en racontant à Omar l'histoire de la barricade et des jeunes gens.

— Nous vivons dans un monde de brutes, avait-il dit.

— Mais cela ne devrait pas être comme ça, avait-elle rétorqué.

On peut espérer que les choses changeront un jour. Qu'est-ce que vingt ans, cinquante ans, dans l'histoire de l'Égypte ? Tant que certains d'entre eux tiennent bon et font ce qu'ils peuvent... ce qu'elle peut faire, c'est aller vivre sur ses terres. Elle ne peut rien contre la vente des industries nationales, contre les trafics, la corruption. Rien contre le désespoir et la brutalité qui conduisent de jeunes gens à se laisser pousser la barbe et à essayer de retrouver la pureté d'un lointain passé à coups de bombes et de décharges de mitraillette.

Il lui reste Minieh. Or des gens vivent de ces terres. Peut-être ses fils viendront-ils la voir. Peut-être l'un de ses fils viendra-t-il. S'il reste assez longtemps, elle lui montrera les journaux d'Anna. Ils s'assoiront au crépuscule sur la véranda, ils sentiront la présence d'Anna et de Charif al-Baroudi, de Laïla, de Zeinab Hanem et de tous leurs ancêtres.

— Regardez ça, dit *Om* Aya. Et ça.

Elle a apporté des tissus, qu'elle déplie sur les genoux d'Isabel.

— Ils sont très beaux, murmure Isabel.

Elle les regarde, dans la faible clarté dispensée par la petite fenêtre. *Om* Aya veut-elle qu'elle achète quelque chose ?

— Il a assez de lumière pour travailler ? s'enquiert Isabel.

— Mes mains n'ont pas besoin de lumière, affirme Cheikh Isa.

— Son cœur lui donne assez de lumière, que le nom de Dieu le protège, dit *Om* Aya. Dites-nous, *sett* Isabel, allez-vous rester longtemps en Égypte ?

— Je repars demain, réplique Isabel, en posant le tissu à côté d'elle.

— Mais vous reviendrez.

Isabel se demande s'il s'agit d'une question.

— Oui, répond-elle. Mais il faut que je rentre chez moi pour voir ma mère. Elle ne va pas bien.

— Que Dieu apaise votre cœur et que vous reveniez rassurée, *inch 'Allah*. Et vous n'êtes pas mariée ?

— Non. J'ai été mariée, mais nous avons divorcé. Nous n'avons pas eu d'enfants, précise-t-elle.

Elle connaissait désormais assez le pays pour savoir ce qui allait suivre.

— Dieu récompensera votre patience, *ya habibti*.

— *Inch 'Allah*, dit Isabel.

Elle a dû rougir car *Om* Aya sourit.

— Mais quelqu'un occupe vos pensées.

Spontanément, Isabel acquiesce. Puis elle ajoute, se surprenant elle-même :

— Mais j'ignore quels sont ses sentiments.

— Ses sentiments ? (*Om* Aya prend une grande inspiration.) À votre avis ? Est-ce que quelqu'un peut dire non à une vraie beauté ?

Isabel sourit, hausse les épaules.

— Vous lui plaisez, c'est certain, reprend *Om* Aya. Mais il se peut qu'il ne se déclare pas.

— Je vais lui parler, assure Isabel.

— Ce n'est pas une bonne idée, *ya habibti*. Croyez-en mon expérience.

— Que faire alors ?

— Vous vous habillez, vous vous parfumez, vous vous asseyez à côté de lui, vous êtes une femme, vous connaissez la suite.

— El-Asr, soupire Cheikh Isa.

On entend les appels à la prière.

— Il faut que j'y aille, dit Isabel, en s'approchant du Cheikh.

Il lui tend les mains. Elle lui donne les siennes.

— Allez, ma fille, murmure-t-il, en serrant ses mains entre les siennes. Allez. Que Dieu éclaire votre route, vous donne ce que vous désirez et récompense votre patience par de bonnes choses.

Isabel se retourne, voit *Om* Aya fermer la fermeture à glissière de son sac.

— N'oubliez pas vos affaires, dit-elle, et laissez-vous guider par votre cœur.

Une odeur de fleur d'oranger enveloppe à nouveau Isabel.

19.

« Crois seulement et tu verras. »

J. S. B. Monsell, 1865.

Le Caire
Le 6 mai 1901
Je vais me marier.
Je relis ces mots et j'ai peine à y croire — et pourtant c'est vrai. Je vais me marier dans un peu plus de deux semaines. Charif Pacha aurait voulu que nous nous mariions demain, mais il souhaite que ce soit son ami, Cheikh Mohammad Abdou, qui célèbre le mariage. Or cet homme se trouve à Istanbul, aussi attendrons-nous son retour. »

Anna pose sa plume. Elle regarde par la fenêtre, mais les hommes qui sirotent leur apéritif du soir sur la terrasse de l'hôtel, les Égyptiens et les badauds, dans la rue, plus loin, ne reflètent en rien ce qui se passe dans son cœur et dans son esprit. Elle traverse la pièce, examine son visage dans le miroir. Cela doit se voir, d'une façon ou d'une autre. Et, effectivement, ses joues sont plus roses, ses yeux semblent briller d'un éclat plus vif. Elle porte sa main à son visage...

Je suis allée chez sa mère, comme il me l'a demandé. Avant d'être introduite au salon, j'ai traversé la grande entrée. Il était là, en tenue de ville, comme la première fois que je l'ai vu. Il avait les mains dans le dos, il égrenait son chapelet. J'ai passé la porte, il s'est retourné et mon cœur s'est mis à battre si vite que j'ai dû m'arrêter ! Pendant quelques instants, il m'a paru interloqué, mais cela n'a pas duré, il s'est ressaisi et s'est avancé vers moi.
— Lady Anna, dit-il en prenant mes mains. Pardonnez-moi. Ce sont ces...

D'un mouvement de tête, il désigna ma robe. Depuis le jour où l'on m'avait amenée, captive, en sa maison, il ne m'avait jamais vue qu'habillée en homme, ou dans son vieux peignoir, ou encore dans la longue robe que m'avait donnée sa sœur. Il m'a regardée, mes mains toujours dans les siennes, comme s'il avait besoin de se persuader que j'étais bien la personne dont il se souvenait, la personne à qui il avait écrit cette lettre. Sans doute devais-je avoir l'air mal à l'aise, car il m'a répété : « Pardonnez-moi. Je suis submergé par... »

Il n'a pas terminé sa phrase.

— Venez, allons nous asseoir, a-t-il dit.

Je m'assis sur un divan. Il prit place à côté de moi. Mais aussitôt il se releva et se mit devant moi. Je levai les yeux : il me fixait d'un regard intense.

— Vous êtes aussi belle que dans mon souvenir, murmura-t-il en souriant.

— Mais légèrement différente, dis-je.

Il hocha brièvement la tête en signe d'acquiescement.

— Mais c'est toujours vous, n'est-ce pas ?

— Oui, c'est moi... Je peux retrouver les vêtements que je portais dans le désert...

— Ce ne sera pas nécessaire, dit-il en riant. Je dois m'habituer à ceux-ci. Oh Anna (il eut un geste d'impatience, se détourna), je voudrais en finir avec ces formules obligées (il enfonça ses mains dans ses poches) mais nous avons des arrangements à prendre.

— Des arrangements ?

— Pour le mariage.

Mon cœur fit un bond dans ma poitrine, puis il y eut un blanc. Le visage de Charif Pacha s'assombrit. Il me regarda avec une vive attention.

— Vous ai-je mal comprise ? Ma lettre, je pensais que c'était clair. Et ce matin, j'ai reçu votre mot.

— Oui, haletai-je. Oui.

Mon cœur battait si fort, mon sang fouettait mes tempes si violemment que je crus m'évanouir.

— Vous avez pâli.

Sa voix était calme, je dirais même sèche. Je sentis qu'il s'éloignait de moi. Or je voulais qu'il me revienne ! À ce stade, le moindre malentendu pouvait nous être fatal.

— *Monsieur, dis-je, tandis que mon cœur battait la chamade, vous m'honorez, et je suis très heureuse d'accepter votre demande.*

Il y eut un silence, je me forçai à poursuivre :

— *J'ai l'air surprise, je pensais qu'il nous faudrait plus de temps — quelques jours peut-être — pour en arriver au fait.*

Je levai les yeux : il avait les joues en feu. Je lui tendis ma main.

— *Charif Pacha, murmurai-je, avec douceur.*

Il prit ma main. Je l'attirai vers moi et le fis s'asseoir à ma droite.

— *Oui, déclarai-je, en baissant les yeux sur nos mains serrées l'une dans l'autre. Oui, je veux vous épouser.*

— *Il faut que vous en soyez sûre, dit-il, en accentuant sa pression sur ma main. Tout à fait sûre, absolument sûre. Vous allez renoncer à tellement de choses.*

— *J'en suis sûre, répétai-je.*

Et je l'étais.

Je l'entendis pousser un soupir de soulagement, puis, de sa main libre, il caressa mon visage, en éprouva les contours. Il effleura les mèches échappées de ma coiffure et moi — moi j'oubliai tout, excepté sa main sur moi. Au moment où je crus qu'il allait m'embrasser, il recula. La main qu'il venait de lâcher portait les marques des bagues qui s'étaient enfoncées dans la chair, entre mes doigts. Il se mit à arpenter la pièce.

— *Si Mohammad Abdou était là, nous pourrions nous marier demain, déclara-t-il avec impatience.*

— *Il faut absolument que ce soit lui ? m'enquis-je.*

Et je me sentis rougir : je n'avais pas voulu être aussi directe. Le visage de Charif Pacha, si sombre, si impatient un instant plus tôt, s'éclaira d'un méchant sourire.

— *Tiens, tiens. Je croyais que les convenances exigeaient que l'on attende quelques jours ? Mais oui. Il faut que ce soit lui. Personne d'autre n'oserait le faire.*

À ce moment-là, le petit Ahmad déboula dans la pièce en criant « Lalou ! Lalou ! ». Son oncle se tourna pour le prendre dans ses bras. « Et alors », dit-il, quand Ahmad l'eut libéré de son étreinte. Il lui murmura quelque chose en arabe, je reconnus mon nom, et Ahmad courut m'embrasser. Comme je le tenais dans mes bras, Laïla arriva en courant, l'air radieux. Elle m'étreignit.

— Mabrouk* ya Anna, alf mabrouk, *s'écria-t-elle.*

Elle serra son frère dans ses bras, les yeux brillants de larmes.

— *C'est pour quelle date ? demanda-t-elle.*

— *Justement, nous disions..., hésita Charif Pacha.*

Laïla comprit, fronça les sourcils.

— *Il faut que vous soyez prudents, recommanda-t-elle. Que la nouvelle ne filtre pas.*

Je vis alors l'importance du pas que j'allais franchir. Par ce mariage, je me mettais au ban de la société anglaise. Mes relations avec sir Charles, Caroline, James Barrington et Mme Burcher allaient certainement changer. Je pensai à la dame allemande qui, deux semaines plus tôt, avait dîné à l'hôtel Shepheard avec un monsieur égyptien et au scandale que cela avait causé. Le serveur grec avait offert à ce monsieur (qui se révéla être un cousin du khédive) un fez plein de salade, avec les compliments de la direction. Puis je songeai à lord Cromer et à l'Agence. La peur me prit, comme si on m'enfonçait une lame glacée dans le cœur, mais ce n'était pas pour moi-même que je craignais.

— *Anna, dit-il, nous ferons les choses dans les règles, mais il me semble préférable de procéder d'abord au mariage égyptien. Après quoi nous le ferons ratifier à l'Agence.*

— *Un mariage égyptien me suffit, assurai-je.*

— *Lady Anna, lady Anna qui n'a peur de rien ! Non, nous ferons les choses comme il se doit. Mais dans l'intervalle (un rien d'amertume perça dans sa voix), vous me pardonnerez de ne pas vous courtiser, car nous ne pouvons sortir nulle part.*

— *Vous me ferez la cour plus tard, monsieur. Dans l'intervalle j'attendrai.*

Nous montâmes au premier étage, où Zeinab Hanem m'embrassa tendrement — elle nous embrassa tous les deux, les joues ruisselantes de larmes. Mabrouka, sa servante éthiopienne, se mit à frapper dans ses mains. Ses lourds bracelets cliquetèrent mais Charif Pacha l'arrêta en pleine zaghrouda.

— *Pas maintenant, dit-il, d'un ton sévère. Quand tout sera conclu.*

Cependant, il lui tapota l'épaule et l'embrassa sur la tête, je sais qu'elle a été comme une seconde mère pour lui, depuis sa naissance.

---

* Félicitations.

— *Quant à mon père, conclut-il, vous le verrez quand nous serons mariés.*

Je lève les yeux du journal d'Anna et je suis surprise de me trouver dans ma chambre, sa malle rangée contre le mur, mon lit ouvert pour la nuit. Mon cœur a battu avec celui d'Anna, mes lèvres ont désiré le baiser de son amant. Je m'ébroue pour revenir dans le présent, je me lève, je vais sur le balcon, je regarde dehors. Qui d'autre a lu ce journal ? Ceux qui l'ont lu ont-il eu aussi le sentiment qu'elle leur parlait ? J'ai l'impression, très vive, qu'Anna écrit pour moi, je dialogue mentalement avec elle. La nuit, dans mes rêves, je suis assise à côté d'elle et nous conversons comme deux amies, comme deux sœurs.

Je vais chercher un verre d'eau glacée dans la cuisine. Je prends dans le réfrigérateur un concombre que je croque, tout en retournant dans ma chambre. Isabel est partie. Ses affaires sont dans la chambre des garçons, les vêtements dont elle n'aura pas besoin, le sac avec l'appareil photo et ses objectifs, les livres et les cassettes qu'elle a achetés. Isabel est quelque part au-dessus de l'Atlantique, elle rentre voir Jasmine et mon frère. Mon frère... Je dois lui parler d'Isabel sans détour.

Je ne sais quoi penser de son histoire dans la mosquée. Mon amie est une femme intelligente, elle a le sens pratique. Elle est aussi romantique et sensible, mais elle n'est pas folle. Ce n'est pas le genre à croire aux OVNI et aux extraterrestres. Pourtant, elle est sûre d'être entrée dans la mosquée, de s'être assise sur un banc, d'avoir bu du Seven-Up, d'avoir eu une conversation avec un cheikh étrange, une servante volubile et une femme habillée comme les madones qu'on voit dans les peintures.

Nous sommes retournées dans cette maison le lendemain : la porte de la mosquée était fermée. Verrouillée, cadenassée, couverte de toiles d'araignée, comme la dernière fois. Nous avons fait le tour et pénétré à l'intérieur par la porte principale. La tombe était couverte du tissu vert rituel, il y avait effectivement des bougies — comme dans toutes les mosquées. Derrière la grille, il faisait trop sombre pour qu'on puisse discerner quoi que ce soit. J'ai demandé au gardien si nous pouvions voir le Cheikh.

— Voilà le Cheikh, a-t-il répliqué en montrant la tombe du doigt.

— Non, l'autre Cheikh, ai-je dit. Celui qui habite là.

— Ah ! el-Cheikh el Mestakhabbi ? Il n'y a pas de Cheikh pour le moment. Le vieux est mort. Ils ne l'ont pas remplacé.

— Depuis quand est-il mort ? m'enquis-je.

— Il y a environ un an. C'était un jeune homme. Mais il avait vu la lumière. Son père vivait là avant lui. Ils ont vécu cent ans ici. Puis l'État a repris la maison et en a fait un musée.

— Il n'y a donc plus de Cheikh ici depuis un an ?

— Tout le monde le sait, *ya sett*. Pour vivre ici, un homme doit avoir renoncé au monde. C'est la condition que pose le *ouaqf*. Or un tel homme ne se trouve pas tous les jours.

— Et *Om* Aya, elle vit toujours par ici ?

— Je ne sais pas, *ya sett*, répond le gardien. Je n'ai jamais entendu parler d'elle.

Isabel s'apprête à contester les dires de l'homme. Je l'entraîne vers la sortie.

— Je ne comprends pas, insiste-t-elle, une fois dans la voiture. Ils étaient là ! Je les ai vus, je leur ai parlé !

— Isabel, il m'arrive de penser à une situation et d'avoir l'impression de la vivre.

— Ils étaient là, répète-t-elle. Comme toi et moi !

Au moment de me coucher, je me promets d'appeler Omar. Je n'ai pas de ligne directe pour l'étranger : je serais constamment tentée d'appeler les garçons.

Le Caire
Le 12 mai 1901
Cher sir Charles,
Je viens de recevoir votre lettre du 8. Vous dites que le duc de Cornwall a promis d'intercéder en faveur d'Orabi Pacha auprès du sultan et du khédive. Ce sont là de bonnes nouvelles. J'espère que cela pourra en partie réparer les torts causés au pays dans le passé. Je crois vous avoir dit que Mahmoud Sami Pacha al-Baroudi a perdu la vue à Ceylan, à cause du climat. Ses filles et ses petits-enfants lui font la lecture, car il a entrepris de réunir le

meilleur de la poésie arabe dans un livre, avec ses notes. Tâche formidable pour un monsieur aveugle. Je prie pour que le pardon accordé à Orabi guérisse certaines blessures dont on sent toujours l'effet ici.

Dans la communauté anglaise, la vie suit son cours. Il y a eu un grand bal costumé au Shepheard, la semaine dernière. Le Moorish Hall est un salon magnifique, parfait pour ce genre de festivité. Quatre officiers, arrivés au Caire en fin de journée, ont voulu assister au bal. Comme ils n'avaient pas de costumes, ils ont pris des robes de femme dans les penderies des couloirs, à l'entrée des chambres. Ils se sont taillé un franc succès, mais ils ont négligé de rendre les robes avant de partir, ce qui a causé des problèmes à la direction le lendemain matin. Finalement, on a pu faire revenir les dames à de meilleurs sentiments et les choses se sont tassées. Tel est le genre d'amusement qu'ont les Anglais.

James Barrington envisage de rentrer en Angleterre. Sa mère est veuve depuis peu, or il est fils unique, et il a des devoirs envers elle. Il pense qu'il ne serait pas malheureux et pourrait être de quelque utilité dans l'équipe d'un journal londonien. Pourriez-vous le recommander quelque part ? C'est un jeune homme très capable et je crois que vous le trouverez sympathique. Je pense qu'il sera en Angleterre avant moi — je n'ai encore rien décidé pour mon retour. Aussi ferai-je appel à lui pour porter à M. Winthrop les herbes qu'il m'a demandées l'automne dernier. S'il y a quoi que ce soit que je puisse vous envoyer...

Depuis deux mois, Anna vit intensément. Sir Charles, Caroline, et sa maison de Londres passent au second plan. Elle se soucie de sir Charles, mais elle se sait impuissante à le guérir de son chagrin. A-t-elle craint de voir ce chagrin se refermer sur elle comme un piège, si elle rentrait dans son pays ?

Le 17 mai
Aujourd'hui, j'ai enlevé mon alliance et je l'ai mise, avec celle d'Edward, dans un sac en feutre qu'Emily a confectionné pour moi il y a des années. Cette période de solitude sera salutaire pour me préparer au mariage, ce grand bouleversement. J'en profiterai pour me séparer du passé, autant que faire se peut.

Il est naturel que je pense à Edward en un tel moment. Cepen-

dant, fût-il vivant, je crois que mon remariage le laisserait indifférent ; peut-être se réjouirait-il pour moi et éprouverait-il un certain soulagement, tout dépendrait de la personnalité du futur mari. Or ce mariage...

Je n'arrive pas à imaginer Edward et Charif Pacha ensemble. Je ne les vois pas se serrer la main. Je mets une distance entre moi et ceux que j'ai connus et aimés toute ma vie. J'imagine Caroline avec Charif Pacha, peut-être qu'elle flirte un peu avec lui. Quant aux hommes, non, même mon cher sir Charles... Je ne vois que mon père. Lui, je crois, aurait pu devenir l'ami de mon futur mari. Pas ici, en Égypte, pas même en Angleterre, mais se fussent-ils rencontrés dans un autre pays, ils auraient pu deviser agréablement — en français. Quant à ma mère, je suis certaine qu'ils se seraient aimés sur-le-champ.

Je ne l'ai pas vu depuis onze jours. Et je ne le verrai pas, si tout se passe comme prévu, avant le 23 mai. Cependant Laïla me transmet ses messages et me dit qu'il s'impatiente chaque jour de ne pas être avec moi. « Ma chère Anna, s'écrie-t-elle, je suis si heureuse ! Je croyais que ça ne se ferait pas. Il faut te dépêcher de nous donner une fiancée pour Ahmad ! » Il arrive qu'elle me regarde d'un air songeur. Une fois, elle m'a dit : « Tu sais qu'Abeih te laissera retourner en Angleterre voir ta famille quand tu voudras.

— Je n'en doute pas, lui ai-je répondu.

— Seulement, tu ne dois pas t'attendre à ce qu'il t'accompagne, a-t-elle ajouté, un peu gênée.

— Oui, je sais.

— Il pourrait t'attendre en France.

— Laïla, je suis heureuse, ne t'inquiète pas. Il est un peu tôt pour avoir le mal du pays ! »

Je ne voudrais pas qu'il vienne à Londres et qu'on le regarde comme une bête curieuse, ou pire. Un jour, peut-être. Quand l'Égypte sera redevenue indépendante, nous pourrons emmener nos enfants en Angleterre et ouvrir Horsham pour l'été, et je le présenterai — mais ce n'est pas pour tout de suite.

Laïla m'a fait part des arrangements pris : contrat le premier jour, ratification à l'Agence le lendemain — une fois le contrat signé, lord Cromer ne peut plus empêcher le mariage. La cérémonie aura lieu le troisième jour. J'aimerais que la chose se passe comme si j'étais égyptienne, je l'ai dit à Laïla. Cela ravira Zeinab Hanem, qui attend depuis des années de voir son fils marié. Cela devrait *faire aussi la joie de Charif Pacha. Quant à moi, je n'aurai pas la vieille église d'Horsham : autant vivre un vrai dépaysement. Je m'en suis remise à Laïla : elle organise tout comme s'il s'agissait du mariage de sa sœur. Elle est enchantée. Elle m'a commandé une robe du soir en lamé or, chez une couturière française de la rue Qasr el-Nil. Je la porterai comme robe de mariée. Chaque fois que je me rends à la vieille maison, je trouve Laïla, Zeinab Hanem et les servantes en train de coudre et de broder divers ornements qu'elles me font essayer, épinglent, et ajustent, jusqu'à ce que je crie grâce. Quel dommage qu'Emily ne puisse participer à tous ces préparatifs : ça lui plairait beaucoup, sauf que je ne sais pas comment elle va prendre ce mariage.*

Le 18 mai

Et si nous vivions avec Zeinab Hanem ? Je n'ai pas vu la maison de Charif Pacha, mais je devine qu'elle est de style européen, comme toutes ces maisons neuves — or je m'attache de plus en plus à la vieille maison.

— Ne pourrions-nous vivre ici ? ai-je dit à Laïla. Au moins un temps. Ça va être difficile pour moi d'apprendre à tenir une maison comme il l'entend, et je préférerais que ce soit ta mère qui me l'apprenne plutôt que des servantes.

Zeinab Hanem se réjouirait d'avoir son fils sous son toit, je le sais. Je sais aussi qu'elle ne le dira pas. Et j'aimerais, si un jour grâce à Dieu il y a un enfant, m'asseoir avec Laïla dans la loggia, à l'ombre de la cour, et regarder nos enfants jouer près de la fontaine, tout en guettant ce bruit de sabots qui annoncera le retour de mon mari.

20.

« Accorde-moi le droit d'aller retrouver mon amour. »

Edmund Spenser

Le 22 mai 1901

Le Cheikh Mohammad Abdou fronce les sourcils en lisant la lettre adressée au prince Yousouf Kamal. Les hommes sont assis en silence dans la grande pièce austère. Les divans et les coussins sont recouverts de gros coton blanc, les rayonnages de livres touchent le plafond. Lorsqu'il a fini de lire, Mohammad Abdou tend la lettre à Mohammad Rachid Reda, assis à sa droite.

— Ces gens..., soupire-t-il tristement. Nous ne progresserons pas tant qu'il y aura des hommes pour penser comme ça.

— Ces gens ont besoin d'être éduqués, déclare Choukri Bey al-'Asali, et Fadilatoukoum est en position de les instruire.

— Un mot de toi les réduirait au silence, dit Charif Pacha.

— Je vais y réfléchir, promet Mohammad Abdou.

Charif Pacha compatit pour son vieil ami. Il est rentré d'Istanbul la veille, et aujourd'hui les visiteurs n'ont pas cessé d'affluer. Mohammad Abdou a l'air épuisé.

— Choukri Bey est resté au Caire pour vous voir, dit-il, mais si vous êtes fatigué, il peut revenir une autre fois.

— Non, non, proteste Mohammad Abdou. Je suis à son service.

— Nous espérions que vous vous arrêteriez à Jérusalem, *ya sayyedna* ? dit Choukri Bey.

— La prochaine fois, *inch'Allah*. J'aimerais prier encore une fois dans l'Aqsa, si Dieu le veut.

— Comment s'est passée votre visite à la Sublime Porte ?

— Comme les autres fois, répond Mohammad Abdou avec un sourire las, complots et conspirations. Les espions du sultan me suivaient partout.

— Il ne fait confiance à personne.

— Il a raison, dit Charif Pacha. Il sait que beaucoup de gens veulent se débarrasser de lui.

— *Ya sayyedna**, approuve Choukri Bey. J'ai entendu dire que le sultan a reçu le Dr Herzl et David Wolffsohn. Y a-t-il du nouveau ?

— Ils ont tenu les mêmes propos que d'habitude, j'imagine. Ils l'ont assuré qu'il pouvait compter sur la loyauté des sionistes à l'égard du trône ottoman. Que ceux-ci ne formaient pas de sociétés secrètes comme les Arméniens, les Bulgares, ni ne demandaient, comme eux, l'aide des puissances étrangères.

— C'est un tissu de mensonges ! s'écrie Choukri Bey en se levant, exaspéré. Ils refusent de prendre la nationalité ottomane pour pouvoir — en tant que résidents étrangers — en appeler aux puissances étrangères. Ainsi, dans tout litige les opposant à un Arabe, ce sont leurs propres consuls qui tranchent. Combien lui ont-ils offert ?

Choukri Bey est ulcéré. Mohammad Abdou essaie de le calmer :

— Ils n'ont avancé aucun chiffre. Ils ont simplement déclaré : « Nous savons que votre trésor a besoin d'argent, or nos amis contrôlent un tiers de l'argent qui circule dans le monde. » S'il leur donne la Palestine, s'il les laisse s'autorégenter, comme ils le font à Samos...

— On a rendu Samos à son peuple.

— C'est le modèle qu'ils ont pris, dit Mohammad Abdou. En échange, ils paieraient une certaine somme au palais et un tribut annuel.

— Et puis ?

Choukri Bey attend, les yeux fixés sur Mohammad Ali.

— Abd el-Hamid a écouté la conversation : aucune décision n'a été prise. Izzat Pacha al-'Abid était là. Il a fait peur

---

* Mon seigneur.

au sultan en lui assurant que toute la province se révolterait s'il leur confisquait la terre pour la vendre.

— Pourquoi accepte-t-il de les recevoir ? demande Choukri Bey. Il a refusé leur offre d'acheter la Palestine en 1896. Il sait bien qu'ils n'ont pas renoncé à cette idée.

— Abd el-Hamid est malin, *ya* Choukri Bey. Je pense qu'il est de taille à se mesurer au Dr Herzl. On le presse d'éponger la dette turque, et à mon avis, il a accepté de rencontrer Herzl pour le neutraliser.

— Herzl représente une menace réelle, dit Choukri Bey. Son Fonds colonial juif a acheté de très bonnes terres à Tabariyyah et c'est pour cette raison que les fellahs ont levé les armes.

— Herzl a dit au sultan qu'il était en rapport avec Cheikh Yousouf al-Khalidi...

— Il n'est pas en « rapport » avec lui, non, l'interrompt Choukri Bey avec mépris. Al-Khalidi a écrit à l'un de ses amis, à Paris, Rabbi Zadok Kahn, pour le supplier d'user de son influence afin de détourner l'intérêt des sionistes de la Palestine. Kahn a montré la lettre à Herzl, qui a pris sur lui de répondre.

— Ainsi, vous savez tout de cette affaire ? s'étonne Mohammad Abdou.

— Vous avez vu la correspondance ? demande Charif Pacha.

— Oui. Al-Khalidi a envoyé une lettre vibrante d'émotion, il a invoqué l'Histoire et il a conclu en disant : « Au nom de Dieu, laisse la Palestine tranquille. » Herzl en a écrit une sournoise où il proposait de l'argent de façon détournée, faisait des menaces voilées...

— Les juifs ont toujours vécu en Palestine, dit Rachid Reda, mais maintenant...

— Comme d'autres peuples, rétorque Choukri Bey, sauf que maintenant ils arrivent par milliers. Ils ont l'appui d'un Fonds colonial. Regardez...

Il sort une coupure de journal de sa poche. C'est un article d'*al-Ahram* du 24 avril. Le quotidien cite le *Morning Post*. Le journal américain rapporte que les sionistes ont tenu une grande réunion dans le Milwaukee et lancé une souscription mondiale auprès du peuple juif pour recueillir les fonds nécessaires à l'achat de la Palestine.

— Ils offrent beaucoup d'argent pour la terre, s'insurge Choukri Bey, et certains propriétaires terriens — les grands propriétaires, ceux qui vivent dans les villes — vendent. Et le fellah, au lieu de cultiver la terre et de donner une part des récoltes au propriétaire, se retrouve dans la position d'un journalier dont on loue les services, certains sont même chassés de chez eux. Ils se dissocient totalement des Arabes. Leurs enfants ne fréquentent pas nos écoles, et ils n'autorisent pas nos enfants à fréquenter les leurs. Ils parlent leurs propres dialectes, dirigent leurs propres affaires. Ils tiennent à haut prix à leur nationalité. Que font-ils parmi nous ?

S'ensuit un long silence. Choukri Bey se dirige vers la fenêtre. Lorsqu'il revient, Cheikh Mohammad Abdou lève les yeux de son chapelet.

— Je comprends votre inquiétude, dit-il. Personnellement, je crois que leur rêve est une utopie. Leur Sion est un lieu paradisiaque, or on ne peut recréer le paradis sur terre. Cela dit, je demanderai l'avis de Cattaoui Pacha. Inutile que naissent de nouvelles dissensions entre nous.

— Nous sommes assez divisés comme ça, approuve Cheikh Rachid Reda.

— C'est notre destin, soupire Choukri Bey, que de vivre à notre époque.

— La situation paraissait bien différente dans les années soixante et soixante-dix, souligne Charif Pacha.

— Peut-être parce que nous étions jeunes, dit Mohammad Abdou.

— Peut-être ne peut-on faire la révolution que lorsqu'on est jeune.

— Nous réussissons à changer des choses, dit Mohammad Abdou. Ce ne sont pas de grands bouleversements — comme la Révolution française — mais de petits changements qui finiront par s'additionner. Et le coût en sera moindre.

Charif Pacha sourit. Vingt ans plus tôt, Mohammad Abdou ne trouvait rien à redire à la Révolution française.

Choukri Bey el-Asali s'avance pour serrer la main du Cheikh.

— Je remercie *Fadilatoukoum*. Je ne vais pas vous ennuyer plus longtemps, mais souvenez-vous, je vous en prie, qu'al-Khalidi et moi ne sommes pas les seuls à ne pas apprécier ce qui se passe en Palestine.

Rachid Reda part avec Choukri Bey. Charif Pacha et Cheikh Mohammad Abdou se retrouvent en tête à tête. Le cheikh soupire, se passe les mains sur le visage. Il est fatigué.

— Que penses-tu de tout cela ? lui demande-t-il.

— Je trouve la chose préoccupante. Tout comme la lettre que je t'ai donnée. Et la taxe sur le fil que Cromer essaie d'imposer. Il se penche vers son ami. Mais il y a autre chose dont je veux te parler. J'ai une grande faveur à te demander.

— *Kheir* ? dit Mohammad Abdou, l'œil aux aguets. Ordonne, je m'exécuterai.

— Demain, je veux que tu me maries (son ami a un sourire ravi) à une dame anglaise : lady Anna Winterbourne.

Mohammad Abdou regarde Charif Pacha avec attention.

— Pourquoi demain ? demande-t-il.

Charif Pacha s'appuie contre le dossier de son siège.

— Parce que, si la chose s'ébruite, tu imagines ce qui va se passer. Parce que je ne peux pas la voir avant qu'elle soit ma femme. Parce que j'ai attendu dix-sept jours que tu rentres, que je vieillis et que je n'ai plus de temps à perdre. Tu veux d'autres raisons ?

Mohammad Abdou n'a pas quitté son ami des yeux. Il lui sourit, lui serre le bras.

— *Mabrouk ya Charif Pacha*. Que tes vœux soient exaucés.

Ils se lèvent, s'étreignent.

Quand j'ai apposé ma signature sur le contrat, Mabrouka a poussé un cri de joie, et personne ne l'a fait taire. C'est l'ami de Charif Pacha. Cheikh Mohammad Abdou, qui nous a mariés — un saint homme. Les contrats de mariage étaient rédigés en arabe et en français.

Ces contrats sont tous les deux dans la malle d'Anna. Ils lient « Lady Anna Winterbourne (chrétienne), fille de sir Edmund De Vere (décédé) et de lady Aurora De Vere (décédée), veuve (de feu le capitaine Edward Winterbourne du

21ᵉ lanciers de l'armée de Sa Majesté britannique) saine d'esprit et majeure, par le mariage à Charif Pacha al-Baroudi (musulman), propriétaire terrien, notable et membre du conseil législatif et consultatif, exerçant le métier d'avocat ». Le contrat précise que le sidaq de Charif Pacha à lady Anna est de cinq mille livres égyptiennes. De quoi acheter, à l'époque, soixante hectares de très bonnes terres. Charif Pacha s'engage à verser à lady Anna vingt mille livres de plus s'il devait divorcer contre le gré de celle-ci et lui accorde le droit de divorcer de lui. On ajoute une clause selon laquelle le divorce prendrait effet et le sidaq serait versé, si Charif Pacha faisait valoir son droit légal de prendre une autre épouse. Les témoins sont Hosni Bey al-Ghamraoui et Choukri Bey al-Asali. Le contrat est enregistré ce même jour : le 23 mai 1901. Le jour où Anna cesse d'écrire dans le cahier bleu secret et revient une fois de plus au grand cahier vert.

... et bien que j'aie élevé des objections sur certains points, car le contrat donne l'impression que je n'ai pas suffisamment confiance en sa bonne foi, Charif Pacha a dit : « C'est mieux ainsi », et la chose a été réglée. Il m'a remis un sac très lourd rempli de pièces d'or — ma dot. J'ai voulu le lui confier, mais il a insisté pour que j'envoie la somme à Londres, à mes banquiers.

Je suis la proie de mille émotions. Choukri Bey et Hosni Bey ont été adorables. Laïla et Zeinab Hanem étaient ravies. Mabrouka n'a cessé de répéter : « Ne l'avais-je pas vu dans la tasse ? » Je n'avais pas la moindre idée de ce qu'elle voulait dire, mais je lui ai donné raison.

Et mon mari ? Il a glissé une large alliance en or à mon doigt et il m'a baisé la main. « Plus que deux jours, a-t-il dit, et nous serons ensemble. » J'en ai éprouvé un plaisir si vif que mon cœur aurait pu bondir de ma poitrine et se loger dans la sienne.

Ce sera ma dernière nuit dans cette chambre, qui est ma maison depuis plus de six mois. J'ai demandé à Emily de faire mes bagages. Je lui ai annoncé que je partais le lendemain matin et que je l'enverrais bientôt chercher. Elle est surprise, mais sans doute croit-elle que je vais à Alexandrie et que, après un court séjour là-bas, nous rentrerons en Angleterre.

Ce soir, je dois écrire à sir Charles.

Le 24 mai

Ce sera la dernière nuit où je dormirai seule. Mon mari m'a fait porter un mot il y a une demi-heure : « Dormez bien, lady Anna. Demain, vous et moi avons une affaire sérieuse à traiter. » Et je vais dormir — ou du moins essayer. Mais je dois consigner les événements de cette journée extraordinaire.

J'ai quitté l'hôtel et trouvé la voiture de mon mari qui m'attendait, comme nous en étions convenus, au coin de la rue al-Maghrabi et de la rue 'Imad el-din. Nous sommes allés à l'Agence, il a tenu ma main tout le long du chemin. Il avait déjà envoyé une lettre à lord Cromer « pour s'épargner certaines explications ». Un employé de mon mari nous a rejoints à notre arrivée : il allait servir d'interprète. Charif Pacha n'était encore jamais venu à l'Agence, et cet endroit, qui m'était si familier, m'est soudain devenu hostile : tout le monde évitait mon regard, comme on nous escortait à la hâte jusqu'au bureau de lord Cromer.

Lord Cromer s'est levé pour nous saluer. Il a eu un bref hochement de tête à l'adresse de mon mari mais ne lui a pas serré la main. Nous nous sommes assis de l'autre côté de son bureau. Il est venu au fait sans détour.

— J'ai cru comprendre que vous souhaitiez vous marier ?

C'était à moi qu'il posait la question, et avec un tel dégoût que j'en ai été piquée. J'ai répondu en français, pour que mon mari puisse comprendre :

— Nous sommes déjà mariés, lord Cromer. Nous souhaitons faire valider le contrat, pour que notre union soit reconnue en Angleterre.

Il a rougi, mais il a maîtrisé sa colère et demandé de quand datait la cérémonie. Notre jeune interprète a traduit sa question en arabe et mon mari y a répondu.

Durant toute l'entrevue lord Cromer a parlé en anglais, moi en français, et Charif Pacha en arabe. On ne nous a offert ni thé ni café. Nous n'avons pas échangé de civilités. Mon mari a fait un signe à son assistant, qui a sorti de son porte-documents une copie du contrat de mariage rédigée en français et l'a posée devant lord Cromer. Il l'a examinée brièvement, puis s'est tourné vers moi.

— Lady Anna, a-t-il dit. Vous réalisez ce que vous êtes en train de faire ?

Se fût-il montré triste, ou perplexe, j'aurais pu le comprendre, mais il n'afficha que mépris et colère.

— *Sir Charles Winterbourne est-il au courant ?*

— *Je lui ai écrit, répliquai-je. J'ai aussi écrit à mes amis.*

— *Cela n'a pas de sens, s'exclama lord Cromer, et Mohammad Abdou aurait dû avoir l'intelligence de ne pas se prêter à cette triste comédie.*

Mon mari dit quelques mots d'un ton sec. L'interprète traduisit :

— *Le Pacha dit que nous souhaitons faire valider le mariage, et non savoir ce qu'en pense lord Cromer.*

— *Lady Anna, répliqua lord Cromer, je crois que nous devrions avoir une conversation en privé.*

J'ai posé la main sur le bras de Charif Pacha et déclaré que je n'avais rien à dire que mon mari ne puisse entendre.

— *Vous faites une erreur, ma chère, protesta le lord, l'air inquiet, à présent. Mes employés vous parleront des jeunes femmes que l'on peut voir errer dans la ville, pour avoir contracté de telles unions.*

Quand l'interprète eut fini sa traduction, je dis que j'avais déjà entendu ces histoires et jugé qu'on les rapportait avec une certaine complaisance. Pour ma part, je n'y accordais aucune foi.

— *Lord Cromer, déclara mon mari, en détachant ses mots, je crois comprendre ce que vous ressentez. Cela ne m'aurait pas rempli de joie que ma sœur souhaite épouser un Anglais. À vrai dire, j'aurais probablement tout fait pour l'en empêcher. Quelques idées erronées que vous puissiez avoir, vous semblez estimer ma femme et vous pensez agir au mieux de ses intérêts. Quoi que nous disions ma femme et moi, vous n'en tiendrez pas compte. Mais...*

— *Charif Pacha, coupa lord Cromer d'un ton bourru mais conciliant, se tournant enfin vers lui. Charif Pacha, je sais qui vous êtes, j'ai entendu parler de vous. (Mon mari s'inclina.) Je sais que vous êtes un homme intègre et un homme du monde. Je suis certain que vous avez conscience — pour dire les choses sans détour — de tout ce que lady Anna s'expose à perdre en se pliant à ce... contrat. C'est une femme de haut rang. En tant qu'homme d'honneur, vous ne pourrez assurément...*

— *Lord Cromer, l'interrompis-je, craignant soudain que ces arguments ne portent.*

À son tour, mon mari me rassura en posant une main sur mon bras. Lorsqu'il eut fini de parler, l'interprète déclara :

— *Le Pacha dit qu'il a conscience de l'immense honneur que lui fait lady Anna. Si elle perd son rang dans votre société de par ce mariage, la faute en incombera à la dite société, pour qui ce sera une grande perte. Le Pacha ne doute pas que les cercles dans lesquels elle évoluera lui accorderont toute la considération due à la fois à son rang et à sa position de par ce mariage.*

— Quels cercles ? explosa lord Cromer. Je ne vais certainement pas accepter ce...

— Monsieur, fis-je, nous sommes déjà mariés. Si le mariage ne peut être validé, nous nous en passerons.

Là-dessus, lord Cromer quitta la pièce. Il dut consulter l'un de ses collègues, car il resta absent quelques minutes. Lorsqu'il revint, il resta debout derrière son bureau. Il regarda Charif Pacha de haut, l'air torve.

— Je veux que vous signiez un papier attestant que vous vous engagez à ne pas prendre d'autre épouse tant que vous serez marié à lady Anna.

Il aurait pu avoir ce ton avec un commerçant qu'il aurait soupçonné de sombres tractations. La colère me donna soudain très chaud. Non seulement Cromer offensait mon mari, mais il donnait une image déplorable de l'Angleterre.

— Lord Cromer, vous nous insultez, fulminai-je.

— Lady Anna, je suis obligé d'insister. Il est clair que vous n'avez pas la moindre idée...

— Cela figure déjà dans le contrat, interrompit mon mari, calmement, en se levant. Ainsi que d'autres clauses, que vous devriez étudier. Je vous serais reconnaissant de faire porter les documents ratifiés à mon bureau. Je crois que nous avons suffisamment abusé de votre temps.

Il se tourna vers moi :

— Madame ?

Nous quittâmes l'Agence. Je suis certaine que lord Cromer lut le contrat. Je suis tout aussi sûre que ce document n'aura changé en rien son opinion sur mon mari, car il n'est pas homme à se remettre en cause. Dans la voiture, j'ai commencé à m'excuser, mais mon mari a mis un doigt sur ma bouche. « Chut, a-t-il dit, C'est nous, les gens heureux. »

Là-dessus j'ai eu une entrevue consternante avec Emily, que j'ai envoyé chercher dès que je me suis installée dans la maison. Elle était furieuse contre moi. Elle m'a lancé, la bouche pincée : « Donc madame n'aura plus besoin de mes services ? » J'ai répliqué que je voulais la garder, notamment pour qu'elle porte ces deux lettres, que j'ai mises dans sa main, à Mme Butcher et à James Barrington immédiatement. Pour le reste, j'aurais besoin d'elle tant qu'elle voudrait bien demeurer auprès de moi, mais notre situation allait changer et je n'étais pas certaine qu'elle serait heureuse. Je lui ai donné trois jours pour réfléchir à l'hôtel Shepheard. Après quoi, je l'enverrais de nouveau chercher.

C'est aussi bien qu'elle n'ait pas été là aujourd'hui : c'était mon jour de « henné ». On ne m'a pas réellement mis du henné sur les paumes des mains et les plantes des pieds — c'est démodé, dit Laïla — mais j'ai eu droit à des gommage, pétrissage et autres frictions tels que je suis rouge comme un lumignon. J'ai vu des servantes s'affairer toute la journée, outre les femmes qui se sont occupées de moi. Zeinab Hanem n'a pas quitté la cuisine, pour préparer, avec d'autres, le festin de demain. Toute la journée, il y a eu des chants et des zaghroudas. De temps à autre, Laïla venait me montrer un cadeau : une coupe en or, des verres en cristal, ou un service à thé en argent. Et les fleurs : il est arrivé des dizaines de paniers de fleurs.

Laïla m'a dit, l'air inquiet, que je trouverais nos appartements un peu nus : son frère pensait que j'aimerais les meubler moi-même. Il a raison, ai-je approuvé. Je n'y avais pas encore songé, mais j'aime l'idée de choisir des meubles et de décorer mon intérieur — et mon cher Frederick Lewis peut m'inspirer.

Ce soir je dors dans une petite chambre d'amis, près des appartements de Zeinab Hanem ; elle est venue me voir plusieurs fois, pour s'assurer que je ne me sentais pas trop seule dans mon nouvel environnement.

Non, je ne me sens pas seule, je suis heureuse, mais j'aurais aimé partager ma joie avec l'une de mes vieilles amies — Caroline, peut-être...

Ce soir, Charif Pacha dort dans sa maison.

Tous les doutes, toutes les interrogations de cet homme se sont envolés. Elle n'est plus « Lady Anna, l'Anglaise », mais lady Anna, sa femme, « Anna Hanem, Haram Charif Pacha al-Baroudi ». Il sourit dans son bain, il sourit en se promenant dans cette maison, enveloppé dans un peignoir blanc, cette maison qu'il va quitter demain, après tant d'années. C'est étrange de se sentir si heureux, si serein. Il n'a même pas réussi à haïr Cromer, durant cet entretien lamentable. Cromer, en revanche, l'a en horreur ! Charif Pacha sourit. Anna a été parfaite : pas un mot d'anglais, pas une concession. Il se réjouit qu'elle souhaite vivre dans cette vieille demeure ; ainsi, il n'aura plus à s'inquiéter de la solitude de sa mère. Sa surprise devant les clauses subsidiaires du contrat ! Sa main sur son bras devant Cromer ! Charif Pacha ouvre encore une fois la boîte de velours noir, sur sa commode. Demain soir, ces saphirs brilleront aux oreilles d'Anna et sur sa gorge, et ce sera lui qui, plus tard, les enlèvera.

21.

« Dans l'acte d'amour, chaque partie du corps a sa part de plaisir : ainsi les yeux sont faits pour le plaisir de voir, les narines pour humer de doux parfums. Le plaisir des lèvres est dans le baiser, celui de la langue dans l'acte de boire à petites gorgées, de sucer, de lécher. Les dents trouvent leur plaisir à mordre, le pénis à pénétrer. Les mains aiment palper, explorer. La partie inférieure du corps est faite pour être touchée, caressée. La partie supérieure pour tenir, étreindre, quant aux oreilles, leur plaisir consiste à écouter les mots et la musique de l'amour. »

al-Imam Jalal al-Din al-Sayouti,
Le Caire, 1134 après J.-C.

Le 5 août 1997

Elle veut que mon frère lui fasse l'amour.

— Je ne peux pas m'occuper d'elle, plaide-t-il. Je suis trop vieux. Trop habitué à vivre à mon gré. Je passe déjà mon temps à jongler. Je ne peux pas recommencer tout ça.

L'opératrice intervient sur la ligne : « Dites au revoir. »

— Ton temps de parole est écoulé, dit Omar. Je te rappelle.

« Au revoir ? » dit l'opératrice.

Mon frère me rappelle aussitôt :

— Je ne te comprends pas. Tu ne peux pas demander une ligne directe pour l'étranger ?

— Je ne veux pas.

— Tu préfères faire la queue dans l'un de ces centraux merdiques ? Ces endroits sont déprimants...

— Je ne fais pas la queue. Il n'y a presque personne. La plupart des gens ont des lignes internationales.

— Alors pourquoi tu n'en demandes pas une ?

— Je ne veux pas.

— Je vois. C'est une décision réfléchie. Bien. Qu'est-ce que je disais. Ton amie...

— « Mon » amie ? C'est toi qui me l'as envoyée !

— Je l'ai emmenée dîner hier soir. Je ne puis nier qu'elle me plaît.

— Je ne t'ai pas appelé pour te demander de t'en occuper.

— Mais tu as laissé entendre...

— Je voulais seulement que tu saches qu'elle est accrochée.

— Oui, ça je sais.

— Quelle modestie !

— Écoute. Que suis-je censé faire ? J'ai cinquante-cinq ans. Je connais tout ça. Je ne peux pas supporter...

— Pas supporter quoi ?

— De tout expliquer encore une fois, et d'être triste après !

— Il faut que ce soit triste ?

— Ça l'est toujours.

— Bon. *Khalas*. Tu es libre.

— Libre ?

Il rit.

Omar est resté en bons termes avec toutes les femmes de sa vie. Ses enfants l'adorent. Si Isabel lui plaît, pourquoi ne s'en « occupe-t-il » pas ? Après tout, cette histoire n'aura peut-être pas le temps de devenir triste. Triste pensée.

— Et cette malle que je t'ai envoyée ? Tu t'en sors, avec ton histoire ?

— Très bien. Ils sont presque mariés. Je crois que je vais tout emporter à Tawasi.

— Pourquoi ?

— Je voudrais rester un moment là-bas. Sur nos terres.

— En août ? Tu es folle ! Je pourrais venir dans la seconde moitié du mois. On passera quelques jours ensemble.

— Ce serait génial, m'exclamai-je. Tu me tiendras au courant ?

Je ne lui demande ni pourquoi, ni par quel chemin il viendra. Son téléphone peut être sur écoute.

Ce soir-là, sixième jour du mois de Safar de l'année 1319, elle était belle comme une reine. Elle rayonnait. Elle avait la bénédiction de Dieu, car chacune de ses paroles, chacun de ses gestes allait droit au cœur de son interlocuteur.

Nous avons pour coutume de faire asseoir la mariée dans un salon privé, où les dames la saluent à leur arrivée, avant de s'asseoir à leur tour ou de discuter entre elles. Anna n'a pas supporté cela longtemps. Elle n'a pas tardé à se mêler aux invitées, à converser avec celles qui parlaient français, à échanger des sourires avec celles qui ne le parlaient pas. Ces dames, tout d'abord surprises, ont finalement apprécié cette attitude. Elles ont pensé qu'Anna cherchait à se faire des amies, et elles ne l'en ont que plus aimée.

Sa robe de mariée, un long fourreau doré confectionné par Mme Marthe, laissait le haut de sa poitrine et ses épaules découverts. Elle portait de lourds bracelets aux bras, des bracelets en or — cadeaux de mariage de ma mère. Autour de son cou et à ses oreilles, brillaient les saphirs et les diamants que mon frère avait fait porter ce matin. Elle avait poussé un cri en ouvrant la boîte, elle m'avait regardée. Le soleil illuminait son visage. « Ils sont exactement de la couleur de tes yeux », lui ai-je dit. Avec ses cheveux, nous avons fait une couronne assez lâche, dans laquelle nous avons inséré son diadème. Elle ne portait pas de voile.

Mabrouka a allumé notre meilleur encens parfumé à l'ambre. Elle l'a promené dans l'appartement nuptial toute la journée en marmottant des incantations. Quand Anna a été habillée, la servante a décrit un cercle autour d'elle avec l'encens et le lui a fait enjamber sept fois pour la protéger du mauvais œil et de l'infortune. Anna s'est soumise de bonne grâce à ces rituels et a remercié Mabrouka en lui offrant de l'or — présent rendu encore plus doux par une étreinte.

Toute la journée, on nous a apporté des sorbets dans nos quartiers. Le soir, on a allumé des torches dans la cour et exposé les cadeaux à l'entrée de la maison. Dans toutes les pièces, des paniers de fleurs offerts par les amis de mon frère. Les calèches ont commencé à arriver. Les hommes sont restés dans la cour et dans les grandes salles de réception, les femmes sont montées dans les salons et sur les terrasses du haramlek. Les enfants faisaient la navette entre les deux étages.

Derrière le moucharabieh, je regardais ce qui se passait en bas : mon frère, en grand habit, flanqué de mon mari et de Choukri Bey, accueillait ses invités, recevait leurs félicitations. Tous les membres du cabinet étaient présents,

et le Azhar, et le prince Mohammad Ali, venu au nom
d'Efendina, et Moukhtar Pacha représentant la Sublime
Porte. On donna un siège à mon oncle, Mahmoud Sami
Pacha, qui organisa un coin de poètes avec Ahmad
Shaouqi, Hafiz Ibrahim, Ismaïl Sabri et Ibrahim al-Yaziji.
Mustafa Bey Kamil était là et Qasim Bey Amin, mais ils
s'évitaient. Il y avait aussi Cattaouie Pacha et son fils
Henri, El-Anba Kyrollos et Mohammad Bey Farid, Cheikh
Mohammad Abdou, Cheikh Ali Yousouf et Cheikh Rachid
Reda et beaucoup d'autres. En bref, tout Le Caire était là.
Un monsieur anglais arriva. J'allai voir Anna, l'entraînai
derrière le moucharabieh. « C'est James Barrington, s'ex-
clama-t-elle. Il est venu ! » Mme Butcher répondit aussi à
l'invitation : elle prit les mains d'Anna dans les siennes,
l'embrassa tendrement et lui souhaita tout le bonheur possible.
Cheikh Yousouf al-Manyalaoui avait promis de chanter
pour nous. On a installé le *takht* : il a joué deux ballades.
Il finissait « *b'iftikarak eih yefidak* », quand il y a eu de
l'agitation : Abdou Efendi al-Hamouli était arrivé et
Cheikh Yousouf insistait pour lui laisser sa place et pour
l'accompagner, derrière, dans le chœur. Cette voix magnifique s'éleva jusqu'au haramlek et jusqu'au ciel. Toutes
conversations, tout mouvement cessèrent. Les jeunes
femmes étaient transportées de *tarab*. Je les ai imaginées
grand-mères, disant à leurs petits-enfants, dans maintes
années : « C'est le soir où j'ai entendu chanter Abdou
Efendi : au mariage de Charif Pacha al-Baroudi et de sa
femme anglaise. »

Comment traduire *tarab* ? Comment décrire à Isabel cet
état particulier, émotionnel, spirituel, et même physique dans
lequel entre celui ou celle dont l'âme est pénétrée de musique
orientale de qualité ? Un état si particulier qu'il est un radical
à lui tout seul : *t/r/b*. N'importe qui peut être chanteur, *moug-
hanni*, mais il faut un don pour être *moutrib*. Abdou Efendi
al-Hamouli était connu sous le titre de « Moutrib des rois et
des princes ». Ce soir-là, dans la vieille demeure de Touloun,
il instilla de la joie et de la tristesse dans les cœurs de ses
auditeurs. Comment Anna ressentit-elle cette étrange musi-

que ? D'après moi, elle y ouvrit son cœur comme elle ouvrait son cœur à tout, dans sa nouvelle vie.

Il était plus de minuit quand nous avons entendu les *zagharid* et le battement des tambours nous annonçant que mon frère venait chercher sa femme. Il y eut une vive agitation, comme les dames regagnaient leurs sièges. Certaines ramenèrent leur voile de soie devant leur visage, le fixèrent avec des épingles en or. Anna retourna s'asseoir sur son fauteuil. Les battements de tambours et les *zagharid* se firent plus sonores, jusqu'à ce qu'ils arrivent devant la porte. Le silence se fit : mon frère parut à l'entrée du salon. De toute ma vie, je ne l'avais jamais vu aussi beau. Il regarda Anna, son visage s'illumina. Sa femme répondit à son sourire, rayonnante. Lentement, il traversa la pièce, tandis qu'elle l'attendait, immobile et droite sur son siège. Il s'assit à sa droite. On frappa de nouveau les tambours, les musiciennes et les chanteuses de la *zaffa* les accompagnaient. Ma mère s'était toujours promis de danser le jour du mariage de son fils. Au bout d'un moment, elle se leva et entama pour eux la danse lente et majestueuse de la hanem. Jalila Hanem, la mère de Hosni, se joignit à elle, en agitant un foulard et en exécutant des pas dignes et rythmés, typiques de la danse palestinienne. Abeih avait posé sa main sur celle d'Anna, dont les yeux brillaient de larmes, car elle comprenait que ces deux dames âgées lui faisaient un grand honneur.

Ma mère n'a jamais exécuté la danse palestinienne à aucun de nos mariages. Omar fut le seul qui se maria de son vivant : il épousa sa première femme en 1966, l'année qui suivit la mort de mon père — ce fut un événement si précipité que nous n'eûmes même pas le temps d'aller à New York pour y assister. « Que Dieu protège ton père, dit ma mère. S'il était toujours avec nous, cela n'aurait pas pu arriver. Ton frère s'installe en Amérique, il se fiance, puis il se marie à son gré, comme s'il n'avait pas de famille. » Il divorça, en 1967, pendant la guerre. Ma mère fut outrée qu'on puisse mettre un terme à des liens aussi sacrés avec une telle désinvolture. Je la revois soupirant, dans le salon de notre vieille maison d'Helmeyah : « Heureusement que je n'ai pas connu les parents de cette fille. J'aurais été incapable de supporter leur regard. » Je n'avais rien répondu. Comment lui dire à quel point son attitude était démodée ? Quand Omar vint lui rendre visite après la guerre, elle lui reprocha ce divorce, comme si son ex-épouse américaine avait été la fille de sa meilleure amie.

— Que va-t-on penser d'elle, à présent ?

— C'était une décision conjointe, *ya Ommi*, rétorqua-t-il. C'est mieux ainsi, pour elle comme pour moi.

— Mais pourquoi divorcer aussi vite ? Après un an !

— C'est à cause de la guerre.

— Comment ça ? La guerre peut amener un homme à divorcer ?

— Nous avons découvert l'un et l'autre que j'étais arabe, répliqua-t-il, sur un ton léger.

Je repense à cette époque, à notre bonheur parfait, ce soir-là. Pour ce qui était de mon père, nous nous étions habitués à son état. Nos amis les plus proches étaient allés le saluer, et il ne semblait pas mécontent. Je crois avoir été plus heureuse qu'à l'heure de mon mariage. J'avais beau aimer Hosni comme mon cousin, je savais ce jour-là — cela datait de six ans — que j'allais le suivre en France, dans un monde inconnu. Le fait de laisser ma mère seule dans la vieille maison me préoccupait beaucoup. Aujourd'hui j'étais heureuse avec mon mari, et ravie d'avoir Ahmad. Mon frère se mariait enfin, il épousait une femme qu'il aimait. Le bonheur de ma mère était double : son fils se mariait, et il revenait mettre de la vie dans sa maison.
Mon frère se leva. Devant nos amis réunis, il baisa les mains de notre mère, puis il l'embrassa sur le front. Après quoi il tendit la main à Anna. Sa femme à son bras, il traversa lentement les *zagharid* au son des tambours. On jeta sur eux de fins sequins d'or. Je pourrais jurer sur ce qui m'est de plus cher, qu'il n'y avait pas une âme, dans cette pièce, qui ne souhaitât leur bonheur.

Charif Pacha emmena sa femme dans son nouvel appartement. Derrière la porte fermée, ils entendaient toujours les bruits de la maison et de la rue en liesse.

Le 26 mai

Mon mari est parti : des affaires urgentes l'appellent à son bureau, liées au pardon du khédive à Orabi Pacha. Il m'a annoncé la nouvelle hier soir.

— Le duc de Cornwall a rendu visite à Orabi Pacha à Ceylan, il y a deux semaines, lui ai-je dit.

Mon mari m'a regardée, surpris.

— Viens. Nous avons mieux à faire que parler politique, a-t-il déclaré.

Effectivement nous avions mieux à faire. J'ai passé une nuit « des plus agréables et des plus déconcertantes », comme l'a dit feu notre reine il y a cinquante ans. C'est comme s'il avait rappelé mon corps à la vie. Mieux : comme si j'existais dans ce corps pour la première fois.

Avant de partir, mon mari m'a présenté mon beau-père. C'est un homme très doux. Il a soixante-six ans, mais il paraît plus âgé. Mon mari a baisé sa main, je l'ai imité. Le vieux Baroudi Bey a souri et hoché la tête.

La maison est très calme, aujourd'hui. Hormis la visite de Zeinab Hanem et de Mabrouka au petit déjeuner, venues souhaiter « le bonjour aux jeunes mariés », on m'a laissée en paix. Sans doute Zeinab Hanem et les servantes ont-elles besoin de se reposer, après leur activité frénétique de ces derniers jours. Et moi je suis comblée, heureuse de vivre. De faire ma toilette paisiblement. De m'étendre sur le divan, sous le moucharabieh. De regarder le reflet du soleil sur mes mains et sur mes habits. De dormir, de m'éveiller, d'attendre son retour.

Le 10 août 1997

Isabel m'appelle et me dit :

— Tu me manques.

— Toi aussi, tu me manques, dis-je. Comment ça va ?

— Ma mère est... je crois qu'elle est en train de mourir. Elle est très maigre et elle ne parle presque plus.

— Je suis désolée.

— Elle est assez calme. Elle n'est pas malheureuse, mais elle est comme absente.

— Que disent les médecins ?

— Pas grand-chose. Je voudrais en savoir plus sur sa vie. Qu'elle me donne sa vision à elle.

— Toutes ces histoires sur Anna ?

— Oui. Pourquoi ne lui ai-je pas parlé, posé des questions quand il était encore temps ?

— C'est souvent comme ça, soupiré-je, mais essaie de la faire parler. Ou mieux : dis-lui ce que tu ressens.

— J'ai vu Omar deux fois.

— Alors ?

— Il est adorable, mais il est toujours pressé. On est allés voir une exposition de photos sur la Chine, à l'ICP. Il a tout visité au pas de course ! Mais après il m'a emmenée dans un très bon restaurant.

— Isabel. Est-ce que ça va ? Tu as l'air un peu énervée.

— Oui. Non. Non, je ne suis pas énervée. Je voudrais seulement qu'il soit amoureux de moi.

— Oh, Isabel !

— Je le veux vraiment ! C'est plus fort que moi. Honnêtement. J'ai essayé. C'est comme si cet amour existait déjà, et qu'Omar refuse de le voir !

— Isabel...

— C'est le sentiment que j'ai. Lui aussi doit sentir quelque chose de fort.

— Il est plus âgé. Il a eu plusieurs histoires.

— Amal !

— Quoi ?

— Je vais te faire une confidence incroyable.

— Quoi ?

— Tu sais, cette histoire du Cheikh fantôme ?

— Oui ?

J'ai comme une sensation de froid dans le cœur. Sa mère est en train de mourir. Elle s'est inventé une histoire avec mon frère. C'est à cause de moi, si elle est obsédée par Anna et l'histoire de notre famille.

— Aujourd'hui, j'ai ouvert mon sac de linge sale. Dedans, il y avait les vêtements que je portais ce jour-là. Et tu sais quoi ?

— Quoi ?

— Ils sentent la fleur d'oranger.

— Isabel !

— C'est vrai. Je te le jure ! Sinon, d'où viendrait cette odeur de fleur d'oranger ?

Je ne trouve rien à dire.

— Amal ?

— Oui.

— Qu'est-ce que tu en dis ?

— Ne parle surtout pas de cela à Omar.

— Il me prendrait pour une folle ?

— Oui, et il te quitterait.

— Je sais. De toute façon, il part dans une semaine.

— Ça va aller ? dis-je.

— Bien sûr que oui.

— Tu as l'air un peu tendue.

— Ça ira.

— Et ton travail ?

— J'a vu la directrice de programmes hier. Elle est plutôt enthousiaste.

— Alors concentre-toi sur ta mère. Et sur ton travail. Le reste suivra.

— Je sais.

— Et appelle-moi bientôt.

— Bien sûr que je vais t'appeler.

Je m'assois au bord de mon lit. Je ne crois pas qu'on puisse voyager dans le temps, mais j'essaie de garder l'esprit ouvert. Je finis de m'habiller. Je me regarde dans la glace. Je me trouve passable. Plus du tout comme avant, mais passable. L'interphone résonne, Tahiyya me dit : « Tareq Bey vous attend dans sa voiture. » J'éteins les lumières, je saisis mon sac, et je sors.

Nous prenons un verre au bar panoramique du Hilton Ramsès. La vue est sublime : des guirlandes lumineuses bordent les rives du Nil, les ponts, les places du Caire. Nous apercevons le pont Qasr el-Nil, et derrière, les contours élégants de l'ambassade d'Angleterre, puis encore au-delà, cette forteresse qu'est l'ambassade américaine au cœur de la cité des jardins.

— Tu sais, je me suis trompé l'autre jour, dit Tareq. Tu as changé en fait.

— Il fallait s'y attendre, dis-je, en souriant.

— Tu es devenue encore plus belle.

Je fais la grimace.

— Si, si. Je suis sérieux. Tu as toujours été belle. Mais maintenant, tu as quelque chose de plus.

— Oui. Le passé !

— Nous aurions dû nous marier.

— C'est sûr, dis-je. Et tu tiendrais ces propos charmants à une autre, en ce moment.

— Depuis quand es-tu aussi cynique ?

— Moi ? C'est toi qui envisages de faire des affaires acec les Israéliens.

— Oublie les Israéliens. Je parle de choses personnelles.

— Ce qui est personnel est politique, répliqué-je.

— Très bien. Alors dis-moi : que fais-tu, pour sauver ces choses qui te tiennent tellement à cœur ?

— Je ferai ce qui est en mon pouvoir. J'irai vivre à Tawasi, je m'occuperai de ma terre.

— Tu crois que ça va aider le pays ? dit-il, l'air incrédule. S'occuper d'un bout de terre, et rendre quelques fellahs heureux ?

— Je rouvrirai la clinique.

— Et tu leur apprendras à tisser leurs propres vêtements ?

— Je vais rouvrir l'école.

— Tu as trouvé des professeurs ?

— Non.

— Pourquoi ?

— Qui va accepter de donner une liste de noms au gouvernement ? Soyons sérieux.

— Que vas-tu faire, alors ?

— Je ne sais pas. Diriger l'école moi-même.

— Tu vas donner des cours tous les soirs ?

— S'il le faut, oui.

— C'est ridicule. Tu ne peux pas faire ça ! Je vais t'envoyer deux garçons de ma ferme.

— Quoi ?

— Je vais t'envoyer deux jeunes. Je m'en porterai garant auprès du gouverneur.

— Tu ferais vraiment cela ?

— Je viens te le dire.

— Des Égyptiens ?

— Enfin, *ya* Amal.

— Excuse-moi. Mais pourquoi tu te donnerais cette peine ?

— Parce que je ne veux pas que tu fasses la classe. Parce que tu veux rouvrir l'école. Parce qu'il est juste que cette école fonctionne.

— Nous ne pourrons leur donner de vrais salaires.

— Ce n'est pas grave. Je m'en chargerai.

Serait-il en train de décider à ma place ? Il y a si longtemps que personne n'a rien décidé pour moi ! Si longtemps que quelqu'un n'est pas intervenu dans ma vie. Mais il envisage de faire des affaires avec les Israéliens. Et il est marié. Mais il est aussi mon ami.

— Tareq, tu as dit que les idéologies étaient mortes. Y a-t-il quelque chose en quoi tu crois ?

— La justice, répond-il, sans un moment d'hésitation. Je crois en la justice.

Je ne puis m'opposer à cela. Ni lui dire : et la justice pour les Palestiniens ? Je garde la question pour une autre fois. Je songe à lui parler d'Isabel et de ses fleurs d'oranger, à lui raconter mon mariage et la façon dont il s'est fini. Je regarde le fleuve et ses lumières.

— N'est-ce pas magnifique ? murmuré-je.

— Il n'y a rien de pareil au monde.

— On aurait pu penser que cette beauté méritait un meilleur destin.

Il donne un pourboire de cinq livres au voiturier.

— Seulement pour te faire plaisir, précise-t-il, en me souriant.

Nous montons dans sa Mercedes.

— Je te kidnappe ? plaisante-t-il.

— Non, je t'en prie. J'attends mon frère.

Le 18 août 1997

Tahiyyah et moi nous activons dans la chambre d'amis. Nous avons enlevé les housses des meubles. Je sors les livres des étagères, je les époussette pendant qu'elle brique le miroir, au-dessus de la coiffeuse. La radio est allumée : les milices armées du Sud Liban ont attaqué Saïda. Pour le moment, on compte six morts et trente blessés. Des civils, uniquement. « *Sattar ya Rabb*, s'exclame Tahiyyah, ne pourra-t-on jamais stopper ce processus de destruction ? » Je repense à l'année 1963 : mon père était encore vivant, nous avions passé une semaine au Liban, rencontré des cousins. Nous avions visité Tyr, Saïda, et les ruines de châteaux datant des Croisades. Nous avions contemplé la mer, qui scintillait dans le lointain, l'Afrique sur la gauche, l'Europe à droite.

Il est environ six heures quand le téléphone sonne — onze heures du matin à New York.

— Je viens d'accompagner ton frère à l'aéroport, annonce Isabel.

Puis elle me raconte sa journée de la veille.

Jasmine était lucide, elle tenait des propos cohérents, mais des propos d'un autre temps et dans une autre langue : le français.

— Maman est si triste, dit Jasmine. Papa ne cesse de lui rappeler que l'Angleterre est son pays, de lui dire que ce n'est pas pour longtemps, mais elle ne veut pas y aller sans lui.

1940. Paris va tomber aux mains des nazis. Nour ne veut pas se mettre à l'abri en Angleterre avec Jasmine, sa fille de seize ans. Elle craint que son mari refuse de la rejoindre, qu'il combatte auprès des Alliés. Elle fera en sorte que cela n'arrive pas.

— Puis elle s'est mise à répéter qu'elle devait la sortir du pays, dit Isabel. Et mon cœur s'est arrêté de battre quand j'ai compris qu'elle parlait de moi.

— J'ai été malade, très malade, continue Jasmine. C'est pourquoi je suis ici depuis si longtemps. Je ne sais pas comment Jonathan s'en sort. Je me le demande. Il est incapable de faire la moindre chose par lui-même. C'est un homme si doux. Et puis il est fou de la petite. Je dois la sortir du pays.

— Comment sais-tu que c'est une fille ? demande Isabel.

— Comment ? Bien sûr que c'est une fille ! Isabel. Jonathan l'adore. Seulement, la pression est trop forte. Tu comprends ?

— Oui, répond Isabel, assise au chevet de sa mère. Je comprends.

Dehors, le soleil chauffait à blanc les rues de Manhattan, mais dans la chambre les rideaux étaient tirés, la climatisation ronronnait doucement.

— Si je réussis à la sortir, elle sera en sécurité. Les meilleurs médecins du monde sont à Londres. N'est-ce pas, mademoiselle ? dit-elle, s'adressant à l'infirmière. Oui, je sais que je ne dois pas parler autant. C'est mauvais pour le bébé.

Isabel lève les yeux sur l'infirmière, entrée sans bruit, et qui soulève le bras de Jasmine, tient le frêle poignet tout en regardant sa montre-chronomètre. Isabel se demande si la jeune femme parle français.

— Ça va, madame Cabot, dit-elle en anglais. Vous tenez bon.

Parle-t-elle français ? Ou ne s'inquiète-t-on plus de ce que dit sa mère ?

— Je ne la sens plus donner de coups de pied. Elle est très calme, à présent.

— Ça va aller, madame Cabot. Essayez de vous détendre.

— Elle donnait des coups de pied, elle bougeait tout le temps. Et maintenant elle s'est calmée. Peut-être qu'elle dort. Qu'elle se prépare au voyage.

Jasmine ferme les yeux. Lorsqu'elle les rouvre, nous sommes en 1944 et elle vient de rencontrer Jonathan Cabot, jeune et brillant diplomate qui travaille pour Eisenhower, à Londres.

— Je ne te blâme pas, je ne te critique pas, dit-elle, s'adressant à Nour. Je dis seulement que j'aime sa franchise. Tout est simple avec lui. Il pense ce qu'il dit. Il sait ce qu'il veut. Il est plein d'espoir et d'énergie. J'aime tendrement papa, mais je ne l'épouserai pas...

— Le médecin envisage de donner des calmants à Jasmine, annonce l'infirmière à Isabel.

— Il vit dans un grenier, avec des vasistas. Il a un gramophone. Le sol est nu. C'est pratique pour danser. Notre appartement est si encombré ! Ces draperies, ces lustres qu'il faut épousseter, ces tableaux sinistres ! Tout a au moins cent ans. Peut-être que je l'aime pour ce loft...

Isabel refuse que l'on donne des calmants à sa mère. Les cheveux, jadis noirs et brillants, ne sont plus qu'un halo d'épis blancs, le geste — à présent superflu — pour ramener la chevelure en arrière évoque une ballerine vieillissante qui ébauche un gracieux mouvement.

— Je n'ai jamais cessé de l'aimer. Pas une journée. Même quand j'étais dans ses bras, je n'en aimais pas moins Jonathan. C'était différent. Une force m'attirait vers lui. Sa jeunesse. Il avait les cheveux et les yeux noirs, comme moi. Je sentais derrière ce regard un trouble profond, mais je l'ai quitté. J'ai quitté Valentin. Je savais que ce ne serait pas possible. J'ai dû le laisser partir, même si j'avais la sensation qu'on m'arrachait le cœur, encore une fois.

— Vous êtes sûre que... ? demande à nouveau l'infirmière.

— Valentin, sanglote Jasmine, Val, Valentin...

La vieille dame se recroqueville en chien de fusil, elle serre contre elle son oreiller, et y plonge son visage pour éponger ses larmes.

Lorsque c'est fini, Isabel appelle mon frère :

— Puis-je te voir ?

— Tu sais que je pars demain, répond-il. J'ai encore plein de choses à faire.

— Combien de temps seras-tu absent ?

— Huit ou dix jours.

— Je... ma mère est morte.

— Oh, Isabel. Isabel, je suis désolé. J'arrive tout de suite !

— Non. Je ne veux pas aller chez moi.

— Où es-tu ?

— Je suis... je suis dans une cabine...

— O. K. Prends le premier taxi et viens. O. K. ? Je t'attends.

Elle alla chez lui. Lorsqu'il la vit à sa porte, il la prit dans ses bras, cette belle enfant abandonnée et orpheline. Il lui servit un verre, frotta ses mains glacées dans les siennes, souffla dessus. Il la serra encore dans ses bras. Sans doute s'est-elle accrochée à lui, a-t-elle pleuré, sans doute a-t-il embrassé son

visage baigné de larmes, puis sa bouche, et elle s'est raccrochée à lui comme à la vie.

Mon frère a emmené Isabel dans son lit et lui a fait
l'amour. Lorsqu'elle s'est endormie, il a remonté les couvertures sur elle. Il a terminé ses bagages, puis il s'est allongé à
côté d'elle. Elle s'est réveillée, elle s'est tournée vers lui, elle
a voulu qu'il la prenne, encore une fois. Au lever du soleil,
elle lui a parlé de sa mère.

Le 20 août 1997
Maintenant, je sais où est mon frère : à Ramallah, où les
autorités palestiniennes tiennent une conférence sur « l'unité
nationale » — je l'ai appris à la radio. « Et sur le temps », l'entends-je ricaner.

Je ne plaisante pas. Mon frère déteste voir la résistance
prendre le pouvoir.

— La première chose qu'ils font, c'est créer des services
secrets. Onze services secrets ! Pourquoi ? Pour faire le sale
travail des Israéliens à leur place ?

Mon frère dit ce qu'il pense, quand il sait que ses paroles
peuvent déplaire.

J'arrange des pois de senteur dans un vase, dans la
chambre d'Omar, je me promets qu'il arrivera avant qu'ils ne
se fanent. Je souffle sur leurs pétales, je m'assure que chaque
fleur a la place de s'épanouir, tout en écoutant les nouvelles
à la radio : Washington réprouve la conférence de Ramallah,
parce qu'on a laissé les islamistes s'exprimer. Une chanson
me trotte dans la tête :

Weinha Ramallah ? Weinha Ramalah ?
Dis-moi, ô voyageur, où est Ramallah ?

Dans le journal, les photos des territoires sont toujours
les mêmes : des jeunes hommes alignés devant des boutiques
fermées, dans une rue pavée, des vieillards face à leurs oliveraies qu'on arrache, des femmes en pleurs devant les bulldo-
zers qui réduisent leurs maisons en miettes ; chacune de ces
femmes aurait pu être ma mère. Une photo retient mon attention : un homme, avec un enfant de trois ou quatre ans sur
les épaules, à l'enterrement du père de l'enfant. Celui-ci tient

une mitraillette. Il a un bandeau sur la tête, où il est écrit :
« Nous reviendrons. » Il a l'air serein. N'est-ce pas injuste
qu'un enfant se voie imposer son destin, si jeune ? J'ai essayé
de ne pas faire peser sur mes fils l'histoire de notre peuple.
Maintenant j'essaie de me réjouir qu'ils soient libres.

Weinha Ramallah ? Weinha Ramalah ?

Nous fredonnions cette chanson quand j'étais étudiante.
C'était en 1968, et nous venions de perdre Ramallah.

22.

« Ce foulard
Qu'un Égyptien donna à ma mère. »

William Shakespeare.

Le 22 août 1997

J'attends mon frère, j'attends mes fils, j'attends Isabel, j'attends des nouvelles de Minieh. Le ventilateur tourne toute la journée et je n'ouvre les stores que la nuit. On a rejeté l'appel de Nasr Abou Zaid. Sa femme et lui n'ont plus d'autre choix que de rester en Europe, car notre État ne peut assurer leur sécurité. Je pense à lui, le plus égyptien des hommes, replet, jovial, loquace, je pense à ce monsieur barbu qui perd ses cheveux. Je pense à lui, emmitouflé dans son pardessus : il finit par se repérer dans les rues propres et froides du Nord, il refait sa vie loin de chez lui.

Le 27 mai 1901

Emily m'a annoncé sa décision de rentrer en Angleterre. Je lui ai remis les pièces nécessaires. Mon mari prend les dispositions indispensables.

Description plutôt laconique. Je m'interroge sur les sentiments d'Anna. Est-elle déçue ? Furieuse, qu'Emily, après toutes ces années passées à son service, ait décidé de partir ? Ou bien est-elle soulagée de pouvoir jouir de sa nouvelle vie sans subir constamment la présence d'une personne appartenant à son passé ? Et Emily ? Je ne veux pas être injuste avec elle, mais j'ai beau m'efforcer à l'indulgence, je vois sa moue méprisante quand elle raconte, de retour à Londres, les raisons pour lesquelles elle a dû se séparer de sa maîtresse.

Le 29 mai 1901

Zeinab Hanem m'a trouvé une jeune servante du nom d'Hasna. Elle a un joli tatouage sur le menton, elle est douce et a déjà montré ses talents en me coiffant et en lavant quelques petites choses. Aurai-je un jour avec elle la même complicité que Zeinab Hanem avec Mabrouka ?

Le 3 juin 1901

Nous ne partirons pas en voyage de noces tout de suite. Nous irons en Italie plus tard. Je n'ai aucun besoin de changement : ici, le dépaysement est total.

Mon mari m'a montré un article de Mustafa Bey Kamil dans l'Étendard. L'homme réprouve le retour d'Orabi Pacha en Égypte. Il serait plus honorable qu'il meure en exil, comme nombre de ses camarades, s'insurge-t-il. Cette réaction attriste mon mari, qui voit là l'expression de divisions parmi les nationalistes. Et puis Orabi est vieux, dit-il, et mérite d'être traité avec plus d'égards. Cependant, il craint que son retour ne soit pas bénéfique au pays.

Le 7 juin 1901

Visite de la couturière — j'ai émis le désir d'acheter des robes égyptiennes. J'ai choisi du bleu nuit, du bleu outremer, des rouges et du vieux rose. Ces couleurs, qui seraient trop voyantes en Europe, sont parfaites pour le style de vêtements qu'on porte ici.

Mes journées coulent agréablement dans une douce routine. Abeih et moi nous réveillons et prenons notre petit déjeuner ensemble. Mon mari part travailler, je passe la matinée avec Zeinab Hanem. Je l'accompagne à la cuisine, dans les celliers, à la lingerie. J'observe ce qu'elle fait, elle m'invite d'un geste de la main à lui montrer comment j'aurais procédé à sa place. Zeinab m'a confié la responsabilité des bouquets, et j'ai déjà appris à cuisiner l'agneau mariné dans du jus de fleurs de tamarin.

À onze heures, nous prenons le café dans la loggia. Une douce amitié s'installe entre nous, fondée non sur la conversation mais sur ces tâches partagées et sur ces matinées passées ensemble. Je la sais heureuse de nous avoir sous son toit. C'est merveilleux de pouvoir partager son bonheur.

Mon mari rentre le midi. Nous déjeunons en famille, généralement vers deux heures. Après quoi nous regagnons nos appartements pour la sieste. L'après-midi, quand il est retourné à son travail ou à Helmeyah — il n'a pas encore installé son bureau dans notre maison —, je rends visite à des dames ou je reçois. Laïla m'accompagne toujours en ces occasions, elle guide mes pas avec tact. Car je ne suis plus seulement Anna, mais Haram Charif Pacha al-Baroudi, et tout ce que je fais rejaillit sur mon mari. Quand il n'y a pas de visites, il m'arrive d'aller dans les boutiques, toujours dans une voiture fermée, avec Hasna et un serviteur pour escorte, choisir des tissus et des meubles pour nos appartements. Je décore nos chambres et nos salons avec des coussins à motifs, des rideaux en soie de couleurs vives, des tables incrustées de nacre.

Ce bonheur me réchauffe comme un feu au sortir d'une nuit glacée. Le plus curieux : je me suis mise à aimer mon corps. Ces mains et ces pieds qui me servent depuis trente ans, ces cheveux que machinalement je brosse tous les soirs m'inspirent soudain une tendresse familière.

Mais une semaine plus tard, d'une écriture affolée :

Le 15 juin 1901
Je suis seule dans ma chambre depuis deux heures. Je ne puis croire que l'homme que j'ai choisi entre tous, l'homme pour lequel j'ai abandonné tout ce qui m'était cher — puis-je m'être trompée à ce point ? — ait réagi de cette façon. Je reviens sur notre dispute, et je ne comprends pas.

Lorsqu'il est rentré déjeuner, je l'ai trouvé bizarre. Il a mangé sans dire un mot. Zeinab Hanem et moi avons échangé des regards perplexes. Quand je me suis retrouvée seule avec lui, je lui ai demandé s'il avait reçu des nouvelles contrariantes. À quoi il a répondu en m'interrogeant sur ce que j'avais fait la veille. J'ai énuméré les divers endroits où j'étais allée.

— Pourquoi es-tu allée à la banque ? s'est-il enquis.
— Parce que j'avais besoin d'argent, ai-je répondu, surprise.
— Tu ne réalises donc pas que tu es mariée ? m'a-t-il dit.
Cela sur un ton froid que je ne lui connaissais pas. J'étais à court d'arguments.
— Si, je comprends que je suis mariée, mais je ne vois pas le rapport avec le fait d'aller à la banque.
— Tu es ma femme, et tu vas à la banque pour retirer de l'argent ? Et sans me le dire !
Il m'a parlé si durement qu'il m'a froissée. J'ai rétorqué que

je pouvais retirer de l'argent si bon me semblait et que j'étais déçue qu'il emploie ses serviteurs à espionner mes faits et gestes.

— Il semble, madame, que mes serviteurs soient plus conscients que vous de ce qui est convenable ou non.

Là-dessus il a quitté la pièce. Je l'ai entendu s'agiter dans la chambre d'à côté, mais je ne suis pas allée le voir et je viens de l'entendre partir.

Je ne sais que penser. Il a été si généreux, il m'a fait tellement de cadeaux, il a rédigé un contrat de mariage à mon avantage. Ai-je été aveugle ?

Sans doute Mme Rushdi m'eût-elle mise en garde, mais notre projet de mariage était resté secret. Comme je le connais peu ! Mon cœur m'aurait à ce point induite en erreur ?

Se pourrait-il que je ne sois pour lui qu'une veuve anglaise riche et sotte ? Quelle pensée blessante...

Anna a perdu toutes ses certitudes. Les pièces qu'elle a décorées avec amour, sa complicité muette avec sa belle-mère, les liens qu'elle a noués avec Laïla, envolés ? Quand elle repense à ces heures passées avec lui, dans ses bras, dans cette chambre elle rougit, de honte, de colère. Et de nouveau elle pleure.

Je ne prétends pas que tout s'est toujours bien passé entre eux. Ce qui est normal, vu la différence de culture.
Je me souviens d'être entrée chez Anna, un mois après leur mariage — ma mère m'avait dit qu'ils s'étaient disputés. Mon frère avait quitté la maison furieux, Anna avait pleuré — dixit Hasna, sa bonne. J'ai supplié Anna de se confier à moi. « Nous sommes comme deux sœurs », lui ai-je dit.
J'ai compris qu'elle était allée voir ses banquiers pour retirer de l'argent. Mon frère l'avait appris. Il avait exigé des explications, elle s'était froissée.
— La fureur d'Abeih est bien naturelle, lui ai-je dit. Si tu as besoin d'argent, pourquoi ne pas lui en demander ?
Chez nous, lui ai-je expliqué, un homme est censé subvenir aux besoins de sa femme et à ceux du ménage.

— Si tu te sers de ton propre argent, Anna, tu l'accuses implicitement de négligence, ou tu laisses penser qu'il est pauvre. Ou bien tu as des dépenses inavouables.

— Pourquoi me fait-il espionner ? bougonne Anna, qui reste sur sa colère.

— Ça, c'est plus compliqué. Mais vois ce que tu pensais de lui avant que je n'arrive. Vous vous connaissez si peu ! C'est un homme public, or il a placé sa réputation, et son cœur, entre tes mains. Imagine : les guichetiers de la banque se seront demandé pourquoi la femme de Charif Pacha al-Baroudi a besoin de retirer de l'argent de son propre compte. L'Agence doit déjà être au courant de l'incident.

Anna a compris. Elle se précipite vers sa commode.

— Je vais renvoyer cet argent immédiatement ! dit-elle.

J'ai eu du mal à la persuader que cela ne pouvait qu'aggraver les choses, car sa générosité l'obligeait à réparer son tort sur-le-champ.

Je me fais horreur ! Comment ai-je pu douter de lui à ce point ? J'ai honte de mes pensées. Je suis si heureuse de m'être trompée !

J'ai écrit un mot à Mme Butcher — elle dirige une œuvre de charité pour les orphelins du Caire. Je fais un don pour rendre grâce de mon bonheur, lui ai-je expliqué. J'ai glissé ma lettre dans un sac à main et j'ai attendu.

Le 28 juin 1901
Hier soir, mon mari est rentré de bonne heure. Il est venu dans ma chambre, il m'a tendu la main, pâle et fatigué.

— Je n'arrivais pas à travailler, m'a-t-il dit. Ne nous disputons plus, Anna. Je ne puis croire que tu aies voulu me blesser.

— Tu veux bien faire porter l'argent à Mme Butcher demain ? ai-je demandé. Pour l'une de ses œuvres de charité.

Et il m'a serrée dans ses bras.

Tard dans la nuit, il a pris mon visage entre ses mains. « Nous voyons les choses de façon tellement différente, a-t-il murmuré. Soyons patients l'un avec l'autre. »

Le 5 juillet 1901

Il fait extrêmement chaud, à présent. Ahmad et moi ne sommes pas autorisés à sortir dans la cour sans nos chapeaux. Hasna m'apporte sans cesse des verres d'eau fraîche parfumés à l'eau de rose. Mon mari m'observe parfois avec inquiétude : il semble douter que je sois heureuse et comblée. Il continue à penser que je mène une vie trop confinée, mais en vérité, ma vie ne serait pas très différente à Londres — hormis le fait que je ne puis sortir avec lui. Nous n'allons pas nous promener dans le parc ? Qu'importe, nous marchons dans notre jardin ! Abeih s'est procuré des rosiers anglais que nous avons plantés dans un coin ombragé. Je lui ai demandé de ne pas tirer de conclusions hâtives si jamais ces fleurs mouraient.

— Je ne suis pas une rose, lui ai-je dit.

— Tu es quoi, alors ?

— Je ne sais pas. Mais j'ai tout ce qu'il me faut.

— Alors dis-moi, m'a-t-il soufflé en m'attirant dans ses bras, de quoi as-tu besoin, là, maintenant ?

Peut-on aimer de plus en plus ? Chaque jour mon amour grandit. Je suis couchée contre lui, je sens battre son cœur, et je m'émerveille du fait qu'il y a quatre mois, je ne le connaissais pas.

Le 12 juillet 1901

J'apprends l'arabe. Mon beau-père me l'enseigne. J'ai pris l'habitude de lui rendre visite chaque jour, et j'ai vite compris qu'il se réjouissait de me voir. Aussi y suis-je allée avec mon livre. Il s'est mis à lire les mots en arabe, j'ai répété après lui. Ainsi ont commencé nos leçons. C'est un homme très doux, qu'une longue réclusion et une grande tristesse ont rendu frêle et peu assuré. Mon mari est infailliblement poli avec lui, mais je sens que cet homme l'agace, pour avoir renoncé à ce monde. Ils sont si différents ! C'est étrange de se dire qu'ils sont père et fils. Mais je me faisais déjà cette réflexion à propos d'Edward et de sir Charles.

Sir Charles m'écrit moins souvent. Après mon mariage, il m'a souhaité tout le bonheur possible, « quoique, ma chère, je ne sois pas très optimiste en ce sens ». Depuis il m'écrit sans tenir compte de mon nouvel état. Aussi je me sens obligée de lui parler des particularités de ma nouvelle vie, de mes progrès en arabe, de mon jardin, et des nouvelles politiques que je sais par mon mari. Caroline écrit de temps à autre : elle me parle de nos amis, pose des questions sur ma vie, mais je me sens peu encline à lui dresser un tableau de « la vie au harem ». Je préférerais qu'elle vienne et qu'elle juge par elle-même. Mme Butcher est la seule, parmi mes compatriotes émigrés, qui continue à me fréquenter. Elle me donne des nouvelles de James Barrington, qui doit bientôt rentrer à Londres. Je lui ai confié un paquet pour lui, qu'il portera à sir Charles, à l'intention de M. Winthrop. Ce paquet contient le camphre et l'huile d'Habbet el-Barakah que le médecin m'avait demandés il y a des mois et qui serviront d'introduction à James auprès de sir Charles. Mme Butcher a promis d'écrire des articles pour le magazine féminin dont nous avons le projet. Ce journal est une idée de Mme Zeinab Fawwaz et d'une jeune femme du nom de Malak Hifni Nasif. Elles envisagent deux parutions : une en arabe et une en français. Elles espèrent obtenir le concours de rédactrices issues de toutes les communautés du Caire. L'idée est de donner des textes comparatifs de la condition et des aspirations des femmes dans différentes sociétés. Nous aborderons des sujets d'intérêt général, nous montrerons que les femmes sont prêtes à exister dans d'autres sphères que celles où on les a jusqu'ici confinées.

Mon mari parle de créer une école des Beaux-Arts. Il aimerait que je participe à ce projet. Cela dit, rien ne se fera avant la rentrée : tous les Cairotes sont à Alexandrie ou en Europe. Nous irons nous-mêmes à Alexandrie, si nous réussissons à persuader mon beau-père de voyager. Je serais curieuse de retrouver, dans des circonstances si différentes, cette ville où j'ai débarqué d'Angleterre.

Le 25 août 1997

Mon frère ne sait pas marcher doucement. Il avance à grands pas le long du rivage, et j'essaie de calquer ma démarche sur la sienne, comme dans mon enfance. Je tiens le rythme sur sept pas, puis je dois accélérer l'allure pour ne pas me faire distancer. Les premiers souvenirs que j'ai de lui, c'est sur cette plage. Non, mon premier souvenir de lui, c'est son départ : je suis perchée sur le dos de mon père, dans une robe de plage rouge qui se noue sur les épaules avec des rubans, j'agite la main pour dire au revoir à Omar. Sur l'eau constellée de petits bateaux, mon frère se tient contre la rambarde de son paquebot, pâle silhouette aux cheveux noirs. Ensuite, j'ai des souvenirs de lui sur cette plage, à Agami, où notre père a fait bâtir une modeste maison d'été, après avoir vendu la villa que mon grand-père et Charif Pacha avaient fait construire de l'autre côté de la baie d'Alexandrie, pour que leurs femmes puissent nager et jouer avec leurs enfants sur une plage privée. Mon frère revenait pour les vacances d'été. Il s'amusait comme il pouvait avec une sœur de dix ans sa cadette. Nous construisions des châteaux de sable, il m'apprenait à nager, à jouer au badminton. Nous faisions des promenades comme celle-ci : il longeait le rivage au pas de course, je cavalais à côté de lui.

Je lui attrape le bras, l'oblige à ralentir.

— En principe, ça devrait avoir du bon, de réunir tout le monde, dis-je.

— Ce n'est qu'une façon d'endiguer la révolte. C'est tout ce qui intéresse Arafat : maintenir le calme, et garder sa crédibilité. Quand je pense qu'il a onze services secrets. Onze !

Mon frère parle avec véhémence. Je l'ai rarement vu parler autrement, en soulignant chaque mot.

— Il a ses propres prisons, s'enflamme-t-il, où l'on torture les gens, où on leur brise les os, comme en Israël. Mais chez eux, au moins, il y a des procès et ils ont un droit de regard sur ce qui se passe dans leurs prisons. Mais rien de tel avec lui. Il n'y a que le Hamas qui ait quelque chose à offrir. Ils ont une crédibilité auprès de l'homme de la rue. Et ils l'ont méritée. Ils résistent, ils ont des pertes.

— Et alors ?

Une fois de plus, je cours pour le rattraper. La mer vire au gris acier, les baigneurs roulent leurs nattes, secouent leurs serviettes.

— Alors, c'est très triste. Ils sont venus écouter ma conférence et ils ont posé les bonnes questions. Ils sont intelligents. Ils sont engagés. Ils ont une cause à défendre. Cependant, on ne peut approuver les fondamentalistes, si persuasifs soient-ils.

— Et la conférence ?

— Rien. Des phrases vides. Il veut que le Hamas arrête toute action. Mais ils ont dit, avec raison, qu'ils représentaient une force dissuasive face aux Israéliens.

— Et toi ? Dans quels termes l'as-tu quitté ?

Il shoote dans l'eau, se baisse pour ramasser quelque

chose, qu'il essuie sur son pantalon. Il me tend une pierre noire, lisse et brillante, de la forme d'un œuf, polie par l'eau de mer, le soleil et le sable depuis des centaines d'années.

— Garde-la, dit-il. Je lui ai expliqué que c'était la première réunion à laquelle j'assistais depuis que j'avais quitté le PNC, et que ce serait la dernière. C'est bien que j'aie un passeport américain, mais je retourne chez nous. Je vais à Jérusalem. Je veux voir la maison de notre mère.

— Tu seras prudent, conseillé-je.

Le courrier piégé fait partie du quotidien de mon frère. À New York, il a déjà reçu deux bombes par la poste.

— Parle-moi d'Isabel, lui dis-je, finalement.

Derrière les vitres du Zephyrion, c'est la nuit noire, on ne voit plus la mer. Nous sommes à Aboukir, où se trouvait la maison de Charif Pacha. Une immense villa avec un patio, où poussaient des figuiers. Elle a été détruite il y a maintes années. À la place, des bungalows en béton, que les nouveaux pauvres louent pour l'été. Nous sommes bercés par le ressac. Le vieux soldat anglais a disparu. Il jouait de la musique sur cette plage du matin au soir. Peut-être n'est-il plus de ce monde. Il se sera couché sur cette plage un soir, et on l'aura retrouvé mort au matin. Les gens du coin lui auront donné un linceul et creusé une tombe — de son vivant, ils le nourrissaient et l'hébergeaient.

— Je ne veux pas en parler, dit Omar. C'est trop affreux.

— Pourquoi affreux ? je demande, surprise.

— J'ai passé la dernière nuit à New York avec elle.

— Oui. Elle m'a raconté.

— Sa mère venait de mourir. Littéralement : une heure avant.

— C'est mieux, non ? Je veux dire, ce combat permanent entre la vie et la mort...

— Oui, mais le problème, c'est que j'ai été amoureux d'elle.

— De qui ? D'Isabel ?

— Non, non. Pas d'Isabel, de sa mère.

Il boit une gorgée de Gianaklis, grimace en reposant son verre.

— Ce vin devient de plus en plus mauvais d'année en

année. Je me demande pourquoi on n'arrive pas à produire un vin décent dans ce pays.

J'essaie de m'habituer à l'idée.

— Quand as-tu été amoureux de la mère d'Isabel ?

— En 1962.

— Mais elle devait être bien plus âgée que toi ?

— Ce n'était pas l'impression que j'avais. Je n'y pensais pas. Je n'étais qu'un gamin.

— Comment as-tu fait le rapprochement ?

— Cette dernière nuit, à New York, Isabel s'est réveillée à l'aube. Nous avons fait du café, elle s'est mise à parler de sa mère et soudain j'ai réalisé — c'est trop affreux. Vraiment !

Il pose son couteau et sa fourchette en travers de son assiette où gît un poisson à moitié mangé, repousse celle-ci et s'essuie la bouche avec sa serviette.

— Vous n'étiez donc pas restés en contact, pour que tu n'aies pas su...

— Non, non, ç'a été une histoire très brève. Très triste. J'avais pris un coup sur la tête, dans une manifestation. Puis je me suis retrouvé dans un lit, et cette belle femme s'est penchée sur moi.

— Et ensuite ?

— Je suis tombé amoureux d'elle. J'ai passé quelques jours dans sa maison. Et après nous nous sommes revus une fois. Puis elle a rompu. Sans doute a-t-elle jugé que ça ne marcherait pas. Ce en quoi elle avait raison. Mais ce n'était pas ce que je pensais à ce moment-là.

— Et ça s'est arrêté là ?

— Je lui ai écrit plusieurs fois. De nombreuses fois. J'ai imploré, argumenté, tu vois le genre. Elle m'a envoyé une lettre. Un mot très bref. Sa décision était sans appel, etc. J'ai été désespéré, puis je m'en suis remis... Pourriez-vous m'apporter une carafe d'eau ? demande-t-il au serveur. Et pourriez-vous débarrasser tout ça ? Puis, s'adressant à moi : Tu veux un dessert ? Je prendrai du café.

Je commande aussi un café.

— Isabel m'a parlé de sa mère, et tout m'est revenu. Le prénom, le fils qui meurt à quatorze ans (le frère d'Isabel), l'ambassade américaine à Londres. Tout concordait.

— Tu lui as dit ?

— Non. Bien sûr que non !

Je ne sais pas trop quoi penser.

— Ce n'est pas si terrible, dis-je. Évidemment c'est un choc, ça te replonge dans le passé, mais ce n'est pas un drame.

— Ça pourrait être dramatique, si. Isabel est née fin 1962 et ma liaison avec Jasmine date de mars de la même année.

— Tu ne penses pas que...

— Ce n'est pas exclu, comme on dit.

Le serveur apporte le café. Mon frère boit un grand verre d'eau glacée. Après quoi il s'essuie de nouveau la bouche avec sa serviette. Nous nous taisons. C'est bien d'être de la même famille, mais là c'est un rien trop proche. Isabel est-elle tombée amoureuse de lui parce qu'il est son père ?

— Je ne crois pas, réfuté-je, après avoir bu quelques gorgées. Je l'aurais senti. Elle ne te ressemble en rien.

— Espérons que tu as raison. C'est pour ça que j'ai oublié ta tapisserie. Je l'avais fait désencadrer. J'allais la rouler et la mettre dans mon sac, mais cette histoire m'a perturbé et j'ai oublié.

Nous roulons jusqu'à Alexandrie, un assez long trajet. Nous traversons la ville, puis nous parcourons encore un certain nombre de kilomètres avant d'arriver à notre maison de vacances, qui donne sur la plage.

> Trente étoiles brillent
> Dans la vallée des cyprès
> Trente étoiles tombent
> Dans la vallée des cyprès.

Nous écoutons en silence la bande qu'il a rapportée de Ramallah.

Lorsque nous arrivons à la maison, je prépare du thé, que je sers dans le salon. Nous nous installons dans nos fauteuils en rotin. Mon frère me regarde.

— Je te trouve de plus en plus belle, dit-il.

Surprise, je passe ma main dans mes cheveux poissés par l'air marin.

— C'est vrai, dit-il. Tu as quelqu'un ?

Je fais non de la tête. J'hésite à lui parler de Tareq Atiyyah.

— Tu devrais prendre un amant.

— Non merci, J'en ai fini avec tout ça.

— Allons ! C'est ridicule. Une femme comme toi !

— J'en ai fini avec ces histoires-là, répété-je, en souriant. À moins, bien sûr, que je ne rencontre un homme comme toi.

— Je ne te crois pas. Tu n'as pas envie d'un homme comme moi.

— Au moins nous savons que tu n'es pas mon père. C'est déjà ça.

— Enfin, Amal ! Ça n'a rien de drôle.

— Tu n'es pas son père.

— Comment le sais-tu ?

— Je le sais.

— Comment peux-tu le savoir ?

— Il y a déjà trop de coïncidences dans cette histoire. Elle trouve cette malle, tu la rencontres à ce dîner, et il s'avère que vous êtes cousins. Ce n'est déjà pas mal, non ?

— Quoi ? C'est du mauvais cinéma ?

— Dis-le-lui, et fais une analyse d'ADN.

Il ronchonne.

— Je t'avais dit que je ne voulais pas m'embarquer dans cette histoire, conclut-il. Je savais que ça me compliquerait la vie.

Le 12 septembre 1901

Je n'aurais pas pensé qu'un si petit incident m'affecterait autant : j'ai rencontré aujourd'hui deux dames que je connaissais vaguement. Je dis « rencontré », mais c'est inexact : je suis entrée chez le bijoutier de la rue Qasr el-Nil et elles étaient là. Je leur ai dit bonjour, elles ont détourné les yeux, récupéré leurs sacs et leurs ombrelles, et quitté le magasin en gardant un air impassible. Il y a six mois, elles auraient été flattées que je les reconnaisse.

J'ai fait comme si de rien n'était, j'ai payé mes achats et je suis partie. Le bijoutier a feint de ne rien remarquer. Cependant, j'en ai eu les mains glacées, je n'arrivais plus à voir les colifichets qu'il avait étalés devant moi. Je ne raconterai cet incident à personne, surtout pas à mon mari : j'imagine sa douleur et sa révolte, mais je dois abandonner tout espoir de renouer un jour des relations cordiales avec mes compatriotes. Mme Butcher me paraît d'autant plus formidable. Je vais m'assurer que j'accorde à son amitié le prix qu'elle mérite. Ce que ces femmes pensent de moi m'importe peu — et pourtant je suis blessée.

Cet incident va réjouir plus d'un convive lors des dîners en ville, je n'en doute pas.

23.

« Comment je t'aime ? Laisse-moi détailler toutes les façons
que j'ai de t'aimer. »

Elizabeth Barrett Browning.

Le 17 décembre 1901

« La peinture est de la poésie en images, la poésie un tableau décrit. Si vous m'interrogez sur la parole du Prophète : "Ceux qui seront le plus durement tourmentés au jour du jugement dernier, sont les faiseurs d'images", je vous dirai que ces mots datent de l'époque idolâtre, quand les images étaient synonymes de distraction futile ou destinées aux lieux de prières, pour être adorées et implorées. Autrement, toute représentation picturale ou plastique de formes humaines ou animales vaudra autant, pour peu qu'elle soit l'œuvre d'un véritable artiste que les dessins de fleurs ou autres plantes qu'on trouve dans les marges du Coran. Pour l'essentiel, je considère l'art véritable comme un moyen de sublimer les émotions, d'élever l'âme. »

— C'est grotesque, explose Charif Pacha, la lettre de Mohammad Abdou à la main, grotesque que nous ayons besoin d'une telle caution pour ouvrir une école d'art. Que sommes-nous ? Une nation d'attardés ?

— *Ya sidi*, calme-toi. Au moins nous avons un ami éclairé en la personne du Mufti. Je pensais que tu serais heureux d'avoir cet aval ? dit Ismaïl Pacha Sabri.

— C'est moi qui l'ai demandé, reconnaît Charif Pacha, en arpentant la pièce d'un pas nerveux. Mais répéter indéfiniment la même chose m'exaspère. L'art élève l'âme. Est-ce qu'on ne le sait pas ? Après cinq mille ans ? Faut-il sans cesse revenir à des vérités élémentaires ?

Ismaïl Sabri écarte les mains en un geste d'impuissance.

— Ce sont des temps difficiles, dit-il.

Charif Pacha fronce les sourcils.

— Allons-y, décide-t-il soudain.

Il plie la lettre, la met dans sa poche.

— Allons-y et finissons-en.

Les deux hommes s'arrêtent dans l'entrée de la maison d'Ismaïl Sabri pour ajuster leur cravate devant le miroir et mettre leurs tarbouches. Après quoi ils montent dans la voiture qui les attend.

— Tu as vu Orabi depuis son retour ? demande Ismaïl Sabri.

— Je suis allé le voir, mais c'était avant ces derniers événements.

— Il ne sera peut-être pas là.

La voiture passe dans les rues sombres. Les deux hommes sont calés chacun dans un coin.

— Espérons, dit Charif Pacha. Il a agi plutôt avec légèreté. Je vais finir par prendre le parti de Mustafa Kamil contre lui.

— Qu'est-ce qui lui a pris de faire des déclarations pareilles à la presse ? s'interroge Isamïl Sabri. De proclamer qu'il est heureux de voir les Anglais en Égypte. Après toutes ces années !

— Il est sénile. Ce n'est plus qu'un vieil imbécile. Il aurait dû voir le piège, quand al-Mouqattam a voulu l'interviewer.

— Il n'a jamais été très intelligent. Il était brave, c'était un patriote, il avait un réel charisme. Mais il n'a jamais été un homme brillant.

— Il aurait mieux fait de se taire. Qu'il rentre en Égypte, d'accord, mais pourquoi ces déclarations indignes ?

Ahmad Orabi est là. Charif Pacha le repère à l'instant où il pénètre dans le *salamlek* de Ouisa Pacha Ouasif. La pièce grouille d'hommes venus fêter le retour du fils de Ouisa Pacha. De la fumée, le bourdonnement des conversations, le cliquetis des verres. Ahmad Orabi se tient à l'arrière-plan, il est seul. Cet homme qui domine la plupart des autres d'une tête a aujourd'hui les cheveux gris et la barbe entièrement blanche. « Notre Garibaldi », pense Charif Pacha avec amertume, même s'il a un élan de tendresse pour l'ancien commandant de son père. Une affection liée à son passé et teintée de tristesse. Charif Pacha lui en veut de trahir finalement la révolution, mais voir le vieillard tenu ainsi à l'écart lui serre le cœur. Il repère Ouisa Pacha, le congratule, puis se dirige vers Orabi. Il a conscience qu'on le regarde, lorsqu'il salue le vieil homme. Après s'être enquis de la santé d'Orabi et de ses proches, Charif Pacha ne trouve plus rien à dire. C'est avec soulagement qu'il voit Mustafa Pacha Fahmi s'approcher. Ces deux hommes sont des sympathisants avoués des Anglais, ils pourront converser en toute liberté. Après quelques minutes, Charif Pacha abandonne le Premier ministre et le révolutionnaire raté. Anna est à l'étage avec les femmes. Il se demande si elle l'observe derrière le moucharabich, mais il ne lève pas les yeux vers le haramlek.

— Charif Pacha al-Baroudi ?

Il se retourne, reconnaît Milton Bey. Charif Pacha serre brièvement la main qu'on lui tend et recule.

— On ne nous a jamais vraiment présentés, je crois, commence Milton Bey.

— Je suis désolé, je ne parle pas anglais, réplique Charif Pacha, en français.

— Quel dommage ! répond le médecin, l'air sournois. Je parle très peu français. Il va nous falloir un interprète.

Charif Pacha s'incline légèrement. Arrive Ibrahim Bey al-Hilbawi. Charif Pacha s'excuse et disparaît. Il n'a rien contre Milton Bey, un médecin venu en Égypte pour ouvrir un hôpital. Il a la réputation de faire du bon travail, il va même jusqu'à former de jeunes Égyptiens. Mais l'homme ne lui a jamais adressé la parole, alors pourquoi venir le saluer avec autant d'ostentation ? Dit-on de lui, Charif Pacha, qu'il est devenu l'ami des Anglais ? Il fronce les sourcils quand Qasim Amin pose une main sur son épaule.

— Voilà comment se créent les alliances politiques, *ya Bacha*, s'exclame ce dernier

Charif Pacha sourit.

— Il y a des jaloux, je vois ! lance-t-il, pour taquiner son ami.

— Tu connais mes opinions, mais si j'avais de la chance, comme certains...

— Je prierai pour toi.

— Je voulais te féliciter, dit le prince Mohammad Ibrahim, qui vient de les rejoindre. Tu as bien joué au Conseil, en empêchant le vote de cette nouvelle taxe. J'en parlais justement à Mustafa Kamil.

— Le Conseil fait ce qu'il peut, rétorque Charif Pacha en haussant les épaules. Notre opinion n'est pas déterminante, comme tu le sais.

— C'était tout de même une tentative indigne, s'insurge Qasim Amin.

— Ils reviendront à la charge...

— Je me demande si Cromer aura le culot de taxer les manufactures textiles, s'interroge le prince Mohammad Ibrahim. Ira-t-il jusqu'à déprimer notre industrie pour laisser s'épanouir la leur ?

— C'est honteux, dit Qasim Amin.

— Nous avons arrêté la chose au niveau du Conseil, poursuit le prince Mohammad Ibrahim. Espérons que l'assemblée générale ne votera pas la loi l'année prochaine. Nous irons les voir, les uns après les autres, dit encore le prince, et Mustafa Kamil continuera à parler de l'affaire dans *al-Liwa*.

— Une voiture, ordonna Charif Pacha au portier.

— Votre voiture est là, *ya Bacha*. Je vais chercher le cocher...

— Non. Je la laisse aux dames. Trouvez-m'en une à louer.

Il est énervé. S'il était à Tawasi, ou dans le désert, il s'enfuirait au galop. À Alexandrie, il irait se baigner. Désir subit de nager. Il se voit plonger dans l'eau froide et nager. Nager contre un courant puissant qui lui viderait l'esprit de toutes ses préoccupations. Hélas, il est au Caire : il grimpe dans la voiture qui l'attend.

— *Touloun*, lance-t-il au chauffeur.

Il serait absurde d'aller au club : tout le monde est à la réception. Charif Pacha sort sa montre de sa poche : Anna ne rentrera pas avant une bonne heure. La voiture passe devant la maison de Laïla, à Helmeyah, puis devant sa propre demeure aux volets clos. Le vieux cheval trotte, résigné, la tête basse. Charif Pacha donne au cocher le nom d'une rue.

— Près de *Beit el-Ingilizillah* ? demande l'homme.

C'est un petit homme fruste, affalé sur son siège, qui fouette son cheval près des oreilles par pur sadisme.

— Qu'avez-vous dit ?

— Près de la maison de l'Anglaise ? répète le cocher.

— C'est la demeure de Baroudi *ya hayaouan*, réplique Charif Pacha, pas celle de l'Anglaise.

— Mais une Anglaise habite là, insiste l'homme. Tout le monde le sait : elle est tombée amoureuse du Pacha et elle l'a épousé.

— Et vous y voyez une objection ?

— Pas du tout ! C'est une femme bien, qui ne sort que voilée, même si le Pacha ne l'a pas obligée à se convertir. On dit aussi qu'elle est belle comme la lune : cette blancheur, cette...

— Laissez-moi ici.

— Et puis, ça doit servir les affaires du Pacha. Après tout, ce sont eux qui nous gouvernent.

Et lui, est-ce qu'un bon coup de fouet aurait arrangé ses affaires ? Charif Pacha laisse son tarbouche dans l'entrée. Il ôte sa cravate d'un mouvement brusque, en traversant la maison silencieuse. Le cocher ne fait que répéter ce qu'il a entendu dire, pense Charif Pacha. D'abord Milton Bey me salue comme un ami, puis un *arbagui* appelle ma maison « *beit el-ingilizillah* ». Hasna se lève dès qu'il arrive devant chez lui.

— Va au lit, dit-il.

— Mais, *setti*...

— Je lui dirai. Va.

Anna est une curiosité, se dit-il. S'il avait acheté une girafe, les gens auraient appelé sa maison « *beit el-Zarafa** ». Cela n'a rien à voir avec le fait qu'Anna soit anglaise.

Il se réfugie dans la douce atmosphère de la chambre d'Anna. On a fait installer une garde-robe dans une alcôve. L'entourage des portes en miroir rappelle le bois du moucharabieh. Il y a, sur la table incrustée de nacre, des fleurs dont des couleurs s'harmonisent avec celles des coussins empilés sur le divan. Le miroir de la coiffeuse reflète la courbe gra-

---

* Maison de la girafe.

cieuse de la moustiquaire, au-dessus du lit. Son peignoir en soie, d'un blanc laiteux avec des nuances gris-bleu — la couleur des colombes —, est posé sur le dossier d'une chaise. Il suffit à Charif Pacha de venir ici, même en l'absence d'Anna, pour retrouver sa sérénité.

Il jette sa veste et son gilet sur une chaise, descend au rez-de-chaussée, va dans la bibliothèque. Il a parfois le sentiment que ce monde qu'elle a créé à côté du sien, ce nouvel univers, pourrait disparaître en un éclair. Il l'a trouvée magnifique, ce soir, quand elle est descendue pour dire au revoir, éblouissante dans sa robe en soie violette, ses cheveux comme des fleurs d'or sur sa tête.

— Toutes les dames s'habillent à l'européenne, dans les réceptions, a-t-elle dit, l'air de s'excuser.

— Tu es très belle, lui a-t-il répondu.

Puis il s'est penché pour embrasser le haut de son bras, une bande de peau iridescente, entre le violet de la robe et le noir mat du gant. Il est à présent devant son bureau, il regarde les papiers étalés sous ses yeux. Le brouillon des statuts de l'école, ceux du syndicat des travailleurs, l'ébauche du projet d'université, le texte du khédive à l'adresse de Wingate, à Khartoum : « ... c'est une réelle source de joie pour moi, que de voir ici, dans cet immense pays... les drapeaux anglais et égyptien flotter côte à côte... » Un discours indigne, qu'a dû lui souffler l'Agence. Qui sait comment Abbas Hilmi aurait réagi dans des circonstances différentes ? Il était plein de bonne volonté. Ils auraient pu faire de lui un monarque démocrate. Or il était monté sur le trône pour se voir menacer par Cromer chaque fois qu'il bougeait le petit doigt. Son intelligence s'était muée en fourberie, son énergie servait à intriguer et à satisfaire sa cupidité — les Anglais le méprisaient avec raison. Charif Pacha allume une cigarette et s'éloigne de sa table de travail. Il s'assoit dans un fauteuil, s'appuie contre le dossier, ferme les yeux. Il se demande ce que son père dirait de l'interview d'Orabi dans al-Mouqattam.

Quand il rouvre les yeux, son regard tombe sur les tentures bordeaux masquant les portes qui, au printemps, s'ouvriront de nouveau sur la cour de son enfance. Il lui a fallu des semaines pour déménager toutes ses affaires d'Helmeyah. À présent ses livres sont rangés sur des étagères qui couvrent trois murs de la bibliothèque. Son bureau est dans un angle, dans le coin le plus éloigné du fauteuil. Il avait hésité à s'installer dans cette pièce, qui fut la préférée de son père. Or sa mère et sa sœur l'avaient pressé de le faire, le vieil homme lui avait accordé sa permission de bonne grâce. La maison d'Helmeyah est désormais fermée.

Charif Pacha a donc hérité du bureau de son père, un père toujours vivant. Il se demande ce que cela signifie. Il écrase sa cigarette, sort de la pièce, traverse la première cour, puis la cour plus petite qui la jouxte. Il ouvre la porte de la mosquée. Mirghani, qui dormait sur un lit en bois, se relève.

— Tout va bien, dit Charif Pacha. Rendors-toi.

La grande pièce est sombre, hormis la lumière des bougies, autour de la tombe. Charif Pacha prend une bougie, met sa main devant la flamme pour en réduire l'intensité, et pénètre dans la chambre austère. Il reste debout à regarder son père. Le vieil homme est étendu sur le dos, il ronfle doucement. L'un de ses pieds fins, sorti des couvertures, a presque glissé de l'étroite couchette, au ras du sol. Il a la bouche entrouverte, la tête nue. Depuis combien de temps Charif Pacha ne l'a-t-il pas vu sans turban ? On aperçoit son crâne pâle sous ses cheveux blancs. Il est vieux. Le jour n'est pas loin où son fils devra fermer ses yeux, laver son corps frêle, l'envelopper dans un linceul, puis le porter dans le caveau de famille. Comme il a aimé ce père ! Charif Pacha s'accroupit, approche la bougie de la figure de son père. Il essaie de retrouver ce beau visage rieur qu'il a adoré, enfant. À chaque étape de sa vie, sa première pensée a été pour son père : pourvu qu'il soit fier de moi ! Il avait lui-même été fier de son père, lorsqu'il avait rejoint le mouvement d'Orabi, avec son frère aîné, Mahmoud Sami. Charif Pacha regarde le visage endormi, et revoit encore une fois la scène : son père et les autres officiers derrière Orabi, à Abdin, Auckland Colvin à la droite du khédive, le pressant d'ouvrir le feu. Orabi tire son sabre, Tawfiq hésite, rameute une colère de lâche :

— Vous n'êtes que les esclaves de notre charité.

Et la réponse d'Orabi, reprise par le pays entier :

— Nous n'appartenons qu'à nous-mêmes, et nous ne serons plus jamais des esclaves.

Il énonce la liste de leurs exigences, que la nation avait

apprises par cœur — étaient-elles trop vives ? Orabi pouvait-il prévoir qu'en réclamant des réformes au khédive il ferait le jeu de l'Angleterre ? Charif Pacha se lève. Aucun de ces hommes ne faisait le poids. Une bande d'officiers, de poètes et d'avocats, Orabi n'allait pas tarder à disserter sur Byron, au lieu de discuter stratégie. Des patriotes, pas des politiciens. Et ils avaient payé le prix fort. Charif Pacha pose doucement la main sur le crâne dégarni de son père.

Je ne voulais rien tant que rentrer à la maison pour le retrouver, mais Laïla et Zeinab Hanem ont jugé discourtois de partir avant que la suhur soit servie, et c'eût été offensant de quitter la réception sans elles. Abeih est d'humeur ombrageuse, ce soir. Je l'ai observé derrière le moucharabieh, il parlait avec Orabi Pacha, et mon cœur s'est ému — je sais combien la présence du vieil homme le met mal à l'aise.

Je puis dire, en toute sincérité, que mon frère et Anna trouvèrent le bonheur dans le mariage. Anna a été pour nous une vraie bénédiction. Cette femme douce et gentille a tenu compagnie à ma mère, donné de l'affection à mon fils, et de la joie à mon pauvre père. Elle n'avait ni l'arrogance, ni la froideur que l'on rencontre généralement chez ses compatriotes. Nous oubliions qu'elle était anglaise, sauf quand elle s'extasiait sur mille choses que nous avions fini par ne plus voir. Grâce à elle, nous avons eu un regard neuf sur notre maison, notre pays, notre vie.
Son visage s'illuminait quand elle entendait mon frère arriver, et lui la regardait avec une infinie tendresse. Un amour immense liait ces deux cœurs étrangers. Je me souviens d'un jour où Abeih nous a surprises en train de faire de la musique : Anna jouait du piano — Charif lui avait acheté un piano — et moi de l'*oud** — la mère de Hosni m'avait appris à en jouer. Nous exécutions un morceau de Debussy que nous avions modifié pour l'oud, et nous n'avons pas entendu Charif entrer. Nous n'avons pris conscience de sa présence que lorsqu'il a applaudi. Je me suis retournée : il avait les yeux brillants de larmes. Anna

---

* Sorte de luth.

a rougi, elle est allée vers lui. Il l'a prise dans ses bras.
« Mon Dieu, a-t-il murmuré, jamais je n'ai entendu une
musique aussi douce. »

Mais elle n'arrivait pas à lui apporter la paix de l'âme.
Comme s'il ne pouvait s'accommoder du fossé existant
entre sa vie privée — si heureuse — et le contexte politique — si haïssable. Nous sentions tous son impatience et
son désir de changement devenir plus vifs au fil du temps.
Il œuvrait pour amener ce changement dans tout ce qui le
touchait. Anna l'aidait de son mieux : elle lui traduisait des
articles de la presse anglaise, mettait à profit ses contacts
londoniens pour lui fournir des informations sur la situation égyptienne.

Le 21 décembre 1901

*Hier, mon mari a invité les représentants des différentes ten-
dances de l'opinion publique égyptienne à un Ramadan Iftar.
Parmi eux, Cheikh Mohammad Abdou, Mustafa Bey Kamil,
Qasim Bey Amin, Tal'at Pacha Harb, Ahmad Loufti al-Sayyid,
Anton al-Djmaïl et quelques autres. Son idée — son espoir — était
qu'ils pourraient, dans un contexte amical et privé, décider de positions communes à adopter sur divers sujets. Ils se sont entendus sur
plusieurs points : en finir avec l'occupation anglaise, payer la dette
étrangère, moderniser l'Égypte. Sans doute pourront-ils également
s'accorder sur des questions de moindre importance.*

— Tu sais de quoi ils parlent ? demanda Laïla, avec un
geste en direction des rideaux.

Anna fait non de la tête. Elle lève un instant les yeux de
sa feuille de papier, son crayon à la main.

— Ils parlent de nous, dit Laïla, avec un petit sourire, en
baissant les yeux sur son ouvrage.

— Comment ça ? dit Anna, intriguée.

— Regarde.

Laïla se penche, fouille dans les magazines posés en
désordre sur la table basse, près du divan, et brandit un livre
broché. Anna pose son carnet de croquis, vient prendre le
livre, déchiffre le titre.

— *Al-Mar'ah al-Jadidah'*, la nouvelle femme ?

— Bravo ! s'écrie Laïla, en applaudissant doucement. Tu as vu comme elle apprend bien, maman ?

— Elle est vive, que le nom du Prophète la protège, dit Mabrouka, qui vient d'entrer avec le plateau du café.

Elle pose le plateau sur le sol et s'assoit, jambes croisées. Ses bracelets cliquettent, Zeinab Hanem sourit, les yeux sur son livre de comptes.

— Que Dieu lui ouvre toujours la voie.

— Et si au lieu de cela, dit Laïla (elle change deux signes diacritiques sur la couverture), on avait ceci ? Qu'est-ce que ça donnerait ?

Anna regarde le mot.

— *Mir' aah* ? dit-elle.

— Exact. Et ça signifie quoi ?

Anna secoue la tête, perplexe. Laïla lui montre le grand miroir sur le mur de gauche.

— Miroir ?

— Oui,

— Ces deux mots sont presque identiques, souligne Anna. Femme, et miroir.

— Miroir doit venir de *ra' a* : voir. Mais je ne connais pas l'étymologie de femme. Oh, attends. *Mar'* veut dire personne, donc *mar' ah* est le féminin. Se peut-il que *mar'* vienne de : « être visible » ? (Elle se tourne vers sa mère.) Qu'en penses-tu, maman ? *Mar'* viendrait de « être visible » ?

— Il n'y aurait que les hommes qui seraient visibles ? Les animaux, les arbres, et tout ce qui constitue le monde manifesté est visible.

— Peut-être seuls les hommes se voient-ils...

— Certains voient avec leurs yeux, d'autres avec leur cœur, l'interrompt Mabrouka. Que le nom du Prophète te protège.

Elle tend une tasse de café à Zeinab Hanem.

— On vérifiera, dit Laïla. Ou on demandera à Abeih.

— Tu crois que miroir vient de *mir' ah* ? demande Anna.

— Je ne sais pas, avoue Laïla. Qui a inventé le miroir ?

— Si ce mot a une racine arabe, son origine est arabe, dit Anna. Et pourquoi disais-tu qu'ils parlaient de nous ?

— L'auteur, répond Laïla, en montrant le nom, sur le livre, est ici avec Abeih. C'est son deuxième livre. Son premier ouvrage a fait scandale, et on lui a interdit l'entrée du palais. D'après lui, les filles devraient recevoir la même éducation que les garçons et ne pas porter le voile. N'est-ce pas, maman ?

Elle répète en arabe ce qu'elle vient de dire.

— Ne plus porter le voile ? Ce n'est pas demain la veille ! s'exclame Mabrouka.

— Le voile est une tradition turque, *ya* Mabrouka, pas arabe, ni égyptienne. Les femmes de la campagne, les fellahs, sont-elles voilées ?

— À chacune sa façon de faire, mais aucune femme respectable ne sortirait de sa maison sans son voile.

— Ce monsieur ne parle pas de l'abolir. Il dit que les femmes ne devraient pas être obligées de le porter. Qu'elles devraient avoir le choix.

— Et dans son harem, comment fait-il ? Il les laisse choisir ?

— Cheikh Mohammad Abdou est d'accord avec lui.

— Le Moufti ?

— Oui. Tu sais mieux que lui ce qu'il convient de faire ?

— Par Dieu, si l'on me donnait toutes les richesses de Qaron, je ne sortirais pas le visage découvert !

— Et qui va te regarder, hein ? s'esclaffe Laïla.

— Même. Une femme est une femme. N'est-ce pas, *ya sett* Zeinab ?

— *Ya* Mabrouka, est-ce que quelqu'un t'a demandé de ne plus porter le voile ?

— Tout de même. Les femmes vont-elles aller dans la rue le visage découvert ?

— *Ya setti*, elles sont jeunes, c'est à elles de décider.

— Tu as toujours été trop bonne.

— Quoi qu'il en soit, dit Laïla en se tournant à nouveau vers Anna, tout le monde en parle. La presse est pleine d'articles sur le sujet. *Al-Liwa* n'est pas d'accord avec l'auteur de ce livre : Mustafa Kamil est pour l'éducation, mais il veut garder le voile. Tal' at Harb réprouve tout changement. Ils sont ici en ce moment, avec Abeih, ainsi que l'auteur, et Cheikh Mohammad Abdou. Et ils sont en train de parler de ça.

— Cheikh Mohammad Abdou est un homme remarquable, murmure Zeinab Hanem, les yeux sur son livre de comptes. Que Dieu le garde !

Mabrouka marmonne « *Amin* ». Elle ponctue ainsi toutes les prières de sa maîtresse, les grandes et les petites.

— Qu'en pensent les femmes ? demande Anna.

— Elles sont divisées, elles aussi, reconnaît Laïla. Comme tu vois, ajoute-t-elle, en inclinant la tête vers Mabrouka, avec un sourire. On va écouter ce qu'ils disent ?

— On ne devrait pas, s'indigne Anna.

— Mais si ! Viens avec nous, maman.

— Laissez les hommes tranquilles, *ya sett* Laïla, s'écrie Mabrouka, sur le ton d'une mise en garde.

— Ne crains rien, je ne regarderai que mon mari. Viens avec nous, maman !

Laïla prend la plume de la main de sa mère, la pose sur le livre de comptes, tire la dame sur ses pieds. Zeinab Hanem se tourne vers Mabrouka, espiègle :

— Tu viens ?

— Non, *ya setti*. Je reste ici avec Si Ahmad. Il me suffit, comme homme.

— Va chercher de quoi le couvrir, recommande Zeinab Hanem. Il va attraper froid. Pourquoi tu ne le laisses pas aller au lit ? Tu profiteras de lui demain matin, dit-elle à Laïla, qui déjà écarte les tentures de séparation pour les laisser passer.

Les voilà dans un endroit qui rappelle à Anna une loge d'opéra. Derrière elles, les rideaux noirs sont retombés en silence. Devant elles, le moucharabieh, qui donne sur le salamlek, en contrebas. Laïla met un doigt sur sa bouche en guise d'avertissement, pose un genou sur le banc étroit qui court sous la grille de bois, ouvre la lourde fenêtre avec précaution. Leur parvient le cliquetis de tasses en porcelaine sur leurs soucoupes. Anna et Zeinab Hanem avancent doucement dans l'obscurité pour rejoindre Laïla. Les trois femmes s'agenouillent sur le banc recouvert de coussins, appliquent leur nez contre la grille en bois ouvragé.

Le fait de se retrouver dans l'un de ces lieux fermés est très impressionnant. Cela m'a rappelé cette loge d'opéra où j'étais avec Mme Hussein Rushdi : la tenture de velours derrière nous, l'obscu-

rité, la grille en bois à travers laquelle nous allions voir le spectacle sur une scène éclairée. Puis, le fait de m'agenouiller sur la banquette — je n'avais encore jamais vu de coussins aussi durs en Égypte — m'a inspiré une certaine crainte mêlée de respect. Cela m'a rappelé la messe. La lumière qui venait d'en bas éclaboussait le visage de Laïla, collé contre la grille de bois : j'ai cru voir le tableau d'une belle femme, dans un confessionnal, en Italie. Dans un vrai confessionnal, il n'y aurait pas de lumière, mais sur la toile, la lumière serait celle de Sa grâce, de Sa compassion infinies.

Charif Pacha a laissé son fauteuil à son ami plus âgé, Cheikh Mohammad Abdou. Le Grand Imam d'Égypte est assis sur le divan, au milieu de la pièce. Sa barbe et sa moustache bien taillées, presque blanches, à présent, donnent une certaine douceur à ce visage aux yeux perçants, au front orgueilleux. Sa gibba est en soie blanche rayée, son kaftan marron foncé. Sur sa tête, un turban blanc. Ses compagnons sont installés sur des divans et des fauteuils capitonnés. Cheikh Rachid Reda porte lui aussi une gibba et un kaftan. Les autres sont tous en costumes européens.

— Les Arabes forment un seul et même peuple, déclare Cheikh Rachid Reda. Je suis syrien, Anton Bey est libanais. Or nous vivons et travaillons tous deux en Égypte. Nous avons les mêmes idées. Les mêmes buts.

— Nous appartenons à l'Empire ottoman, dit Mustafa Kamil. Sans cet empire, nous sommes faibles et divisés.

— L'empire lui-même est faible, dit Qasim Amin. Il est à l'agonie. Chaque fois que l'Europe tente une percée, le sultan la laisse avancer. Si l'empire était puissant, l'Angleterre n'occuperait pas l'Égypte !

— N'oublions pas la Palestine, renchérit Anton al-Djmaïl. Le sultan est incapable de freiner l'immigration sioniste.

— Les Palestiniens sont peu nombreux, persécutés, opprimés, déclare Anton Bey, d'une voix grave, égale. C'est une tradition, dans l'empire, depuis la chute d'al-Andalus, d'accueillir les juifs.

— Je crois qu'Anton Bey a raison, dit Cheikh Mohammad Abdou.

Anna regarde cet homme pour lequel elle a une grande affection depuis le jour de son mariage.

— Ceux-là vont nous poser d'autres problèmes, dit-il. Vous avez vu le résultat de leur cinquième congrès ? Ils ont créé un fonds national. Ils font appel aux donations des juifs du monde entier.

— Cet argent servira à acheter la Palestine, s'insurge Anton al-Djmaïl.

— Nous devrions tirer un enseignement de leur façon de faire, dit Rachid Reda. Ils sont soudés, et déterminés.

— Non. Eux aussi sont divisés, dit Abeih Charif.

Anna se déplace légèrement pour mieux voir son mari.

— De jeunes séparatistes ont créé leur propre parti : la faction démocratique sioniste. Les rabbis ne veulent pas d'un judaïsme politique. « Des Arabes vivent sur cette terre ! » disent les sages.

— Les rabbis et les sages sont une minorité, déplore Anton al-Djmaïl.

— Ça vous surprend ? dit Mohammad Abdou, en souriant.

— Il n'y a pas que les sionistes, intervient Mustafa Kamil. Nous avons d'autres préoccupations : les Capitulations, par exemple, les lois spéciales...

Mirghani enlève les assiettes vides, en pose d'autres, chargées de victuailles, devant les hommes. Il circule dans l'assemblée avec un plateau de boissons : hibiscus, tamarin et jus de pomme.

— Cromer lui-même veut en finir avec les Capitulations, dit Hosni Bey. Elles minent son autorité.

— Laissons-le s'en arranger, marmonne Charif Pacha. Ces lois portent atteinte à notre souveraineté, mais sans elles, Cromer pourra asseoir encore davantage son pouvoir. Les lois spéciales, c'est une autre histoire.

— On ne s'en débarrassera pas, *ya Bacha*, dit Tal'at Harb. Tant que les Anglais occuperont le territoire, ils inventeront des lois pour se maintenir en place.

— Et Cromer qui clame que tous les hommes sont égaux devant la loi ! dit Charif Pacha.

— L'industrialisation, déclare Tal'at Harb, doit être notre préoccupation majeure. C'est là que se joue la vraie bataille contre Cromer. El-Minshaoui Pacha et d'autres ont investi dans l'industrie textile. Les nouvelles taxes que veut instaurer Cromer les ruineraient en moins de un an.

— Nous avons voté contre, au Conseil, souligne Charif Pacha. Maintenant il faut s'assurer que l'assemblée fera de même.

— Tout cela n'est qu'une perte de temps, grommelle Mustafa Kamil, avec impatience. Notre problème, c'est l'occupation en soi. Elle nous bloque la route sur tous les fronts. Employons-nous à y mettre fin. Rapprochons-nous de la Sublime Porte : tout ce qui renforce son pouvoir renforce le nôtre. Faisons appel à la France, aux États-Unis. Ils n'ont aucun intérêt à voir les Anglais en Égypte. La liberté et la démocratie sont pour eux des valeurs majeures.

— Agissons en ce sens, oui, approuve Mohammad Abdou, mais n'oublions pas les affaires intérieures.

Qasim Amin prend la parole :

— Prenez la question des femmes, par exemple.

Laïla chatouille Anna.

— La question des femmes, avec tout le respect que je vous dois, intervient Tal'at Harb en s'inclinant vers Qasim Amin, est entièrement fabriquée.

— Que Tal'at Bey me permette de dire, reprend Qasim Amin, que la question des femmes existe, selon moi, et que nous courons un grave danger en l'ignorant.

Anna se souvient de ce monsieur égyptien, rencontré chez la princesse Nazli. A-t-il avoué à son mari qu'il la connaissait ? Sans doute pas, non. Abeih n'en a jamais parlé.

— Comment oser parler de renaissance, quand la moitié de la population vit au Moyen Âge ? Plus prosaïquement, comment un enfant élevé par une mère ignorante peut-il avoir des idées saines ? Quelle complicité un homme aura-t-il avec son épouse inculte ? En quoi celle-ci peut-elle le soutenir ?

— Je n'ai rien contre l'instruction des petites filles, dit Mustafa Kamil, mais nous ne devrions pas toucher au voile.

— Je ne pense pas que nous ayons à intervenir sur la question, dit Charif Pacha.

Sa sœur fait la grimace.

— Laissons les femmes décider, et mettons-nous d'accord quant à l'éducation des filles, ajoute-t-il.

— *Ya sidi*, pensons d'abord à éduquer les garçons. Est-ce que tous les garçons reçoivent une bonne instruction ?

— Non, reconnaît Ahmad Loufi al-Sayyed, mais si nous faisons voter une loi qui rende les études obligatoires jusqu'à un âge donné, elle doit s'appliquer aussi bien aux filles qu'aux garçons. Commençons du bon pied !

— Et jusqu'où iras-tu ? s'énerve Tal'at Harb. Tu les autoriseras à travailler, à divorcer, à hériter ?

— *Ya sidi*, répond Mohammad Abdou, personne n'envisage de changer la loi. Nous parlons d'apprendre à lire et à écrire aux filles...

Ils ne se sont pas mis d'accord. Plus tard, ce soir-là, mon mari m'a dit : « Oui, il faut changer les lois. Si cela ne tenait qu'à moi, ça ne traînerait pas. »

Il est plus heureux à Tawasi qu'au Caire : sur ses terres, la seule autorité qu'il subisse est celle de la nature. Il est aussi heureux à Tawasi qu'il l'était à Rome. En Italie, nous évitions les endroits que fréquentaient les Anglais. Nous nous promenions dans les rues, nous visitions les églises, nous mangions dans des restaurants très simples. Les plus petites choses nous ravissaient. Nous nous donnions rendez-vous sur de petites piazza, je lui prenais le bras, nous nous asseyions côte à côte au théâtre — tout cela était nouveau pour nous et Abeih était enjoué, heureux. Cela dit, je ne pense pas qu'il pourrait vivre à l'étranger, la question de sa famille mise à part. Ce serait un homme sans but, car son but, sa vocation, c'est l'Égypte.

Le Caire
Le 31 décembre 1901
Cher sir Charles,
J'ai bien reçu votre lettre du 1er, dans laquelle vous m'apprenez que James Barrington a été engagé au Tribune. J'en suis très heureuse, car il a une connaissance parfaite des affaires d'Égypte. En outre, il est sympathique, éloquent, il a l'esprit vif. Je suis sûre qu'il apprécie votre gentillesse et s'en révélera digne. Sans doute ne ferai-je que renforcer la bonne opinion que vous avez de lui si je vous dis qu'il s'est inquiété de ses domestiques avant de partir : il les a placés chez des résidents anglais — les maisons égyptiennes

accepteraient difficilement un serviteur qui a travaillé chez des étrangers.

L'année qui se termine n'aura pas apporté les changements politiques que vous espériez. J'ai peu d'espoir que les choses changent l'année prochaine. Mme Butcher m'a dit que M. Blunt, en apprenant que Rosebery s'était proposé comme Premier ministre, a déclaré : « Salisbury est déjà nul, mais avec Rosebery, on gouvernerait en se fondant sur le marché des changes. » Sentiment que vous devez partager.

On a beaucoup parlé de M. Blunt ces derniers mois. Des officiers égyptiens ont chassé le renard, sur ses terres, et les hommes de Blunt ont chassé les officiers. Ceux-ci ont refusé de partir, un combat s'est ensuivi. Les Égyptiens ont été arrêtés, jugés par la cour spéciale, et condamnés à des peines de prison pour avoir attaqué des officiers anglais. M. Blunt, semble-t-il, entend profiter de cet événement pour modifier la loi, décision qui serait accueillie favorablement ici. En effet, ces chasses sur des terres cultivées — en Égypte, chaque centimètre carré de terre qui n'est pas du désert est cultivé occasionnent moult dégâts et sont la cause de plaintes constantes, et des fellahs, et des propriétaires.

Vous me demandez si j'ai vu la femme que vient d'épouser lord Cromer et la réponse est non, car je n'ai plus le moindre commerce avec l'Agence, et de tous les résidents anglais, je ne fréquente plus que Mme Butcher qui est la gentillesse même.

J'avoue que notre Noël anglais m'a manqué. Peut-être plus cette année que l'année dernière. Quoique Charif Pacha m'ait fait un cadeau charmant : une croix éthiopienne sertie de rubis. Cependant, il fut étrange pour moi de vivre un 24 et un 25 décembre comme n'importe quel autre jour — particulièrement cette année, où Noël tombe pendant le mois du ramadan. Ici, on célèbre le Noël copte le 6 janvier, mais sans la musique à laquelle je suis habituée et que j'aime tant. J'ai joué des chants de Noël au piano, mais ce n'était pas la même chose. Je n'en ai eu que davantage de nostalgie pour les chants de Noël à St. Martin. L'année dernière, M. Temple Gairdner nous avait joué du piano magnifiquement. On m'a dit qu'il se voue désormais à son entreprise de conversion : il prêche la parole du Christ aux bateliers du Nil, à Bulaq. Je crains qu'il n'en sorte rien de bon.

Je commence à saisir une part de la complexité des événements d'Égypte et la difficulté de la situation de mon mari et de ceux qui pensent comme lui et doivent maintenir un équilibre fragile. Cela représente beaucoup d'efforts.

La présence anglaise a eu le triste effet de diviser le mouvement national — unifié sous Orabi Pacha, en 1881 — dans son désir de démocratisation et de modernité. Quant aux raisons de notre intervention à cette époque, je vous en ai souvent entendu parler, et toujours sévèrement. Si nous n'étions pas intervenus, le peuple et le khédive auraient résolu le conflit à leur manière. Les liens entre l'Égypte et la Turquie se sont beaucoup distendus depuis cent ans, et il est probable que le khédive, seul, n'aurait pas résisté longtemps à la volonté du peuple.

Quoiqu'ils soient unis dans leur désir de se débarrasser des Anglais, certains pensent que cela peut être fait maintenant, quand d'autres estiment que cela ne pourra se réaliser que graduellement.

Il y a d'autres divisions : des gens qui auraient toléré l'instauration d'un système d'éducation laïque, ou l'abandon progressif du voile, combattent à présent ces idées progressistes. Ils ressentent le besoin d'affirmer leur identité nationale face aux occupants. Ceux qui restent favorables à ces changements doivent sans cesse se défendre d'avoir des sympathies anglaises.

La relation de l'Égypte à la Turquie est un autre point d'achoppement. Il y a ceux qui pensent que l'Égypte devrait se rapprocher du sultan musulman d'Istanbul. D'autres affirment que l'Empire ottoman est sur le déclin. Selon eux, le sultan est incapable de protéger ses territoires des incursions européennes. Ces gens voudraient qu'un califat arabe, d'essence moderne, s'établisse à Hijaz. Pour d'autres, l'Égypte doit rester fidèle à son histoire et faire front toute seule, État laïque, riche de ses citoyens, aussi bien musulmans que chrétiens. Ainsi, ce qui devrait faire la force de l'Égypte : la richesse et la diversité de sa culture, semble la diviser et la rendre vulnérable. Mon mari croit que, sans les Anglais, le sultan d'Istanbul aurait peu à peu perdu sa raison d'être, que l'Égypte aurait pu asseoir seule sa suprématie, car son histoire et sa langue la lient tout naturellement aux autres nations arabes.

Aussi notre présence — toujours gênante, au pire oppressive — se fait-elle sentir en toute occasion et incite-t-elle les gens à taxer de traître toute personne qui ne pense pas comme eux, même sur les questions les plus mineures...

Le Caire
Le 31 décembre 1901
Cher James,

Je viens d'apprendre par sir Charles que vous avez été engagé au Tribune. *Quelle bonne nouvelle ! J'en suis très contente pour vous et j'espère que vous serez heureux à Londres. Si vous étiez resté au Caire, nous n'aurions pu rester amis comme nous le faisons maintenant — quel paradoxe !*

Je demanderai à mon mari où il convient que vous m'écriviez, et je vous le ferai savoir.

J'ai peu de nouvelles à vous donner, car de nos amis je ne vois que Mme Butcher. Hormis cette dame et Mme Rushdi, je n'ai plus que des amis égyptiens. Ma famille prend beaucoup de place dans ma vie et je suis plus heureuse en ménage que je ne l'aurais cru possible. Charif Pacha est aimant, plein d'attentions, Laïla est la plus douce des sœurs. Ahmad, son fils, est un enfant adorable. Je suis devenue très amie avec ma belle-mère, nous cuisinons ensemble, nous échangeons des recettes. Je me suis attachée au vieux Baroudi Bey, qui passe ses journées dans sa mosquée — mais qui m'apprend l'arabe. Je peins et je dessine toujours, mais j'ai une nouvelle passion : le tissage. Mon mari m'a acheté un métier à tisser de taille moyenne et, après lui avoir demandé s'il avait l'intention de s'absenter pendant vingt ans, je m'y suis mise avec ardeur. J'ai le sentiment, quand je tisse, d'être en osmose avec mon environnement. Ce n'est pas comme lire ou écrire : le texte peut vous absorber au point que vous oubliiez ce qui vous entoure. Quand je tisse, je reste ancrée dans la réalité, il me semble que les bruits, les odeurs et les allées et venues des gens s'intègrent au tissage. Je vous entends penser : « Anna a des préoccupations métaphysiques ! », alors que je suis des plus pratiques. En effet, quand je suis à mon métier à tisser, je peux parler avec Ahmad. Quand je peins, je crains toujours de déborder. Et puis, il faut terminer certains sujets avant que la lumière ne change, sinon les couleurs sèchent. Il y a aussi le plaisir d'utiliser votre œuvre. Oh ! je m'oublie et je prêche. Je prêche pour le tissage, quelle drôle d'idée ! Mais sincèrement, je crois que le vieux Baroudi Bey se réjouit de me voir tisser dans sa cour.

Le 17 décembre 1901

Charif Pacha borde son père. Doucement, il remet sous la couverture le pied qui dépasse du lit. Puis il sort de la pièce.

C'était là, devant la mosquée, qu'il était tombé pour la première fois sur Anna et son père tout à leurs leçons : la tête blonde et la tête enturbannée penchées sur le livre, l'index de son père, tremblant légèrement, montre quelque chose sur la page, Anna lève la tête, sourit au vieil homme. Anna ! Charif Pacha retourne dans la maison. Le bonheur de sa femme le ravit. Mais est-elle vraiment heureuse ? Il guette des signes d'impatience. Dieu sait qu'il en montrerait, à sa place ! Il lui achète les peintures, le papier, les partitions musicales qu'il peut dénicher. Si elle admire une tapisserie, il lui achète un métier à tisser, puis lui amène une dame qui lui apprendra à s'en servir. Elle a installé le métier à tisser dans la cour, près de la porte de son père, et elle s'assoit là, elle apprend ce nouvel art, lentement, pendant que le vieil homme regarde les pelotes de soie de couleurs vives tressauter et tourner dans le soleil. « Dieu t'a bien récompensé de ta patience », lui dit sa mère. Et c'est le cœur palpitant qu'il regarde cette femme étrange, la sienne, s'occuper dans la vieille demeure, comme si elle avait toujours rêvé de vivre dans une maison comme celle-là. Et son cœur se gonfle de joie quand elle vient dans son lit, comme si elle avait toujours rêvé d'un homme comme lui.

— J'ai envoyé Hasna se coucher. Tu n'auras pas besoin d'elle, ce soir.

Il tâtonne, dégrafe, ouvre, dénoue. Il perd patience, il froisse la soie, la dentelle, écrase le corps couché sous le sien et gronde à l'oreille d'Anna : « Oh, Anna, Anna. Tu n'as pas idée à quel point je t'aime ! »

Le 1er janvier 1902

Houbb *veut dire amour,* ichq *est l'amour qui lie deux êtres,* chaghaf *l'amour niché dans le cœur,* hayam *l'amour qui court sur la terre,* tih *l'amour dans lequel on se perd,* oualah *l'amour qui porte en lui une part de chagrin,* sababah *l'amour qui émane de vous,* haoua *l'amour qui partage son nom avec l'air et le fait de tomber,* gharam *est l'amour qui veut payer le prix.*

J'ai appris tout cela l'année passée, je ne pourrais énumérer toutes les choses que j'ai apprises.

24.

« Cette période durant laquelle nous avons cru pouvoir changer le destin de notre pays fut un privilège refusé aux générations suivantes. Mais pour ce bref moment d'intensité nous avons payé le prix fort. »

Aroua Salih, 1997

Le 15 septembre 1997

Trois Palestiniens poseurs de bombes ont tué sept personnes à l'est de Jérusalem. Un bataillon armé israélien a tenté d'atterrir à Ansariyyeh, au Sud Liban. Les habitants ont riposté avec l'aide d'un bataillon Amal, abattant onze soldats israéliens. Arafat et Hussein sont arrivés au Caire pour un sommet avec Moubarak. Un soldat israélien a fait feu dans un bus, à Hébron, tirant sur trente Palestiniens. Cent soixante-dix Palestiniens ont été arrêtés sur la rive ouest. Les autorités palestiniennes ont également arrêté trente-cinq membres de Hamas. Israël a arrêté soixante-sept autres Palestiniens. À Alger, dans le quartier de Beni Sous, quarante-neuf personnes ont été tuées, et soixante blessées. Soixante-quatre personnes ont été tuées à Beni Moussa, et cent trente-sept autres, soupçonnées d'actes terroristes, ont été abattues à Jibal al-shari' ah. Cent trente Algériens qui fuyaient leur pays ont trouvé la mort quand leur bateau en a heurté un autre au large des côtes du Niger. Les Nations unies ont dû ponctionner leur budget de maintien de la paix pour payer leur personnel. La princesse Diana est morte et cinq millions de personnes ont assisté à son enterrement. Mère Teresa est morte. Mobutu est mort. L'Autriche a accepté de dédommager les victimes des nazis, spoliées de leurs biens. Ces événements eurent lieu durant les deux semaines où mon frère séjourna chez moi. Je le sais, car il ne pouvait rester deux heures sans lire un journal, écouter la radio ou regarder les nouvelles à la télé.

Il en a eu assez de la plage et nous sommes rentrés au

Caire. Omar lit sept quotidiens arabes par jour et, matin et soir, nous descendons à Midan Tal'at Harb, pour qu'il puisse acheter les journaux anglais et français. Il m'a offert un PC et un abonnement à Internet. Je lui ai dit que Tareq Attiyyah allait trouver des professeurs pour l'école de Tawasi. Je n'ai pas parlé des projets d'agriculture de Tareq, et je ne lui ai pas présenté mon frère. Isabel a téléphoné : elle va rester quelque temps à New York et s'occuper de la succession de ses parents.

— Je mobilise une chambre dans ton appartement, a-t-elle dit.

— C'est ta chambre, ai-je protesté.

— Tu peux débarrasser mes affaires, si tu veux.

— C'est ta chambre, ai-je répété. Tu retrouveras tout comme tu l'as laissé.

Je sais qu'elle attend le retour d'Omar. Lorsqu'il lui parle, au téléphone, sa voix prend une autre intonation, celle de l'intimité sexuelle. Cependant, il refuse de s'engager. Son âge le soucie toujours autant.

— Tu es très bien, physiquement, lui dis-je. Et tu vis comme un homme de trente ans.

— Mais je ne les ai plus ! réplique-t-il. Et puis je suis fatigué de devoir tout expliquer à une femme.

— Tout expliquer ? C'est-à-dire ? je demande, même si je sais ce qu'il entend par là.

— Tout !

— Quoi ? L'Égypte, la Palestine, l'Amérique, tes enfants, ta musique, ton passé, ton avenir ?

— Elle n'est pas obligée de connaître mon avenir, non, dit-il, en souriant.

Il va donner des concerts à Gaza, Jéricho et Qana. Des concerts gratuits. Aussi a-t-il demandé à son imprésario de trouver des financements indépendants. Je lui ai suggéré d'en donner un dans le Saïd, et de venir à Tawasi. Les rares fois où il sortait seul, je travaillais à mon histoire sur Anna. Je n'ai pas voulu lui montrer mon manuscrit. Mais je lui ai montré les journaux intimes d'Anna, ses lettres, son bougeoir en verre, son châle blanc. Il a vu le superbe drapeau vert avec la croix et le croissant. Nous avons déroulé la tapisserie que j'avais trouvée rangée dans un coin de la malle. La tapisserie qui fait pendant à celle d'Omar.

— Je suis désolé, dit-il. J'apporterai la mienne la prochaine fois.

Nous avons accroché la tapisserie à la dernière étagère d'une bibliothèque. Elle représente Osiris. On le reconnaît tout de suite, avec son visage à la peau basanée, son corps enveloppé dans un voile, ses mains croisées sur la poitrine, tenant le sceptre et le fléau. Au-dessus de sa couronne, est tissé un mot en arabe : *al-mayyit**, chaque caractère diacritique bien en place.

Le 10 mai 1905

Mon mari dort, et je suis tellement agitée, avec le bébé, que je n'arrive pas à trouver le sommeil. Cela fait des semaines que je n'ai pu m'étendre : je dois dormir avec des coussins dans le dos, comme une malade. C'est un prix ridicule à payer pour le bonheur que cet enfant à venir nous a déjà donné. Cependant, je suis fatiguée et amorphe, à cause du manque de sommeil. Autour de moi, on ne cesse de me dire que je dois prendre des forces pour la naissance !

La naissance me fait peur. Je ne puis prétendre le contraire. Mon mari a essayé de me persuader à plusieurs reprises d'engager les services d'un médecin anglais, il m'a même suggéré — une seule fois, au début de ma grossesse — de rentrer « chez moi » pour être parmi « mes compatriotes ». J'ai refusé. Je ne pourrais me sentir plus en sécurité ou mieux soignée que dans cette maison, lui ai-je dit. Je ne prendrai aucun arrangement qui jette un voile sur le bonheur d'Abeïh. Car il faut des occasions de se réjouir : l'ombre de l'Entente plane sur l'Égypte, et bien qu'Abeïh continue à se battre et à œuvrer pour le bien de son pays, il y a du découragement dans l'air.

Vers la fin de l'année 1904, Anna a été enceinte. Ma mère l'a entourée de son affection. Quant à mon frère, si elle lui avait demandé la becquée, il la lui aurait donnée. Nous lui étions si reconnaissants de nous faire ce bonheur ! Car, en avril de cette année, la France et l'Angleterre ont annoncé

* Le mort.

l'Entente cordiale, laissant à la France toute liberté d'agir au Maroc et à la Grande-Bretagne les coudées franches en Égypte — cela, après que Mme Juliette Adam eut fait sa tournée d'Égypte, reçue et fêtée par les notables nationalistes, invitée à un banquet par l'Efendina. Pendant sept mois, nous avons mené campagne et manifesté. Ces actions n'ont abouti à rien et l'Entente a été ratifiée. Puis Abbas Hilmi nous a brisé le cœur en s'affichant sous le drapeau anglais au côté de Cromer dans la cour du palais Abdin, et en assistant aux manœuvres de l'armée d'occupation à l'occasion de l'anniversaire du roi Édouard.

> *Le Caire*
> *Le 12 mai 1905*
> *Cher James,*
> *J'ai reçu votre lettre du 10 mars, avec la photo de votre nouvelle maison de Chelsea. Elle a l'air magnifique et, si nous venons un jour en Angleterre, vous pouvez compter sur notre visite. Je suis sûre que votre maman est très heureuse de vous avoir près d'elle.*
> *Nous attendons notre bébé pour le début du mois de juin et l'on fait grand cas de moi. On ne m'autorise pas à confectionner ni à acheter quoi que ce soit pour l'enfant avant sa naissance : cela porterait malheur. Les lois gouvernant le destin et les étoiles, les actions qui amènent la bonne fortune et celles qui attirent la malchance sont édictées par Mabrouka, une vieille servante éthiopienne — elle est la compagne de ma belle-mère depuis son enfance. Même Charif Pacha tient plus ou moins compte de ce qu'elle dit, car elle a été sa nounou.*
> *Ahmad a cinq ans. C'est un beau petit garçon qui semble avoir un don pour la musique : il passe des heures avec moi devant le piano, et il joue déjà assez bien. Nous lui avons dit que je lui prépare un petit cousin. Chaque jour il demande comment va le bébé et si un bout de lui n'a pas déjà paru, qu'il puisse le voir !*
> *Nous sommes heureux dans cette maison, même si l'Entente cordiale a créé des remous ; on se demande quand la situation va se stabiliser. Le khédive a abandonné tout espoir d'être un vrai dirigeant et donne à présent libre cours à sa cupidité. Il a tenté de faire passer une loi sur la propriété terrienne qui l'avantagerait ; mais Cheikh Mohammad Abdou — en tant que responsable d'Awqaf — l'en a empêché. À la suite de quoi le palais et ses journaux*

ont monté une cabale contre le Cheikh (vu que lord Cromer a sou-
tenu Mohammad Abdou en cette affaire) en publiant des photos
scandaleuses (et truquées) de Mohammad Abdou en train de boire
de l'alcool avec des étrangères. Ce coup monté l'a tellement ébranlé
qu'il a démissionné du comité d'al-Azhar et que sa santé physique
nous donne les plus vives inquiétudes.

Il paraît que Cromer négocie la reprise de l'Égypte avec Eldon
Gorst, qui ensuite donnera le pouvoir à Errington, le fils de Cromer.
On pourrait croire qu'il règne sur le pays ! C'est d'ailleurs l'impres-
sion qu'il a lui-même. Il a fait une tournée des provinces en vain-
queur, ce qui a ulcéré les patriotes égyptiens. Nous lui devons
cependant d'avoir mis un terme au projet al-Arich, dans le Sinaï.

Je n'avais jamais entendu parler du projet al-Arich. Une
fois de plus, j'ai fait appel à mon fils, à Londres. Voici les
faits : en 1902, dans sa quête d'une patrie, Herzl jette son
dévolu sur Chypre et al-Arich, jugeant les terres exploitables.
Il obtient l'aide de Rothschild grâce à divers arguments : la
nouvelle communauté de colons gardera le canal de Suez,
sabotera le projet de route germano-turc et aura l'œil sur la
Turquie, au bénéfice de la Grande-Bretagne. Rothschild se
laisse convaincre et l'envoie à Joseph Chamberlain, le ministre
des Colonies. Celui-ci refuse de donner Chypre à Herzl, mais
il lui présente lord Lansdowne, le ministre des Affaires étrangères, à qui il parle d'al-Arich. Lansdowne dépêche un
M. Greenberg, son ami et agent confidentiel, auprès de Cromer, lequel ordonne une étude et juge qu'on ne peut prélever
dans le Nil le volume d'eau nécessaire aux projets d'agriculture d'Herzl. En outre, la pose des canalisations perturberait
le trafic sur le canal pendant plusieurs semaines. Ainsi un
diable en a chassé un autre.

Nous ne pouvons que poursuivre les travaux dans lesquels
nous sommes engagés. J'écris pour L'Égyptienne avec d'autres
dames. Nous avons créé un fonds de soutien à la construction d'un
hôpital. Mon mari et son oncle ont ouvert une école à Tawasi et
nous avons bon espoir d'inaugurer bientôt une école des Beaux-
Arts. Mustafa Pacha Kamil œuvre à la création d'une université
nationale. Mon mari, qui a démissionné du Conseil législatif pour
protester contre leur approbation sans condition du dernier budget,

travaille à présent avec Mustafa Kamil, Yacoub Artin Pacha, Hussein Rushdi Pacha et quelques autres notables. Ils espèrent créer un Club de diplômés, pour ouvrir la voie à leur projet d'université.

Cher James, c'est dommage que vous n'ayez jamais vu le nouveau musée : il recèle des objets d'une telle beauté qu'à lui seul il justifierait un voyage en Égypte. À mon arrivée dans le pays, vous m'avez parlé, je m'en souviens, des monuments anciens. Vous m'avez dit regretter que les plus belles œuvres aient été déroutées sur l'Europe. Depuis, j'ai découvert que maints Égyptiens instruits pensent comme vous : ils voient dans ce commerce leur passé volé aussi sûrement que leur présent. Les Français ont insisté pour que l'Entente leur laisse le contrôle du Département des Antiquités. Quelle ironie, quand on sait que les dites antiquités sont un objet de convoitise de la part des Anglais et des Américains.

J'ai de bonnes nouvelles pour vous. Au moment de votre départ, vous avez veillé à trouver de bonnes places pour vos serviteurs, et j'ai demandé à mon mari — sachant votre estime pour Sabir et ayant moi-même de l'affection pour un homme dont la loyauté, en certaine occasion, devait avoir de si grandes conséquences dans ma vie — si nous pouvions le prendre à notre service. Il a refusé, et je n'ai pas insisté, d'autant que vous avez réussi à le placer dans une maison anglaise. Cependant, il était malheureux là-bas. Il a trouvé un emploi dans une autre maison anglaise, sans plus de bonheur. Il y a quelque temps, il s'est présenté au bureau de mon mari, et Charif Pacha a accepté de le recevoir. Il est depuis à son service — dans ses bureaux, pas à la maison — où on lui apprend à lire et à écrire et où l'on fait usage de sa connaissance de l'anglais. Tout le monde semble satisfait de l'arrangement. Mon mari loue son intelligence et son zèle et Sabir est heureux — il me l'a dit lui-même, un jour où il a porté des papiers à la maison. Il a conclu avec cette phrase magnifique, la main sur le cœur : « Ya sett Hanem, je vous suis dévoué corps et âme, à vous et au Pacha. » Je suis certaine qu'il le pensait.

Je vous envoie deux livres : les poèmes réunis dans une anthologie par feu Mahmoud Sami Pacha. Dieu garde son âme. Et le livre que tout le monde lit ici : le Hadith'Issa ibn Hicham de Mohammad al-Muoueilhi. J'espère que vous les aimerez. Au moins vous permettront-ils d'approfondir votre arabe.

Quand lord Cromer fit sa tournée triomphale des provinces en janvier 1905, un mois après la mort de mon
oncle, Mahmoud Sami Pacha, notre amertume était à son
comble. Maints notables, voyant qu'il n'y avait aucun
espoir de se débarrasser des Anglais dans un futur proche,
rivalisèrent d'hospitalité à l'égard de Cromer dans tout le
pays. D'autres conseillèrent à mon frère d'abandonner une
position vouée à l'échec. S'il se trouvait à Minieh au
moment opportun, si le lord buvait le thé chez lui, peut-
être pourrait-il espérer entrer en faveur auprès de ce dernier malgré son passé, ses opinions notoires, son mariage...
Mon frère resta au Caire. Mustafa Bey el-Ghamraoui y
revint aussi pour la durée du voyage du lord. Aussi, Cromer ne fut-il reçu ni à Tawasi, ni sur les terres des notables
purs et durs.

Al-Minshaoui Pacha avait aussi des raisons personnelles
de refuser l'hospitalité à Cromer : l'homme empêchait
toutes les industries nationales naissantes de se développer, et al-Minshaoui lui devait la faillite de son usine de
textiles. D'autres amis, qui avaient investi dans le tabac et
le sucre, rencontraient les mêmes difficultés. Nous avions
de la chance : nos biens matériels ne pouvaient être mis à
mal par l'occupation. Anna fut notre principal souci, ces
mois-là. Bien qu'elle affirmât être parfaitement heureuse,
nous nous efforcions de compenser l'absence d'une mère
ou d'une sœur, qui l'auraient soutenue pendant sa grossesse.

Le 21 mai 1905
La sage-femme vient souvent me voir, et chaque fois que Zei-
nab Hanem, Laïla, ou mon mari posent les yeux sur moi, c'est
pour me dire : « allons faire le tour du jardin », ou « allons nous
asseoir sur la terrasse », de sorte que je n'ai jamais autant marché,
jamais monté autant d'escaliers ! Zeinab Hanem m'a montré des
exercices censés faciliter l'accouchement, et chaque jour, Hasna me
passe de l'huile parfumée sur tout le corps. On voit rarement
Mabrouka, mais elle psalmodie des incantations et promène son
encensoir dans toute la maison. L'une des chambres d'amis a été
transformée en chambre de naissance et on y a transporté l'énorme
chaise d'accouchement, qui ressemble un peu à une commode. Je

dormirai dans cette pièce durant les quarante jours qui suivront la naissance.

Abeih se demande comment je vis cette situation, si ces étranges pratiques ne me déroutent pas. En vérité, celles-ci atteignent un tel degré d'étrangeté que cela n'a plus d'importance. Mon état en soi est étrange et merveilleux. N'ayant aucune expérience dans ce domaine, je m'en remets entièrement à Zeinab Hanem et à Laïla, j'ai la certitude d'être entre de bonnes mains.

Cette grossesse nous distrait d'événements préoccupants. L'état de notre ami Cheikh Mohammad Abdou s'aggrave : on parle de le soigner à l'étranger. Les étudiants de l'école d'ingénieurs sont en grève. Ils défilent dans les rues en tenue militaire, et nous craignons une confrontation imminente avec l'armée. Choukri Bey et d'autres notables de Jaffa, Nazareth et Jérusalem, ont été assignés à résidence pour être en possession du pamphlet de Naguib Azoury : Les Pays arabes aux Arabes. *Nous nous raccrochons à notre amour et à l'enfant qui va naître. Par instants, j'ai le sentiment qu'il y a mon bébé d'un côté et la misère du monde de l'autre. Mon mari s'amuse de me voir si grosse, de ne plus pouvoir m'entourer de ses bras.*

Le Caire
Le 3 juin 1905
Mon cher sir Charles,
Je m'attends chaque jour à accoucher. Je suis en excellente santé et pleine d'entrain. On s'occupe très bien de moi. Cependant, l'imminence de cet événement m'entraîne à abandonner une part de ma réserve à votre égard : je vous parlerai avec mon cœur.

Mon bonheur est immense ! Chaque jour je remercie la vie. Et pourtant, il me manque quelque chose. Des choses et des êtres que j'ai dû laisser derrière moi, vous êtes le seul que je regrette toujours d'avoir perdu. Nous ne pouvons venir vous voir, viendrez-vous nous rendre visite ?

Cher sir Charles, vous avez été pour moi un père aimant pendant des années, et un guide important à maints égards, nous n'en avions conscience ni l'un ni l'autre, à l'époque. Quelques idées que j'aie de la justice ou de la vérité, je les tiens de vous, de votre exemple, des positions que vous adoptiez, aussi bien en politique que dans votre vie privée. C'est vous qui avez éveillé en moi un intérêt pour l'Égypte. J'ai toujours le châle blanc et la tasse à café que vous m'avez rapportés en 1882.

L'Entente a été un coup dur. Maints nationalistes comptaient sur le soutien de la France pour en finir avec l'occupation anglaise. Et quoique mon mari n'ait jamais été de ceux-là, il voit cette alliance comme un blanc-seing aux Anglais occupants.

Sur qui compter, à présent, sinon sur l'opinion publique anglaise ? On a pu régler la question irlandaise, car les Irlandais avaient des amis parmi nos gouvernants, ce qui n'est pas le cas de l'Égypte. Et puis, avec l'Irlande, il n'y avait pas de problème de langue. Mais si un Égyptien réussissait à toucher l'opinion publique ? S'il savait trouver les mots, les images, les citations pour émouvoir et toucher les esprits ?

Si le cas de l'Irlande est différent de celui de l'Égypte, certaines de ces différences sont en faveur de l'Égypte. Les intérêts de l'Angleterre dans ce pays ne sont pas anciens au point qu'elle n'y puisse renoncer sans trop de douleur. Le nombre d'officiels britanniques sur place, quoique trop important aux yeux des Égyptiens, n'est pas si grand : les rapatrier ne serait pas très compliqué. Il s'agit, pour l'essentiel, des troupes de l'armée d'occupation. Et puis, je ne connais pas un Égyptien qui ne soit favorable à la réforme économique, ou au remboursement de la dette égyptienne. Ils accepteraient des conseils de l'Angleterre dans le domaine économique, si ces conseils étaient ceux d'un ami, plutôt que d'un geôlier.

Cher sir Charles, pouvez-vous m'aider ?

Oh, si vous voyiez les champs de canne, les fleurs pourpres et bleues du kittan ! Si vous voyiez les enfants se faire des poches de kangourous avec leurs galabillas, pour récolter le coton ! Et les vieux saules, dont les branches flottent dans le courant des canaux, et les moines nestoriens qui rentrent dans leurs monastères à l'appel du muezzin, dans le ciel rougeoyant : c'est une terre où Dieu manifeste sans cesse sa présence. Pardonnez-moi. Je m'égare. Notre ami bien-aimé, Cheikh Mohammad Abdou, est gravement malade et nous craignons pour sa vie. Venez nous voir quand j'aurai accouché : je suis impatiente de voir mon enfant dans vos bras.

L'accouchement d'Anna s'est bien passé. Nous avons appelé le bébé Nour al-Hayah, cette petite fille arrive vraiment telle une lumière dans nos vies.

Quand l'ami le plus cher de mon frère, Cheikh Mohammad

Abdou, est mort, trois semaines après la naissance de
Nour, le plus grand réconfort d'Abeih a été cette petite
fille. Il la portait dans ses bras, il marchait de long en
large avec elle quand elle pleurait, il assistait à son bain,
il l'enveloppait tendrement dans des serviettes douces et
blanches. Dès le jour de sa naissance, Nour al-Hayah a été
belle. Elle avait la peau claire et les yeux violets de sa
mère, les cheveux noirs de mon frère. Il s'asseyait, la
regardait, se penchait pour embrasser ses pieds minuscules. Et bien que Mabrouka ait fait son devoir et placé
en secret les premiers ongles coupés du bébé dans la poche
du gilet d'Abeih pour assurer son amour à la petite fille,
il était clair qu'il avait perdu la tête pour elle sans l'aide de
la magie. En fait, tous les hommes de la famille tombèrent
amoureux d'elle ! Quand je pense à elle aujourd'hui, je
vois une enfant souriante, entourée d'amour.

Octobre 1905
Je suis comblée. L'Anna du passé me trouverait indolente. Je
me satisfais d'être étendue sur des coussins dans le jardin, dans ce
soleil miraculeux d'octobre, à observer les arbres fruitiers endormis,
la lumière changeante. Toute chose nouvelle ajoute à mon contente-
ment, jusqu'à ce que je dise, comme ils le font ici : « Que Dieu
apporte une conclusion heureuse à tout cela. » J'entends le rire
d'Ahmad quelque part dans la maison. Mon bébé remue sur le
coussin à côté de moi. Je glisse un doigt dans sa main qui se referme
aussitôt, et je ne peux résister au plaisir d'embrasser le coin de sa
bouche. Nour al-Hayah, lumière de nos vies ! Je pense à son père
et je sens mes membres mollir. L'odeur d'Abeih, son souffle, sa
main sur moi !

Le Caire
Le 15 novembre 1905
Ma chère Caroline,
*   Y a-t-il vraiment si longtemps que nous n'avons correspondu ?*
Je sais que oui, et j'en ai d'autant plus conscience quand je pense
à la joie immense que j'ai éprouvée à la vue de votre lettre, aujour-
d'hui. J'accepte volontiers vos félicitations pour la naissance de
Nour et vos vœux pour nous deux. Dans d'autres circonstances, je

vous aurais demandé d'être sa marraine. Ne pourriez-vous, d'une certaine façon, vous considérer comme telle ?

Vous ne me parlez pas beaucoup de vous ni de vos enfants, qui ont cinq ans de plus que la dernière fois que je les ai vus. Je sais par sir Charles que tout va bien pour vous, mais je souhaiterais des nouvelles de votre main.

Nour est la plus adorable des petites filles. Elle inspire une tendre affection à son entourage. Pour ma part, j'aime tout, chez elle, jusqu'à ses orteils ! Cela ne vous surprendra pas, avec votre expérience, mais je n'aurais jamais pensé que la maternité fût un état aussi merveilleux.

Elle sourit, et j'imagine que son babillage est l'ébauche du langage. Son père pense que je devrais lui parler en anglais. Sans doute craint-il que ma langue maternelle ne me manque — nous parlons français, je vous l'ai dit. Cependant, j'ai à présent un niveau honorable en arabe.

J'utilise l'anglais seulement pour écrire et, parfois, pour chanter. Ce serait un tel plaisir de parler avec vous, ma chère amie...

Le Caire
Le 20 novembre 1905
Cher James,
Merci, merci pour le Tatler *! J'ai regardé les robes de soirée avec Eugénie, et je crois que nous n'allons pas tarder à rendre visite à Mme Marthe ! Je porte des vêtements égyptiens, mais le soir, pour les réceptions et les soirées, on doit s'habiller à la dernière mode européenne. Or on ne m'a fait aucune robe depuis ma grossesse.*

Mme Butcher est arrivée cet après-midi, juste au moment où Mme Rushdi prenait congé. Nous avons passé un moment délicieux ensemble. Elle ne voulait plus lâcher le bébé ! Elle m'a raconté une histoire amusante sur notre ami Gairdner. Après beaucoup d'efforts, l'homme a fini par convertir un batelier. Il l'a emmené chez lui, il l'a logé, il a prié avec lui sans discontinuer. Or, au bout de trois jours, la femme du nouveau chrétien est venue réclamer son époux — la conversion s'était faite suite à une querelle conjugale ! Réconcilié avec sa femme, le batelier s'est excusé auprès de M. Gairdner. Il l'a remercié, et il est rentré chez lui. M. Gairdner en a été très affecté, semble-t-il, mais il a retrouvé son enthousiasme et il est décidé à redoubler d'efforts pour servir la foi chrétienne.

Mon mari me prie d'aller à la messe de minuit. Je n'irai pas.

Je les vois d'ici se parler à l'oreille, je vois les dames ramener leurs jupes contre elles, éviter mon regard. Ce serait plus un acte de défi que d'adoration, ce qui ne paraît pas souhaitable à Noël. Cependant, j'ai préparé un christmas cake *— sans cognac ! — et nous allons décorer un petit arbre pour Nour.*

Je commence à savoir tisser et j'ai entamé une pièce magnifique — enfin, j'espère qu'elle sera magnifique une fois terminée ! Ce sera une tapisserie de six pieds de large sur huit de long, composée de trois panneaux — je ne puis faire que des pièces de deux pieds de large sur mon métier. Je n'utiliserai que du lin, de la soie et des teintures employés par les anciens. Ce sera là ma contribution à la renaissance égyptienne, cette tapisserie représentera la déesse Isis avec son frère-époux, le dieu Osiris, entre lesquels trônera l'enfant Horus. Au-dessus, je tisserai un verset du Coran, que mon mari choisira le moment venu. J'ai fait une esquisse de cette œuvre, dont les couleurs seront le bleu turquoise, l'or et le brun-rouge des anciens Égyptiens, et ce vert sombre unique des champs d'Égypte. Si cette tapisserie est réussie, j'en ferai cadeau à notre future école des Beaux-Arts.

Nour al-Hayah est couchée dans son couffin et me regarde travailler. Ahmad joue avec les pelotes de soie, et Baroudi Bey, pour se distraire de son rosaire, enroule et déroule les fils de soie autour de ses doigts.

J'aimerais que vous puissiez les voir. J'ai demandé à sir Charles de venir, mais je crains que son dos ne le fasse trop souffrir pour qu'il puisse voyager.

Janvier 1906
« À la bonne saison, je planterai des arbres pour elle, ici », a promis mon mari.

Nous étions dans le jardin. Il m'a entendue approcher, il m'a attirée contre lui.

« Je vais créer un jardin pour Nour, un endroit ombragé, avec une fontaine, où elle pourra jouer quand il fera trop chaud. »

Même dans mon sommeil, je ne pense qu'à lui, et à Nour al-Hayah.

25.

« Le manque de gratitude des nations à l'égard de leurs bienfaiteurs étrangers est une chose aussi vieille que le monde. »

Lord Cromer, 1908.

Le Caire, le 18 septembre 1997

Quant à moi, mes rêves mélangent les époques et les lieux. Je suis allongée dans la cour de la vieille maison des Baroudi — « Beit al-Ingilizillah », comme l'a appelée le cocher —, Nour est assise près de moi. Elle tire sur mon collier. Je vais voir si les enfants dorment. J'entre dans la maison — ma maison, en Angleterre —, la petite fille calée sur ma hanche. Je monte à l'étage, chez les garçons. Ils sont couchés. L'aîné dort les membres étalés comme une étoile de mer. Le corps du plus petit forme une courbe gracieuse, comme un plongeur en plein saut.

Souvent, dans mon sommeil, je me retrouve dans une maison que je n'ai jamais vue à l'état de veille. Dans le rêve, je sais que j'ai rêvé de cet endroit de nombreuses fois, et je suis soulagée de le retrouver. Cette maison est exactement comme je l'ai rêvée : elle possède un patio lumineux, entouré d'un cloître avec de fins piliers, d'un rose passé. Au centre de la cour, un bassin. Cette demeure donne une impression de décadence sympathique : le plâtre se détache un peu des murs et le jardin est laissé à l'abandon. Je fais le tour du cloître, je réfléchis à la façon dont je vais restaurer les lieux. Les chapiteaux des colonnes s'écroulent, il manque des fragments de mosaïque sur le sol, autour du bassin. Il y a des fauteuils en rotin fatigués, avec des coussins aux couleurs fanées. J'adore cet endroit. Je sais que ma mère est dans sa chambre, quelque part dans la maison, heureuse, elle n'a plus le mal du pays. J'irai la voir, dès que j'aurai récupéré Nour. Je suis debout devant le bassin, des serviettes sur le bras. Je dis à la petite fille de sortir de l'eau. Nous attendons du monde. Je sais que mes fils vont adorer cette maison. À mon réveil, j'essaie de me la représenter : je vois les fresques de Pompéi.

Mon frère est parti et Isabel ne viendra pas avant un certain temps. La plupart de mes amis ont quitté Le Caire pour l'été et ne sont toujours pas rentrés. Je prépare mon PC, mon manuscrit, les écrits d'Anna, ceux de ma grand-mère, et Madani descend le tout dans la voiture. Je décroche la tapisserie d'Anna, je la roule soigneusement, la protège avec son enveloppe de mousseline. Je demande à Tahiyyah d'arroser les plantes tous les trois jours et de me téléphoner à Tawasi. Et si j'allais au musée, avant de prendre la route ? Peut-être verrai-je les peintures dont Anna s'est inspirée. Dans sa lettre à James, elle parle d'une tapisserie en trois panneaux. Je me demande où est le troisième.

Je traverse le pont Qasr el-Nil, je tourne à droite, et me gare devant l'immeuble Mougama. Le gardien du parking s'approche.

— Si je vous laisse mes clés, vous me trouverez un peu d'ombre ? lui dis-je.

Si Mansour était vivant, je lui aurais laissé la voiture.

— Vous revenez dans combien de temps ?

— Dans deux heures. Je vais au musée.

— Le musée est fermé.

— Comment ça, fermé ? Il est midi ! Ça ferme à quatre heures !

— C'est à cause de la bombe, dit-il. Ils ont fait exploser une bombe, et on a fermé le musée. Regardez !

De l'autre côté de la place, je vois des gens courir, de la fumée, l'uniforme blanc des policiers.

— Que s'est-il passé ?

— Quelqu'un a posé une bombe et des touristes ont été tués.

— *Ya n'har isouid**, sangloté-je.

Je traverse la place en courant. Après le terminal des bus, un policier m'arrête :

— C'est interdit, *ya sett*.

— Une bombe a explosé, me dit un homme.

---

* Littéralement : « Quelle horreur. Quel drame. »

Une foule de gens à l'entour. Un car fume encore. Des officiers de police beuglent des ordres dans des talkies-walkies, d'autres interpellent les badauds. Un agent de police se tourne vers l'homme qui m'a parlé, pose un doigt sur sa poitrine, le fait reculer.

— Circulez ! Il n'y a rien à voir.

L'homme s'écarte de quelques pas et marmonne :

— Et si vous faisiez votre travail convenablement au lieu de jouer aux fiers-à-bras ?

— Il y a des blessés ? je demande.

— Oui, répond-il. Ils les ont emmenés.

— Il y a des morts, dit un autre homme.

— Des touristes ? je demande.

— Des Américains, paraît-il.

— Quel désastre, quel désastre...

— Évidemment que c'est un désastre. Ils continueront tant qu'ils n'auront pas détruit le pays.

— C'étaient des Allemands, dit une femme.

Elle transpire, sous son grand foulard.

— Ils venaient tous du car, là-bas, raconte-t-elle. Il y en a huit qui sont morts. Plus le chauffeur. Dieu protège leur âme.

Je reste debout sous le soleil brûlant, je pense à ces touristes en vacances, à Mansour — je n'ai jamais su s'il avait une femme et des enfants. Des gens posent des questions, d'autres leur répondent, spéculent sur les raisons de l'attentat.

— C'est un homme, paraît-il. Ils l'ont arrêté.

— Ils en ont arrêté un, mais ça se reproduira.

Quand je retraverse la place, l'asphalte est si chaud qu'il a une consistance de guimauve sous mes semelles. La voiture est toujours au soleil. Le siège me brûle les cuisses et le volant me pique les mains. Les barricades, sur la route de la Haute-Égypte, seront pires que l'autre fois. Quelque part dans le monde, huit familles ne savent pas encore quel malheur les frappe.

Je roule. À Tawasi, je serai loin de tout cela. J'irai voir l'école, j'aurai mon jardin, je serai au milieu des champs. Et avec Anna.

Le Caire
Le 30 avril 1906
Cher sir Charles,

    Vous devez savoir que le sultan a refusé de quitter Taba et l'on croit savoir que l'empereur Guillaume le soutient. Si l'Angleterre durcit sa position et lance un ultimatum, ce sera la guerre. Je suis certaine que vous et vos amis d'Angleterre faites le maximum pour présenter la situation sous un juste éclairage. À cet effet je vous envoie un article qui expose la position nationale et internationale concernant Taba depuis 1841 quand Mohammad Ali était vice-roi. Peut-être que le Manchester Guardian *ou le* Tribune *pourrait le publier ? Le sentiment général ici est très en faveur du sultan, non parce qu'on l'aime, mais par réaction contre l'Angleterre qui accentue sa domination sur l'Égypte. Le khédive semble être du côté du sultan, il a un entretien quotidien avec Moukhtar Pacha. Cela dit, on sait qu'il s'est rapproché du roi et du prince de Galles, et Cromer ne va sans doute pas tarder à le rappeler à l'ordre.*

    Cromer semble plus déterminé que jamais à nous montrer qu'il est le maître de l'Égypte. En février, les étudiants de l'école de droit ont fait grève pour protester contre les nouvelles réglementations, très semblables à celles en vigueur dans les écoles primaires. Ils voient ces règlements institués par M. Dunlop, le nouveau secrétaire du ministre de l'Éducation comme un affront à leur dignité. Le gouvernement a fermé l'école pendant une semaine. Ils ont négocié avec les étudiants, qui ont repris les cours le 3 mars. Le 24 mars, Cromer a nommé M. Dunlop conseiller auprès du ministère de l'Éducation, en fait, ministre. Cette nomination est des plus provocantes et impopulaires, car c'est dans le domaine de l'éducation que les Égyptiens se sentent le plus négligés par l'administration anglaise.

    Vous voyez comme la politique met son ombre sur tout ? Est-ce la même chose en Angleterre ? Je n'ai pas souvenir qu'il en ait jamais été ainsi, sauf à la fin, pour Edward. Mais peut-être étais-je jeune et naïve. Ici, personne n'échappe à cette ombre maléfique, sauf le vieux Baroudi Bey, depuis longtemps retiré dans son monde intérieur, et notre précieuse petite Nour, qui est pour nous une source de joie. Elle fait ses premiers pas, à présent, à la fois hésitants et pleins de hardiesse. C'est une enfant bénie des dieux, car personne ne la voit sans se prendre d'affection pour elle, et elle se laisse volontiers dorloter et embrasser. Choukri Bey el-Asali, le cousin de mon mari, est venu nous voir de Nazareth. Il a séjourné chez nous, au lieu d'aller dans sa maison du Caire. Nous devons cette faveur à Nour, j'imagine. Ma fille l'a conquis : elle est la première personne dont il demande des nouvelles quand il arrive à la maison. Il a une patience infinie avec elle. Quant à Ahmad, son cousin de six ans, il l'a prise sous sa protection. Il lui prête ses livres et son ardoise. Si on le laisse faire, elle va savoir lire à trois ans !

Mais c'est à son père qu'elle réserve le meilleur de son amour : elle s'accroche à sa jambe, elle lui lance des regards éperdus. Quelles que soient les affaires qui occupent Charif Pacha, il faut qu'il soit rentré à l'heure où elle va au lit, sinon elle refuse de se coucher. Or l'heure du coucher est la seule chose sur laquelle je me sois montrée ferme — ici, on laisse les enfants veiller, et je ne puis croire que ce soit bon pour eux. Aussi je mets Nour au lit à sept heures, en dépit des remontrances quotidiennes de Zeinab Hanem et de Mabrouka. La petite fille s'en porte bien. Elle adore le rituel du coucher : elle dit bonsoir à tous les gens et à toutes les choses qu'elle aime dans la maison, puis son père la prend dans ses bras, lui chante une chanson et l'embrasse avant de la mettre au lit.

Je me laisse emporter par ma plume, je le crains, mais si vous ne venez pas nous voir et constater tout cela par vous-même, résignez-vous à ces bulletins détaillés. L'idée d'un voyage en Angleterre devient de plus en plus utopique, avec tous ces événements. Mustafa Kamil Pacha se rendra en Europe dans peu de temps. Il a exprimé le souhait de vous rencontrer ainsi que M. Blunt. Ce serait bien que cela puisse se faire.

On sent qu'Anna adore son enfant, que Charif Pacha est ravi d'avoir cette petite fille. J'imagine Nour, avec ses cheveux noirs, ses oreilles percées et ornées de petites boules d'or, son regard violet, sérieux. Elle pose un pied hésitant dans la fontaine, un petit pied potelé sur le sol frais et mouillé. Il y a tant de choses à découvrir ! Elle se remet à quatre pattes, elle examine les carrés, les triangles, le bleu, le blanc, le rouge des tuiles, puis elle lève les yeux, aperçoit un rayon de soleil sur le jet d'eau, et tend la main pour l'attraper.

Son père est assis les jambes croisées sur le bord de la fontaine, dans ce pantalon de gros lin qu'il porte pour travailler dans le jardin. Il a roulé ses manches de chemise au-dessus de son coude, ses pieds sont nus. Il réajuste le bonnet de

Nour, puis il trempe ses doigts dans l'eau, les remue doucement, créant des motifs changeants pour sa fille. Il lève les
yeux vers la fenêtre d'Anna qui, derrière l'écran ajouré de la
terrasse, lui sourit.

Irai-je voir l'école ? Non, je vais rester avec Anna. Les
hommes de Tareq Atiyyah font du bon boulot. Deux jeunes
licenciés s'occupent de l'école à tour de rôle cinq soirs par
semaine. Ils aident les enfants à faire leurs devoirs. Les gens
du village les remercient avec de petits cadeaux : des œufs,
du beurre, des pâtisseries. Je m'informe avec tact d'éventuels
changements sur les terres des Atiyyah. J'apprends qu'il n'y a
rien de nouveau. Je devrais appeler Tareq, ou lui écrire un
petit mot pour le remercier.

Le Caire
Le 15 mai 1906
Cher James,
*Merci pour votre lettre du 20 avril et pour tous les journaux.
J'ai du mal à croire que notre nouveau ministre des Affaires étrangères ne parle qu'anglais et qu'il ne soit jamais sorti d'Angleterre
— sauf une fois, pour aller en France ! Votre mère doit se réjouir
que vous ayez refusé un poste en Syrie. Vous ne voulez plus être
mêlé à la politique étrangère des Anglais, me dit sir Charles. Sans
doute les événements du Natal ne feront-ils que vous conforter dans
votre décision. Je pense que vous ferez plus de bien là où vous êtes
et qu'ainsi vous resterez fidèle à vous-même.*

*La situation, grâce à Dieu, ne pourra jamais être aussi dra-
matique ici qu'en Afrique du Sud, même si Cromer présente l'agitation politique en Égypte comme d'essence fanatique. Hier, al-
Mouqattam s'interrogeait : l'armée égyptienne devait-elle se battre
aux côtés des Anglais contre Sa Majesté le sultan ottoman abd al-
Hamid Kahn (car on a envoyé la moitié des soldats du cinquième
bataillon dans le Sinaï) ou se mutiner ? Devons-nous déplorer le
fait que le sultan ait abandonné Taba ou nous réjouir d'avoir
échappé à la guerre ?*

*L'opinion est très en faveur de la Turquie. J'ai demandé à
mon mari si ce pays, étant musulman, avait joué un rôle dans
l'histoire. Il m'a répondu qu'en 1898 le peuple était pour Marchand dans l'affaire Fachoda, or la France n'est pas un État
musulman. J'ignore comment Cromer s'arrange de tout cela, je ne*

pense pas qu'il mentirait. Cela dit, il voit les choses comme il choisit de les voir et, si le gouvernement accédait à sa demande de doubler les effectifs de l'armée, ce serait très mal perçu ici. Sa dernière lubie consiste à promener l'armée à travers le pays pour montrer sa puissance. Il y a deux ans, il disait pouvoir gouverner l'Égypte sans armée, parce qu'il était un ami des fellahs !

Nous aimerions passer plus de temps à Tawasi, mais il est impossible de persuader Baroudi Bey de quitter sa retraite, et puis nous répugnons à séparer Nour de Zeinab Hanem (et d'Ahmad, qui la suit partout). Ainsi la vie continue et, chaque jour, Nour fait des choses nouvelles qui nous ravissent. Je travaille à ma tapisserie, mais c'est extrêmement long, j'en suis encore au pied d'Isis !

Nous plantons un bosquet magique pour Nour, qui sera terminé avant son premier anniversaire. Il y a un cyprès italien, un jacaranda, un poinciana, un magnolia, un lilas persan et un saule palestinien. Elle aura son bassin personnel avec une fontaine. Zeinab Hanem s'inquiète qu'on mette un lilas persan, car ses fruits sont toxiques. « Nour apprendra qu'il peut sortir du bon comme du mauvais d'un même arbre », lui a dit mon mari.

Je vous envoie une aquarelle que j'ai faite de Nour et d'Ahmad. La personne dans la chaise longue est Choukri Bey al-Asali, notre cousin de Nazareth. La situation en Terre sainte le préoccupe vivement, et la mort de Cheikh Mohammad Abdou a été un coup très dur pour lui — il comptait sur son soutien. Heureusement, le nouveau Moutasarrif de Jérusalem, Ali Ekrem Bey, a la réputation d'être intègre et devrait appliquer les lois contre l'immigration. Choukri Bey nous a apporté un livre fascinant : Le Réveil de la nation arabe. *Je vous l'enverrais volontiers, mais l'ouvrage est interdit au Caire et il est très difficile de s'en procurer un exemplaire. Ce livre a été publié à Paris. Essayez de le trouver. Je serais très curieuse de savoir ce que vous en pensez.*

Nous avons une nouvelle âme sous notre toit : un garçon de quatre ans, Mahrous, le petit neveu de Mabrouka. L'enfant a perdu sa mère, et comme son père se remarie, Mabrouka a souhaité le prendre. Mon mari a donné son consentement — elle a élevé tous les enfants de la famille, ce n'est que justice qu'elle en ait un à elle. C'est un petit garçon à la peau foncée, aux cheveux fins. Il arrive de son village de Tantah et il est encore un peu timide. Ahmad a des sentiments contradictoires à son égard, mais je suis sûre que les deux gamins finiront par s'entendre.

Nous envisageons de retourner en Italie en septembre. Et peut-être à Paris. Si nous venons en France, j'essaierai de persuader sir Charles de venir nous retrouver.

Charif Pacha est en train de planter les arbres de Nour, quand Anna le rejoint, ce groupe d'arbres broussailleux qui s'efforcent toujours de fleurir, dans cette zone récente de Touloun, et sous lesquels Isabel et moi nous sommes assises.

Le 10 juin 1906
Abeih creuse avec Foudeil, le fils du jardinier : l'un d'eux se redresse, sa pelle décrit un arc au-dessus de son épaule, la terre tombe en pluie sur le monticule, derrière lui ; l'autre homme se penche, enfonce sa pelle dans la terre. Et ainsi de suite. Non loin d'eux, Abou Foudeil, le vieux jardinier, prépare le jeune cyprès qu'ils vont planter.

— Nous aurons fini dans une minute, annonce Charif Pacha.

Abou Foudeil dépose le pied du cyprès dans le trou que Foudeil et son maître comblent avec la terre qu'ils ont pelletée. Quand ils ont terminé, Charif Pacha repose sa pelle.

— Arrosez-le, maintenant, dit-il.

Puis il se tourne vers Anna.

— Qu'y a-t-il ?

Il la prend par la taille. Comme ils s'éloignent, Foudeil, à genoux, tapote la terre autour de l'arbre pour la tasser. Après quoi son père l'arrose.

— J'ai reçu cette lettre de Londres, répond Anna.

Elle lui tend quelques feuillets. Elle est pâle, les papiers tremblent dans sa main.

— Qu'y a-t-il ? demande à nouveau Charif Pacha. Que s'est-il passé ?

— James m'a envoyé ça. C'est la copie d'une lettre qu'a reçue Edward Grey. Une traduction. L'originale, en arabe, est tombée entre les mains de Cromer, ici, au Caire. Cette lettre annonce un soulèvement pour le mois d'août.

— Un soulèvement ? Quel soulèvement ?

Ils se sont arrêtés. Anna a saisi le bras de son mari. Elle cherche son regard.

— Charif ? Tu me l'aurais dit ?

— De quoi parles-tu ? Quel soulèvement ?

— Un soulèvement national.

— Nous ne préparons rien de ce genre. Viens, lis-moi cette lettre.

Il l'entraîne dans la maison.

— Entre. Et calme-toi, pour l'amour du ciel !

Ils vont dans le bureau de Charif Pacha. Il fait asseoir Anna dans un fauteuil capitonné, lui sert un verre d'eau.

— Traduis-moi tout ça. La lettre de Barrington en premier.

— « Chère Anna. Je vous écris à la hâte car l'affaire est urgente. Cromer a expédié cette lettre au ministère des Affaires étrangères, parce qu'il veut des renforts en Égypte. Il s'agirait de la traduction d'une lettre en arabe. Le secrétaire oriental l'aurait eue par l'un de ses espions. Je n'y crois pas, mais je peux me tromper. Montrez-la à votre mari. »

— Vas-y.

— « Par la branche de l'arbre de paix, par la pluie légère du nuage généreux, par le fils et la fille du Prophète... »

— Le quoi ?

— Le fils et la fille du Prophète.

— C'est absurde !

— Cela a été traduit de l'arabe en anglais, et maintenant je le retraduis en français.

— Cela n'en est pas moins absurde.

— Alors il n'y a pas de soulèvement ?

— Anna chérie. Un soulèvement avec quoi ? L'armée est dispersée au Soudan. L'homme de la rue ? Les fellahs ? Comment s'organiseraient-ils ? Notre moral n'a jamais été aussi bas depuis 1882. Et la Porte vient de montrer qu'elle n'est pas capable de soutenir ses positions, sans parler des nôtres. Tu nous prends pour des inconscients ?

— Non ! Je sais bien que « toi », tu n'es pas inconscient, mais les autres...

— Donne-moi la lettre. Je vais la faire retraduire en arabe.

— Mais, Charif...

— Ne t'inquiète pas. Je ne dirai à personne comment elle m'est tombée entre les mains. Je ne mentionnerai pas Barrington. Tu gardes sa lettre. Et tu le remercies pour moi. Et s'il te plaît, viens, viens là.

Il la hisse sur ses pieds, l'assoit sur le divan et s'installe à côté d'elle. Il lui prend le menton, renverse un peu sa tête, pour qu'elle le regarde dans les yeux.

— Tu crois que je pourrais faire partie d'un complot qui mettrait nos vies en danger ? Tu crois que je pourrais faire une telle chose sans t'en parler ?

— Non, bredouille Anna en secouant la tête, mais ses yeux se remplissent de larmes.

— Alors ? Tu crois qu'une insurrection pourrait se préparer sans que je le sache ?

— Oui.

— Oui ?

Il est surpris.

— Oh, Charif, s'écrie-t-elle, en éclatant en sanglots. Les autres peuvent agir sans te le dire. Tu crois que non, mais c'est possible. Il n'y a pas que les Anglais qui te détestent. Le khédive ne t'aime pas, tu as refusé plusieurs postes au gouvernement, démissionné du Conseil, tu étais l'ami de Cheikh Mohammad Abdou.

Anna hoquette sous les sanglots.

— Les Turcs savent que tu veux l'indépendance de l'Égypte, et maintenant tu soutiens la campagne de Choukri contre la colonisation de la Palestine. Les islamistes te haïssent pour tes vues sur l'éducation. Certains radicaux nationalistes te trouvent trop frileux. D'aucuns pensent que tu ne peux pas m'avoir épousée sans être lié aux Anglais, d'une façon ou d'une autre. Ceux-là te suspectent de mener un double jeu.

— Je suis très populaire, à ce que je vois ! dit Charif Pacha, en souriant.

— Chéri, les gens qui te connaissent t'adorent, ils feraient n'importe quoi pour toi, mais tu dois tenir compte des autres.

— Anna, écoute. Écoute, chut.

Il embrasse son visage, essuie ses larmes, la tient serrée contre lui et lui caresse les cheveux, la nuque, le dos.

— Écoute, je sais que cela a été dur pour toi.

— Non, cela n'a pas été dur.

— Si, difficile, par moments. Je le sais. Et j'aurais voulu qu'il puisse en être autrement. Mais cela valait la peine, n'est-ce pas ? Ce soir, je saurai si cette lettre est digne de foi ou pas. Et entre-temps, courage, lady Anna. Va te rafraîchir le visage, et n'inquiète pas Nour, ni ma mère. Je croyais que tu n'avais jamais peur ?

— Maintenant j'ai peur. Pour toi.

— Il n'y a pas de quoi, crois-moi.

Yacoub Artin Pacha traduit en arabe :

— « Par la branche de l'arbre de paix, par la pluie légère du nuage généreux, par la fille et le fils du Prophète... »

Il lève les yeux, regarde par-dessus ses lunettes.

— C'est une plaisanterie ? dit-il.

— Lis, mon ami, lis, dit Charif Pacha.

Il s'appuie contre le dossier de sa chaise, les jambes tendues, les chevilles croisées, les yeux fermés.

— « Au sabre dégainé pour la vérité — *Sayyed* Ahmad el-Charif. »

— *Sayyed* Ahmad al-Charif ? Qui est-ce ? demande Choukri Bey al-Asali.

Yacoub Pacha hausse les épaules et poursuit :

— « Qu'il soit toujours sous la protection de l'œil divin — les plus grandes salutations et la parfaite bénédiction. Que l'odeur de ces salutations soit avec toi, que la grâce de Dieu te protège. »

— L'odeur ? dit Charif Pacha en ouvrant les yeux. C'était quoi ? L'odeur de... de quoi ? Des bénédictions ?

— Des salutations, suggère Choukri Bey.

— Je crois qu'il veut parler des « salutations parfumées », dit Yacoub Pacha, qui regarde le papier qu'il tient dans la main et fronce les sourcils...

— Eh bien, dans ce cas...

— « Ce que je souhaite vous faire entendre par l'intermédiaire de cette lettre est que le porteur et sa missive sont arrivés jusqu'à nous, et que nous comprenons vos souhaits. Comment peut-on arriver à la planète Souad ? Pour y arriver... » Qu'est-ce que c'est que cette planète Souad ?

— « Sou'ad est apparu et mon cœur est plein de joie », cite Charif Pacha.

— Tu es de bonne humeur, aujourd'hui, *ya Bacha*, dit Choukri Bey, en souriant.

— J'ai travaillé dans le jardin toute la journée. J'ai planté des arbres pour Nour.

On entend un froissement de papier. Yacoub Pacha continue à lire :

— « Pour y arriver, il faut passer les sommets des montagnes, et au-delà, il y a la mort. Car la chose que vous avez conçue présente des difficultés insurmontables, même pour quelqu'un qui disposerait d'autres moyens que toi, ce qui est impossible. Les obstacles dont je parle ne sont pas explicables, ni de façon directe, ni par sous-entendus. Celui qui voudrait atteindre Souad verrait que beaucoup de choses s'opposent à la loi sacrée — à supposer qu'il y arrive sain et sauf. Au contraire, il doit s'incliner et s'accroupir, et même ainsi, il n'atteindra pas son but. Dieu est généreux et plein de compassion. La quête a été entreprise. Est-ce Sa volonté qu'il arrive la nuit, à l'heure dite, ou bien arrivera-t-il à un autre moment ? Dieu entend celui qui énonce les choses clairement. Certains disent que le temps indiqué dans la loi sacrée est plus avantageux, de sorte que l'essentiel pénètre l'accessoire. Il est possible... »

Choukri Bey renverse la tête en arrière et part d'un rire tonitruant. Yacoub Pacha le regarde par-dessus ses lunettes et fronce les sourcils.

— Pardonne-lui, dit Charif Pacha. Ce n'est qu'un idiot d'Arabe, affligé d'un cerveau déficient. Il ne comprend pas les paroles du sage.

— Cela ne prête pas à rire, proteste Yacoub Pacha.

— Vraiment, quel tissu de sottises ! s'ecrit Choukri Bey en s'essuyant les yeux avec son mouchoir. Et le dernier passage, sur l'essentiel, tu as compris ?

— Lisons le reste, dit Charif Pacha.

Yacoub Pacha ajuste ses lunettes.

— « Est-il possible pour des amoureux, la nuit, d'y aller deux fois ? De laisser la priorité à leurs chefs, puis d'inciter les autres à les suivre ? Des vêtements légers et une nourriture frugale sont l'apanage du sage. Il n'a pas emporté de livre pour ne pas alourdir sa marche, il renonce bientôt à ses chaussures. Un dicton affirme, en vers : "Pourquoi les chameaux vont-ils si lentement ? Portent-ils des pierres, ou du fer ?" »

— Ah, les chameaux, je les attendais ! dit Charif Pacha.

— Des âneries, rien que des âneries, s'exclame Choukri Bey.

— Ce n'est pas fini, dit Yacoub Pacha. Et tout est de la même veine.

Il parcourt le reste de la lettre des yeux.

— Oh, écoutez ! « Si ton voyage se fait, de par le pouvoir divin, il sera préférable de jeûner durant le mois de Rajab, le retour ayant lieu ce mois-là. » En Rajab ? Il doit se passer quelque chose en Rajab ?

— Que penses-tu de cette lettre ? demande Charif Pacha, avec sérieux.

— Elle n'a aucun sens, dit Yacoub Pacha.

— Elle n'a pas été écrite par un Arabe, affirme Choukri Bey. Ça n'a aucun sens.

— C'est l'œuvre d'un Anglais, assure Yacoub Artin. Un Anglais ignorant qui croit savoir comment pensent les Arabes.

— Le secrétaire oriental, dit Charif Pacha. M. Boyle.

— Mais pourquoi ? Pourquoi écrirait-il une lettre pareille ?

— Parce que Cromer a demandé des renforts pour l'armée d'occupation, et qu'il lui faut persuader le ministère des Affaires étrangères de leur nécessité ! Aussi, Boyle écrit cette lettre et l'envoie à Londres en feignant de la tenir d'un espion.

— Je ne crois pas que Cromer ferait une chose pareille, dit Yacoub Pacha.

— Cette lettre a été adressée au ministère des Affaires étrangères, souligne Charif Pacha. Elle est censée prouver que nous préparons une révolution.

— Mais elle ne prouve rien ! C'est un bel exemple d'imbécillité.

— Le ministère des Affaires étrangères ne s'en rendra pas compte. Ils verront « chameaux », « Dieu est généreux », « odeurs de bénédiction », ils diront : « Ces fanatiques d'Arabes », et ils enverront les troupes.

— Comment avez-vous eu cette lettre ? demande Choukri Bey.

— Je ne peux pas vous le dire.

— Mais que pouvons-nous en faire ?

Il y a un silence.

— Nous ne pouvons rien faire, finit par laisser tomber Yacoub Pacha. Même si nous écrivions un démenti de ce texte, pour prouver qu'il n'est pas arabe, Cromer ne nous donnerait pas raison.

— Sans doute le croit-il authentique, dit Charif Pacha.

— Mais il sait que la lettre est un faux ! s'insurge Choukri Bey. À moins que... Vous pensez que M. Boyle ne lui aurait rien dit ?

— Impossible, assure Yacoub Pacha. Boyle est l'âme damnée de Cromer. Jamais il ne le trahirait.

— Nous devrions faire publier ce texte à Londres dit Charif Pacha, si possible sans révéler par quelle voie la lettre leur est parvenue. Nous préparerons une réponse.

— Ce serait un débat complexe, dit Yacoub Pacha. Des questions de langage, d'images. Il nous faudrait imaginer ce que M. Boyle souhaite entendre de la part d'un Arabe, puis le traduire en anglais. Le problème est trop subtil. Dans un tribunal, ce serait peut-être recevable, mais ça ne passera pas auprès de l'opinion publique.

— Que faire alors ? demande Choukri Bey.

— Nous pouvons aller à l'Agence, et la faire avaler à Cromer, ricana Charif Pacha. Ou avancer la révolution de quelques mois.

— Mais il n'y a pas de révolution en cours ? dit Yacoub Artin.

— Je n'ai entendu parler de rien, répond Charif Pacha, mais avec leur armée en alerte, et qui parade à travers le pays...

— Bien entendu, tout peut arriver, approuve Choukri Bey.

— J'ai demandé à mes jeunes assistants d'enquêter pour moi, dit Charif Pacha. Mais je ne crois pas qu'une insurrection se prépare. Nous aurions flairé quelque chose.

Le 14 juin 1906
Abeih a eu la confirmation de ce qu'il pensait : aucune révolte ne se prépare dans aucune fraction du mouvement nationaliste. Mustafa Kamil Pacha sera bientôt en Europe : il espère une fois

de plus sensibiliser l'opinion publique à l'idée d'une Égypte indépen-
dante. D'après mon mari, l'été devrait être calme. Je prie Dieu
qu'il ne se trompe pas.

Hier soir, il est monté et m'a trouvée dans la chambre de
Nour. Notre fille dormait dans une position gracieuse, son dos for-
mait une jolie courbe. Il l'a regardée un moment, dans la lumière
de la veilleuse. « Regarde ! Elle vole », a-t-il murmuré en souriant.

'Am Abou el-Ma'ati vient me voir tous les deux ou trois
jours. Il m'a envoyé une aide, une jeune femme du village.
J'ai dit à cette femme d'amener une amie : comme je travaille
toute la journée, je crains qu'elle ne s'ennuie. Ainsi Khadra
et Rayessa viennent quelques heures chaque jour à la maison.
Elles sont jeunes mariées l'une et l'autre, et n'ont pas encore
d'enfants. Elles époussettent, font la lessive, arrosent le jardin.
Elles me préparent des repas — que j'oublie régulièrement
dans le réfrigérateur. Elles finissent par m'apporter une part
de ce qu'elles cuisinent chez elle. 'Am Abou el-Ma'ati vient
voir si j'ai tout ce qu'il me faut, il sirote du thé avec moi sur
la véranda, me donne des nouvelles du village et des terres
voisines. Je lui dis que j'écris l'histoire de mes ancêtres. Il se
souvient de ma grand-mère : il était jeune quand elle est
morte. Il apporte un Coran de chez lui. Il me montre son
nom, celui de son père, et celui de six de ses aïeux, inscrits
les uns sous les autres sur la page de garde.

— Bientôt, déclare-t-il, la prochaine fois que mon fils
aîné revient à terre, j'écrirai son nom, puis je lui donnerai le
Coran.

— Puisse-t-Il vous accorder une longue vie, *inch 'Allah*,
dis-je.

— Les vies sont entre les mains de Dieu. J'ai vécu, et
j'en ai enterré des plus jeunes que moi.

— Que Dieu vous garde en bonne santé, *ya 'Am* Abou
el-Ma'ati.

— Nous faisons ce que nous pouvons, Dieu décide du
reste.

Il tousse, sort son paquet de Cléopâtre. Nous sommes à
présent si bons amis qu'il m'offre une cigarette et que je l'accepte. Si quelqu'un passe dans le chemin, j'écraserai la cigarette sous ma chaise et je dissiperai la fumée d'un geste. Nous

parlons de la terre et de la façon dont on devrait la cultiver. Les cinq feddans, les petites parcelles attribuées d'abord par Kitchener, puis par Abd el-Nasser, ne sauraient suffire, selon lui.

— Au départ, on trouve ça bien, dit-il. Le paysan pense qu'il a son indépendance. Puis il s'aperçoit qu'il est coincé. Il ne peut ni moderniser, ni acheter des machines agricoles. Et finalement, que laisse-t-il à ses enfants ? Une partie des cinq feddans à chacun ? Résultat, il y a toujours un paysan pour empiéter sur la terre de son voisin. Alors l'un s'enrichit, et l'autre se retrouve à la porte de Dieu.

— Que faire dans ce cas ? Des coopératives ?

— Peut-être, répond-il, dubitatif. Mais les gens se disputent, tout le monde veut commander.

— Alors quelle est la solution ?

— Cinquante feddans. Au moins cinquante feddans par famille. Et puis un bon propriétaire qui vit sur sa terre et reverse une part de ses bénéfices aux paysans.

— Vous êtes un réactionnaire, *ya 'Am* Abou el-Ma'ati, dis-je, en souriant.

— Oh non, *ya sett Hanem*, se défend-il. Mais on nous a confié l'exploitation de la terre. Nous devons agir au mieux pour elle.

— Il paraît que des firmes israéliennes proposent leurs services. J'ai entendu dire que le gouvernement leur fait des conditions très intéressantes.

— Je sais. Mais là-haut, sur les terres près du canal, pas ici.

— Et ici, personne n'a fait venir d'Israéliens ?

— Pas un propriétaire du district n'a fait appel à eux.

— Vous travailleriez avec eux, si on leur demandait d'améliorer le rendement de la terre ?

— Jamais ! Et celui qui les fait venir est un imbécile — vous m'excuserez. Ou alors un espion à la solde d'Israël. N'est-ce pas ainsi qu'ils ont pris la Palestine ? En prétendant apprendre aux gens à cultiver leur terre ? Après, ils se l'approprient, ils sont malins. Non. Nous travaillons la terre depuis des millénaires. Nous n'avons pas besoin que des étrangers nous apprennent à le faire !

Il me regarde.

— Vous ne pensiez pas..., commence-t-il.

— C'est hors de question ! Mais on m'a dit ça au Caire, et je voulais votre opinion.

— Et si nous avons besoin d'étrangers, nombreux sont les pays qui disposent d'une haute technologie. Pourquoi faire appel aux Israéliens quand on sait qu'ils briguent nos terres ?

— Parce qu'ils cassent les prix.

— On devrait se demander pourquoi.

— Vous avez raison. J'aimerais que les gens du Caire puissent vous entendre.

— Chacun n'en fait qu'à sa tête, dit-il, en se levant. Je vais vous laisser travailler. Vous voulez quelque chose ?

— Que Dieu vous protège, dis-je.

Le 13 juin 1906
J'étais assise au piano, Ahmad à ma gauche, Nour sur mes genoux. Nour a découvert qu'en frappant les touches avec sa petite main elle faisait un bruit intéressant. J'ai tenté de la cantonner dans les aigus, pendant que son cousin, assis au centre du clavier, jouait un air. J'étais en train de me dire que cet enfant aurait besoin d'un professeur plus qualifié que moi, quand Hasna a surgi, très agitée, et m'a suppliée de recevoir Mahmoud Abou-Domah, un parent à elle, venu de leur village lui apporter des nouvelles de sa famille. J'ai donné ma permission. Un jeune homme sympathique, au visage ouvert, est entré. Mahrous lui tenait la main. Ce jeune homme paraissait gêné de se trouver en ma présence, mais la vue des enfants l'a un peu rassuré. Hasna tira sur sa manche et dit : « Dis-le à madame, dis-lui. » Il attendait son train à Tantah, quand il a entendu parler d'un incident dans un village proche, entre les fellahs et des officiers anglais. Les officiers auraient tué une femme en tirant des pigeons et mis le feu aux celliers où l'on entrepose le grain. Les fellahs auraient alors bastonné les officiers. Hasna était bouleversée, elle voulait aller sur place tout de suite. Mahrous et moi l'avons persuadée que ce serait pure folie, d'autant plus qu'il ne s'agit pas de son village — grâce à Dieu. Nous avons demandé au jeune homme de rester chez nous ce soir : cela fera plaisir à Mahrous, et puis j'aimerais que mon mari entende son histoire. Quel acte cruel et stupide, ce tir aux pigeons. Ce genre d'incident ruine l'image des Anglais auprès des fellahs.
Choukri Bey doit nous quitter demain, et nous sommes tristes

de le voir partir : c'est un homme si enjoué et agréable à vivre ! Il a été un invité merveilleux. Il insiste pour que nous venions le voir à Nazareth. J'irais volontiers, ainsi qu'à Jérusalem et à Bethléem. Mon mari n'est pas contre, il a des souvenirs d'enfance en Terre sainte. Ce serait encore plus gai si Laïla, Hosni et Ahmad nous accompagnaient.

Ce que Choukri Bey nous a appris sur les colons a beaucoup affecté Laïla ; elle garde tous les articles concernant leurs activités. Elle m'a demandé de lui trouver des informations sur le sujet dans la presse anglaise.

Le 14 juin 1906

Les journaux du jour relatent l'incident de Denchouai, plus grave que nous ne le pensions — un officier a été tué. Ils ont retiré l'affaire au procureur du district. C'est Findlay Pacha qui la jugera, à la cour spéciale. Un cordon de sécurité entoure le village, deux cent cinquante personnes ont été arrêtées. Déjà, dans une déclaration officielle, M. Matchell incrimine les fellahs, cela avant même d'avoir procédé à une enquête. Chez les fellahs, il y a cinq blessés et un mort.

Le 18 juin 1906

Voici ce qui s'est passé à Denchouai : une escouade en prome-nade dans le delta du Nil campait près de Tantah. Plusieurs offi-ciers ont voulu tirer des pigeons dans le village, comme l'année précédente. Ils ont prévenu l'Omdah, mais n'ont pas attendu sa permission comme la loi l'exige. Ils ont réquisitionné deux voitures du cru, escortés par un policier local. Ils ont choisi Denchouai pour ses pigeons — les volatiles représentent l'essentiel des revenus de la population. Un ancien, Cheikh Mahfouz, a demandé aux officiers de ne pas tirer à proximité du village — une loi stipule qu'on doit tirer à plus de deux cents mètres d'une maison. Les officiers ne l'ont pas écouté, ils ont pris diverses positions de tir, à cent cinquante mètres du village. Ils ont commencé à tirer à deux heures de l'après-midi. Les habitants les observaient avec ressentiment, depuis leurs maisons, ou leurs champs.

Un feu a pris dans l'un des celliers où était entreposée une part du blé de la dernière récolte. Personne ne peut dire avec certitude ce qui a déclenché l'incendie. Le tir d'un officier, disent les fellahs. Un feu allumé par les paysans, prétend M. Matchell, un signal convenu pour attaquer les Anglais. Mais comment auraient-ils pu convenir d'un plan d'attaque? Ils ignoraient que les officiers allaient venir! L'Omdah n'était pas au village : il est arrivé pendant l'incendie.

Lorsque le feu a pris, le propriétaire de la maison (le muezzin du village) et sa femme sont sortis. Ils ont frappé les deux officiers qui se trouvaient près de chez eux et ont tenté de les désarmer. Le fusil du capitaine Porter a craché une balle et la femme, Ommou Mohammad, est tombée. Son mari et les villageois, pensant qu'elle était morte, ont bastonné les Anglais et tenté de leur arracher leurs fusils. Les autres soldats, entendant du bruit, ont volé au secours de leurs camarades et tiré dans les jambes des villageois. Cinq personnes sont tombées, dont le chef de la police locale. Aussi la police s'est-elle jointe aux villageois pour taper sur les officiers. Deux de ceux-ci ont couru chercher de l'aide dans leur campement, à six kilomètres de là. Les autres ont été désarmés et faits prisonniers par les fellahs. Quand les villageois ont vu qu'Ommou Mohammad était seulement blessée, ils se sont calmés. Certains anciens sont intervenus : ils ont protégé les officiers, et les ont renvoyés sans dommage à leur campement, avec leurs armes.

Entre-temps, l'un des officiers partis chercher du secours, victime d'une insolation, s'est évanoui au bord de la route, près du village maraîcher de Sirsina. L'autre a sauté dans le canal Bagurillah et a nagé jusqu'au campement. Un homme de Sirsina, du nom de Sayyed Ahmad Sa'd, a vu le capitaine Bull gisant sans connaissance. Avec l'aide de quelques villageois et d'un policier, Mohammad Hussein, il l'a transporté à l'ombre, sous la halle du marché et lui a donné à boire. À l'approche des soldats anglais, les villageois se sont dispersés et cachés. Sayyed Ahmad Sa'd a trouvé refuge dans la halle aux grains, où les soldats anglais l'ont découvert. Pensant qu'il était responsable de l'état du capitaine Bull, il l'ont battu à mort avec les crosses de leurs baïonnettes.

Le capitaine Bull est décédé dans la soirée. On allait juger les villageois pour meurtre, quand on l'a exhumé : on a découvert qu'il était mort d'une insolation.

L'enquête a pris fin aujourd'hui et l'Égypte entière attend de voir ce qui va se passer.

Je crains qu'on ne présente cet incident comme le début de l'insurrection promise dans cette lettre fabriquée par Cromer et qu'il n'ait de graves conséquences.

*Mon mari s'est porté volontaire pour défendre les fellahs :
Matchell a refusé qu'il s'occupe de l'affaire.*

*Hasna pleure toute la journée, le petit Mahrous reste bien
silencieux. Bien qu'ils soient de Kamchich, ils ont des amis et des
parents dans les villages alentour, et toute la région pâtit de cette
affaire.*

Le 20 juin 1906
*Cromer est parti hier en Angleterre pour ses congés annuels.
Al-Mou'ayyad publie un rapport selon lequel on avait vérifié le
bon fonctionnement des potences la veille, dans la remise de la prison. Charles de Mansfeld Findlay, membre du Conseil, le rempla-
cera. Je ne cesse de prier pour que la justice triomphe au tribunal.*

*Siégeront au tribunal : Boutros Pacha Ghali, Premier
ministre, M. Bond, vice-président des cours de justice, M. Hayter,
en qualité de conseil judiciaire, le colonel Ludlow, assesseur auprès
du tribunal de l'armée d'occupation, et Ahmad Bey Fathi Zaghloul, président des tribunaux locaux. Ibrahim Bey al-Hilbaoui
représentera le ministère public. La défense sera assurée par
Mohammad Bey Yousouf, Ismaïl Bey Asim et Ahmad Bey Loutfi
al-Sayyed.*

*Boutros Ghali est dans une position difficile, dit mon mari :
il agit au nom du ministre de la Justice. La présence de al-Hilbaoui
et de Fathi Zaghloul le surprend, mais il dit qu'al-Hilbaoui ne s'est
jamais préoccupé que de ses propres intérêts. Zaghloul, chargé des
audiences préliminaires depuis des années, estime que Bond a
empêché sa nomination à la présidence de la cour d'appel.*

Le 27 juin 1906
*On a prononcé le verdict : quatre hommes seront pendus —
Hasan Mahfouz, Yousouf Salim, Sayyed Salim et Mohammad
Zahran. Deux hommes, Ahmad Mahfouz et Mohammad Abd el-
Nabi, sont condamnés aux travaux forcés à perpétuité. Ahmad al-
Sisi écope de quinze ans et six autres hommes de sept ans de tra-
vaux forcés. Huit hommes recevront cinquante coups de fouet. On
va faire porter les sentences à Denchouai.*

Le 28 juin 1906
Dans le salamlek, Ahmad Hilmi se prend le visage dans
les mains pour étouffer ses sanglots. Charif Pacha al-Baroudi

pose une main sur son épaule. Hosni Bey al-Ghamraoui est assis, les coudes sur les genoux, les yeux fixés sur le sol. Ismaïl Pacha Sabri égrène son chapelet. À l'étage du dessus, Laïla et Anna sont agenouillées derrière le moucharabieh. Elles ne prennent pas la peine d'essuyer les larmes qui coulent sur leurs joues.

— Excusez-moi, sanglote Ahmad Hilmi.

Il s'essuie le visage, redresse les épaules.

— Des barbares, dit-il. De vrais barbares. Les gibets installés dans le village, le poteau de torture à côté, les gens rassemblés pour regarder. Ils ont pendu un homme, et ils l'ont laissé se balancer dans le vide devant sa famille et ses voisins. Ils en ont attaché un autre au poteau de torture et ils l'ont fouetté, longtemps.

Il y a un silence.

— Et ils se prétendent civilisés !

Les hommes se taisent.

— Yousouf Salim, vingt-deux ans, poursuit Ahmad Hilmi. Une fois au pied du gibet, il s'est tourné vers les villageois et il a crié : « Que Dieu maudisse les injustes. »

La main de Laïla cherche celle d'Anna, la prend, la serre. Les deux femmes restent ainsi, se raccrochant l'une à l'autre. Ismaïl Pacha Sabri se passe une main sur le visage.

— J'ai fait mon article pour *al-Liwa*, annonce Ahmad Hilmi. J'ai rapporté les faits bruts, sans entrer dans les détails. N'insultons pas davantage les victimes.

— Cette affaire va signer la fin de Cromer, prédit Hosni Bey al-Ghamraoui.

— Il faudra y veiller, renchérit Charif Pacha.

— Tu crois qu'on peut y arriver ? demande Ismaïl Pacha Sabri.

— Oui, affirme Charif Pacha. On lit *L'Égypte* à l'étranger. Le *Manchester Guardian* a déjà parlé de l'affaire. Le *Daily Chronicle* du 20 — avant même que le procès ait eu lieu — a publié un télégramme stipulant que Cromer va faire fusiller ces hommes. Le *Tribune* va sans doute s'élever contre l'injustice de cette décision. J'ai envoyé un homme à Denchouai et je prépare le récit complet des événements. Nous le publierons en Angleterre. Si l'on fait assez de bruit autour de cette affaire, le peuple va exiger qu'on l'examine au Parlement et les Irlandais vont en profiter. Cela n'est pas dans l'intérêt du Foreign Office. Si besoin est, nous demanderons à l'ami qui nous a envoyé la lettre fabriquée de la rendre publique — ou nous menacerons de le faire nous-mêmes. Nous ne mettrons peut-être pas un terme à l'occupation, mais nous nous débarrasserons de Cromer.

— Et qui on aurait à la place ? demande Ahmad Hilmi, avec amertume. Kitchener ?

— Chitty Bey, le directeur des douanes, ferait l'affaire, répond Hosni Bey. Il est né ici et il parle arabe. Il nous connaît. C'est un bon gestionnaire. Avec lui, on pourrait s'entendre.

— Et pour les victimes, qu'est-ce qu'on fait ? demande Ahmad Hilmi. On a interdit aux villageois d'enterrer leurs morts. La police a emmené les corps. Ils n'ont pas le droit d'ouvrir leurs maisons pour recevoir des condoléances. Ils ne peuvent même pas pleurer leurs morts.

— Nous ouvrirons une maison de condoléances ici, propose Charif Pacha.

Les autres le regardent avec surprise.

— Nous ouvrirons la maison d'Helmeyah, explique-t-il. Trois soirs. Et puis les jeudis, et le quarantième jour.

— C'est dangereux, *ya Bacha*, dit Ismaïl Sabri.

— Ce n'est que justice, dit Hosni Bey.

— Nous n'avons pas besoin de faire une annonce publique, insiste Charif Pacha. Nous donnerons le mot. Nous n'autoriserons ni discours, ni manifestations. Juste le Coran et les condoléances. Ils ne peuvent pas empêcher cela.

Le 29 juin 1906
Lorsqu'il est monté dans nos appartements hier soir, il m'a trouvée en larmes. Il m'a prise dans ses bras, et j'ai dit les mots qui me sont venus :

— J'ai honte.

— Non, Anna, non.

J'ai caché mon visage contre sa poitrine et j'ai pleuré. Il m'a écartée de lui et m'a murmuré :

— Écoute. Il ne faut pas, jamais, que tu éprouves un tel sentiment. Cela n'a rien à voir avec le fait d'être anglais. Al-Hilbaoui

est égyptien, et Ahmad Fathi Zaghloul. M. Barrington et M. Blunt sont anglais.

— J'ai tout écouté. J'ai entendu ce qu'a dit Ahmad Hilmi. C'est trop dur. Tous ces gens, ce soir, à Denchouai. Toutes ces mères, ces épouses, ces sœurs.

— Chut. Le seul moyen de supporter tout cela est de s'en servir pour notre cause. De nous assurer que cela ne pourra jamais plus se reproduire. Et puis, nous œuvrerons à la libération des prisonniers. Tes amis de Londres nous aideront.

Il m'a serrée contre lui, j'ai senti le tremblement dans sa poitrine.

— Tu vas venir chez moi ? m'a-t-il demandé. J'ai besoin qu'on soit ensemble ce soir.

J'ai levé les yeux vers lui ; j'ai vu de nouvelles rides au coin de sa bouche, et des rides plus profondes sur son front.

Pendant trois jours, cinq jeudis de suite, et le 6 août, la maison d'Helmeyah et la grande tente installée dans le jardin virent défiler des centaines de gens : hommes et femmes du Caire, habitants des villes et des villages du delta du Nil et du Sa'id. Charif Pacha al-Baroudi, Hosni Bey al-Ghamraoui et d'autres notables se tenaient à l'entrée, serraient des mains, acceptaient des condoléances. On but des milliers de tasses de café noir sans sucre. Et l'on n'entendit d'autres bruits que des psalmodies, un message coranique d'espoir, pour les vivants et pour les morts.

26.

« ... certains leaders ont été lâches. Ils sont presque allés jusqu'à dire qu'ils avaient trahi un pays qui avait été avec eux d'une générosité sans bornes. Quant à moi, je me battrai jusqu'au bout, car un Égyptien récoltera un jour les fruits de cette révolte. Peut-être pas le premier opposant ni le deuxième, mais ça finira par porter ses fruits... »

Mustafa Kamil, 1898.

Tawasi, le 17 novembre 1997

Isabel est enceinte.

— Je t'avais dit que c'était écrit, s'est-elle exclamée au téléphone, hier soir. On se voit depuis un moment, mais ça date de la première fois. Je suis enceinte de trois mois. Pardonne-moi de ne pas t'avoir informée avant, mais je voulais être sûre. Je m'étais promis de te l'annoncer au troisième mois.

— Isabel, c'est merveilleux, dis-je.

— Je suis folle de joie !

— Et Omar ?

— Eh bien... (elle hésite). Il ne l'a pas très bien pris. Il ne m'a pas demandé si je voulais garder le bébé, mais son âge le préoccupe.

— Laisse-lui un peu de temps.

— Bien sûr. Et sa liberté. Je n'ai pas dit que j'allais m'installer chez lui avec le bébé. J'attends qu'il me le demande.

Piégé, pensé-je. Il se sent à la fois piégé et fier. Que vais-je annoncer aux enfants ? doit-il se demander. Ses enfants sont adultes, plus âgés que les miens. La nouvelle va-t-elle les amuser, les rendre jaloux ? Il ne peut avoir déjà parlé à Isabel de son histoire avec Jasmine. Elle me l'aurait dit. Il a dû refouler ses peurs, vu qu'il la fréquentait. Mais cette grossesse va tout raviver. Comme Ramsès ou Akhenaton, ou tous ces grands pharaons, il aurait un enfant avec sa fille ? La chose le révolterait. Omar est un homme moderne, un Arabo-Américain. Et à nouveau je me dis : il n'est pas son père.

Isabel ne peut revenir au Caire pour le moment. Elle veut que je vienne. Quand j'aurai fini, je lui promets. Je pense que j'approche du but. Cromer a démissionné et Elden Gorst a pris la suite. Dans cette atmosphère nouvelle et plus détendue sont nés quatre partis. Le « Parti national libre », pro-anglais. Son slogan : « La sauvegarde de la patrie tient dans la paix avec ses occupants réformateurs. » Ce parti n'attire généralement que le mépris. Ses idées sont reprises dans *al-Mouqattam*. Ahmad Loufti al-Sayyed a créé le Parti de la nation, Hizb al-Ommah, avec certains notables et hauts fonctionnaires. *Al-Garidah* diffuse leur pensée. Ils veulent que le pays se libère peu à peu du joug de l'Angleterre, ils désirent mettre un terme à la domination turque, investir dans l'éducation et dans l'industrie, établir un gouvernement démocratique. Mustafa Kamil a ensuite formé le vrai Parti nationaliste, al-Hizb al-Ouatani, qui se fait entendre dans *al-Liwa*. Ils exigent que le pays se défasse immédiatement des Anglais. Ils sont pour un gouvernement démocratique à l'intérieur de l'État ottoman. Le khédive, avec l'appui d'Ali Yousouf et de son journal, *al-Mou' ayyad*, a fondé son propre parti : Izb al-Islah. Il réclame l'indépendance de l'Égypte, sans délai, un gouvernement démocratique, mais entend agir en douceur sur la domination turque. Il a lancé l'idée d'un califat arabe, dont le khédive serait le calife.

Mon mari ne rejoindra aucun de ces partis. Il ne peut envisager de rallier le palais ou les partis britanniques. L'allégeance d'al-Ouatani aux Ottomans lui déplaît, car il y voit les intérêts de l'Égypte et de la Turquie diverger de plus en plus. Hizb al-Ommah serait le parti dont il se sentirait le plus proche — plusieurs de ses amis en sont des membres fondateurs — mais les autres partis diront que les intérêts de l'Ommah, qui compte en son sein les notables et les fonctionnaires les plus riches, sont proches de ceux des Anglais. Ainsi, mon mari reste un esprit libre, publie ses écrits où il veut, et œuvre à ces projets sur lesquels s'accordent le Ouatani et l'Ommah.

Nous devrions bientôt inaugurer l'école des Beaux-Arts. Le khédive a nommé le prince Ahmad Fouad président du conseil de l'université nationale. Mon mari et Yacoub Artin Pacha travaillent sur la charte de l'université. 1907 aura été une bonne année : les prisonniers de Denchouai seront libérés en décembre. Les veuves et les orphelins de ce village éprouveront-ils un réconfort à l'idée que les brutalités commises contre eux ont ému le monde entier et conduit à la chute de Cromer ? Lequel a été surpris, à son retour, de l'hostilité générale à son endroit ! Jusqu'à la fin, il l'a attribuée aux manigances du khédive plutôt qu'à ses propres méfaits. Mais assez. Assez de politique, comme le dit Zeinab Hanem. Pauvre femme, sa vie a baigné dans la politique ; d'abord avec son mari, puis avec son fils. Mais elle se réjouit de voir courir trois petits dans la maison. Elle me regarde avec amour et me dit : « Après toutes ces années stériles, Dieu t'a envoyée à mon fils, toi qui venais de si loin. »

Comme j'aimerais pouvoir m'écrier : « Fini la politique ! », et que ce soit vrai, et définitif. Il m'arrive de penser à la vie à Londres, où l'on n'a rien à faire que choisir les menus du jour, surveiller les enfants et vaquer à ses occupations dans la maison. Marcher dans le parc. Aller au théâtre, dîner avec des amis. Nous sommes en décembre, et je pense aux arbres de Noël, aux lumières, aux achats interrompus le temps de déjeuner avec une amie. Cependant, quand je me vois à Thurloe Place, c'est Nour qui descend l'escalier, gracieuse. Lorsque j'entre dans le foyer d'un théâtre, c'est au bras de mon mari. Quand je vais chez Harrod's, j'achète un cadeau pour Abeih et un pour Zeinab Hanem. Et si je fais une pause pour aller déjeuner, je nous vois, Laïla et moi, en train de comparer nos achats et nos listes de courses.

Si j'interprète la présence d'Anna parmi nous comme Sa volonté, comme un heureux présage pour notre maison, que dire des événements qui allaient suivre, et qui peut-être eurent leur origine dans cette présence même ? Anna et moi vivions quasiment sous le même toit.

L'université, comme chacun sait, ouvrit ses portes en 1326 (1908). La première année, il y avait des cours pour les dames, le vendredi — détail que l'on a oublié un peu vite. On confia ces cours à Nabaouiyya Mousa, Malak Hifni Nasif, Labiba Hachim et moi-même. Nous demandâmes à Anna de venir parler d'art et à Mme Rushdi de nous enseigner l'histoire de l'Europe. « Le harem a fait de moi une femme active ! » disait Anna, en riant. La préparation de ses cours l'occupait chaque jour, elle écrivait pour le magazine et traduisait des articles de journaux pour Abeih de l'anglais vers le français et de l'arabe vers l'anglais. Des amis d'Angleterre la tenaient régulièrement informée. Abeih avait une connaissance parfaite de l'histoire de l'Égypte, un esprit éclairé, un don pour la polémique. Anna écrivait très bien : chacun de leurs articles avait un réel impact.

Le pays eut du mal à accepter la mort de Mustafa Kamil Pacha, mais il sembla un temps que Mohammad Bey Farid poursuivrait son œuvre. Mon mari et lui défendaient les ouvriers. En 1908, nous réussîmes à créer quatre syndicats. Avec la révolution turque, la création d'une constitution et d'un Parlement ottoman, il sembla qu'une ère de changement s'ouvrait. Le gouvernement anglais s'opposa à ce que l'Égypte ait un représentant au Parlement et, durant la parade de l'armée, en novembre, les étudiants et le peuple psalmodièrent : « Vive l'Indépendance ! »

À la maison, nous étions heureux. Zeinab Hanem était comme une mère poule avec une nichée de poussins, mon père aimait s'asseoir et regarder Anna tisser, et bien que Dieu ne nous ait donné qu'un enfant à chacun, ces petits grandissaient, et avec eux leur amour pour nous et leur affection les uns pour les autres.

Nour est sur les genoux de son père. Elle a sorti sa montre en or de son gousset et la regarde, songeuse. Songeur, il regarde sa fille. Dans ce silence, Laïla lève les yeux de son livre et devine les pensées d'Abeih.

— Qu'Il te préserve pour elle, *ya* Abeih, et que tu la voies mariée. Que tu la donnes à Ahmad de ta propre main.

— Comment sais-tu qu'ils sont faits l'un pour l'autre ? lui demande Charif Pacha en souriant. Ne pourraient-ils rencontrer d'autres jeunes gens et les préférer ?

— On voit bien qu'ils s'adorent, répond Laïla. Ils ne supportent pas qu'on les sépare, même une journée. Quand ils...

— Allons, *ya sett* Laïla, l'interrompt Mabrouka, Dieu seul sait ce qui peut se passer.

— Et d'où tu sors, comme ça, brusquement ? demande Laïla.

Des cris, des plaintes aux abords de la maison. Plongée dans l'histoire d'Anna, j'émerge du passé. On tambourine à ma porte. Je traverse l'entrée en courant, j'ouvre la porte en grand. Sur le seuil, la fille de *'Am* Abou el-Ma'ati, la sage-femme de la clinique, et d'autres femmes. Suit une volée d'enfants. Les femmes sont nu-tête, leur tarha noire pend à leur cou.

— Ils ont emmené mon père, *ya sett Hanem* ! hurle la fille de *'Am* Abou el-Ma'ati, en larmes. Des soldats sont venus et ils ont emmené tous les hommes du village ! Aidez-nous, *ya sett* Hanem. À qui demander du secours sinon vous ? Dieu nous vengera !

Elle s'assoit par terre et pleure, elle se frappe la tête avec les mains.

— Pourquoi ? je m'écrie. Que s'est-il passé ? Où les ont-ils emmenés ?

— C'est à cause de la fusillade de Louxor, *ya sett*, dit la sage-femme. Ils ont arrêté tous les hommes.

— La fusillade de Louxor ?

— Vous n'êtes pas au courant ? Le monde entier est sous le choc.

— Sett Amal travaille toute la journée, réplique Khadra, en se mettant à côté de moi. Comment pourrait-elle être au courant ?

— Ils ont tué des touristes. Entre cinquante et cent, nous ne savons pas exactement. Dans le temple. Et le gouvernement s'en prend au peuple.

— Ils ont emmené mon père.

— En quoi cet incident concerne-t-il notre village ?

— Ils s'en prennent au Saïd entier. C'est la guerre, *ya sett Hanem*. Ils nous ont enlevé dix-sept hommes.

— Où les ont-ils emmenés ?

— Au poste de police central, au *markaz*.

— Je m'habille et j'y vais.

Je traverse la maison en courant, je m'arrête au milieu de ma chambre, le cœur battant. Toutes les horreurs que j'ai lues et entendues sur les arrestations : prisonniers déshabillés, fouettés, les yeux bandés, me reviennent. Je m'assois sur mon lit, je ferme les yeux, je m'efforce de me calmer. Je rouvre les yeux sur le regard triste de ma mère, photo dans son cadre.

Je prends une grande inspiration, j'enfile des vêtements de ville, des bas, un foulard de soie. Je me brosse les cheveux, je mets du rouge à lèvres, des boucles d'oreilles. Je prends mon sac, puis, sur le coup d'une impulsion, je sors mon passeport anglais du tiroir de ma coiffeuse et je le glisse dans mon sac, à côté de ma carte d'identité égyptienne. Toutes les femmes veulent venir avec moi, mais seule l'une d'elles connaît le chemin du poste de police. Aussi je l'emmène, avec la fille d'Abou el-Ma'ati et Khadra. J'ai les mains qui tremblent, je serre le volant. Je sens des larmes monter, je les refoule, je me redresse, je me crispe. Comme nous approchons du poste, des soldats nous barrent le passage avec leurs baïonnettes.

— Halte ! Arrêtez ! Où allez-vous ?

— Nous allons voir le chef, dis-je.

— C'est interdit.

Ils font cercle autour de nous. Des gamins, énervés, fous furieux.

— Qu'est-ce qui est interdit ? Nous voulons aller au *markaz*.

— Je vous ai dit que c'était interdit !

Je sors de la voiture.

— Écoutez, vous deux, répliqué-je, surprise par l'autorité dans ma voix. Il n'y a rien d'interdit. Je vais voir le chef de la police. Si vous ne me laissez pas passer immédiatement, j'appelle Mouhyi Bey et vous allez le regretter. Ils vous enverront à Tokar.

— *Ya sett* Hanem, nous avons des ordres.

— Quels ordres ? L'un d'entre vous va aller dire au chef qu'Amal Hanem al-Ghamraoui veut le voir. Je vous suis.

— Mais il est interdit de se garer près du poste de police !

— Je laisse la voiture ici, et s'il lui arrive quoi que ce soit, vous aurez de mes nouvelles.

L'un des soldats se dirige vers le markaz. Je le suis. Les femmes ouvrent les portières de la voiture, mais les soldats les repoussent à l'intérieur.

— Pas d'autochtones.

— D'autochtones ? Ces femmes sont égyptiennes, comme vous !

— Impossible, dit le soldat. On me fusillerait.

— *Ma'alech**, dis-je aux femmes. Attendez-moi. Et enfermez-vous de l'intérieur. Ne les approchez pas, dis-je aux soldats.

Dans son bureau, le *ma'mour* se lève pour me saluer. C'est un gros homme d'une quarantaine d'années avec une moustache noire. Il a l'air harassé, il transpire à grosses gouttes, en cette froide soirée de novembre. Deux hommes en civil sont assis contre l'un des murs. Je serre la main du chef. Je lui dis mon nom et m'assois.

— Je suis venue consulter Votre Excellence à propos des hommes de notre village.

— Quel village ? demande l'un des civils.

— Tawasi. Des soldats ont arrêté dix-sept hommes de notre village, aujourd'hui. Je suis venue voir ce que l'on peut faire pour eux.

— En quoi cette affaire vous concerne-t-elle ? marmonne le civil.

Je me tourne vers lui. Il me jauge de ses yeux gris pâle. Je ne sais à quel corps il appartient : la police, l'armée, les services secrets ? Est-ce le supérieur hiérarchique du *ma'mour* ? Sans doute, pour l'interrompre ainsi.

— Tawasi est sur mes terres, expliqué-je. Les fellahs sont sous ma responsabilité. Les femmes sont venues chez moi me demander de l'aide.

— Nous sommes en état d'urgence, dit le ma'mour.

— À cause de Louxor ?

— Oui, à cause de Louxor. Ils ont tué soixante personnes là-bas. Des touristes.

— Qu'est-ce que Louxor a à voir avec Tawasi ? Ces paysans sont des gens pacifiques.

— Nous devons arrêter tous les suspects, répond-il, avec une pointe de lassitude dans la voix.

— En quoi les habitants de Tawasi sont-ils suspects ? insisté-je. Ils vivent du travail de la terre. Vous venez les arrêter le soir chez eux.

— Tout le monde est suspect, dirent les yeux pâles.

— Alors vous allez arrêter tous les hommes du pays ?

---

* Ce n'est pas grave.

Il rougit.

— Et les harem aussi, s'il le faut, ajoute-t-il.

— *Ya effendem*, dis-je, en me tournant à nouveau vers le *ma'mour*, est-ce qu'un seul de ces hommes a fait quoi que ce soit de suspect ?

— Nous sommes en état d'urgence, je vous l'ai dit.

Je me tais quelques instants, puis je récidive.

— Combien de temps allez-vous les garder ?

— Personne ne le sait. Ça dépend.

Je me tourne face au *ma'mour* : je veux qu'il voie mon regard.

— Votre Excellence, il y a des vieillards parmi les hommes détenus ici. Des cheikhs tout à fait respectables. À quoi vont-ils vous servir ? Laissez-les partir, que le calme revienne dans le village. Demain, Dieu fera ce qu'Il jugera bon de faire. Et nous pourrons nous flatter d'avoir votre faveur.

— Personne ne sortira ce soir, répliquèrent les yeux pâles. Demain, nous les interrogerons. Après quoi, nous verrons.

Je fixe le *ma'mour*, mais son visage est fermé.

— Vous avez entendu ce qu'a dit le Pacha, murmure-t-il.

Je me lève, mes yeux se remplissent de larmes. Je suis tellement furieuse que je montre du doigt la pancarte accrochée au mur, au-dessus de leurs têtes.

— Vous voyez ça ? Il y a écrit : « La police au service du peuple ». Je crois qu'il serait plus honnête de la retirer.

Je regagne ma voiture, je mets le contact, je déboîte, je m'éloigne du poste de police. Je pleure. Je sais ce que vont subir ces hommes, et mes trois amies le savent aussi. Elles sanglotent en silence. Je vois la corde autour du cou de 'Am Abou el-Ma 'ati, le sang ruisseler du coin de sa bouche jusque sur son menton. Je gémis sous le coup qu'il reçoit en pleine figure. Il faut que j'arrête d'imaginer le pire.

De retour à la maison, Khadra décide de rester avec moi. Il est dix heures. J'appelle Tareq Atiyyah. Sa femme, ou l'une de ses filles, me répond.

— Bonsoir, dis-je, c'est Amal al-Ghamraoui. Pourrais-je parler à Tareq Bey ?

Il prend la communication.

— Amal ! s'écrie-t-il. Bonsoir ! Tu as vu ce qui s'est passé à Louxor ?

— Tareq. (Et je me mets à pleurer.) Le gouverneur peut les sortir de prison.

— Oui. Je l'appelle demain matin.

— Mais ils vont passer toute la nuit là-bas !

— Écoute. Je sais ce que tu penses, mais il ne leur arrivera rien ce soir. La police a autre chose à faire... Tes villageois sont du menu fretin. Fais-moi confiance. Ils sortiront demain.

J'envoie Khadra au village.

— Dis aux femmes que nous avons l'aide d'une personne du Caire. Arrange-toi pour qu'elles restent calmes. Si les hommes ne sont pas rentrés demain avant le coucher du soleil, je vous dirai ce qui se passe.

Comment dormir ? Comment travailler ? Le monde d'Anna me semble être à mille lieues. Mais est-il réellement si éloigné du mien ? Je passe un moment sur Internet, à chercher des détails et diverses versions des tueries de Louxor. J'appelle Dina au Caire : plusieurs villages ont subi le même sort, m'apprend-elle. « Nous pouvons mettre un avocat sur l'affaire, mais il est plus rapide de faire intervenir quelqu'un. Tiens-moi au courant. »

J'espère que les hommes ont pu s'endormir. J'envoie un courrier électronique à mon frère ; il m'appelle.

— Atiyyah va les faire sortir, dit-il. Il sait ce qu'il fait, semble-t-il.

— C'est tellement injuste ! m'exclamé-je.

— Bien sûr que c'est injuste, mais tu fais ce que tu peux.

— Ils n'ont pas voulu m'écouter. Si tu avais été là, ils t'auraient écouté.

— Je peux venir si tu veux.

— Non.

Que ferait-il ? Sans doute serait-il encore plus impuissant que Tareq. Il a vécu à l'étranger toute sa vie. Il n'a pas les contacts adéquats.

— Non, dis-je à nouveau. Je suis juste découragée... (Puis, sur un ton plus léger :) Dis-moi comment ça se passe avec Isabel.

— Je lui ai tout dit.

— À propos de sa mère ?

— Oui.

— Comment l'a-t-elle pris ?

— Ça lui a fait un choc, j'imagine. Elle a gardé de Jasmine l'image d'une vieille femme. Cela lui a surtout permis de réaliser l'âge que j'avais.

— Enfin, Omar ! Tu étais beaucoup plus jeune que Jasmine.

— Oui, mais maintenant elle m'associe à sa génération.

— Elle t'a demandé si j'étais au courant ?

— Oui. J'ai répondu que tu le savais depuis peu. Mais elle a dépassé ce problème. Ça la conforte dans l'idée que cet amour était écrit.

— Donc c'est comme si tu avais fait une première tentative ratée.

— Oui. Je suis allé trop vite. Je n'avais pas réalisé que ma vraie femme n'était pas encore née !

Ce rire familier au bout du fil. Je ne lui demande pas s'il a cessé de penser qu'il pourrait être son père.

— Tu viens bientôt ? dis-je.

— Dès que je peux. Rien ne t'empêche de sauter dans un avion, tu sais.

Je traverse la maison vide. Je sors sur la véranda, je pense à 'Am Abou el-Ma'ati. Je regarde au loin, en direction du village, où manquent dix-sept hommes, ce soir. Je vais dans la chambre d'Isabel, je m'arrête devant le portrait de Charif Pacha al-Baroudi. « Tu vois, *ya* Charif Pacha ? » dis-je, et de nouveau je pleure. Ses yeux noirs me fixent. Au fond de ce regard je vois el-Tel el-Kebir, *Om* Dourman et Denchouai. J'ai le sentiment qu'il m'observe. Comme j'aimerais être dans ses bras !

Le 18 novembre 1997

À onze heures, on frappe à ma porte. J'ouvre : Tareq Atiyyah est sur le seuil.

— Tu es venu ? dis-je.

— J'ai pensé que ce serait mieux. Je vais au *markaz*. Tu m'accompagnes ?

Au *markaz*, il semble que le message du gouverneur ait déjà filtré à travers les diverses couches de la bureaucratie concernées.

— Nous remplissons les dernières formalités puis nous renvoyons ces hommes chez eux, annonce le ma'mour.

Il a l'air encore plus hagard et épuisé que la veille.

— Ainsi nous n'abuserons pas de votre temps, dit-il.

— Nous avons tout notre temps, réplique Tareq. Nous allons boire un café avec vous en attendant que soient réglées les dernières formalités.

Le *ma'mour* sonne pour demander du café.

Assis dans la voiture, nous voyons dix-sept hommes monter dans le fourgon de police — nous les comptons. Ils n'ont pas de cordes autour du cou, mais il y a du sang sur leurs galabillas déchirées, et ils ont la tête baissée. J'ai le cœur serré — chagrin, colère — comme nous suivons le fourgon jusqu'à Tawasi.

— *Khalas*. Il ne leur arrivera plus rien de mal, affirme Tareq, en quittant la route pour s'engager sur le chemin de terre qui conduit chez moi.

Il m'accompagne dans la maison.

— Je vais te faire du thé, proposé-je.

La grosse boule que j'ai dans la gorge remonte ; j'éclate en sanglots. Tareq vient vers moi, me prend dans ses bras. Je pleure tout mon soûl contre sa poitrine. Il me caresse les cheveux, me tapote le dos.

— C'est fini, maintenant, murmure-t-il. *Khalas*. Ils sont rentrés chez eux et personne ne les embêtera plus.

— Mais pourquoi a-t-il fallu que ça arrive ? Comment une chose pareille a-t-elle pu arriver ?

— L'état d'urgence. Louxor.

— Mais ces gens n'ont rien à voir avec tout ça !

— Ils sont chez eux, maintenant.

— Et ils ont été battus ! Tu as vu leurs galabillas ?

— Ils sont rentrés, Amal.

— Et les autres ?

— Quels autres ?

— Les hommes des autres villages. Ceux que personne n'a libérés.

— Tu veux guérir le monde entier de ses maux ? Tu as fait ce qui était en ton pouvoir, Amal.

— Je n'ai fait que t'appeler. C'est « toi » qui as agi.

— *Khalas*, c'est fini.

— Qu'aurais-je fait sans toi ? Si je ne te connaissais pas ? Si je n'avais pas pu te joindre ?

— Certes. Mais tu me connais, et tu as pu me joindre.

— Et tu as fait tout ce chemin en voiture ! Tu as dû partir à cinq heures du matin...

— Six heures.

— *Ya* Tareq, je ne sais pas quoi dire.

— Ne dis rien. Viens, que je te regarde. Dans quel état tu te mets ! Va te rafraîchir le visage. Tu as du cognac ?

— Du cognac ?

Je ris. Des cigarettes avec *'Am* Abou el-Ma'ati, et du cognac avec Tareq Atiyyah. Ici, à Tawasi !

— Qu'est-ce que ça a de si drôle de demander du cognac ? dit-il.

— Rien.

Je fonce dans la salle de bains, où je me passe le visage sous l'eau. Je me remets à pleurer. Je m'entends sangloter comme une enfant. Je me redresse et je respire profondément. J'inspire, j'expire. Plusieurs fois. Je regarde par la fenêtre. Je me force à penser à sa femme, qui m'a répondu au téléphone.

Lorsque j'émerge de la salle de bains, il s'exclame :

— Tu es affreusement pâle. Tu n'as pas dormi, cette nuit ?

— Pas beaucoup.

Je prépare du thé, que j'apporte au salon. Tareq regarde autour de lui, son verre à la main.

— Ça fait combien d'années que je ne suis pas venu ici ?

— Je préfère ne pas compter.

— Tu n'as rien à craindre, tu ne vieilliras jamais.

Face à mon silence, il poursuit :

— C'est vrai. Tu es de plus en plus belle. Je te l'ai déjà dit.

Il sourit, pose son verre, s'appuie contre le dossier de son siège, étend ses jambes.

— Je regrette de ne pas t'avoir vue hier soir, au *markaz*, leur disant leur fait !

— Ne regrette rien. Je devais être pathétique.

— Tu devais être magnifique.

Je me lève. Il m'attrape par le bras, m'attire vers lui, me regarde, l'air interrogateur, puis sa bouche est sur la mienne, sa main saisit mes cheveux. Quand je peux respirer, je lui souffle : « Mon dos. » Il me laisse m'agenouiller, se penche au-dessus de moi, m'embrasse le visage, prend ma tête entre ses mains.

— Amal, dit-il, tout bas.

J'entends frapper à la porte, je me relève à la hâte. Khadra et Rayissa sont là, souriantes. Elles ont deux grands plateaux entre les mains.

— Nous avons apporté à déjeuner, annoncent-elles.

— Qu'Il soit généreux avec vous, dis-je. Allons sur la véranda, au soleil.

Elles disposent la nourriture sur la table, tout en regardant Tareq à la dérobée.

— Et les hommes, ça va ? demande-t-il.

— *Al-hamdou lillah*, répond Khadra. Et le village se réjouit et vous baise les mains.

Les femmes sourient, se couvrent la bouche avec le bord de leur tarha.

— Vous aurez encore besoin de nous ? me demandent-elles.

— Oui. Restez un moment.

Elles disparaissent dans la cuisine.

— Lâche ! dit Tareq.

Je hausse les épaules.

— C'est mieux ainsi, reprend-il. C'est le Saïd, après tout. Mon Dieu, quel repas !

Au moment de partir, il s'arrête sur le seuil et me précise :

— Je serai chez moi, ce soir. Je rentrerai au Caire demain matin. Tu as le numéro de mon portable ?

— Oui.

— Et la première chose que tu fais, tout de suite, c'est d'aller au lit. Avant de travailler ou de faire quoi que ce soit d'autre.

— Oui.

— Et, Amal : tu ne pourras pas te cacher à Tawasi indéfiniment.

Sa voiture s'éloigne, les femmes me rejoignent.

— Le Pacha n'a d'yeux que pour vous, *ya sett* Amal, minaude Khadra.

— Abd el-Nasser a aboli les titres, rétorqué-je.

Elle redresse la tête.

— Un pacha est un pacha, dit-elle, avec ou sans titre. Et celui-là n'a d'yeux que pour vous.

— Qu'est-ce que tu racontes ? Je ne suis qu'une vieille femme.

— Non ! Vous êtes belle comme la lune et vous feriez perdre la tête à n'importe quel homme.

— Je le connais depuis cent ans !

— Mieux vaut un homme qu'on connaît qu'un étranger.

— Il est marié.

— Et alors ? dit Rayissa. Un homme a le droit d'avoir quatre femmes !

Nous regardons la voiture disparaître dans le lointain.

— Ainsi, j'épouserais un homme marié ? lancé-je.

— Pourquoi pas ? Il a les moyens. Il vous fera vivre, il vous rendra heureuse. C'est un pacha, *ya sett* Amal, et il a envie de vous. Regardez-le, c'est le portrait tout craché de Rushdi Abaza.

— Ainsi, je volerais un homme à son harem ? Je gâcherais la vie de sa femme ?

— Comment ça ? Elle est dans sa maison, vous dans la vôtre. Si ça ne lui plaît pas, qu'elle le dise. Elle aura ses enfants, son appartement, sa pension alimentaire. Et il n'a pas l'air pauvre.

— Et si ton mari vient te dire qu'il a pris une autre femme, tu continueras à me tenir les mêmes propos ?

— Je lui trancherai la gorge et je boirai son sang jusqu'à la dernière goutte, s'esclaffe Rayissa.

— Une femme intelligente surveille son mari, ajoute Khadra.

— Merci pour le déjeuner, dis-je. Que vos mains soient bénies. Je vais me reposer, et tout à l'heure j'irai au village, saluer *'Am* Abou el-Ma' ati et les autres.

— Et si vous attendiez demain, que le calme revienne au village, *ya sett* Amal ? suggère Khadra.

— Vous croyez ?

— Ce serait mieux, oui, renchérit Rayissa.

— Bien, dis-je. J'irai demain. Et maintenant je vais dormir un peu.

— Faites de beaux rêves ! gloussent-elles.

Je rêve que je suis dans les bras de Charif Pacha al-Baroudi. Je pose des baisers sur son visage, ses yeux, ses épaules. Je suis allongée à côté de lui sur le grand lit, dans la chambre de ma grand-mère et je pleure, soulagée de l'avoir trouvé. Il me serre dans ses bras, se laisse embrasser, amusé de me voir si passionnée. « Grâce à Dieu tu n'es pas mon père », lui dis-je, encore et encore. Blottie contre sa poitrine, je me sens rassurée.

Je me réveille un peu honteuse. Triste de me voir seule. J'erre dans la maison vide. Au village, les hommes sont chez eux. Tareq Atiyyah est chez lui, à quelques kilomètres. Mais ce n'est pas lui que je veux. Je reste devant l'aquarelle d'Anna, je regarde son jardin, et Charif Pacha qui plante un bosquet ombreux pour sa fille. Je le vois de dos. Je m'astreins à travailler, j'ouvre les journaux d'Anna. Anna, mon amie, qui a écrit tout cela pour moi, et qui à présent parle du pont Abou el-'Ela, mon préféré, le pont qu'ils sont en train de détruire. Et je lis.

Le Caire
Le 15 octobre 1909
Cher sir Charles,
C'est le premier jour de Eïd, aujourd'hui, et toute la ville est en liesse. Nous sommes allés voir le nouveau pont, à Boulaq, œuvre étonnante de M. Eiffel. Ce pont a été assemblé à Chicago, puis transporté jusqu'ici, pour relier le nouveau quartier de Ghezirah et le vieux port de Bulaq. Deux cents tonnes de fer, dit-on, mais il est si aérien et plein d'arabesques qu'on le croirait tout droit sorti d'un conte de fées. Tout Le Caire vient l'admirer et, comme chaque fois qu'il y a un rassemblement populaire, on entend crier : « Vive l'Égypte ! » et « Vive l'Indépendance ! » Tout cela est très exaltant.
Nous avons suivi le procès de Dingra, pour l'assassinat de sir

Curzon Wyllie. Les journaux ont publié ses dépositions et les paroles qu'il a prononcées avant son exécution, et personne ici ne parle en mal de lui. Le matin de son exécution, al-Liwa _a fait son éloge, ce qui leur a valu un avertissement officiel. Partout, on publie des poèmes sur lui, plus ou moins réussis. Vous voyez la violence des sentiments antibritanniques... Le gouvernement a jugé bon de remettre en vigueur les lois de 1881 contre la liberté de la presse, afin que les publications, les pièces de théâtre, les revues et les réunions publiques puissent être interdites sans appel. Tout étudiant qui participera à des manifestations, qui écrira des articles ou qui transmettra des informations à la presse, sera expulsé du pays. Ils ont interdit les cours du vendredi, réservés aux dames, et nous savons que Gorst prépare une proposition de loi qui lui permettra de déporter les gens sans autre forme de procès. Tout cela fait grand bruit et occasionne maintes protestations publiques. Mon mari a écrit un article sur le sujet. Je l'ai traduit en anglais et envoyé à James Barrington. Je prie pour que vous évoquiez la question avec vos amis au Parlement._

Notre ami Mohammad Farid Bey (le successeur de Mustafa Kamil à l'Hizb al-Ouatani) est satisfait des discussions au Congrès national égyptien et de son entretien avec Keir Hardie. Nous espérons que les travaillistes se révéleront plus sensibles aux aspirations de l'Égypte que ne l'ont été les libéraux. Farid Bey a causé des remous en révélant, dans al-Liwa, _le projet de prolonger le bail d'exploitation du canal de Suez de soixante ans. Sans doute le gouvernement a-t-il dépensé une part substantielle des réserves nationales à fonds perdus, et cherche-t-il à compenser ses pertes en vendant le bail d'exploitation du canal quatre millions de livres, payables sur quatre ans. Plusieurs notables de l'assemblée se sont réunis chez nous deux soirs de suite, bien décidés à combattre cette mesure._

La semaine dernière, nous avons reçu un Américain du nom de Benjamin Gordon à Helmeyah. Il écrit un livre sur les juifs d'Égypte et de Palestine. Il avait une lettre d'introduction du vieil ami parisien de Charif Pacha, maître Demange. Mon mari lui a présenté Cattaoui Pacha, le chef de la communauté juive du Caire, Benzion Bey et d'autres notables juifs. Après quoi nous avons invité Benjamin Gordon et sa femme à dîner, à Helmeyah.

J'ai parlé à M. Gordon de nos craintes concernant la Palestine, et appris que Cattaoui Pacha et ses amis avaient des inquié-

tudes similaires : ils pensent que les activités des colons pourraient créer un fossé entre les juifs d'une part, et les communautés chrétiennes et musulmanes d'autre part. Nous avons évoqué les activités de M. Rupin, au bureau de la Palestine, à Jaffa ; ce bureau colonial achète des terres, qui ensuite ne pourront plus jamais appartenir à des non-juifs. Nous avons parlé du Dr Jacobson, devenu le représentant permanent des sionistes à Istanbul, du transfert à Beyrouth d'Ali Ekrem Bey, le Moutasarrif de Jérusalem, et de bien d'autres choses. Je ne suis pas certaine qu'il fasse la différence entre les familles juives qui émigrent en Palestine en tant que sujets ottomans, et les colonisateurs qui restent fidèles à leur pays d'origine. Nous avons envoyé M. Gordon à Nazareth, chez Choukri Bey. Espérons qu'une fois là-bas, la réalité le frappera en pleine face.

Mon mari estime que je devrais pouvoir rencontrer des visiteurs étrangers, notamment les anglophones, qui viennent s'enquérir du sentiment politique des Égyptiens. Il pense qu'à nous deux nous saurons satisfaire leur soif d'informations, de façon à la fois juste et cordiale. Ainsi nous toucherons l'opinion publique de leurs pays — ce sont souvent des personnes d'influence qui viennent nous voir. Nous violons donc cette coutume musulmane de séparer les hommes des femmes en société, et ne recevons ces visites qu'à Helmeyah, afin que notre maison ne soit pas affectée par cette transgression. Nous avons quelques serviteurs de confiance, dont le chef n'est autre que Sabir, l'ancien domestique de M. Barrington, devenu les yeux et les oreilles de mon mari en divers lieux — il a conservé des contacts à l'Agence entre autres.

On dit que Cromer tire les ficelles au Foreign Office, en ce qui concerne les affaires égyptiennes. Est-ce vrai ? Savez-vous s'il est réellement influent ? J'ai bien ri de ce que vous me racontez sur lady Cromer, qui, en parfaite suffragette, s'est retournée contre son mari ! Il mérite un soulèvement domestique ! Cela dit, c'est horrible qu'on emprisonne les Anglaises pour leurs opinions politiques. Elles finiront bien par avoir le droit de vote ; alors pourquoi ne pas le leur accorder de bonne grâce ? On épargnerait ainsi bien du souci à tout le monde.

Tawasi, le 20 novembre 1997

J'attends la fin des prières du soir, puis je longe les champs, je traverse des ponts de terre sur les canaux, et j'arrive au village. Les femmes me disent bonjour depuis leur porte, m'invitent à entrer. Je leur réponds, je les remercie, mais je poursuis ma route jusque chez *'Am* Abou el-Ma'ati. Nous nous asseyons face à face sur les divans d'Istanbul, dans sa mandara.

— Remercions Dieu qui vous a sauvé, dis-je.

— Par la grâce de votre main, dit-il, en plaçant sa propre main sur son cœur.

Il est lavé, rasé, il porte une galabilla propre, il a son châle gris sur les épaules. Sa *e'mma* est blanche comme la neige, mais ses yeux sont éteints. Je ne sais trop quoi lui dire.

— *'Am* Abou el-Ma'ati, commencé-je. Je connais des gens au Caire, une petite organisation d'hommes de loi et de journalistes progressistes. Des gens bien qui peuvent nous défendre.

— Contre le gouvernement ?

— Contre la police. Pour détention abusive, mauvais traitements.

— *Ya sett Hanem*, laissez Dieu se charger de ça.

— *Ya 'Am* Abou el-Ma'ati, leurs agissements sont criminels !

— Oui, mais c'est fini. Grâce à vous.

Il remue sur son siège, mal à l'aise. Il veut que j'arrête de parler de tout cela.

— Mais comment se prémunir contre une récidive ? demandé-je.

— On ne peut se garder de rien. À commencer par sa propre mort.

— *Ya 'Am* Abou el-Ma'ati, si tous les hommes disent *al-hamdou lillah* en rentrant chez eux et qu'ils ne bougent plus, qu'est-ce qui va empêcher le gouvernement de continuer à maltraiter les gens ?

— Si je ne dis pas *al-hamdou lillah*, je vais passer la fin de ma vie à courir d'un avocat à l'autre. Le gouvernement prendra notre village en grippe et il nous le fera payer. Non, *ya sett Hanem*, c'est mieux ainsi. Nous ne sommes pas les premiers à qui ça arrive, et pas les derniers. Et il y aura toujours des gouvernants pour terroriser le peuple.

Dans le salon, la télévision est allumée : on parle des atrocités de la veille. Avant de partir, je m'arrête pour regarder des dizaines de cercueils en bois, alignés sur la plage.

Je traverse un village où tout paraît normal. La petite épicerie projette sa lumière bleutée sur la route. Assis au comptoir, deux hommes fument des narguilés. Des enfants jouent près de la flaque de lumière. Mais quelque part dans ces maisons, il y a des hommes — des jeunes — qui bouillent de rage et jurent de venger leur village, et les leurs. Je pense à eux et mon sang se glace dans mes veines. Je serre les poings, au fond des poches de mon manteau, je baisse la tête, et je presse le pas pour rentrer chez moi.

Le téléphone sonne au moment où j'ouvre la porte. Je me précipite sur l'appareil avant la troisième sonnerie. C'est une superstition stupide : si je ne décroche pas avant la troisième sonnerie, il arrivera malheur aux enfants. Je décroche en me maudissant d'avoir ce genre de pensées qui pourrait attirer la malchance sur eux.

— Allô ?

— *Sett* Amal ?

— *'Am* Madani !

— Comment allez-vous, *ya sett* ? Comment va la santé ?

Il crie dans le micro. J'écarte le combiné de mon oreille.

— *El-hamdou lillah.* Comment allez-vous, *'Am* Madani ? Comment vont les enfants ? Et leur mère ?

— Elle va bien, *el-hamdou lillah.* Elle nous a donné une petite fille.

— *Alf mabrouk ya 'Am* Madani. C'est bien, les filles !

— C'est tendre, les filles. C'est généreux.

— C'est bien connu. Et comment l'avez-vous appelée ?

— Hanan.

Il rit.

— Que sa venue au monde vous soit favorable, *inch'Allah,* dis-je.

27.

« Dieu m'est témoin que je n'ai fait que du bien à mon pays. »

Boutros Ghali Pacha, le 20 février 1910.

Il s'est passé des choses terribles. Le pauvre Boutros Ghali Pacha est mort, et Ibrahim al-Ouardani sera pendu pour l'avoir assassiné. Le mieux que puisse espérer sa défense est de prouver que ce ne sont pas les balles de Ouardani qui l'ont tué, mais l'opération pratiquée par Milton Bey. Ainsi ils lui éviteraient la peine de mort. Mais il y a peu de chance qu'ils y parviennent. Hosni et d'autres membres d'al-Hizb al-Ouatani ont été arrêtés, puis relâchés peu après. On a perquisitionné chez eux. Ouardani clame haut et fort qu'il a agi seul, et pour le bien de l'Égypte. Il traite Boutros Pacha, de traître, rappelle qu'il a signé la convention sur le Soudan en 1898 et présidé aux procès de Denchouai. Il le dit responsable des mesures répressives prises par le gouvernement l'année dernière. C'est sur sa suggestion, paraît-il, qu'on aurait tenté de prolonger le bail d'exploitation du canal de Suez. Autant d'actes dont le Premier ministre aurait pu répondre. Cela dit, il avait choisi le service public, il travaillait pour un gouvernement muselé, limité dans ses initiatives. Mon mari, qui le connaissait bien, affirme qu'il n'était pas un traître. Ses projets de réformes sur les taxes, dans les années 1880, demeurent un exemple d'humanité et d'intelligence. C'était un pacifiste, impressionné par la puissance des Anglais, Cromer l'utilisait, et maintenant Gorst fait de lui un martyr copte. Or Ouardani n'a jamais parlé de religion, mais de politique. C'est un jeune homme brillant et pur, un orphelin élevé par son oncle. Il a suivi des études à Lausanne et à Londres, il a été secrétaire du Congrès national de Genève l'année dernière. Il possède une pharmacie près du poste de police d'Abdine et il a été très actif au sein du mouvement syndicaliste. C'est tout à fait dramatique, car le pays, comme dit mon mari, perd deux hommes de valeur. Les der-

niers mots de Boutros Pacha me brisent le cœur, or il pensait ce
qu'il disait, je le sais.

En février 1910, ce fut Mohammad Sa'id Pacha qui succéda
à Boutros Pacha Ghali au poste de Premier ministre, après
l'assassinat de celui-ci. Quelques jours plus tard, il invita
mon frère à venir le voir. Abeih Charif refusa cette invitation et suggéra qu'ils se rencontrent plutôt au Club ou au
domicile de l'un de leurs amis communs. Ils se trouvèrent
chez Ismail Pacha Sabri, où le Premier ministre proposa à
mon frère le ministère de la Justice. Abeih Charif répondit
qu'il était honoré mais qu'il ne pourrait accepter un poste
au gouvernement tant que ce ministère serait sous la tutelle
d'un conseiller anglais, et qu'une armée d'occupation sou-
tiendrait le dit conseiller. Sur le moment, j'ai jugé qu'il avait
raison de refuser, même si Hosni Bey me fit part de ses
craintes : un homme qui va seul, qui refuse d'appartenir à
aucun groupe est un homme sans protection. Mohammad
Farid Bey refusa lui aussi ce ministère et, l'année suivante,
il fut condamné à six mois de prison pour avoir écrit l'introduction au recueil de poèmes d'al-Ghayati. Lorsqu'il eut
purgé sa peine, il fut banni d'Égypte à vie.
À cette époque, durant le premier trimestre 1910, mon frère
travailla sans relâche à renforcer la résolution de l'Assemblée contre une prolongation du bail d'exploitation du canal
de Suez. Sans ses efforts, conjoints à ceux d'Ismail Bey et de
Mohammad Farid Bey, la chose serait passée. Or l'Assemblée resta ferme et la prolongation ne fut pas votée.
On vit des manifestations pour soutenir la décision de l'Assemblée au Caire, à Alexandrie et dans les provinces. Nous
espérâmes que cette victoire aiderait les notables coptes et
musulmans qui œuvraient à l'unité du pays, malgré l'assassinat de Boutros Pacha.
Eldon Gorst, mécontent de la décision de l'Assemblée, fit
savoir son désir de quitter l'Égypte, mais Grey ne trouva
personne pour le remplacer.
Ces événements nous redonnèrent espoir, et ce fut dans
ce climat d'optimisme timide qu'on nous annonça la visite
imminente du colonel Roosevelt, l'ancien président des
États-Unis d'Amérique.

Le Caire
Le 22 juin 1910
Cher sir Charles,

Le discours de M. Roosevelt à Mansion House que vous nous rapportez ne nous a pas surpris. Il a fait ici, en mars, un discours similaire — mais d'autant plus offensif qu'il était notre invité, et qu'il parlait dans l'enceinte de l'université. Nous avions mis nos espoirs en lui, car son pays défend la démocratie, la liberté, et ne s'est — pas encore — compromis dans des entreprises colonialistes. Cela dit, certaines remarques qu'il aurait faites à Khartoum ont décidé le prince Ahmad Fouad Pacha, président du conseil de l'université, à lui rendre visite à l'hôtel Shepheard et à lui rappeler que le règlement de l'université interdit tout discours ou débat politique dans ses murs. M. Roosevelt a assuré au prince qu'il n'avait nulle intention de parler politique. Là-dessus il a déclaré à une salle bondée de notables égyptiens qu'ils ne pourraient se gouverner eux-mêmes que dans plusieurs générations et leur a reproché leur fanatisme religieux !

Vous imaginez les remous dans le pays ! Même La Réforme *et le* Journal du Caire, *les journaux des résidents étrangers, inquiets de donner une bonne image de l'Égypte pour servir leurs intérêts financiers, ont exigé des excuses. Les membres du Hizb al-Ouatani se sont réunis le même jour et quelque mille personnes ont manifesté devant l'hôtel Shepheard, agité le drapeau égyptien et crié : « À bas les hypocrites ! » et « Vive la constitution ! » Le lendemain, le Hizb al-Ommah organisait un rassemblement dans l'un des plus grands cinémas de la ville. Ahmad Bey Loufti el-Sayyed a profité de l'occasion pour rappeler à M. Roosevelt que l'Égypte était déjà un pays civilisé six mille ans avant la naissance de l'Amérique ! Ce fut un bien triste incident : une déception de plus pour l'Égypte et une preuve supplémentaire que les nations occidentales niaient le droit à leurs voisins orientaux de bénéficier du système de valeurs qu'ils appliquent chez eux. C'est une dure leçon à recevoir d'un peuple qui, depuis cent ans, lit nos philosophes, admire nos institutions, aspire à un modèle gouvernemental comme le nôtre — et cela durcira la position de ceux qui ont tendance à se détourner de l'Occident et qui regrettent l'âge d'or du califat. Vous-même dites que la meilleure stratégie pour l'Égypte est de s'en remettre à la Turquie et d'espérer que ce pays saura tenir les exigences de l'Europe en respect.*

Vous rapportez le discours de Grey à la Chambre des communes, qui répond à Roosevelt et qui met à bas trois ans et demi de conciliation en déclarant ouvertement qu'il faut désormais user d'une politique de coercition en Égypte. Cela me glace le cœur. Et pas un mot des radicaux en faveur de l'Égypte. Je sais que Gorst est déçu. Mais qu'espéraient-ils ? La seule conclusion possible à une politique de conciliation serait l'octroi d'une constitution et l'avènement de la démocratie. Gorst sait les sentiments des Égyptiens et il a laissé penser à certains qu'il était leur ami — il s'est dit plus sensible à leur cause que ne l'avait été Cromer. Ils ont formé des partis politiques, la presse a parlé en leur nom, et tous exigent la fin de l'occupation. Gorst et le Foreign Office jouent les offusqués, se disent trahis, comme s'ils avaient cru que les Égyptiens se satisferaient d'une représentation de façade au Parlement, comme s'ils étaient déçus que ce peuple veuille toujours les voir partir ! Cela me rend folle de rage. Je ne serais pas surprise de voir intervenir un accord entre Grey et Roosevelt — le discours de ce dernier n'était sans doute qu'une invitation à Grey à introduire en Égypte son système de détentions et de déportations à l'indienne. Roosevelt est le seul homme politique étranger avec qui Grey sympathise, parce qu'il peut lui parler anglais !

J'ai fait part des conseils de John Dillon à mon mari, qui en approuve la sagesse et vous en remercie. Il est ce soir chez Ismail Pacha Abaza. Il voudrait que l'Assemblée s'érige contre les lois de coercition votées sans son aval. Il essaiera de convaincre Ismail Pacha en ce sens. On dit le khédive très fâché qu'on fasse passer des décrets en son nom — et après la mort du roi qu'il aimait, il pourrait bien embrasser la cause nationale. Nous plaçons nos derniers espoirs en Dillon et en Kheir Hardie, à la Chambre.

Nous passerons l'été à Aboukir, sur la côte nord. Mon mari est surmené, il ne consacre pas assez de temps à Nour. Elle en souffre terriblement, bien qu'elle puisse jouer avec Ahmad. Son cousin est à présent un beau garçon de dix ans. Il a appris le Coran par cœur et il est visiblement doué pour le piano.

Depuis le début de cette histoire, je n'arrivais pas à voir mon père dans le petit Ahmad, tel que le décrivent Anna et Laïla. Et voilà que je le reconnais : « *Il a appris le Coran par cœur.* » Il s'en récitait des passages à voix basse, pour le plaisir, quand il jardinait, à Tawasi. Mais je ne l'ai jamais vu s'asseoir au piano à Helmeyah. Et maintenant je me souviens de son expression de fierté et de regret, quand Omar jouait pour nous, chaque fois qu'il rentrait des États-Unis. De nouveau, je regarde son portrait, dans l'entrée, debout derrière sa mère, les yeux fixés sur l'objectif. Comment voyait-il la suite de sa vie, à ce moment-là ?

Charif Pacha voudrait lui aussi passer plus de temps avec sa fille, car il voit filer les jours. Il m'a arraché la promesse, l'autre soir, de rentrer en Angleterre avec Nour, s'il devait disparaître avant qu'elle ne se soit fait une place en ce monde. J'ai dit qu'il ne pouvait rien lui arriver, que le vieux Baroudi Bey, à soixante-quinze ans, se portait bien, alors qu'il était de constitution bien plus faible que lui. Or mon mari était sérieux : « La vie sera trop dure pour elle, m'a-t-il dit, si je ne suis pas là pour lui ouvrir la voie. » Je n'ai pas discuté, ça n'était qu'un débat purement théorique, mais j'ai décidé que nous irions passer l'été dans notre maison d'Alexandrie, loin de la politique, des espions et des désagréments du Caire. Des bains de mer, des promenades à cheval, des châteaux de sable avec Nour, tout cela devrait chasser ses idées noires.

Connecticut, février 1998
Isabel lève les yeux de son bureau. Par la fenêtre, elle voit un jardin et des arbres gris, dans la brume du petit matin. Elle frissonne. Le châle a glissé de ses épaules. Elle le remonte et se couvre la poitrine. Elle enlève ses lunettes, les pose sur la table et se lève. Derrière la fenêtre, un mouvement semblable : une forme grise se redresse, se secoue, trotte jusqu'à la porte.
— Oh, mon chien, mon chien ! chantonne Isabel en ouvrant la porte.
Elle a du mal à se baisser, à présent. Elle s'accroupit, laisse l'animal nicher son museau humide au creux de sa main.
— Petit déjeuner, souffle-t-elle.
Elle gratte les oreilles du chien, prend sa tête entre ses mains. Ils se regardent dans les yeux.
— Oui, dit-elle. Oui. Il me manque, à moi aussi.
Sur le bureau, derrière elle, sont étalées sept lettres d'amour.

Tawasi, une heure plus tard

— J'avais besoin de te parler, dit-elle.

— Je suis là.

— J'ai les derniers papiers de ma mère, ceux qui étaient au coffre.

— Oui ?

— Ses lettres sont là. Je les ai lues.

— Quelles lettres ? je demande.

Je le revois assis en face de moi à Zéphyrion, je l'entends dire : « je l'implorais, j'argumentais, tu vois le genre... »

— Les lettres d'Omar à ma mère.

— Oh...

— Il était amoureux d'elle.

— Isabel ! Tu étais au courant !

— Je sais, dit-elle d'une voix lasse.

— Alors ? répliqué-je d'un ton brusque.

— Ce n'est pas la même chose de les voir, de les lire.

— Elles ont été écrites il y a trente-cinq ans !

— Elle les a gardées. Elle parlait de lui avant de mourir.

Grâce à Dieu il le lui a dit. Il aurait pu ne rien dire. Et elle aurait trouvé les lettres...

— Ça fait froid dans le dos d'être ici, chez lui, sans lui. Et avec ces lettres.

— Rentre chez toi. Tu n'es pas obligée de rester là. Quelle heure est-il en Amérique ? Grand Dieu ! Cinq heures du matin. Qu'est-ce que tu fais debout ?

— Je n'arrivais pas à dormir. J'ai eu les lettres hier après-midi.

— Isabel, ce n'est pas sérieux ! Tu es enceinte. Tu as besoin de te reposer.

— Je sais. Je sais. Et toi, comment ça va ?

— Aroua Salih est morte, dis-je.

C'est sorti tout seul.

— Quoi ?

— Aroua Salih, Tu te souviens d'elle ?

— Oui. La jolie femme que nous avons vue à l'Atelier. Elle est morte ?

— Elle s'est suicidée. Elle a publié un petit livre dans lequel elle dit que tout est sans espoir. Puis elle s'est tuée.

Je suis encore sous le choc. Cet acte violent et résolu me

...roit de son immeuble, ...es en bas.

...sa note de téléphone

...avait eu des enfants...

...ance enfantine. Nous ...ons pas politique. Une ...nous au Caire pour la ...jusqu'à l'Eïd? Nous ...le, nous ramassons des ...lon et aux cartes. Mah-...r joue assez bien à la ...e est folle de joie quand ...discrètement dans ses ...re triomphant. ...Il a eu l'air si triste ...r à tisser que j'ai dit à ...le rassure. L'école des ...j'en suis seulement à la ...ie! ...our de rôle à Aboukir, ...Bey ...quand il peut, *mais Ahmad restera avec nous tout l'été. Nous lui avons installé un petit piano et, quand sa mère est là, nous passons des moments exquis à jouer. Mon mari s'est révélé être un excellent baryton, j'ai découvert cela après cinq ans de mariage! Il aime les œuvres dramatiques, ce dont il se défend en forçant le ton, comme s'il se moquait.*

Nous lisons des romans, nous traînons jusqu'au coucher du soleil. Ensuite, quand tout le monde dort, nous ouvrons nos croisées pour laisser entrer la brise marine et nous passons des moments exquis en amoureux. Dans la journée, quand je le vois sortir de l'eau en plein soleil, Nour sur ses épaules, Ahmad et Mahrous à ses côtés, l'amour que j'éprouve pour chaque centimètre carré de son corps me donne une délicieuse douleur au cœur.

Tawasi, mars 1998

Tareq Atiyyah paraît sur le seuil de ma maison.

— J'avais tort, déclare-t-il. Tu peux te cacher à Tawasi toute ta vie. Mais ce serait du gâchis.

— *Etfaddal*, dis-je. Entre.

Je suis ravie de sa visite — et j'espère que ça ne se voit pas trop.

— Tu lis la presse sur ton ordinateur ! Tawasi est devenu un endroit très civilisé.

Je lui lance un regard réprobateur.

— Tawasi a toujours été un endroit civilisé.

— Je plaisante, je plaisante.

Il regarde l'écran, fait défiler le texte.

— Ainsi tu sais tout ce qui se passe. Il y a un tollé contre l'ambassadeur américain.

— C'est bien fait. Il l'a cherché. La première chose qu'il a dite en arrivant ici, c'est que le GATT peut s'opposer à la vente de nos médicaments sans attendre la période de latence.

— Ce n'est pas exactement...

— Puis il rencontre les islamistes, alors que son Congrès nous accuse de discrimination contre les coptes et que son gouvernement envisage de bombarder de nouveau l'Iraq.

— Pourquoi es-tu si virulente ?

Khadra entre avec le plateau du thé. Elle se couvre le visage avec un coin de sa tarha avant de serrer la main de Tareq.

— *Marhaba, ya Bacha*. Vous avez éclairé le village de votre lumière.

— Ce sont les villageois qui l'éclairent, *ya sett* Khadra. Comment allez-vous et comment vont vos amis ?

— *El-hamdou lillah*, ils vous baisent les mains et prient pour vous.

— Personne ne vous ennuie ?

Elle rit.

— Personne n'ose nous approcher !

— Et l'école ?

— Ça marche bien. Vos jeunes gens sont parfaits.

— Les enfants étudient ?

— Oui, *ya Bacha*.

— Bien. Dites-leur de se cultiver. Le pays a besoin de cerveaux pour se développer.

— Nous leur dirons, *ya Bacha* ! Vous désirez autre chose ?

— Non, merci, dis-je. Mais j'aurai besoin de toi dans un moment.

— Je serai dans la cuisine.

— Alors, demande Tareq quand elle est sortie et que je sers le thé. Combien de temps vas-tu rester ici ? Sérieusement.

— Je resterai jusqu'à ce que j'aie fini mon... fini ce que je suis en train de faire.

— Ce roman, sur les écrits de ta grand-mère ?

— Oui.

— C'est une bonne histoire ?

— Oui. Je crois.

— Ça prendra combien de temps ?

— Je ne sais pas. J'aime être ici. Je suis bien.

— Pourquoi ?

Je le regarde.

— Au Caire, je suis dans mon appartement. J'assiste à tous ces événements qui me révoltent et je suis impuissante. Ici, c'est plus supportable. Oui, je suis naïve...

— Une oasis. Une île de stabilité dans un océan mouvant. C'est ça que tu veux dire ?

Il s'appuie contre le dossier de son siège et me sourit.

— Tu es allé sur tes terres ?

— Oui.

— Que vas-tu faire pour ces cultures ?

— J'hésite encore.

— Tareq, tu chasserais des gens de la terre ?

— Oui, et je brûlerais leurs récoltes.

— Tu es sérieux ?

Il se redresse, mal à l'aise.

— Non. Mais tu prends tout tellement à cœur ! Pour qu'une exploitation agricole soit viable il faut qu'elle rapporte.

— Certes, mais ne peut-on se contenter de bénéfices modestes ? Pourquoi faut-il que la terre rapporte de plus en plus ? Je ne comprends pas cette manie de l'expansion. Sans doute l'expansion n'est-elle pas infinie ?

— Écoute. Je te propose un marché. Je ne loue pas les

services de nos cousins si tu viens une semaine avec moi en Grèce.

— Quoi ?

Il me regarde.

— Tu peux faire ce que tu veux de ta terre, répliqué-je. Mettre un ruban autour et la donner aux Israéliens !

— Tu es très belle.

— Arrête !

— Non, vraiment. Écoute, je ne suis pas venu ici pour me disputer avec toi. Je n'emploierai pas les services des Israéliens si cela te perturbe à ce point. Je trouverai d'autres aides. Amal ?

Il a un regard doux.

— Je suis venu voir comment tu allais, et si tu avais besoin de quelque chose. Et parce que tu me manquais.

Il se penche vers moi et tend sa main.

— On peut être amis ?

J'hésite.

— Ça va, murmure-t-il, je sais que Khadra est dans la cuisine.

Le Caire
Le 1er octobre 1910
Cher sir Charles,
Nous sommes revenus d'Aboukir tout bronzés et régénérés. C'est un si bel endroit ! Le sable est blanc, l'eau limpide. On distingue la limite de chaque nuance de bleu.

Nous avons passé le mois du Ramadan là-bas. S'asseoir devant un repas frugal, comme le soleil descendait dans la mer était magnifique. Cela m'a rappelé mon voyage dans le Sinaï : on vit si près de la nature qu'on communie avec elle et qu'on goûte chaque minute qui passe, au lieu de la rentabiliser.

J'ai souvent pensé à vous ; cet air doux et sain ne pourrait que vous faire du bien. J'espère toujours vous persuader de...

Anna rêve de réunir ceux qu'elle aime sous son toit. Elle a invité Caroline Bourke, elle continue à inviter sir Charles. Elle est en Égypte depuis dix ans, et personne, parmi ses anciennes connaissances, n'a été témoin de sa nouvelle vie. Ses compatriotes refusent de la fréquenter. Elle ne parle plus sa langue. N'éprouve-t-elle pas une impression de précarité, d'irréalité, bien qu'elle ait trouvé sa place, dans sa belle-famille ? Est-ce l'une des raisons qui la poussent à adopter la cause égyptienne avec une telle ferveur ?

> *Le Caire*
> *Le 16 novembre 1910*
> *Cher James,*
> *Merci pour le livre sur l'Égypte de M. Rothstein ! L'homme a parfaitement compris la situation. Il explique qu'on appauvrit les terres du Delta par une irrigation excessive, ce qui devrait donner à réfléchir aux plus vifs partisans des travaux publics entrepris par Cromer. Nous allons faire traduire le livre en arabe : même s'il n'apprend rien de nouveau aux Égyptiens, il leur montrera que tous les Anglais ne sont pas leurs ennemis. Le discours de Keir Hardie sur « l'évacuation et la révolution » au congrès de Bruxelles nous a donné de l'espoir. Mais reste à voir s'il soutiendra la cause de l'Égypte à la Chambre.*
> *Choukri Bey al-Asali œuvre activement à empêcher la vente de mille deux cents hectares de terres cultivables, qui touchent ses propriétés de Nazareth et de Jenin, à la Compagnie de développement des terres en Palestine. L'homme chargé de la vente, Elias Sursuq, un chrétien syrien, est un ami du moutasarrif de Beyrouth, qui règne sur toute la région. Choukri Bey a eu plusieurs descentes de police chez lui.*
> *De tels désagréments m'ont été épargnés, grâce à Dieu. Mon mari n'étant pas membre d'al-Hizb al-Ouatani, nous ne subissons pas les contrôles de police ni les arrestations dont sont victimes nos amis qui ont adhéré à ce parti. Toute action contre notre maison serait dirigée contre nous et seulement contre nous. Or Charif Pacha veille à ne pas outrepasser les limites de la loi, car la loi prévaut toujours en Égypte. Aussi nous ne risquons rien de ce côté-là.*
> *Cher James, je relis ma lettre et je m'interroge sur moi-même et sur le chemin parcouru depuis ces années paisibles en Angleterre. Et si Edward n'avait pas combattu au Soudan ? Et si sir Charles n'était pas allé en Égypte en 1882, s'il ne m'avait pas raconté toutes ces histoires fascinantes ? Voyez à quel point la vie des autres influe sur notre destinée ! Mais je ne vais pas philosopher. Pour l'heure, j'espère voir le travail de mon mari et de ses amis récom-*

*pensé. Si nous redoublons d'efforts, peut-être finirons-nous un jour
par respirer un air plus vif : celui de la liberté.*

Anna lève les yeux de sa lettre, Mabrouka entre dans le
haramlek.

— Vous allez vous rendre aveugle à force d'écrire, grommelle la servante. Aveugle, répète-t-elle, en agitant un doigt
réprobateur. Que le mal n'entre pas dans cette maison. Mais
pourquoi passer sa vie à apprendre et à écrire ? Est-ce que ces
écrits se mangent ou se boivent ? Servent-ils à élever les
enfants ? Sont-ils une source de joie pour le cœur ?

À cette époque, on se souciait vivement de la situation en
Terre sainte. La victoire du Japon sur la Russie en 1905, dont
l'Égypte et les pays arabes se réjouirent, était la preuve qu'une
nation orientale pouvait repousser l'attaque d'un pays d'Europe. Cette victoire, ou plutôt la défaite de la Russie et les persécutions qui s'ensuivirent, avaient provoqué l'afflux de cent
mille juifs russes en Palestine. Et même si la moitié d'entre eux
repartirent, il fallut des terres à ceux qui restèrent. À la mort de
Herzl, les sionistes prirent des chefs plus jeunes et plus agres-
sifs. « Bien que nous devions exposer notre cas aux yeux du
monde, dit Weizman, la charte que nous réclamons ne servira
à rien si nous n'occupons pas déjà une bonne partie des terres. »
Ils allaient donc opter pour une politique d'immigration, de
colonisation, et d'éducation en rapport avec leurs idéaux. Nos
amis et notre famille, en Palestine, vivaient dans ce climat. Ils
combattaient chaque tentative sioniste d'achat de la terre, mais
la décision appartenait déjà au gouvernement d'Istanbul, et les
Turcs avaient besoin d'argent.

Fin 1910, le peuple d'Hauran se souleva contre les Turcs,
se plaignit des capitulations et de l'impuissance du gouvernement à les protéger des entreprises sionistes. Le gouvernement
turc envoya Sami Pacha el-Farouqi pour les mater. Notre cousin Choukri Bey al-Asali écrivit une lettre ouverte à Sami
Pacha. Le bureau palestinien brigue les meilleurs champs,
expliquait-il, et les achète par l'intermédiaire de la Compagnie
de développement de la terre, au bénéfice des colons, avec des
fonds prêtés par la compagnie bancaire anglo-levantine. Ces
actes de vente stipulent que la terre ne pourra plus être reven-

due ou louée à un chrétien ou à un musulman. Les colons ne se mélangent pas avec les Palestiniens, ils ne leur achètent aucune marchandise. Ils établissent leur comité central et créent leur propre école dans chaque village. Ils plantent leur drapeau, chantent leur hymne national, disposent d'un service postal particulier. Ils ne deviennent pas sujets ottomans, mais s'adressent à leurs consuls pour régler leurs affaires. Ils enseignent l'art de la guerre à leurs enfants, remplissent leurs maisons d'armes et de fusils Martini. Ce n'est pas étonnant que les villageois prennent peur et que la vie des notables soit perturbée. J'ai traduit cette lettre en français, avec une introduction de mon frère. Anna l'a traduite en anglais, et nous avons envoyé nos traductions à James Barrington. Qu'il use de ses bons offices pour les faire publier en Occident.

Tawasi, mars 1997
Un tintement de mon ordinateur m'annonce que j'ai reçu un e-mail d'Isabel.

Salut Amal !
Ne t'inquiète pas pour ces lettres : je me suis fait une raison, j'ai même l'impression qu'il me les a écrites à moi. C'est fou, non ? Mais, après tout, c'était ma mère. Quant à Omar, je suis sûre qu'il n'est pas mon père, j'ai parlé d'une analyse d'ADN, il a refusé.
Amal, tu me manques ! Tu es vraiment gentille de garder mes affaires depuis si longtemps. Sens-toi libre de les déplacer si besoin est. Cependant, j'aime les savoir chez toi, au Caire, attendant mon retour. Comment va Anna ? Ne me le dis pas. Tu me raconteras tout quand nous serons sur ta terrasse, sirotant une tasse de thé, avec la lueur bleue de la télé des voisins au loin. Transmets mes amitiés à Dina. Dis-lui que je suis très triste pour Aroua Salih.
Baisers, Isabel.

Le 18 novembre
*Nous venons d'apprendre la mort de Tolstoï. Il a vécu jusqu'à un âge honorable, il a accompli tout ce qu'un homme peut espérer accomplir dans sa vie, et pourtant sa mort m'attriste. Je n'aime aucun roman autant qu'*Anna Karenine *ou* Guerre et Paix.

28.

« Deux phénomènes importants, de même nature et pourtant contraires, se manifestent actuellement dans la Turquie d'Asie, sans que personne y prête attention : ce sont le réveil de la nation arabe et l'effort latent des juifs pour reconstituer, sur une très large échelle, l'ancienne monarchie d'Israël. Ces deux mouvements sont destinés à se combattre continuellement, jusqu'à ce que l'un des deux l'emporte. Du résultat final de cette lutte entre ces deux peuples représentant deux principes contraires dépendra le sort du monde entier. »

Négib Azouray, Paris 1905.

Le Caire, le 20 octobre 1911

— Soit tous ces pays tiennent ensemble, soit ils s'écroulent de concert, dit Choukri Bey. Omar Tousoun a raison de faire appel à des volontaires pour combattre les Italiens en Libye. Les Libyens eux-mêmes l'ont demandé.

— Kitchener ne les laissera pas partir, rétorque Yacoub Artin Pacha. Il trouvera moyen de les retenir.

Au milieu de l'assemblée, un poêle noir et vertical diffuse une douce chaleur. Sur les trous rougeoyants, Yacoub Artin a placé des marrons incisés sur le côté. Les hommes ont dix ans de plus qu'au début de cette histoire. Yacoub Artin est un peu plus rond mais toujours aussi soigné. Choukri al-'Asali et Charif al-Baroudi sont restés grands et larges d'épaules, mais leurs cheveux sont gris, leurs rides plus profondes. Des deux, c'est Choukri Bey le plus révolté.

— Charif Pacha ? On ne t'a pas entendu de la soirée, dit-il.

— Yacoub Pacha a raison, répond Charif Pacha, tout cela était prévu depuis l'Entente.

— La France prend le Maroc, l'Italie la Libye, dit Artin. L'Allemagne et la Russie se partageront la Perse. L'Angleterre récolte le meilleur lot avec l'Égypte — tout en armant les Arabes dans le Sinaï.

— Et notre pays ira aux sionistes, dit Choukri Bey, amer.

— Peut-être pas, remarque Yacoub Artin.

Il prend un marron entre ses pinces d'argent, l'examine, le pose sur l'autre face.

— Tu viens de gagner une bataille contre eux au Parlement.

— J'ai perdu dans l'affaire Soursouq.

— Mais tu as obligé Cavid Pacha à démissionner !

— Il a été indigne. C'est un Dönme, et en tant que ministre des Finances il a emprunté aux sionistes en hypothéquant les terres de la couronne, en Palestine. La dette du gouvernement à l'égard des sionistes est considérable. Ceux-ci le tiennent.

— L'argent, l'argent, marmonne Artin Pacha. Toujours l'argent. Abd el-Hamid, au moins, refusait leurs offres.

— Il est tellement insupportable, en exil, que tout son harem l'a quitté, paraît-il, s'esclaffe Choukri Bey.

Un marron saute sur le poêle et Yacoub Pacha le pose sur une assiette pour qu'il refroidisse. Il se tourne vers les deux autres.

— Abd el-Hamid n'avait pas besoin d'autant d'argent, reprend Charif Pacha. Les Turcs sont coincés.

— Et alors ? dit Choukri Bey, on va les laisser nous massacrer ?

Il y a un silence.

— Et les morts ? gronde Choukri Bey. Les milliers de gens tués au Maroc, en Libye ? Les gens chassés de leur terre en Palestine ? Les atrocités des Français en Algérie ?

— Ces actes sont devenus banals, réplique Charif Pacha. On y fera d'autant moins attention s'il y a une guerre entre les Européens.

— Une alliance entre eux ne ferait qu'aggraver notre situation, dit Yacoub Pacha.

Une guerre n'arrangerait rien et une alliance aggraverait les choses. Or ce sera soit l'une soit l'autre. C'est la course pour dominer le monde, chaque nation usant des outils qu'elle maîtrise le mieux : la France la force brutale, l'Italie la terreur, la Grande-Bretagne la perfidie, les fausses promesses, le double jeu, les sionistes le chantage, la stratégie commerciale, les coups fourrés. Et l'Égypte ? Qu'est-ce qui fait la force de l'Égypte ? Sa souplesse ? Sa capacité d'absorber les gens et les événements comme une éponge ? N'est-ce là qu'une façon de se décharger de ses responsabilités ? Combien d'êtres et de choses peut-elle assimiler sans perdre son identité ?

Charif Pacha regarde les arbres de Nour : ils sont devenus plus grands que lui en cinq ans ! Sa fille est sa lumière.

Lorsqu'elle le serre dans ses bras, elle lui tapote le dos, comme s'il avait besoin d'être rassuré. Il aimerait tant la protéger jusqu'à sa majorité ! La lâcher dans la vie comme il la laisse jouer dans ce jardin : libre, mais surveillée de loin, avec amour. Et Ahmad ? Et Mahrous ? Déjà, ils grimpent sur le toit de leur école pour crier : « *el-Doustour ya Efendina'* » devant les fenêtres du palais Abdin. Passeront-ils eux aussi leur vie à se battre, pris dans des événements qui ne seront pas de leur fait ? Useront-ils toute leur énergie, toute leur intelligence, à s'assurer que tels et tels malheurs n'arriveront pas ? « Mais mon amour, entend-il Anna lui murmurer, tu ne te rends pas justice ! Vois tout ce qui a été accompli : l'université existe, l'éducation des femmes sera bientôt un fait acquis, l'école des Beaux-Arts a déjà un brillant diplômé. Rodin lui-même a accepté de prendre le jeune Moukhtar dans son atelier. Et tous les articles que tu as écrits, tous les gens que tu as défendus. Regarde tes paysans, à Tawasi. »

Aurions-nous pu vivre en ignorant la politique ? L'occupation décidait de la nature des récoltes, s'opposait à la création d'industries, d'institutions financières, entravait nos initiatives en matière d'éducation, censurait nos publications, nous privait d'une représentation au Parlement ottoman, imposait certaines professions à nos hommes et freinait l'émancipation de nos femmes. L'occupation nous mettait dans la position de mineurs à qui l'on interdirait de grandir. Chaque année nous étions un peu plus à la traîne dans le cortège des nations modernes. L'occupation rendait notre peuple méfiant, poussait les meilleurs d'entre nous, soit au fanatisme, soit au désespoir. Et en Palestine, nous entrevoyions l'avenir du projet colonialiste : prendre la terre à ses habitants.

Pouvions-nous ignorer tous ces affronts ? Quel espace nous aurait-on alloué ? Et quel homme un peu digne eût consenti à se confiner dans un tel espace sans essayer d'en repousser les limites ? Quelle femme n'eût pas jugé de son devoir de l'y aider ? Mon frère combattait ces entraves depuis trente ans, avec tous les moyens légaux dont il disposait. Il s'était dressé contre les lois répressives, il avait

défendu les Égyptiens contre elles. Anna à son côté, il recevait des visiteurs étrangers, il espérait les convaincre du
bien-fondé de ses idées. Il fut le seul, après la mort de
Mustafa Kamil, à s'adresser à cette puissance qu'était le
bloc occidental. Mais cette année-là, la première année de
la deuxième décennie de notre siècle, je sentis qu'il s'impli-
quait moins dans son travail.

Charif Pacha lève les yeux vers le haramlek. Il y a de la
lumière derrière le moucharabieh. Anna fait sa correspondance, elle rédige son journal, elle l'attend. Il traverse la cour,
se dirige vers le sanctuaire de son père. Il aimerait aller plus
souvent à Tawasi, avec Anna. Les semaines qu'ils ont passées
là-bas, et à Aboukir, ont été les plus heureuses de leur vie. À
Tawasi, on est en contact avec la terre, le peuple. Il a de la
chance de posséder des terres, qu'il pourra laisser à Nour et
à ses enfants. Ainsi, ils ne seront pas coupés de l'essentiel. Ils
pourront retourner sur ces terres quand le monde deviendra
trop brutal.

Mirghani dort derrière la porte, mais le vieux Baroudi
Bey n'est pas dans son lit. Charif Pacha le trouve assis près
de la tombe, la tête appuyée contre le marbre froid.

— *Kheir*, mon père ?

Pas de réponse.

— Tu n'arrivais pas à dormir ?

Le vieil homme ne répond pas.

— Tu n'arrivais pas à dormir ? répète son fils.

— Le sommeil viendra, dit Baroudi Bey, tout bas.

Charif Pacha s'assoit par terre, à côté de son père, prend
sa main.

— Quelque chose te tracasse ? demande-t-il.

— Dieu est indulgent et miséricordieux, souffle le vieil
homme.

Charif Pacha reste assis en silence, la main frêle de son
père serrée entre les siennes. Lorsqu'à nouveau son père murmure quelque chose, il se penche vers lui pour comprendre
ce qu'il dit.

— Ce n'était pas un traître, dit le vieil homme, et son
fils sait qu'il parle d'Orabi.

— Non. Que Dieu ait pitié de lui.

— Ils l'ont trahi. Lesseps l'a trahi.

— Que Dieu ait pitié de lui aussi, dit Charif Pacha. Tout cela est de l'histoire ancienne.

— Dieu n'oublie personne. Sa compassion est grande. Et Il n'oublie personne.

— Récite « Il est Dieu, le Seul, le Grand », ça te fera du bien, dit Charif Pacha. Appuie-toi sur moi, je vais t'accompagner jusqu'à ton lit.

Le vieillard pose sa tête contre la tombe et ferme les yeux.

Zeinab Hanem gratte à la porte, se précipite à l'intérieur. Elle est en robe de chambre, une lampe à alcool à la main.

— Que se passe-t-il ? s'écrie-t-elle.

Mirghani bondit sur ses pieds.

— Que faites-vous là assis tous les deux devant la tombe ?

— Mon père n'arrivait pas à dormir, répond Charif Pacha.

Son père lui tient la main.

— Lève-toi, Baroudi Bey, dit Zeinab Hanem. Tu vas attraper des hémorroïdes à rester assis sur le sol froid. Toi aussi, *ya habibi*, debout. Debout !

Charif Pacha aide Baroudi Bey à se relever. Zeinab Hanem les éclaire avec sa lampe. Le fils reconduit le père dans sa cellule, en passant devant un Mirghani éberlué, assis sur sa paillasse. Charif Pacha fait asseoir son père sur son lit.

— Je vais demander à Mabrouka de te préparer du thé à l'anis, ça t'aidera à dormir, dit Zeinab Hanem.

— Non, refuse son mari, d'une voix plaintive. Je ne veux pas d'anis. Je veux quelque chose de frais.

— Je vais t'apporter du tamarin, propose Zeinab Hanem, qui se tourne vers Mirghani.

— De l'eau suffira, répond le vieil homme.

Charif Pacha prend la carafe sur la commode et sert un verre d'eau à son père. Quand il l'a bu, il lève les yeux vers sa femme.

— Reste avec moi, *ya* Zeinab, ne me quitte pas.

— Oui, murmure-t-elle. Tout ce que tu voudras.

— Rester avec lui, où ça ? s'inquiète Charif Pacha, qui regarde le lit étroit.

— Laisse-moi m'occuper de lui, dit sa mère. Va retrouver ta femme. Il est tard.

Charif Pacha entre chez Anna.

— J'ai vu ton métier à tisser, annonce-t-il. Il est vide ?

— J'ai fini la tapisserie. Ça m'a pris assez de temps comme ça.

— Où est-elle ? Puis-je la voir ?

— Mabrouka et Hasna vont la tendre sur un cadre et arrêter les fils. Dès qu'elle est prête, je te la montre.

— Alors que vas-tu faire, maintenant ?

— Tu sais ce que j'aimerais vraiment faire ?

Anna prend son mari par le cou.

— Quoi, mon amour ?

— J'aimerais te peindre. Mais tu ne restes jamais assis assez longtemps.

— *Khalas ya setti*. Je resterai assis.

— Vraiment ?

Anna lève les yeux vers lui, surprise. Elle n'avait pas pensé que ce serait si facile.

— Oui. Je m'assoirai dans le jardin de Nour, je la regarderai jouer, et tu pourras me peindre tout ton soûl.

Je ne dirai pas qu'il perdait courage, non. J'avais plutôt le sentiment qu'il avait réussi à s'élever au-dessus des problèmes de ce monde et à considérer son existence avec plus de distance. « Tu es jeune, me disait-il, tu as tout le temps. » Mais pour lui-même, il voulait ralentir la marche du temps. Ahmad avait onze ans, Nour six. Souvent je les regardais et priais pour que leur affection d'enfants, si profonde, devienne de l'amour et dure toute leur vie.

— Si tu suces ton pouce, tu vas avoir les dents en avant, et personne ne voudra t'épouser, gronde Hasna.

— Ahmad m'épousera quoi que je fasse, réplique Nour.

Elle a retiré son pouce de sa bouche le temps de parler. Aussitôt après, elle se remet à le sucer.

— Tu as la tête dure, petite fille, dit Hasna.

— Laisse-la faire, dit tendrement Mabrouka.

Elle tend les bras et Nour vient se blottir contre son sein, le pouce dans la bouche. Elle se noie dans l'odeur de fleur d'oranger que son père a humée cinquante ans plus tôt. Mabrouka prend délicatement le visage de l'enfant entre ses mains, lui caresse les cheveux.

— Que le nom du Prophète te garde, souffle-t-elle. Qu'Il te réserve du bonheur, où que tu ailles.

Le 20 octobre 1911

… C'est pour moi une joie et une bénédiction d'avoir pu soulager mon mari de ses soucis, de savoir que depuis dix ans, dans les pires moments, il trouve un réconfort auprès de moi.

Si une telle chose était possible, je dirais que je l'aime encore plus aujourd'hui qu'au début. C'est comme si mon cœur et mon âme s'ouvraient pour faire de la place à cet amour grandissant.

Cependant je ne sais que penser de l'humeur dans laquelle il est depuis un certain temps. Je crains qu'il ne soit en train de perdre courage. Il défend toujours les gens avec ardeur, mais il ne saisit plus toutes les occasions de faire valoir sa cause, la cause de l'Égypte, aux yeux du public. À deux reprises, il a dit qu'il aimerait vivre à Tawasi, ou voyager à l'étranger, mais je ne le vois pas mener une existence de propriétaire terrien. Malgré ce bonheur de l'avoir tout à moi, je serais triste de savoir qu'il a renoncé à la grande cause de sa vie.

Tawasi, le 15 juillet 1998

Les gros titres de la presse apparaissent sur mon ordinateur : le Conseil de sécurité exige qu'Israël renonce à son projet d'une grande Jérusalem ; le Parlement européen rejette le rapport sur la menace islamiste ; les manifestants de Beyrouth demandent la libération des Arabes prisonniers des geôles israéliennes ; les journalistes algériens participent à des manifestations de protestation ; les réservistes israéliens refusent la confrontation avec des civils palestiniens ; famine au Soudan ; alerte à la bombe à l'ambassade américaine ; trois morts dans les combats islamistes en Haute-Égypte.

Isabel m'envoie un e-mail :

> Salut Amal !
> Le médecin dit que Charif peut voyager.
> J'arrive avec lui le 17. Il est adorable !
> J'ai hâte que tu le voies. Omar commence sa tournée, mais il viendra peut-être au Caire.
> Il nous tiendra au courant. Je t'appellerai de ton appartement. Ne t'inquiète pas, Tahiyya s'occupera de moi. Baisers. Isabel. Je suis impatiente de te voir. Omar m'a donné un tissu pour toi. Tu sais ce que c'est, dit-il.

Mon frère m'envoie aussi un e-mail :

> Ma très chère, tout est bien qui finit bien. Sauf que ça dure ! Le bébé est adorable, et Isabel est une mère dévouée.
> Il a tes yeux, nos yeux, j'imagine. Vas-tu quitter tes fellahs pour moi, ou faudra-t-il que je vienne à Tawasi, jouer les Omdah ? Je te tiendrai au courant de mon arrivée. Les enfants adorent le bébé. Quel soulagement ! Plein d'amour. *Oua mit bosa**.

Khadra arrive toute pâle, à cause des nausées du matin. Elle me dit que *'Am* Abou el-Ma'ati n'est pas bien. Le soir, je vais le voir. Pour la première fois, je pénètre au-delà de la mandara, j'entre dans sa chambre. Je le trouve calé contre des coussins, dans un grand lit en cuivre.

— Ce n'est pas grave, ça va passer, me dit-il, mais il a le souffle court.

— Vous avez vu un médecin ?

— Le docteur est venu, me dit sa femme. Il a fait une ordonnance et nous avons acheté les médicaments.

Elle me montre les remèdes : un antialgique et un antibiotique.

— Que puis-je faire ? je demande.

— Rien, *ya sett* Amal, qu'Il vous garde. Mon mari ne souffre pas, et il respire mieux, à présent.

Je reste assise un moment avec lui en silence. Avant de

---

* Et mille baisers.

partir, je presse la main noueuse, posée sur la courte pointe en coton vert. Son fils insiste pour me raccompagner.

Le Caire
Le 25 octobre 1911
Cher James,
   Votre Dr Ginsberg est venu dîner hier soir à Helmeyah, avec Hosni et Laïla. C'était la première fois que Laïla dînait en société ; son frère et son mari ont pris un risque en l'amenant. Nous nous sommes très bien entendus : le Dr Ginsberg est un homme charmant, vous n'avez pas exagéré l'étendue de sa culture, ni sa compréhension des événements. Comme vous l'avez suggéré, lui et mon mari écriront deux articles qui donneront un aperçu de la situation politique actuelle, vue par chacun d'eux. Si M. Blunt en rédigeait un troisième, et qu'ils soient tous publiés en même temps, sans doute pourrions-nous sensibiliser l'opinion publique à la question.
   Ce dîner n'avait cependant rien de solennel. Le Dr Ginsberg a raconté des blagues juives et mon mari des blagues égyptiennes. J'ai entendu Sabir marmonner, comme il servait le café : « Que Dieu amène tout cela à bonne fin. » C'est rare que l'on rie autant au cours d'un dîner.
   Mon mari parle en privé de renoncer à la politique et aux affaires publiques, et de mener une vie retirée avec moi et les enfants. Je crois qu'une telle vie le lasserait, le rendrait nerveux. Cependant, il n'a pas tort de dire que les événements nous échappent et que rien — hormis un autre assassinat — ne pourrait influer sur le sort de l'Égypte actuelle. Comme le monde est devenu petit, comme les intérêts des uns et des autres sont liés !
   La photo que vous m'avez envoyée de votre maman dans son jardin est charmante.

   Le Caire, le 2 août 1998
   À Tawasi, nous nous sommes installées dans la véranda comme l'année précédente ; deux amies, et maintenant deux sœurs. Les portes-fenêtres de la chambre d'Isabel étaient ouvertes, son bébé couché sur le lit de ma grand-mère, barricadé avec des oreillers, protégé par la moustiquaire. Il reposait sous l'œil vigilant de Charif Pacha. Ce petit me bouleverse.

J'avais oublié comme leurs têtes sont duveteuses, leurs oreilles délicates, leur peau douce. J'avais oublié l'odeur des bébés.

Je n'ai pas pu aller au Caire : *'Am* Abou el-Ma'ati est mort le jour de l'arrivée d'Isabel. Il est mort paisiblement, entouré de sa femme et de ses enfants, le nom de son fils inscrit sur la page de garde de son Coran. Dieu a été clément avec lui : le vieil homme est mort le matin. Aussi on a pu le laver, on a pu prier pour lui et l'enterrer avant le coucher du soleil. Dans la soirée, les habitants des villages voisins sont venus à Tawasi. Ils ont serré la main de ses fils, se sont assis avec sa femme et ses filles. Ils ont demandé à Dieu d'avoir de la compassion pour lui, pendant que les voix psalmodiant le Coran résonnaient dans le village, portaient jusque dans les champs, et se réverbéraient sur l'eau des canaux.

Isabel n'avait pas pu attendre : elle est arrivée un vendredi et je devais rester à Tawasi jusqu'au jeudi suivant, le « premier jeudi ». Une fois de plus, je m'en suis remis à Tareq Attiyya — je ne voyais pas Isabel dans le train, ni bravant les barricades à l'arrière d'un taxi Peugeot, avec son bébé. Tareq lui a envoyé une voiture avec un chauffeur. À son arrivée, nous nous sommes étreintes sur le seuil de la maison. Le village ne pouvait fêter son retour, à cause de la mort de *'Am* Abou el-Ma'ati, mais les femmes vinrent tout de même nous voir l'après-midi, avant de se rendre chez lui pour le deuxième jour. Elles félicitèrent Isabel, demandèrent à voir le bébé, offrirent des cadeaux. L'une après l'autre, elles s'exclamèrent : « Où est le Pacha ? Il vous laisse voyager toute seule avec le bébé ? » Je me suis demandé combien de fois elle allait entendre cette phrase dans les années à venir.

Nous nous assîmes dans la véranda. Elle m'a reparlé de la mort de Jasmine. Nous avons pleuré un peu pour nos mères, puis pour nos pères. Je lui ai raconté la suite de l'histoire d'Anna. Nous nous sommes étonnées que les deux branches de notre famille se soient tant éloignées : Anna et Laïla étaient comme des sœurs, Nour et Ahmad s'étaient tant aimés ! Isabel m'a avoué qu'Omar ne lui avait pas encore dit qu'il l'aimait, mais que tous ses actes trahissaient son amour pour elle. Il l'a accompagnée à l'hôpital, mais il n'a pas voulu assister à l'accouchement. Il a fait les cent pas dans le couloir, comme un futur père dans un film des années quarante. Lorsqu'il l'a retrouvée, il l'a serrée dans ses bras. « J'ai eu tellement peur pour toi ! » lui a-t-il dit. L'infirmière lui a donné le bébé, il l'a regardé, il a eu une expression qu'Isabel ne lui connaissait pas : elle a su qu'il appartenait au petit Charif pour toujours.

J'ai emballé mon ordinateur et les papiers d'Anna. Isabel m'a accompagnée au premier jeudi, et le vendredi matin, nous avons mis nos affaires dans la voiture. Nous avons décidé qu'elle voyagerait à l'arrière, avec Charif, vu que je n'ai pas encore de siège de bébé. Nous avons embrassé Khadra et Rayissa, leur avons promis de revenir bientôt, avec le Pacha si possible. Au moment de partir, j'ai réalisé que j'avais oublié le drapeau vert d'Anna. J'ai couru le chercher, ce qui s'est révélé être une bonne idée. Après la troisième barricade, la jauge de température a oscillé vers le rouge. Nous n'avons pas attendu que la voiture fume pour nous arrêter. Telles deux femmes qui savent tirer parti de leurs erreurs, nous avons laissé le moteur refroidir, puis nous avons rempli le radiateur avec le gros jerricane d'eau que nous avions pris soin d'emporter. Comme la dernière fois, nous avons étalé notre tissu sur le bas-côté, mais cette fois nous avions le bébé. Je suis allée chercher le drapeau dans la voiture. Nous avons planté trois bâtons dans la terre, puis étendu le drapeau dessus. Nous avons allongé le bébé entre nous, sur le tissu, le drapeau vert et blanc de l'unité nationale en ciel de lit.

Comme nous étions assises là, Isabel m'a dit qu'elle respectait le travail de mon frère — pas seulement sa musique, mais ses écrits. Elle a créé un site Internet, l'a relié à divers sites d'informations : les articles d'Omar sont désormais disponibles dans le cyberespace dès qu'ils paraissent dans la presse.

Le Caire, le 26 octobre 1911
Pour exprimer les choses de façon simple, l'Orient suscite l'intérêt de l'Occident sur deux plans :

1. Économique : l'Europe a besoin de matières premières pour ses industries, de marchés pour ses produits, de travail pour ses citoyens. Dans les pays arabes, elle a pu satisfaire à ces trois besoins.

2. Religieux, historique : l'Europe éprouve une fascina-

tion romantique pour la Terre sainte, terre fabuleuse, terre des Écritures et des anciens.

L'Européen conserve cette attraction pour l'Orient tant qu'il reste chez lui. Lorsqu'il vient en Orient, il découvre que ces pays sont habités par des hommes qu'il ne comprend pas, voire qu'il n'apprécie pas. Quels choix a-t-il ? Il peut rester et tenter d'ignorer ces gens. Il peut essayer de les changer. Il peut partir. Il peut aussi s'efforcer de les comprendre.

Évident, pense Charif Pacha, en reposant sa plume. Si évident que cela est presque inutile de le dire. Cependant, Anna n'est pas de cet avis. Lorsqu'elle voit une injustice, elle n'a de cesse de la réparer. Et puis, elle voudrait qu'il soit heureux. Pas seulement heureux avec elle, mais heureux en général. Elle pense que l'ombre qui pèse sur leur vie commune se dissipera un jour. Elle a confiance en l'opinion publique. Si l'on montre la réalité aux gens, si on leur fait prendre conscience des choses, les torts seront réparés, l'histoire prendra un autre cours.

Qui a jamais opté pour les deux dernières solutions — des solutions inoffensives — hormis des individus isolés ? Les deux premières options, lorsqu'elles s'appliquent à des populations importantes et qu'elles sont d'essence colonialiste, sont infiniment dommageables.

Examinons la première option. Plus le colonialiste veut ignorer les autochtones, nier leur existence, plus il revendique des liens religieux ou historiques avec le pays. C'est ce à quoi nous assistons actuellement avec l'entreprise sioniste en Palestine. Je dis sioniste et non juive, car les juifs qui voient clair dans le projet sioniste — et ils sont nombreux — se donnent beaucoup de mal non seulement pour s'en dissocier, mais pour prévenir contre lui leurs camarades. Ils ont d'ailleurs payé le prix pour cela.

Pour ce qui est de la deuxième option, l'Européen romantique peut se prêter à une entreprise colonialiste sans trop craindre sa conscience — je pense à l'emprise étrangère sur l'Égypte, depuis trente ans, dont seront bientôt victimes le Maroc et la Libye. L'Européen invoque la tâche qui lui incombe d'aider les nations « primitives » à développer leur potentiel, de les civiliser. Il se voit dans le rôle du réformateur, du sauveur, et ce rôle lui plaît. Il se sent le droit de « maintenir la paix », de soutenir le souverain légitime, d'« assurer la sauvegarde de la minorité religieuse », ou des Européens.

Vient ensuite une espèce d'attachement au pays : l'Européen a une meilleure image de lui en Orient que chez lui, parmi ses pairs. Certains aspects de sa personnalité, réprimés dans sa patrie, s'expriment librement ici.

Ainsi, les ambitions commerciales de l'Europe en Orient sont-elles un bon exutoire aux sentiments qu'elle nourrit depuis toujours à l'égard de nos pays.

Vu sous cet angle, chaque question trouve sa réponse, tout s'enchaîne logiquement : les traités entre les gouvernements, leur donnant les coudées franches dans les pays d'Orient. L'agression de la France contre le Maroc, celle de l'Italie contre la Libye. La politique déterminée par les intérêts financiers, dans le projet de déportation des Palestiniens et de création — au cœur des pays arabes — d'un État ami avec l'Europe, européen en substance, à tendance colonialiste. L'Europe ignore les populations des pays qu'elle veut annexer, ou bien elle les voit comme des peuples arriérés, irresponsables, enclins au fanatisme religieux. Des peuples dont les pays — ces terres sacrées et pittoresques de l'Orient — sont trop bien pour eux.

Et nous, Orientaux, quelle est notre responsabilité dans tout ça ? Nous, Égyptiens, sommes fiers de notre histoire, fiers d'être les fils d'une terre qui fut le berceau de la civilisation. Avec le temps, elle a cédé sa suprématie à la Grèce, puis à Rome. Après quoi, les pays musulmans ont dominé la région, jusqu'au XVIIe siècle, quand l'Europe a pris le pouvoir. Ces cent dernières années, nous avons tenté de trouver notre place dans le monde moderne. Or l'Europe a étouffé nos tentatives d'exister, qui menaçaient ses intérêts.

Certains d'entre nous, impressionnés par la puissance et le génie technologique de l'Europe, n'ont pas bougé, comme un homme fasciné par le revolver qu'on braque sur lui pour le tuer.

Et nous sommes restés les mains liées par la présence sur nos terres d'un maître impérieux plus ancien : le Turc ottoman. Les puissances européennes profitèrent de la faiblesse des Turcs et des turbulences affectant les pays qui tentaient de s'en libérer pour venir régner sur nos terres.

Les colonialistes répondront — s'ils répondent — que cet article ne reflète pas l'opinion générale. Ils taxeront son auteur d'anglophilie, de francophilie, ou de « philie » je ne sais quoi, ils diront qu'il n'est pas représentatif de son peuple. À cela je rétorquerai que maints Égyptiens pensent et parlent comme moi. Ces hommes et ces femmes ont la même relation avec les fellahs d'Égypte et des pays arabes, que vos membres honorables avec les fermiers du Somerset ou les ouvriers de Sheffield qu'ils représentent dans votre Parlement.

S'il y a en nous une part de culture occidentale, elle aura été acquise en visitant vos pays, en étudiant dans vos institutions, en nous ouvrant à vos connaissances. Nous avons puisé dans votre culture des éléments en harmonie avec notre histoire, nos traditions, nos aspirations, ce qui est un commerce légitime entre nations.

Nous n'espérons plus qu'une chose : que les hommes du monde arrivent au même niveau de conscience, du moins ceux qui comprennent le sens de ce vœu. Il est difficile de voir comment on pourrait atteindre à une telle unité spirituelle. Mais c'est dans ce dessein que ce texte a été écrit.

Le Caire, le 2 août 1998

— Je suis sérieuse, dit Isabel, en mettant le petit Charif contre son épaule et en lui tapotant le dos. Le potentiel d'Internet est incroyable. Regarde tous ces groupes d'action et d'information. La rapidité avec laquelle tu peux obtenir n'importe quel renseignement. L'absence de contrôle. Tu as vu tous ces messages de soutien aux civils iraquiens !

Le bébé rote. Elle se détourne un instant pour embrasser sa tête.

Le Caire, le 28 octobre 1911

Charif Pacha glisse la traduction d'Anna dans une enveloppe, la cachette. Elle sera expédiée à Barrington demain. Son texte paraîtra en arabe dans *al-Ahram*, sous forme de lettre au journal. Anton al-Djmaïl y veillera. L'article sera publié en français dans *Le Temps*, avec ceux de Ginsberg et de Blunt. Charif Pacha se lève, repousse la chaise, s'étire. Anna lève les yeux de son livre.

— Ça va ? demande-t-elle.

— Oui.

— Tu n'es pas censé connaître l'anglais, mais tu lis toujours mes traductions !

Il sourit, hausse les épaules.

— Une vieille habitude, dit-il. J'aime lire ce qui va paraître sous mon nom.

— Tu penses que je pourrais trahir ta pensée ? s'enquiert-elle, avec un sourire malicieux.

— Uniquement en partant d'un bon sentiment. Je suis avocat, après tout.

Il s'assoit lourdement sur le sofa, à côté d'elle. Il regarde la couverture de son livre.

— Tu relis *Guerre et Paix* ?

— Je relis toujours mes livres préférés, répond-elle en reposant son Tolstoï. On y voit davantage de choses à la deuxième lecture.

— Dommage que l'on ne puisse pas faire ça dans la vie.

— Que changerais-tu ?

Son visage s'assombrit un instant, puis il répond, d'un ton léger :

— Je me dirigerais vers toi, au Costanzi, et je te dirais : « Vous ne le savez pas encore, mais vous êtes amoureuse de moi. »

Anna rit et lui prend la main.

— Nous aurions eu quatorze mois de plus ensemble !

— Ou bien tu m'aurais fui, et nous ne serions pas ici aujourd'hui.

Il tire une mèche de cheveux blonds du chignon d'Anna, la tripote, la relâche.

— Cette histoire devait exister. À quoi aurait ressemblé notre vie, sinon ? Notre amour durera toujours.

— Amen, dit-il, en lui souriant.

— C'est ce que dit toujours Mabrouka, remarque Anna, mais elle dit « Amin ». C'est arabe ?

— Oui, répond Charif Pacha, en caressant le cou laiteux, la peau douce derrière l'oreille.

— Quand j'étais petite, je me demandais toujours ce que ça voulait dire.

— *Amn'* signifie sécurité, sûreté, *'amana'* veut dire croire, ne plus avoir de doute. Quand une personne dit quelque chose, et que tu lui réponds « Amin », ça implique que tu crois ce qu'elle a dit, et que tu espères que cela va rester vrai longtemps.

— Je t'aime quand tu m'expliques des choses avec sérieux !

— Tu n'écoutais pas.

— Si ! Mais je me disais aussi que tu es trop mignon.

— Mignon, oui. C'est tout à fait ça. Anna, tu dis n'importe quoi !

— Tu sais, quand Nour est sérieuse, elle te ressemble trait pour trait.

— C'est « toi » que je vois quand je la regarde. C'est une si jolie petite fille. Ces yeux, Anna, ces yeux !

Il attire sa femme contre lui, l'embrasse, il a cette impression familière, miraculeuse dans sa constance, d'entendre une musique lointaine, qui se rapproche, encore et encore, comme Anna renverse la tête en arrière et murmure :

— On va dans la chambre ?

— Oui, oui. Mais je vais d'abord voir si tout va bien chez mon père. Attends-moi au lit.

Il se lève, la met sur ses pieds, et l'envoie vers la porte en lui tapotant les fesses. Après quoi il sort dans la cour froide.

29.

« Perche, perche, Signore,
Perche me ne rimuneri cosi ? »

La Tosca.

Le Caire, le 8 août 1998

Mon frère donne un concert à Sarajevo, dans les ruines de la Bibliothèque nationale. J'ai vu des photos du bâtiment détruit : le haut plafond, les étages médians écroulés, les colonnes de marbre qui s'élèvent au bord de l'abysse pour soutenir les arches carbonisées, et les cendres de milliers de livres ottomans partis en fumée. Et, au milieu de tout cela, je vois mon frère, concentré. La lune et les étoiles l'éclairent. Il a les bras levés, sa baguette est en équilibre entre ses doigts. Un petit mouvement du poignet, les bras qui s'ouvrent, et la musique s'élève, comme une voix sublime, du cœur de la terre.

Il devrait arriver dans deux semaines. J'ai recopié pour lui l'article de Charif Pacha. Je vais lui suggérer de le republier sous son nom, après avoir apporté quelques modifications. Il franchira le seuil de ma maison et je le serrerai très fort dans mes bras. Il enlacera Charif. Il sera tendre, intimidé, il se moquera de lui-même. Aurai-je fini l'histoire d'Anna à son arrivée ? Maintenant que j'approche de la fin, je ralentis l'allure : je n'ai pas envie de voir cette histoire finir.

Isabel a apporté la tapisserie d'Omar. Nous l'avons déroulée, puis accrochée sur la dernière étagère de la bibliothèque. Isis, mère de tous les rois, est assise avec un maintien royal, la couronne à corne de vache et le disque solaire de Râ sur la tête. Elle a un bras tendu mais pas de main. Isabel est ravie d'avoir amené la déesse — dont elle porte le nom — de chez Omar jusque chez moi.

— N'est-ce pas un signe ? dit-elle, en riant. Je t'avais dit que c'était écrit !

— Je croyais que tu étais rationnelle, plaisanté-je.

— Je le suis.

— Et ton millénaire ?

Je la regarde étaler une pommade apaisante sur les gencives de Charif.

— Il aura deux ans, s'exclame-t-elle. Tu imagines ? Deux ans en l'an deux mille.

— Je t'ai trouvé quelque chose pour ton article, Écoute : « Si nous pouvions réduire la population de la terre à cent habitants, en respectant les proportions actuelles cela donnerait : 57 Asiatiques, 21 Européens, 14 Américains (nord et sud confondus) et 8 Africains. Quatre-vingts d'entre eux vivraient en deçà du seuil de pauvreté. Soixante-dix ne sauraient pas lire. La moitié de cette population souffrirait de malnutrition. Cinquante pour cent des richesses du monde seraient entre les mains de six personnes. Et tous les six seraient des citoyens des États-Unis d'Amérique. »

Isabel fixe une couche à la taille de Charif.

— C'est incroyable ! s'écrie-t-elle.

— Tu vas faire ta thèse ?

— Bien sûr que oui.

— Tu as une date limite de remise des travaux ?

— Oh Amal ! commence-t-elle, puis elle s'interrompt. Je t'ai acheté un livre. Comment ai-je pu l'oublier ? Je l'ai trouvé chez un soldeur. C'est un ouvrage sur ton M. Boyle.

Boyle au Caire (publié par Titus Wilson & Fils 28, Highgate, Kendal, 1965) est la biographie de Harry Boyle par sa femme, Clara. Isabel est ravie : elle me voit examiner la photo de Boyle, fascinée. Boyle qui ressemble trait pour trait à l'homme que j'avais imaginé : une longue moustache mal taillée, un col fripé. Il y a même une photo de Toti.

Le Caire
Le 31 octobre 1911
Cher sir Charles,
J'ai su par James Barrington que vous avez été malade. C'est très vilain de votre part de ne pas me l'avoir dit vous-même. J'ai-

merais tant venir vous voir ! Mon mari m'incite à le faire. Il parle de voyager en Europe, d'offrir à Nour son premier vrai Noël. J'admets que cette idée me séduit, mais dès que j'y pense, j'éprouve une espèce de malaise, je ne saurais dire pourquoi.

Demandez à M. Winthrop de préparer une liste des herbes médicinales dont il pourrait avoir besoin. Si nous venons pour Noël, je les lui apporterai. Sinon, je trouverai quelqu'un pour le faire : Mme Butcher, peut-être, ou l'un de nos invités d'Helmeyah.

Al-Ahram a publié un article de mon mari, qui donne sa vision des relations actuelles entre l'Orient et l'Occident. Ce texte devrait bientôt paraître en anglais et en français, avec des articles de M. Blunt et du Dr Ginsberg, et j'ai bon espoir qu'il fera impression sur l'opinion publique. Nour est devenue une si jolie petite fille ! Je retrouve beaucoup de Laïla en elle. Dans sa vivacité, sa franchise, sa promptitude à rire. Cependant, quand elle est songeuse, elle me fait penser à son père.

Le Caire, le 10 août 1998

Le repasseur arrive avec notre linge impeccable, sous l'œil vigilant de Tahiyya et de deux de ses enfants. Au moment où je sors mon porte-monnaie pour le régler, l'aînée des enfants, une petite fille, déclare, timidement :

— Vous avez des images des pharaons.

Elle montre du doigt les deux tapisseries d'Anna, accrochées à la bibliothèque.

— Oui, dis-je. Tu sais qui ils sont ?

— Isis et Osiris, répond l'enfant.

Sa mère se met une main devant la bouche et éclate de rire.

— Bravo, dis-je. Tu as appris ça à l'école ?

L'enfant acquiesce d'un hochement de tête et se réfugie dans la jupe de sa mère.

— Elle est très intelligente, dit Tahiyya, mais elle est méchante comme le Jinn.

— Elle n'a pas l'air méchant, remarqué-je.

— C'est parce que vous l'intimidez.

Isabel sort de sa chambre, son bébé dans les bras.

— Qui est un Jinn ? demande-t-elle.

— Celle-ci, répond Tahiyya, en désignant l'enfant d'un

geste. Donnez-le-moi, *ya sett* Isa ! Laissez-moi le porter un peu.

— Vous êtes en manque d'enfants ? lui dis-je, comme Isabel lui tend le bébé.

Tahiyya le berce. Charif gazouille et rit.

— J'avais un nouveau radical pour toi, m'annonce Isabel. Je voulais te poser la question et j'ai oublié : *j/n*.

— Dis-moi.

— Eh bien, *jinn* est un esprit, *janin* un fœtus, et *jinan* veut dire folie. Quel est le lien ?

— On va regarder.

Je prends le *al-Mou'jam al-Ouasit* sur l'étagère, rangé entre Isis et Osiris. La petite fille de Tahiyya remarque :

— Pourquoi tu les as mis si loin l'un de l'autre ? Ils n'étaient pas mariés ?

— Il en manque une partie, dis-je. Le panneau du milieu.

— Ce doit être leur enfant, suggère Tahiyya.

— Oui, et cela compléterait la aya. Regardez.

Au-dessus de la tête d'Isis, est écrit : « C'est Lui qui ramène ». Osiris lui fait face, et au-dessus de lui il y a inscrit : « Les morts ».

— C'est Lui qui ramène les vivants de chez les morts, récité-je, de mémoire. Ce doit être le verset que Charif Pacha a choisi pour Anna.

— Mais c'étaient des infidèles, s'étonne Tahiyya. Ils connaissaient Dieu ?

— *Ya* Tahiyya, y a-t-il quelqu'un qui ne connaisse pas Dieu ?

— Exact, dit-elle. Exact, exact.

Elle en fait une chanson, tout en berçant le bébé. Je retourne à mon radical, mais le téléphone sonne et Isabel me prend le dictionnaire des mains. C'est Tareq Atiyyah.

— Tu t'es remise de ton voyage ? demande-t-il.

— Oui, merci.

— Et quelle impression ça fait d'avoir un bébé à la maison ?

— C'est merveilleux ! Surtout qu'on est deux pour s'en occuper.

— On est toujours deux, avec un bébé.

— Non, deux mamans ! Nous nous levons la nuit à tour de rôle.

— Tu as l'air en forme. Ça fait du bien, d'entendre une voix joyeuse au bout du fil.

— Omar arrive la semaine prochaine. Il est à Sarajevo. Ensuite, il ira à Amman. Après il vient au Caire.

— Il faut qu'on aille dîner tous les quatre, dit Tareq.

— Ce serait formidable.

— Amal ?

— Oui ?

— Quand les choses seront plus calmes et que tu seras un peu plus libre, je veux qu'on parle sérieusement.

— De quoi ?

— Tu ne le sais pas ?

— ...

— Amal ?

— Tareq, ce n'est pas moi qui ne suis pas libre.

— Il faudra que je te parle.

— O. K., si tu veux.

On peut parler, pensé-je, mais cela ne mènera nulle part. Je reviens à Isabel.

— Le lien, me dit-elle, c'est le fait d'être caché. Les *jinns* sont cachés, *janin* est un petit être caché...

— Et *jinan* ?

— Ça vient de *jounna*, celui qui cache son intelligence. Et *al-Jannah*, le paradis, l'endroit qu'on ne voit pas.

— Bien sûr ! je m'écrie. Et puis il y a *jounaynah*, le jardin, un petit paradis !

— C'est trop parfait.

— Oui, mais *jound*, les soldats, et *janoub*, le Sud, qu'est-ce qu'on en fait ?

L'interphone grésille.

— Madani a besoin de moi en bas, dit Tahiyya.

Elle récupère ses enfants, me tend le bébé.

— Vous voulez quelque chose ? demande-t-elle.

— Que Dieu vous garde, dis-je, en chœur, avec Isabel.

C'est moins facile de se remettre à l'histoire d'Anna depuis qu'Isabel et Charif sont là. Ou est-ce que je m'abrite derrière ce prétexte pour ne pas arriver à la fin ?

Le Caire, le 12 août 1998

Isabel a emmené Charif chez Ramzi Youssouf et sa
femme. Je feuillette le livre de Clara Boyle, je regarde les photos, je pioche des paragraphes ou des phrases au hasard. Soudain, une phrase m'arrête : « Comment peut-on arriver à la
planète Souad ? »

Une heure plus tard, je suis assise à ma table, le livre posé
à côté de la fausse lettre arabe que James Barrington envoya
à Anna en 1906. Je suis folle de rage. Comme j'aimerais pouvoir le lui dire ! Je relis encore une fois les pages que Clara
Boyle a écrites en 1965 :

> « Vers 1906, lord Cromer fut en désaccord avec le Foreign
> Office à propos d'une question politique en Égypte. Lord Cro-
> mer avait envoyé à Londres une dépêche, restée sans effet.
>
> En dernier ressort, Harry leur soumit un document censé
> illustrer la façon de penser des Arabes. Ce texte était supposé
> être la traduction d'une lettre qui lui était parvenue par des
> voies secrètes — c'est ainsi qu'il présenta les choses au Foreign
> Office. Lord Cromer était le seul à connaître la vérité — à
> savoir que Harry Boyle avait écrit la lettre lui-même. À
> l'époque, une telle lettre eût très bien pu lui tomber entre les
> mains. Aussi il n'hésita pas, pour affirmer son point de vue, à
> mettre à profit sa connaissance des Orientaux. Son propos
> visait à éclaircir la situation et ne pouvait que servir l'Égypte.
>
> Le document original, laborieusement dactylographié par
> Harry avec deux doigts, est toujours en ma possession. On
> retrouve là tout le pittoresque, toutes les exagérations du lan-
> gage oriental, transposé en anglais tout aussi pittoresque...
>
> Cette lettre était comme une mise en garde au Foreign
> Office : qu'ils voient le mécontentement du peuple et des
> notables égyptiens. Elle était censée annoncer un soulèvement
> national imminent, et donner tous les détails le concernant :
> date prévue, moyens d'attaque, forces en présence. Chaque
> phrase, chaque mot, étaient à double sens. Harry a dû bien
> s'amuser à l'écrire. Quoi qu'il en soit, il resta fidèle à l'esprit
> des temps. Lord Cromer fut très content d'avoir une lettre qui
> lui permettrait de faire entendre son opinion. Il l'envoya au
> Foreign Office, en prétendant qu'il la tenait de Harry, qui lui-
> même l'avait obtenue par l'un de ses espions. »

Encore une fois, je compare la lettre citée dans le livre à celle qui se trouve sur ma table. Elles correspondent, mot pour mot ! Demain, sans doute éprouverai-je un sentiment de triomphe. Mais à présent, je ne souhaite qu'une chose : pouvoir courir jusqu'à lui, dans le passé, lui montrer le livre et lui crier : « Regarde ! Tu avais raison ! »

Le Caire, le 15 août 1998

Charif est agité. Je le prends dans mes bras et je fais les cent pas avec lui : nous passons devant le balcon, devant la bibliothèque, la tapisserie, le buffet. Nous allons jusqu'au miroir sur le mur du fond, puis nous revenons. Et je pense toujours à la lettre de Harry Boyle. À l'arrogance de sa femme, non pas en des temps lointains et oubliés, mais dans les années soixante, alors que j'étais déjà née. Clara persuadée que Harry Boyle avait réellement montré le fonctionnement de l'esprit arabe, de « mon » esprit. Je fais des allers et retours dans la pièce avec le bébé. Son poids, contre ma poitrine, m'apaise, son souffle dans mon cou me réconforte. Les événements de Denchouai auraient-ils eu lieu, si Enoch n'avait pas écrit sa lettre, si son lord ne l'avait pas envoyée ? Est-ce la raison pour laquelle Cromer a quitté l'Égypte juste avant le procès — après s'être assuré du bon fonctionnement des potences ? Tous les officiels britanniques du Caire ont dû croire à un soulèvement imminent. Seuls Cromer et Boyle connaissaient la vérité. Aussi Cromer laisse-t-il Matchell, de Mansfeld Finlay, Hayter, Bond et Ludlow s'arranger de ce qu'ils croiront être les prémices d'une révolte. Il espère qu'à son retour de congé, les remous nés depuis l'Entente, depuis Taba, seront matés, et qu'il rentrera, une fois de plus, comme « l'ami du fellah ». Or cela n'avait pas marché : il avait perdu l'Égypte. Est-ce pour cette raison qu'il n'a pas mentionné le drame de Denchouai dans le livre en deux volumes qu'il publia en 1908, ouvrage pourtant très détaillé sur son règne égyptien ?

Quant aux Égyptiens, Fat'hi Zaghlil fut promu sous-secrétaire au ministère de la Justice après le procès, mais se vit conspué en tous lieux. Ibrahim al-Helbaoui passa le restant de ses jours à tenter de racheter son indignité — les portraits de lui après l'affaire sont ceux d'un homme hagard. Et Boutros Ghali a payé de sa vie.

Charif s'est endormi dans mes bras, mais je n'ai pas envie de le mettre au lit. Est-ce que tout cela a encore une importance ? Quatre-vingt-dix ans après que Boyle eut écrit sa lettre, trente ans après que sa veuve eut fait ses commentaires ? Anna eût éprouvé une colère extrême.

Isabel entre dans la pièce. Elle porte un peignoir rose, elle frotte ses cheveux mouillés avec une serviette. Elle met la serviette autour de son cou, rejette ses cheveux en arrière et nous voit.

— Oh ! s'écrie-t-elle. Je vais vous prendre en photo ! Tu sais que je n'ai pas photographié une seule fois Charif. J'ai laissé mon appareil ici. Mais vous êtes si mignons tous les deux ! Continue à marcher avec lui. Je vais chercher l'appareil.

Elle court vers sa chambre, puis revient avec son sac, l'air perplexe.

— Amal, qu'est-ce que c'est que ça ? Regarde. C'était dans mon sac !

Un long ballot de tissu enveloppé dans de la mousseline pend sur un côté du sac. J'en ai déjà vu un semblable. Je sais ce que c'est avant de l'ouvrir. J'en dénoue les extrémités maladroitement, d'une main, tout en tenant le bébé endormi contre moi. Nous déroulons le tissu : une odeur de fleur d'oranger se répand dans la pièce. Apparaît le petit Horus, nu. Il a encore sa tête d'humain sur laquelle est posée la main d'Isis, sa mère. Au-dessus de lui, deux mots : « *'al-hayy min* », les vivants de chez...

Le 5 novembre 1911

Charif Pacha tient un chapelet dans sa main droite. De la gauche, il feuillette un tas de papiers, posés sur une petite bibliothèque, dans le bureau d'Ismaïl Sabri.

— Je vois que ça t'intéresse, ya Pacha, dit Ismaïl Sabri.

L'homme est assis dans un fauteuil capitonné, une couverture à carreaux beiges et bleu pâle sur les genoux.

— Nous savons si peu de chose sur eux, dit Charif Pacha. Il y a des années, à l'époque de Mariette Pacha, je voulais faire des fouilles.

Il se retourne pour sourire à son ami.

— Tu iras peut-être, dit Ismaïl Sabri, qui lui rend son sourire. Tu envisages de te retirer, paraît-il.

Charif Pacha, qui s'est retourné vers les photos, se raidit.

— Et de qui tiens-tu cela ? demande-t-il, d'un ton léger.

Il rassemble les photos, en fait une pile bien nette.

— Les gens parlent, répond Ismaïl Sabri, les yeux posés sur le dos de son vieil ami. C'est vrai ?

— Tu m'en veux ?

Ismaïl Sabri secoue la tête en signe de dénégation.

— Je voulais te le conseiller, mais je pensais que tu ne m'écouterais pas. J'ai cru que tu dirais : « Il est devenu vieux et frileux. »

— Tu voulais me le conseiller ? s'étonne Charif Pacha. Pourquoi ?

Ismaïl Sabri a un petit hochement de tête.

— Tu étais trop seul. Surtout ces dernières années. J'ai eu le sentiment que...

La porte s'ouvre à la volée. Yacoub Artin Pacha se précipite dans le bureau, un sufragi sur ses talons. Le serviteur est confus de n'avoir pas eu le temps d'annoncer le visiteur.

— Regarde ! dit Yacoub Pacha en agitant son journal : « Remous dans les Balkans : la Turquie a besoin d'argent pour ramener l'ordre. »

— Yacoub Pacha ! s'exclame Ismaïl Pacha en lui tendant la main. Tu m'excuseras.

— Tu n'as pas à t'excuser, mon frère, dit Yacoub Artin.

Il serre la main d'Ismaïl Sabri, assis dans son fauteuil, puis il s'avance vers Charif Pacha. Le sufragi sort de la pièce sans bruit, referme la porte derrière lui.

— Tu as regardé les portraits de nos ancêtres, dit Yacoub Pacha, en jetant un coup d'œil à la pile de photos, à côté de Charif Pacha. Notre ami le poète ici présent insiste pour que j'enseigne l'histoire des pharaons dans nos écoles. Qu'en penses-tu ?

— C'est une bonne idée, approuve Charif Pacha.

— Cependant, on ne sait pas grand-chose sur eux, souligne Yacoub Artin.

— On en sait assez pour des écoliers, remarque Ismaïl Sabri.

— Ce serait intéressant d'en apprendre plus, dit Charif Pacha.

— Ah ! La magie du passé, soupire Yacoub Artin, en s'asseyant lourdement dans un fauteuil face à Ismaïl Sabri. C'est tellement plus attrayant que le présent !

Il jette son journal sur la table, entre lui et son hôte.

— Les Turcs vont perpétrer de nouveaux massacres et emprunter encore de l'argent aux Européens pour les financer.

— Nous courons tout droit à la guerre, renchérit Ismaïl Pacha Sabri. Une grande guerre.

— « Ils » se préparent une grande guerre, rectifie Charif Pacha, debout devant la bibliothèque. Pas nous.

— Mais nous allons souffrir, insiste Ismaïl Sabri.

— Nous souffrons dans tous les cas.

— C'est vrai, mon ami, dit Yacoub Pacha. Mais depuis quand es-tu si fataliste ?

Charif Pacha hausse les épaules.

— Je vais m'installer quelque temps à Tawasi, dit-il. Pour l'hiver. Je veux voir les temples. Je veux emmener ma famille à Louxor, dans la Vallée des rois.

— J'aimerais pouvoir venir avec vous, soupire Ismaïl Sabri.

— Viens, propose Charif Pacha, simplement. Nous nous occuperons de toi.

Pourquoi ne voyageraient-ils pas ? Ne ralentiraient-ils pas la cadence ? Ne profiteraient-ils pas de la vie ? Ils pourraient emmener Ahmad et Mahrous. Ce serait instructif pour les enfants. Laïla et Hosni tiendraient compagnie aux vieux parents. Et puis sa mère peut venir à Tawasi quand elle veut. Il installera Sabir et sa famille dans la maison. Kitchener le déteste encore plus que Cromer, lui dit son serviteur. Pourtant, il ne l'a jamais rencontré. Il fut un temps où Charif Pacha aurait trouvé là une certaine satisfaction. Aujourd'hui, ça le laisse indifférent. Mohammad Abdou est mort, Qasim Amin est mort. Orabi est mort. Même le jeune Mustafa Kamil n'est plus de ce monde. Il est mort dans de grandes souffrances, d'un cancer de l'estomac. Et tout cela pour quoi ? Un combat de lilliputien, dans un monde qui va à pas de géant.

Charif Pacha arpente le jardin d'Helmeyah. Ils se sont construit une vie, une belle vie, même si la politique l'assombrit. Peut-être est-ce le moment de reprendre une vraie liberté. Et s'il emmenait Anna en Europe cet été ? Même si la pensée de l'Italie, de la France, lui soulève le cœur, il n'aura qu'à oublier la politique de ces pays. Anna et lui goûteront la musique, l'art, la gastronomie. Il pourrait aussi emmener sa femme en Palestine, lui montrer les oliveraies de son enfance, à Ein el-Mansi. Il prierait pour Mohammad Abdou à al-Aqsa. Ils pourraient même aller en Angleterre. Anna doit-elle se priver de retourner chez elle uniquement à cause des opinions politiques de son mari ? On les dévisagerait ? Qu'on les dévisage ! Il portera son tarbouche au parc ct ils baisscront les yeux. Elle lui montrera sa campagne, son quartier, les toiles de Lewis, à qui il doit de l'avoir rencontrée. Ils rendront visite à Blunt, à Barrington. Il pourrait s'entendre avec sir Charles. Anna aura le bonheur de voir jouer Nour dans les parcs où elle-même a joué, quand elle était petite. Cela ne sert de rien de déclarer le monde entier infréquentable. Charif Pacha s'arrête sous le sycomore dont les branches montent jusqu'au balcon de sa chambre. Il a vécu vingt ans seul dans cette maison. Et, aujourd'hui, elle est devenue leur lieu secret. L'endroit où ils reçoivent des hôtes étrangers. Après le départ des invités, elle vient avec lui sur le balcon, et il se souvient des nuits où il arpentait la terrasse, en manque d'elle, inquiet.

Il quitte la terrasse, traverse la maison à grands pas, va jusqu'à la porte d'entrée, où Sabir l'attend.

— Je vais rentrer, dit-il.

— Je vous accompagne, *ya Bacha*.

Ils sortent dans la rue, une voiture de louage s'arrête devant eux. Sabir essaie de remonter la capote, mais elle est coincée. Il grimpe sur le banc, à côté du cocher.

Charif Pacha s'appuie contre le dossier de son siège. Il sera rentré à temps pour le bain de Nour. Après quoi il dînera tranquillement avec Anna. Elle ne croit pas qu'une vie calme fera son bonheur, mais lui y croit. Après un combat de trente ans, il est prêt à se retirer. Et elle ? Sera-t-elle heureuse ? Elle a adopté l'Égypte, adopté sa cause. La seule femme au monde qui était faite pour lui, et Dieu la lui a envoyée. Il l'a fait kidnapper, et délivrer en sa maison. Charif Pacha sourit intérieurement : il revoit Anna dans le haramlek de sa mère, vêtue d'une chemise d'homme et d'un pantalon. Et s'ils retournaient dans le Sinaï ? Il lui montrerait les coraux, cette fois. Tout un monde sous la surface, on n'a qu'à mettre la tête sous l'eau et ouvrir les yeux. Elle aimerait ça. Anna... Il y a tant de choses qu'elle aime ! Les gens, les arbres, la peinture, la musique, la cuisine. Il émane de cette femme active une grande sérénité. Il lui arrive de la pénétrer, puis de rester couché contre elle, sans bouger. Il l'a prise dans la joie, dans la passion. Dans la tendresse, le chagrin, le désespoir. Elle est l'océan où il nage, le désert où il galope, les champs qu'il laboure.

— Allez un peu plus vite, voulez-vous ? dit-il au cocher.

Le 15 août 1998

C'est le soir. Je regarde les nouvelles à la télévision, quand Isabel entre dans le salon.

— Il dort, annonce-t-elle.

Je lui souris. Une nouvelle crise s'annonce entre l'Iraq et les États-Unis. Pas entre l'Iraq et les Nations unies.

— Amal, dit Isabel.

— Oui, répondis-je, en me tournant à moitié vers elle.

— Je sais comment la tapisserie est arrivée dans mon sac.

— Comment ?

— Elle l'y a mise.

Mon cœur descend d'un cran.

— Qui l'y a mise ? je demande, calmement.

— La femme dans la mosquée. *Om* Aya. Elle a mis la tapisserie dans mon sac.

Je la regarde, en colère. Je n'ai pas de meilleure explication à lui donner, mais je suis en colère.

— Tu ne me crois toujours pas ?

— Non, dis-je.

— Alors comment est-elle arrivée là, d'après toi ?

— Je ne sais pas, Isabel, mais je ne peux pas...

— Écoute. Je n'ai pas arrêté d'y repenser. J'ai failli oublier ce sac dans la mosquée. Je l'avais posé sur la banquette. Ouvert ! J'en suis sûre, parce que j'avais pris des photos, et que je ne l'avais pas refermé. Au moment où j'allais partir, elle m'a dit : « N'oubliez pas vos affaires. » Elle m'a tendu mon sac, et la fermeture Éclair était tirée !

— Et tu n'as pas eu l'impression que le sac était plus lourd ?

— Non, j'ai toujours trouvé ce sac très lourd.

— Et tu ne l'as plus rouvert ?

— Non. J'allais partir, je n'ai plus fait de photos. Et je l'ai laissé chez toi.

— Je ne sais pas. Je ne sais pas.

— Comment cette tapisserie aurait-elle pu se retrouver dans mon sac, sinon ? Et pourquoi mentirais-je ? Je pourrais tout aussi bien croire que c'est « toi » qui l'as mise là. Ce sac est ici depuis des mois.

— Ce n'est pas moi qui l'ai mise là, dis-je.

Nous restons assises en silence.

Je ne saurai jamais comment elle a deviné. J'ai entendu son hurlement avant le crissement des roues, les cris, les coups tambourinés à la porte. J'étais dans la cour. Juste avant, Anna et moi étions dans la chambre de Nour. Anna lui donnait toujours son bain avant de la coucher, comme le font les Anglais. Nour venait de sortir de la baignoire, toute chaude et rose. Elle ne voulait pas mettre son pyjama. Nous lui enlevions sa serviette blanche, et elle s'enroulait à nouveau dedans. Cela devint un jeu. Nous tirions sur les bords de la serviette et nous disions : « Qu'est-ce que c'est que ça ? Qu'est-ce qu'on a trouvé, là ? Un singe ? Une gazelle ? » Elle arrachait la serviette, et s'écriait, ravie : « C'est une fille, c'est une petite fille ! » Puis elle s'enroulait à nouveau dans la serviette. Puis elle a réclamé sa poupée. Nous l'avons cherchée, puis je me suis souvenue qu'elle avait joué avec dans la cour, l'après-midi même. Je suis allée la chercher. C'est pourquoi j'étais dans la cour. J'ai vu la poupée près de la fontaine. Je l'ai ramassée et j'ai entendu le cri d'Anna. Un cri déchirant qui a retenti dans toute la maison. Ça m'a fait froid dans le dos. Ahmad est sorti du jardin, affolé. « Non ! » hurlait-elle en anglais. Elle était sortie de la maison, elle courait dans la cour, en titubant. « Non, non... » Puis j'ai entendu du bruit, dehors : la voiture, des cris, des coups frappés à la porte. Je suis accourue. Anna tirait sur la lourde porte, Foudeil et Mirghani se sont précipités pour l'aider à l'ouvrir. Et les voix des hommes qui répétaient : « *el-Bacha, el-Bacha !* »

Trois hommes portaient mon frère. Un vieillard voûté les suivait, en clopinant, le tarbouche et la canne de mon frère à la main. Les chevaux frappaient le sol, hennissaient et se cabraient, livrés à eux-mêmes.

Ils le portèrent dans le salamlek. Anna s'accrochait à lui. Elle avait cessé de crier. « Non ! », gémissait-elle, en se raccrochant au bras d'Abeih. Elle refusait, repoussait, renvoyait ce malheur qui nous frappait.

— Chut, a-t-il dit.

Je l'entendis, et mes jambes mollirent. Il était vivant ! Une attaque, une crise cardiaque, mais il vivait, et il disait « chut ». Lorsqu'ils l'étendirent sur le divan, elle tomba à genoux à côté de lui. Il leva la main, la posa sur le cou d'Anna.

Je n'ai pas tout de suite compris ce qui s'était passé. Puis les hommes se sont reculés et j'ai vu les taches sur leurs vêtements. Je me suis précipitée vers lui. Nour est entrée dans la pièce d'un pas hésitant : elle avait entendu les cris de sa mère. Elle était toujours nue, elle traînait sa serviette derrière elle. Elle a vu son père sur le divan, ses yeux fermés. Elle a couru vers lui. La tache de sang s'élargissait, sur les coussins, sous mon frère, et j'ai arrêté Nour. « Je vais chercher Hosni Bey », m'a dit Mirghani. « Va chercher le docteur. Va chercher Milton Bey et Sa'd Bey el-Khadim. Vite ! » a supplié Anna. Elle s'est levée. Elle a déboutonné la chemise d'Abeih. « Tu peux te mettre sur le côté, mon amour ? Tu peux te tourner ? » Nour se tortilla pour sortir de mes bras. « Papa est blessé », lui ai-je dit. Elle embrassa le visage de son père, elle essaya d'arriver à la blessure. « Si j'embrasse ta blessure, ça va la faire partir ? » Il ouvrit les yeux. « Fais-moi un bisou sur la joue, *ya habibti*, et va mettre ton pyjama. » Foudeil avait apporté la trousse de secours et Anna sortait des bandages, des bouteilles, du coton. Comme ils le tournaient sur le côté, Abeih vit les bandes dans les mains d'Anna et lui dit : « Tu vas te bander les cheveux, encore une fois ? » Puis il a fermé les yeux. Elle a découpé sa chemise, lui a parlé tout le temps qu'elle nettoyait sa blessure, épongeait le sang avec du coton, pressait sa main sur la plaie. Je m'approchai. « Abeih ? » Il a ouvert les yeux : « Laïla ? Ils l'ont fait... Les chiens. Qui, *ya* Abeih ? Qui ? » Il a dit : « Ils sont nombreux ! Mais n'aie pas peur. Va chercher maman. Mets Nour au lit. Et occupe-toi de Sabir. » Sabir était blessé à l'épaule. Il s'était jeté devant mon frère pour le protéger des coups de feu.

Ma mère était au mariage de la fille cadette de Mustafa Pacha Fahmi. Je l'ai envoyé chercher. J'ai couché Nour et demandé à Hasna de rester avec elle. « Ton père va mieux, lui ai-je murmuré. Ta maman s'occupe de lui. Il a simplement besoin de dormir. » Je me suis appuyée au bras d'Ahmad pour descendre l'escalier, mais mon cœur s'affolait dans ma poitrine. Je ne pouvais respirer qu'à petites bouffées. J'ai mis de l'eau à bouillir. « C'est une blessure sans gravité, ai-je affirmé à Ahmad. Khalou est résistant et les médecins arrivent », mais la peur m'oppressait et mon cœur cognait comme un fou.

En arrivant au rez-de-chaussée, j'ai entendu des sabots frapper les pavés. Toute la nuit, des chevaux allaient galoper vers chez nous, repartir de chez nous au galop. Quand je suis entrée dans le salamlek, Milton Bey se précipitait au chevet de mon frère, ouvrait sa trousse.

Trois balles. Deux dans le ventre, une dans le dos. Milton Bey et Sa'd Bey dirent qu'ils devaient les extraire. Mirghani partit chercher l'eau bouillante à l'étage. Hosni arriva, ils allumèrent une lampe à alcool. Ils dirent que seuls Foudeil, Mirghani et Sabir allaient rester. Ahmad refusa de quitter le chevet de son oncle. Anna et moi sortîmes. Nous restâmes dans la cour. Nous priâmes. À son premier cri de douleur étouffé, Anna se jeta dans mes bras. Nous nous soutînmes l'une l'autre, accroupies près du mur, jusqu'à ce que Hosni vienne nous annoncer : « Ils ont fait tout ce qu'ils pouvaient. Ils vont attendre dehors, si vous voulez y aller. »

Milton Bey et Sa'd Bey ont veillé toute la nuit. Abeih a été un moment inconscient. Puis il est revenu à lui et il a parlé

à Hosni. Ensuite il m'a dit ce qu'un frère généreux et brave
dit à la sœur qui donnerait sa vie pour lui.
Après quoi il a parlé à Anna, qui était à genoux à son
chevet.

— Anna, écoute-moi.
— Je t'aime.
— Anna, écoute. Tu m'a rendu...
Il s'interrompt.
— Je t'en prie, ne parle pas. S'il te plaît, ne parle pas !
— Ne dis rien. Écoute-moi. Nous avons été heureux
ensemble, n'est-ce pas ?
— Oui, Oui. (Le oui s'étrangle dans sa gorge.)
— J'ai été si heureux avec toi, si heureux.
Elle lui embrasse les mains, frotte son front au creux de
son bras, se frotte contre lui.
— Je veux que tu vives ta vie.
— Je t'aime, je t'aime.
— Je sais. Chut. Il faut que tu sois courageuse, mainte-
nant. Pour Nour. Souviens-toi de ta promesse.
— Ma maison est ici.
— Ta maison « était » ici. À cause de moi. Je ne veux pas
qu'elle ait à se battre aussi dur que moi.
— Je veux rester.
— Non, Anna. Ce ne serait pas bien. Cela marchait uni-
quement à cause de moi.
— Tu es si arrogant.
Charif Pacha hausse un sourcil, la regarde. Elle glisse les
doigts dans les cheveux de son mari.
— S'il te plaît, supplie-t-elle. S'il te plaît, essaie.
— Élève-la... comme toi.
— Mon amour, ô mon amour, mon amour.

Notre mère entra dans la pièce, il leva les yeux sur elle.
— Maman ?
Elle se pencha vers lui, prit sa main.
— Charif. *Habibi. Ebni.* Que s'est-il passé ?
Il porta la main de sa mère à sa bouche.
— Prie pour moi, *ya Ommi.*

Il poussa un soupir, comme lorsqu'il s'asseyait dans l'entrée et enlevait ses bottes, après un long trajet à cheval, un jour de grande chaleur. Ma mère lui ferma les yeux, dit la *shadada* pour lui, puis s'effondra...

Le jour se lève sur une maison où résonnent les plaintes funèbres des femmes. Des voix désespérées : *ya habibi, ya habib, ya ebni ya habibi,* mon fils, mon frère, mon bien-aimé, *ya habibi, ya habibi.*

Quant à moi, je pense à lui cent fois, mille fois par jour. Je vais demander ça à Abeih, me dis-je, ou : Abeih rira quand il entendra ça. Je crois que c'est lui qui rentre, quand j'entends crisser les roues d'une voiture sur le gravier — puis je me souviens. Ahmad a porté le deuil de son oncle et beaucoup souffert du départ de Nour. Il voudrait aller étudier en Angleterre. Anna nous écrit souvent, elle ne parle que de sa fille. Elle peint. Elle s'occupe de son vieux parent, sir Charles. Et de son jardin.
Mon père est toujours dans son sanctuaire. Nous ignorons s'il comprend ce qui s'est passé. Ma mère parle peu et prie beaucoup, mais Ahmad et Mahrous arrivent encore à la faire sourire.
Mabrouka est devenue une vieille femme du jour au lendemain. Elle reste assise près de la porte de la mosquée, là où était le métier à tisser d'Anna. Elle marmonne à longueur de journée des passages du Coran, des incantations diverses. Le lendemain de la mort de mon frère, elle a roulé les trois panneaux de tapisserie dans trois sacs de mousseline. Elle m'en a donné un : « Pour Ahmad, a-t-elle dit, et ses enfants après lui. » Elle en a donné un autre à Anna, pour Nour. Je ne sais pas ce qu'elle a fait du troisième. Nous avons porté le métier à tisser dans la mosquée : mon père ne nous a pas laissées l'enlever. Parfois il s'assoit devant, il passe du fil de soie dedans, comme il voyait Anna le faire. Mais il n'a rien tissé.
Sabir a le cœur brisé. Il se reproche la mort de mon frère. Or il s'est jeté devant Abeih pour le protéger, il a été blessé à l'épaule. Que pouvait-il faire de plus ?
Hosni est adorable avec moi. Ils n'ont pas encore trouvé

les assassins de mon frère. Des fanatiques coptes, qui se seraient vengés de l'assassinat de Boutros Pacha ? Des fanatiques musulmans, parce qu'il défendait les droits des femmes, qu'il avait épousé Anna et portait sa photo, dans un médaillon, autour de son cou ? Des agents anglais, pour accentuer les divisions dans le pays et attirer l'anathème sur les coptes ? Le khédive, par simple haine — il ne risquerait pas de représailles : Kitchener devait se réjouir de la mort de mon frère. Des chefs d'État ? Autant de théories qu'on avance. Ma mère a cessé de les écouter. Avant de mourir, mon frère a exigé qu'on ne laisse personne tirer parti de sa mort.

Il va y avoir la guerre, me dit Hosni. Une occasion pour l'Égypte de se débarrasser des Anglais. Mon mari me pousse à organiser de nouvelles conférences pour les femmes, à l'université. À lancer un nouveau magazine. À convaincre Anna d'écrire pour nous, d'Angleterre. Abeih aurait voulu cela, dit-il.

El-Bacha. Mon frère. Parfois, j'ouvre les rideaux qui séparent le salamlek du reste de la maison, comme si j'allais le trouver là, comme si en l'attendant, en l'attendant longtemps, les grandes portes allaient s'ouvrir et qu'il allait paraître, tendre sa canne et son tarbouche à Mirghani, dresser la tête, écouter les bruits de la maison.

Mardi, deux Safar 1332 (30 décembre 1913)

UNE FIN

« Et je supplie les ténèbres :
Où es-tu, mon aimé ?
Pourquoi l'as-tu quittée,
Elle dont l'amour peut t'amener
Pas à pas, à ton désir ? »

Chanson, Égypte, 1300 avant J.-C.

Ainsi, il meurt. Amal, qui connaissait la fin, l'a pourtant aimé tout du long, comme Zeinab Hanem, Laïla, et Anna. Elle l'a pleuré comme s'il venait de mourir. Elle lit et relit les dernières phrases du journal d'Anna :

J'ai essayé, du mieux que j'ai pu, de lui expliquer. Mais Nour ne peut, ou ne veut pas comprendre et abandonner l'espoir de le revoir. Elle l'attend constamment.

Amal scrute la page suivante, elle voudrait qu'Anna ait écrit autre chose. Or il n'y a rien. Et les lettres d'Anna à Laïla, où sont-elles ? Et Nour, et Ahmad, et Mahrous, que fut leur vie, ces années-là ? Amal doit se résoudre à refermer le journal d'Anna. Elle classe les lettres et les coupures de journaux dans des dossiers, mais elle n'a pas le cœur de les remettre dans la malle. Elle les laisse sur sa table, devant la fenêtre. Son frère va vouloir les voir. Amal se rend au mausolée familial, dans la cité des morts pour une visite à Charif Pacha. Le vieux cheikh qui occupe les lieux récite Sour et Yasin spécialement pour lui.

Le Caire, le 21 août 1998
Il regarde Amal dans les yeux en sirotant son biberon. Il suce la tétine vite et fort, les mains refermées en deux petits poings. Lorsque la tétine se pince sous la pression, et qu'Amal la sort de sa bouche, il proteste et se tortille, le temps que la tétine se remplisse à nouveau d'air. Charif a un petit halète-ment avide, quand Amal la lui remet entre les lèvres. Il tire

sur la tétine cinq ou six fois, puis il s'arrête. Il repousse la tétine avec sa langue, détourne la tête. Il s'intéresse de nouveau à la lumière et aux ombres mouvantes. Amal le cale contre son épaule, lui tapote le dos. Elle fait le tour de la pièce avec lui en fredonnant, jusqu'à ce que deux grands rots leur annoncent à l'un et à l'autre que tout va bien.

Amal le reprend dans ses bras et le regarde. Il la fixe à son tour avec ses yeux noirs grands ouverts. « Quoi ? Tu ne veux pas retourner au lit tout de suite ? » Il tend une petite main. « Allons changer ta couche », dit Amal. Elle tient Charif serré contre elle, remonte le couloir, passe sans bruit devant la pièce où dort Isabel, entre dans sa propre chambre. Elle allonge le bébé sur le lit, plante un baiser sur chaque petite plante de pied : « O. K., fils d'Omar al-Ghamraoui. Ne t'avise pas de pisser sur mon lit. »

Elle va à la fenêtre avec le bébé. Elle tient Charif debout sur la table, qu'il puisse voir les étoiles. La lune est invisible. Demain, un croissant tout fin se lèvera dans le ciel, mais ce soir tout n'est que ténèbres. Le bébé frappe la table de ses pieds nus, écrase les lettres d'Anna, les journaux d'Anna. Il baisse les yeux. Amal suit son regard, pose le chat en bronze sur la paume de sa main, le chat assis dans une posture royale. « Cette statuette appartient à ton cousin, dit Amal à Charif. Tu ne le sais pas encore, mais tu as des cousins, un frère, et une sœur. Plein de gens qui vont tous beaucoup t'aimer. Ce chat est trop lourd, tu n'arriverais pas à le porter. » Elle écarte la statuette de la main tendue du bébé, la pose sous la table, où il ne la verra pas. Charif a remarqué un nouvel objet : le galet noir et brillant. « C'est ton papa qui m'a donné ça, dit Amal, en le lui montrant. Oui. Nous marchions sur la plage, il a trouvé ce galet, et il me l'a donné » La petite main se tend et touche le galet, mais les doigts glissent sur la surface brillante, lorsqu'il essaie de le saisir. Les petits pieds donnent des coups sur le bureau, les yeux noirs se lèvent vers Amal. « Il m'a donné beaucoup d'autres choses », lui chuchote-t-elle, en approchant son visage de celui du bébé, pour frotter gentiment son nez contre le sien. Elle le reprend dans ses bras, marche avec lui dans la pièce. « Il jouait avec moi quand j'étais petite, il m'a aidée dans les moments difficiles, il est mon meilleur ami, le meilleur frère qui soit, mon seul frère, et il est aussi ton papa. Il est courageux, séduisant, et il fait de la musique. » Amal chante doucement, tout en marchant et en berçant Charif : « De la musique magnifique/je te le dis/dans des jolies prairies où souffle le vent/de l'aube. »

Elle pose l'enfant endormi à la droite de sa mère, fait un rempart de l'autre côté avec un gros oreiller. Dans son sommeil, Isabel pose une main sur la jambe de Charif.

La lumière de la pharmacie inonde la chaussée. Des hommes déchargent des cartons d'une camionnette et les portent dans le nouveau supermarché. Au bout de la rue, la petite épicerie est encore ouverte. Les jeunes gens sont assis sur les voitures, les mains dans les poches. On entend la voix de Warda, les percussions et les castagnettes qui l'accompagnent : « J'ai cessé de t'aimer/De t'aimer/Alors pourquoi tu m'aimes/Reprends ton cœur/Oh, ton cœur/Et rends-moi ma liberté. »

Dans le salon, Amal ouvre le journal qu'elle n'a pas eu le temps de lire. Monica Lewinsky et sa robe bleue occupent deux pages. La partition du Soudan n'aura pas lieu. Allbright menace de prendre des mesures contre l'Iraq. On torture dans les prisons palestiniennes... Amal replie le journal, le jette dans la corbeille à papiers. « On se sent prisonnier d'une époque de violence. Que faire, sinon attendre que l'histoire suive son cours ? » Amal se passe la cassette audio que son frère a rapportée de Ramallah, s'étire sur le canapé, dans l'air brassé par le ventilateur, allume une cigarette.

> « J'ai un bateau
> Dans le port
> Et Dieu nous a oubliés
> Dans le port. »

Elles n'ont pas de nouvelles d'Omar depuis qu'il a quitté Amman. Dans la lumière douce de la lampe de bureau, le thé glacé à l'hibiscus a la couleur du sang. Omar restera-t-il assez longtemps pour lire l'histoire d'Anna ? Pour imaginer Anna avec Nour. Anna, sur le bateau qui la ramène en Angleterre. « L'enfant dort. Nour al-Hayah : lumière de ma vie... Elle l'attend constamment... » Et Laïla. Amal avait pleuré, en lisant les dernières pages de Laïla. Elle avait son mari et son fils, mais son frère, son bien-aimé Abeih Charif, lui avait été enlevé. Anna était rentrée dans son pays avec sa fille. Ont-elles toujours vécu en Angleterre ? Comment Nour a-t-elle rencontré son Français ? Ahmad et Nour se sont-ils revus ?

Anna a-t-elle décidé de tirer un trait sur l'Orient, ou bien est-ce la guerre qui a décidé pour elle, pour eux tous ? Et la vieille maison des Baroudi est retombée dans le silence. Est-ce qu'Omar voudra la voir ? Isabel désirerait sans doute l'y emmener.

> « Ma pipe à la main
> Une fourrure sur le dos
> Remplie d'argent,
> Remplie de billets. »

La tapisserie d'Anna, toujours en trois panneaux, est accrochée au mur, dans le cadre de fortune que lui a forgé Madani. Une fois de plus, Amal s'interroge sur le panneau du milieu — Horus. D'où avait-il resurgi ? Elle essaie de ne plus se poser la question. Isabel a été surprise de trouver cette tapisserie dans son sac. Amal en est sûre. Ou bien a-t-elle un doute ?

> « J'ai un bateau
> Et Dieu m'a oublié
> Dans le port
> Viens, petite fleur
> Viens avec moi. »

Amal a de l'intuition. De l'imagination. Mais y a-t-il une réponse à toutes les questions ? Qu'avait fait Mabrouka du troisième panneau de la tapisserie ? Elles n'ont pas encore dit à Omar qu'Horus a reparu. Le phénomène est trop étrange pour qu'on le mentionne au téléphone. Elles ont pensé lui faire la surprise : raccorder les trois panneaux, les accrocher au mur, pour qu'il les voie.

« Viens, petite fleur
Viens avec moi
Je te veux du bien
Mon cœur est serein. »

Quand va-t-il venir ? Quand va-t-il téléphoner ? Isabel n'est pas inquiète, mais elle ne le connaît pas depuis longtemps. Elle ne réalise pas qu'il est devenu très solitaire. Il a autant d'admirateurs que de détracteurs, mais il est fondamentalement solitaire. Où aurait-il pu finir, vivant où il vit, faisant ce qu'il fait, sinon dans ce no man's land entre l'est et l'ouest ? Pour elle, ç'a été différent, mais elle n'a pas eu une vie publique. Elle s'est concentrée sur ses fils, elle a traduit des romans — ou fait de son mieux pour les traduire. C'est si difficile, de passer fidèlement d'une langue à une autre, d'une culture à une autre. Presque impossible, en fait. Prenez le concept *tarab*, par exemple. Il faudra un paragraphe d'explications pour définir quelque chose d'aussi simple qu'un souffle, qu'une poitrine qui se soulève, *tarab, moutrib, chabb tereb, tarabatata tarabatati, Taroub, Jamal oua Taroub* : *manni mnillah*/j'ai désiré, *ou'estanni alayyah*/j'ai attendu, *iddilil'millah*/j'ai compté... Amal a failli s'endormir. Elle hésite à aller se coucher : le bébé ne va-t-il pas se réveiller et la faire se relever aussitôt ? Elle a hâte de voir Omar avec lui. S'inquiéter pour son frère est devenu une habitude, depuis quelques années. Elle s'inquiète, puis il appelle. Il appellera bientôt. Elle lève les yeux sur la tapisserie.

Demain, elles assembleront la tapisserie. Elles mettront le petit Charif en dessous, dans son siège. Il regardera la tapisserie, comme Nour, lorsqu'elle était bébé. Amal imagine Anna assise au soleil, devant son métier à tisser, le bébé dans son couffin, le vieux Baroudi Bey à côté d'elle, les yeux sur son chapelet. Charif Pacha s'arrête à l'entrée de la cour pour embrasser le tableau. Amal voit Anna détacher chaque panneau terminé du métier à tisser. Mabrouka en tient une extrémité, les deux femmes enroulent le tissu avec soin. Amal voit Charif Pacha gisant sur le divan, dans le salamlek, des mains tirent un linceul blanc sur lui, on entend les sanglots des hommes, les lamentations des femmes. Le cri du bébé jaillit dans la nuit. Amal bondit du sofa, sous l'effet d'une peur brutale.

— Omar ! s'écrie-t-elle. Mon frère... !

La malle, dont on a pillé le trésor, est restée contre le mur. Les journaux intimes, vidés de leurs secrets, sont sur la table. Les feuillets sur lesquels Amal a écrit l'histoire d'Anna et de Charif al-Baroudi forment une pile bien nette. Dans la chambre d'à côté, Isabel dort profondément. Amal remonte encore une fois le couloir avec Charif dans les bras. Elle le tient serré contre elle, elle lui tapote le dos. « Chut, mon trésor, chut », murmure-t-elle.

Liste des noms propres et substantifs

Cette liste n'est pas exhaustive, mais les noms propres qui n'apparaissent pas devraient être simples à orthographier.

Palais 'Abdine
Abd el Hamid
Ahmad al-Ghamraoui
Ahmad Loutfi al-Saïd
(*'Am*) Abou el-Ma'ati
'Amr (mosquée d')
'Amr Dïab
al-Garida
al-Liwa
Amal al-Ghamraoui
Anna Winterbourne
Antoun al-Djmaïl
Cattaoui Pacha
Edward Winterbourne
Ghazi Moukhtar Pacha (el/al)
Ghezirah (ancienne orthographe) Gezira (nouvelle
    orthographe)
Hada'iq Babel al-Mou'allaqah
Helmeyah
Hosni al-Ghamraoui
Isabel Parkman
Isma'il Pacha Sabri
Jalila Haneim al-'Asali
Jasmine Chirol Cabot
Jean-Marie Chirol

Jonathan Cabot
Khadra
Laïla al-Ghamraoui
Mabrouka
Mansour
Mariam al-Khalidi
Mirghani
Mou'allaqa
Mohammad Ali
Mustafa Bey al-Ghamraoui
Mustafa Kamil
Moutlaq
Nour al-Hayah al-Baroudi Chirol
Omar al-Ghamraoui
Qasim Amin
Palais Qoubba
Coran
Raïssa
Sabrin
Settena Mariam
Charif al-Baroudi
Cheikh 'Issa
Cheikh Mohammad Rachid Rida
Cheikh Bey al-'Asali
Tahiyya
Tal'aat Harb Basah
Tareq'Atiyya
Tawfiq Bey
Temple Gairdner
Om Aya
Valentin Cabot
Yacoub Artin Pacha
Yassou al-Messih
Zeinab al-Ghamraoui
Zeinab Fawwaz

Glossaire

Abeih : désigne un frère aîné ou un parent de sexe masculin, marque de respect. Mot turc. (Féminin : *Abla*.)

affandina (ou *effendis*), pluriel de *afandi* (*effendi* ou *efendi*) : un citadin cultivé (occidental) ; voir Pacha.

ahlan oua sahlan : (soyez le) bienvenu ; littéralement : « (vous êtes parmi) les vôtres (et sur) votre terre. »

akhti : ma sœur.

al- (et *el-*) : préfixe signifiant « le » ou « la ». *al-* est littéraire, *el-* est familier.

al-hamdou lillah ou *el-hamdou lillah* : merci mon Dieu.

alf mabrouk : mille félicitations.

Allahou Akbar : Dieu est le plus grand.

'am : oncle. Plus précisément le frère du père. Utilisé comme marque de respect à l'égard d'un homme âgé.

amrad : homme imberbe.

Aouqaf : pluriel de *ouaqf*, fondation ou société fiduciaire. La plupart des grandes institutions musulmanes d'Égypte — hôpitaux, écoles, bibliothèques, mosquées, etc. — sont des fondations ou *aouqaf*, sous la tutelle d'un ministère du même nom.

Aqsa : la mosquée d'Aqsa, à Jérusalem. Le troisième des lieux de culte les plus sacrés de l'Islam (après la Kaaba de Makkah et la mosquée du Prophète à Madinah).

aragoz : théâtre de marionnettes.

'arbagui : conducteur de charrette (désobligeant).

Ard, el- : *La Terre*, classique du cinéma égyptien, film de Youssef Chahine (1970), d'après le roman de 'Abd al-Rahman al-Charqaoui. Dans ce film, des paysans s'unissent à un chef religieux et à un avocat patriote pour protester contre des lois — injustes — sur l'irrigation.

'Asr : après-midi. Également le nom de la troisième des cinq prières du jour.

Aya : verset du Coran ; signe prouvant l'existence de Dieu ; prénom féminin.

Aywa : oui.

Azhari : diplômé d'al-Azhar, l'université religieuse du Caire, vieille de mille ans.

b'iftikarak... : Je pense à toi !

Bahawat : pluriel de Bey (voir *Pacha*).

balat el-Cham : (littéralement : dattes du Levant), pâtisserie sucrée.

baraka : bénédiction ou grâce.

barsim : plante de couleur verte semblable au trèfle. Utilisée pour nourrir le bétail, les ânes, et...

bass : Arrêtez ! Assez ! sans doute issu de l'italien *Basta* !

Bey : voir *Pacha*.

bravo'aleiha : bravo (à une personne de sexe féminin).

calendrier copte : les pires persécutions dont furent victimes les chrétiens en Égypte eurent lieu durant le règne de l'empereur romain Dioclétien. L'Église copte créa un nouveau calendrier à partir de l'année du sacre de cet empereur, en 284 après J.-C. : époque des Martyrs.

Chahada : le credo. « Je témoigne qu'il n'y a pas d'autre Dieu que Dieu et que Mohammad est son prophète. » De *chahada* : témoigner. C'est le premier des cinq dits essentiels de l'islam, et ce que dira un musulman in extremis, par exemple en mourant.

Cheikh el-Mestakhabbi, el : le Cheikh Caché (*kh/b/a* : disparaître — *kh/bb/a* : se cacher (transitif) — *makhba'* : cachette, abri antiaérien).

'Chobbeyk lobbeyk, Khaddamak beyn eidek' : première phrase du génie de la lampe, dans Aladin et la lampe merveilleuse. *'Lobbeyk* : variante de *l/b/a* : répondre. *Chobbeyk'* est là pour la rime, bien que ce soit aussi une variante de : « Qu'est-ce que tu as ? » en dialecte levantin. *'Khaddamak'* : votre serviteur, de *kh/d/m* : servir. *Beyn* : entre. *Eïdeik* : tes mains.

Chouaïah : un peu.

corvée : travail obligatoire — désigne les grands projets

nationaux, comme creuser le canal de Suez, mais également le fait de cultiver les terres des « pachas » ou des khédives.

courbache ou *kourbaj* : fouet. Généralement en peau de rhinocéros.

Dar al-Koutoub : la bibliothèque nationale d'Égypte.

Déclaration de Balfour : Arthur Balfour, ministre britannique des Affaires étrangères, en 1917 : « Le gouvernement de Sa Majesté est favorable à la création d'une nation pour les juifs de Palestine... »

Dönme : membre d'une secte syncrétiste — judéo-islamique.

ebn : fils.

ebni : mon fils.

el- et *al-* : préfixes signifiant « le » ou « la » ; *al* est littéraire, *el* est familier.

e'mma : turban.

etfaddal : allez-y, je vous en prie ; entrez, je vous en prie ; asseyez-vous, je vous en prie. Littéralement : faites [-moi] la faveur de (comme : *per favore*, en italien). Féminin : *etfaddali*.

faddane (ou *feddane*) : unité de mesure agraire utilisée en Égypte pour les terres cultivées. Équivalant à cinquante-deux ares.

Fadilatoukoum : façon de s'adresser à un cheikh qui a un pouvoir religieux. Synonyme de « Votre Grâce ». Littéralement : Votre Vertu, de *fadilah* : la vertu qui fait préférer *f/dd/l* une personne à une autre.

fallah ou *fellah* : paysan. Féminin : *fellaha*. Pluriel : *fellahin*.

fantasia : fantaziïa, façon exubérante d'exprimer sa joie de vivre (comme dans « qu'est-ce que c'est que cette fantaziïa », à propos d'une fillette qui porte des rubans de couleur dans les cheveux). Les voyageurs anglais utilisaient ce mot pour désigner une démonstration équestre chez les Bédouins.

fassakhani : une boutique où l'on trouve des poissons et des œufs de poissons séchés.

fellah : voir *fallah*.

Firman : décret du sultan ottoman de Constantinople.

galabilla : longue robe ample portée par les paysans, costume traditionnel des Égyptiens.

Ghezirah (ou *Gezira*) : île.

Gibba (ou *jibbah*) : long vêtement traditionnel en coton satiné, généralement blanc avec de fines rayures noires, porté par les hommes de religion sous le caftan.

habara : cape de femme.

habbet el-baraka : grain dont l'huile a maintes vertus curatives. On sait depuis peu qu'elle renforce le système immunitaire.

habibi : mon chéri, mon bien-aimé, masculin (féminin : *habibti*).

hadith : discours.

haï : vivant.

hanem : dame, en turc.

haram : c'est honteux, c'est pitoyable, cela suscite la compassion, on ne devrait pas faire cela.

haram'aleik : littéralement : c'est un péché de ta part, équivaut à « ne dis pas ça, s'il te plaît » ou « tu ne devrais pas faire ça ».

haram : la racine *h/r/m* désigne un espace sacré ou inviolable. Le *haram* d'une mosquée est l'espace compris entre ses murs. Le *haram* d'une université est son campus. Le *haram* d'un homme est sa femme. On parle d'un homme comme du *zaoug* — ou « l'autre moitié du couple » — de sa femme.

haramlek : dans une maison, l'espace réservé aux femmes, de *h/r/m* : sacré.

harem ou *harim* : femmes, de *h/r/m* : sacré.

hasal kheir : « Il est arrivé quelque chose de bien. » Se dit d'un événement défavorable qui se termine sans trop de dommages. Équivaut à : « Ce n'est pas si terrible. »

hayaouan : animal.

Ibrahimillah : grand canal d'irrigation qui part du Nil.

'Icha : crépuscule ou début de la soirée. De *'a/sh/a* : ne plus rien voir. Désigne également les prières dites au crépuscule — les dernières des cinq prières du jour.

Iftar : littéralement : rompre le jeûne. Désigne le petit déjeuner les jours ordinaires, et le repas qui suit le coucher du soleil, pendant le Ramadan.

Ingelisi : Anglais. Féminin : *Ingeliziïa*.

Inch Allah : « Si Dieu le veut. » Dans le sens de : j'espère, ou espérons, ou je souhaite que, etc.

Iskandérïa : Alexandrie.

Ismallah : *ism Allah*, le nom de Dieu (te protège).

'Issa : Jésus. Utilisé par les chrétiens et les musulmans.

izzay el-Saha ? : Comment allez-vous ? Littéralement : « comment va la santé ? »

jama'at (Islamillah) : groupes (islamistes). Nom désignant plusieurs factions d'activistes islamiques en Égypte, favorables à l'opposition armée contre l'État.

jibbah : voir *gibba*.

jinn : êtres surnaturels. Généralement méchants, parfois diaboliques.

kalb ya ibn el-kalb : (espèce de) chien, fils de chien.

kattar kheirak : [que Dieu] accroisse ta générosité. Littéralement : accroisse le bien que tu fais, utilisé pour dire « merci ».

kech Malik : Recule, roi ! Équivaut à : échec et mat !

keffieh : foulard.

kétir : beaucoup.

khalas : littéralement : c'est fini ; utilisé aussi pour dire : « fait », ou « accepté ».

khali (également *khalou*) : mon oncle. Plus précisément : le frère de ma mère.

khamsin : vent qui souffle en mars et apporte le sable du désert dans les villes.

khatibet akhouya : la fiancée de mon frère.

khaouagaya : une étrangère (européenne). Masculin : *khaouaga*.

khédive : titre désignant le chef de l'État égyptien, depuis le règne d'Ismaïl Pacha jusqu'à celui du sultan Hussein Kamel.

kheir : (que les événements/les nouvelles) soient bons-[nes].

kittan : lin.

koftan (kaftan) : long vêtement traditionnel de laine ou de coton épais, de couleur sombre, porté par les hommes de religion sur la *gibba*.

koufr : incrédulité. *Kafir* : un incroyant (dans l'islam, le christianisme ou le judaïsme, les « trois religions du Livre »).

kouttab : école primaire traditionnelle, enseignant la lecture, l'écriture, et le Coran.

kynafa : pâtisserie sucrée.

la haoula oua la qouwwata illa billah : il n'y a ni pouvoir ni force sans le soutien de Dieu. Se dit quand on a agi en vain et qu'on ne peut plus rien changer à la situation. Cela signifie : « Ce n'est plus de mon ressort. » C'est une façon d'exprimer sa tristesse, son impuissance, quand on se voit dépassé par les événements. C'est aussi une marque d'exaspération quand un adversaire refuse d'avoir le moindre bon sens.

la haoula illah : version courte — incorrecte — de l'expression ci-dessus.

Lalou : formulation enfantine de *khalou* : mon oncle — plus précisément le frère de ma mère.

Laka yom : ton jour viendra.

lessa : pas encore.

ma'alech : peu importe.

macha 'Allah : littéralement : « Tu as vu ? C'est la volonté de Dieu ! » S'emploie pour exprimer l'admiration sans paraître envieux, et sans attirer le mauvais œil sur quelqu'un.

mafich : il n'y a pas...

magzoub : individu attiré (par Dieu) dans une ferveur religieuse telle qu'il abandonne toutes les affaires de ce monde — et toute pensée (liée à ce monde). De *g/z/b* : tirer.

ma'mour : chef de la police (du *markaz*).

mandara : une pièce située légèrement à l'écart de la maison, où l'on reçoit les visiteurs de sexe masculin qui n'appartiennent pas à la famille.

marhaba : bienvenue.

markaz : centre. Également : poste de police central (dans un quartier).

mayyit : mort.

Milices armées du Liban du Sud : armée créée et financée par Israël.

misa' al-khairat : Oh soir de tous les délices !

moucharabieh : l'écran de bois ouvragé qui isole les balcons des regards, dans les maisons traditionnelles.

moutasarrif : gouverneur (titre honorifique ottoman).

nahar aswad : (Oh) quelle sombre journée !

Nahd at Masr : la Renaissance de l'Égypte.

'Omdah : le chef d'un village. Depuis 1997, une loi autorise les femmes à devenir *'oumdah*.

Omm/u : mère. Dans la société traditionnelle, on n'appelle pas une femme par son prénom. On lui dit : *omm*, suivi du nom de son premier enfant. De la même façon, on appellera un homme *abou* (père de), suivi du nom de son premier enfant. Cette formulation est considérée comme plus respectueuse que l'usage du prénom.

Ommi : ma mère.

oua : et.

oua mit bosa : et cent baisers.

ouadi : vallée (de).

oualla ma : ou non. Désobligeant, dédaigneux « quelle importance » — équivalent au préfixe « *Chm* », dans le langage des juifs américains.

Ouaqf : un fonds en fidéicommis.

ouqal ou *ougal* : la cordelette noire posée en cercle sur le sommet de la tête, par-dessus le foulard.

Pacha : titre honorifique ottoman, équivalent à « lord ». En Égypte — et dans tous les pays sous domination turque — on utilisait les titres « *efendi* » (citadin qui a reçu une éducation laïque, et s'habille à l'occidentale — sans être occidental), « *Bey* » et « *bacha* » (en turc : *pacha*). Les deux derniers étaient conférés par le khédive, en Égypte, ou par le sultan à Constantinople. Le khédive, et lui seul, portait le titre honorifique d'« *Effendina* » (ou « Notre Efendi »).

Les titres honorifiques arabes, acquis après avoir atteint à certain niveau de culture, étaient « *Oustaz* » : maître, et « *cheikh* » : chef ou directeur.

Qaroun : personnage historique (ou mythologique) réputé pour être fabuleusement riche.

Rabb : Dieu — bien que le nom de Dieu soit « Allah ». Ainsi : *Allah* Rabbi : Allah est mon Dieu.

Rabiʿ al-Thani : mois du calendrier arabe. Chez les Arabes, l'année a douze mois. Mais comme ces mois sont lunaires (la pleine lune tombe le 14 de chaque mois), l'année compte onze jours de moins que chez les Occidentaux.

rouqʿa : écriture arabe simplifiée — dialectale — utilisée pour les lettres personnelles, les brouillons, les notes — une métonymie. *Rouqʿa* désigne aussi la feuille de papier sur laquelle on écrit. Et les mots écrits sur un petit bout de papier — par opposition à copie littéraire « *naskh* », portée sur un feuillet de format classique.

Safar : le deuxième mois du calendrier arabe.

sahara : désert.

salamlek : partie de la maison dans laquelle les hommes peuvent circuler librement (par opposition au *haramlek*, où ils ne peuvent pénétrer qu'avec la permission des femmes).

Salam 'aleikoum ('alaykoum). 'Aleikoum el-salam oua rahmat allah oua barakatouh : « Que la paix soit avec toi. » « Que la paix, la miséricorde et la grâce de Dieu soient avec toi. » Façon traditionnelle de saluer quelqu'un, à son départ ou à son arrivée. L'orthographe varie selon que le langage est littéraire ou non.

Sallem silahak ya Orabi : « Lâche ton arme, Orabi. » S'emploie quand un adversaire est dans une position impossible — comme Orabi à Tel el-Kébir. Terme d'échecs : *Wazir* : (premier) ministre. En Occident, la Reine. L'Éléphant correspond au Fou, le Cheval au Cavalier et la Forteresse à la Tour.

sandouq el-dounïa : littéralement ; la boîte du monde. Stéréoscope. En mettant la tête sous un drap noir, et l'œil contre la lucarne, on pouvait voir les sept merveilles du monde, la tour Eiffel, etc.

Sater : l'un des noms de Dieu. Littéralement : Celui qui sert de bouclier, qui couvre, qui protège.

Sattar : l'un des noms de Dieu. Formulation emphatique de Celui qui sert de bouclier, qui couvre, qui protège.

sayyed : maître, ou monsieur.

sayyedna, saïdna : notre maître, utilisé pour s'adresser à un cheikh.

sebertaïa : réchaud qui fonctionne au seberto (à l'alcool).

Seddag : argent donné pour sacrer les fiançailles. Normalement, l'homme le donne à la femme : elle en reçoit une petite part à la signature du contrat de mariage — la plus grosse part est placée et sert de garantie pour elle en cas de divorce.

sett : dame.

Settena Mariam : Marie Notre Mère.

setti : madame.

si : abréviation de *sidi*.

sidi : mon maître (abréviation de *saïdi*) ; s'emploie dans un contexte traditionnel.

soufragi : serviteur — du turc *soufra* : table (dressée pour le dîner), homme qui sert à table, valet.

souhour : repas tardif pris en prévision du jeûne du lendemain, pendant le Ramadan. Ce peut être n'importe quand entre deux heures du matin et le lever du soleil.

soura (Sourate) : chapitre du coran.

Sourat Yasin : le chapitre de Yasin. Le chapitre qu'on psalmodie au chevet d'un mort, car il parle de la miséricorde de Dieu et du paradis.

soussa : jeune marié.

Sublime Porte : (*al-Bab al-'Ali*) un des titres du sultan.

taïeb : bien, parfait, d'accord.

takht : l'ensemble musical oriental qui accompagne un chanteur : un luth, un *qanum* (un genre de petite harpe horizontale), un tambourin et un *tabla* (petites timbales dont on joue avec la main). Les musiciens jouaient assis.

tarab (extase), *moutrib* (chanteur), *chab tereb* : un joyeux luron, un jeune gaillard, tarabattatta tarabattatti : comme dans tra-la-la, Jamal oua Taroub — un couple de chanteurs libanais en vogue au Caire dans les années soixante ; *et manni mnïah* : faites un vœu ; *estanni'alaïa* : et laissez-moi le temps ; *iddili l'mïa* : comptez jusqu'à cent...

tarbouche : fez.

tarha : coiffure en mousseline de soie noire portée par les femmes qui vivent selon la tradition. Si on la porte dans la maison, elle est de couleur blanche, et signe d'une grande piété.

Tawfiq : le khédive d'Égypte en 1882 pendant la Révolution d'Orabi.

Tochki : vaste projet d'irrigation, lancé en 1997 pour créer un autre affluent important du Nil à Tochki, légèrement au nord d'Assouan.

Tokar, je vais t'envoyer dans le : expression courante pour exprimer une menace. Le Tokar était une province lointaine du Soudan, aux conditions de vie et au climat rudes. Sous la domination turco-égyptienne du Soudan, un officier ou un fonctionnaire qui s'attirait les foudres du gouvernement se retrouvait en poste dans le Tokar — pour y vivre une existence misérable et mourir jeune.

Toubah et *Baramhat* : en copte, janvier et avril. Pour

cultiver la terre, les paysans se fondent toujours sur l'ancien calendrier copte, qui correspond le mieux au climat particulier de l'Égypte.

ya : marque le vocatif (facultatif si le vocatif est au début d'une tirade, obligatoire s'il est à la fin).

ya'ni : interjection. Littéralement : « cela signifie », mais s'emploie pour dire : « tu sais », ou « presque », ou « comme ci comme ça ».

Yafa : ville côtière de la Palestine. En français : Jaffa.

ya-fandim : Monsieur (abréviation de *ya afandi*).

yakhti (ya okhti) : ma sœur.

yalla : dépêche-toi, allons-y.

yama : littéralement « Combien de fois », comme dans « je lui ai dit « yama », mais il n'a pas voulu m'écouter ».

Yassou' al-Messih : Jésus-Christ. À la différence d'Issa, nom coranique de Jésus.

Zaffa : procession nuptiale.

zagharid : exclamations, cris de joie, à l'occasion d'un événement heureux. Cris de femmes, uniquement.
Singulier : *zaghrouda*.

zarafa : girafe.

Table des matières

Photocomposition Nord Compo
Villeneuve d'Ascq

Impression réalisée sur CAMERON
par BRODARD ET TAUPIN
La Flèche
en janvier 2000

Imprimé en France
Dépôt légal : janvier 2000
N° d'édition : 99192 – N° d'impression : 1071W